Colección *Biografías* y **documentos**

¡Ajá! Sí lo es

Frank McCourt

¡Ajá! Sí lo es

TRADUCCIÓN DE CARLOS JOSÉ RESTREPO

GRUPO EDITORIAL NORMA
Barcelona Buenos Aires Caracas Lima Guatemala
México Panamá Quito San José San Juan
San Salvador Santafé de Bogotá Santiago

Algunos de los nombres de las personas que figuran en este libro han sido cambiados.

Título original: 'Tis. *A Memoir*
Publicado por Scribner
© Frank McCourt, 1999
Primera edición en castellano para América Latina:
    septiembre de 1999
© Editorial Norma, s. a., 1999
    Apartado 53550
    Santafé de Bogotá (Colombia)

Fotografía de cubierta: Frank McCourt y Archive Photo
Diseño: Camilo Umaña

Impreso por Printer Colombiana S.A.
Impreso en Colombia – Printed in Colombia

CC 20593
ISBN 958-04-5567-8
Este libro se compuso en caracteres Linotype Sabon

ESTE LIBRO ESTÁ DEDICADO A
MI HIJA MAGGIE,
POR SU CÁLIDO E INQUISITIVO CORAZÓN

Y A MI ESPOSA, ELLEN,
POR ACOMPAÑARME EN EL CAMINO.

Agradecimientos

A los amigos y familiares que me han
sonreído y me han hecho objeto de tantas
gentilezas: Nan Graham, Susan Moldow y Pat
Eisemann, en Scribner; Sarah Mosher, antes en
Scribner; Molly Friedrich, Aaron Priest, Paul
Cirone y Lucy Childs, de Aaron Priest Literary
Agency; el difunto Tommy Butler, Mike Reardon
y Nick Brown, sumos sacerdotes de la larga
barra del bar Lion's Head; Paul Schiffman, poeta
y marinero, que atendía en el mismo bar pero
mecido por las olas; Sheila McKenna, Denis
Duggan, Denis Smith, Jack Deacy, Pete Hamill,
Bill Flanagan, Brian Brown, Terry Moran, Isaiah
Sheffer, Pat Mulligan, Gene Secunda, el fallecido
Paddy Clancy, el fallecido Kevin Sullivan, todos
amigos del Lion's Head y del First Friday Club;
mis hermanos, por supuesto, Alphonsus,
Michael, Malachy, y sus esposas Lynn, Joan,
Diana; Robert y Cathy Frey, los padres de Ellen.
Mis agradecimientos, mi amor.

¡AJÁ! SÍ LO ES

¿Ves? Tu sueño ya salió.

Eso nos decía mamá cuando éramos niños en Irlanda y uno de nuestros sueños se hacía realidad. El que yo había tenido una y otra vez se cumplía al arribar al puerto de Nueva York, maravillado con los rascacielos que tenía ante mis ojos. Se lo contaba a mis hermanos, y ellos me envidiaban por haber pasado una noche en América, hasta que empezaron a decir que ellos también tenían ese sueño. Sabían que era una forma segura de llamar la atención, por más que discutiera con ellos y les dijera que yo era el mayor, que ese sueño era mío y que más les valía quedarse por fuera de él si no querían problemas. Ellos me respondían que no tenía derecho a reservarme ese sueño para mí solo, que todo el mundo podía soñar con América en las profundidades de la noche y que no había nada que yo pudiera hacer. Yo les decía que podía impedírselo, que los tendría despiertos toda la noche y que no podrían soñar nada de nada. Michael tenía apenas seis años, pero así y todo se reía al imaginarme corriendo de uno al otro tratando de pararles los sueños sobre los rascacielos de Nueva York. Malachy me decía que yo no podía hacer nada con sus sueños, porque él había nacido en Brooklyn y podía soñar con América toda la noche y hasta bien entrado el día, si le daba la gana. Apelé ante mamá. Le dije que no era justo que la familia entera me invadiera los sueños, y ella dijo: *Arrah*, por el amor de Dios, tómate el té y sal para el colegio y deja ya de atormentarnos con tus sueños. Mi hermano Alphie tenía apenas dos años y estaba empezando a hablar y se puso a golpear la mesa con la cuchara y a cantar: 'Tomentanos 'eños, 'tomentanos 'eños, hasta que todo el mundo soltó la carcajada y me di cuenta de que podía compartir mis sueños con él cuando quisiera, así que por qué no con Michael y por qué no con Malachy.

I

Cuando el navío mercante *Irish Oak* zarpó de Cork en octubre de 1949, esperábamos llegar a Nueva York en una semana. En lugar de eso, a los dos días de navegación nos dijeron que íbamos rumbo a Montreal (Canadá). Le dije al primer piloto que yo apenas tenía cuarenta dólares y que si la compañía Irish Shipping me iba a pagar el boleto de tren de Montreal a Nueva York. Me dijo que no, que la compañía no se hacía responsable. Me dijo que los buques de carga eran las putas de alta mar, que hacían lo que fuera con cualquiera. Puedes decir que un carguero es como el viejo perro de Murphy: a todo vago que pasa lo sigue por un trecho.

Dos días después la Irish Shipping cambió de parecer y nos dio la feliz noticia: el barco viraría con rumbo a la ciudad de Nueva York. Pero dos días después el capitán recibió otra orden: navegar rumbo a Albany.

El primer piloto me dijo que Albany era una ciudad río Hudson arriba, capital del estado de Nueva York. Me dijo que Albany tenía todo el encanto de Limerick, ja ja ja, un gran lugar para caer muerto pero no para casarse y criar hijos. Él era de Dublín y sabía que yo era de Limerick y cuando se burlaba de Limerick yo no sabía qué hacer. Me hubiera gustado hacerlo trizas con una respuesta inteligente, pero entonces me veía en el espejo esa cara llena de barros, esos ojos inflamados y esa mala dentadura, y me daba cuenta de que nunca iba a ser capaz de enfrentármele a nadie, especialmente a un primer piloto en uniforme y con un futuro promisorio como amo de su propia nave. Yo entonces me decía: ¿Y qué me importa lo que digan de Limerick? Lo único que tuve allá fueron miserias.

Entonces me ocurría algo muy peculiar. Me sentaba en una silla de cubierta bajo el precioso sol de octubre, con el esplendoroso Atlántico a todo el rededor, y trataba de imaginarme cómo sería Nueva York. Trataba de ver la Quinta avenida o el Central Park o el Greenwich Village, donde todo el mundo tenía pinta de estrella de cine, con la piel intensamente bronceada y los dientes blancos y resplandecientes. Pero Limerick me arrastraba hacia el pasado. En vez de estar paseándome por la Quinta avenida, con su gente de piel bronceada y dientes resplandecientes, regresaba a los callejones de Limerick, con sus mujeres que chismorreaban en las puertas y se ajustaban los chales en los hombros, con sus niños de caritas pringadas de pan con mermelada, jugando y riéndose y llamando a sus madres. Veía a la gente que iba a misa el domingo por la mañana, y un rumor recorría la iglesia cuando alguien se desmayaba de hambre en una banca y tenían que sacarlo los hombres que se hacían a la entrada de la iglesia y que entonces decían: Atrás, atrás, por el amor de Cristo, no ven que está boqueando de sofoco, y yo quería ser uno de esos hombres que le decían a la gente que atrás, porque eso daba derecho a quedarse afuera hasta que terminara la misa, y entonces uno podía arrancar para la taberna, que en fin de cuentas era la razón de que uno se hiciera con los demás hombres a la entrada. Los abstemios se arrodillaban siempre al pie del altar para mostrar lo buenos que eran y que no les importaba si cerraban los bares hasta el día del juicio. Se sabían mejor que nadie las respuestas de la misa y se echaban bendiciones y se ponían de pie y

se arrodillaban y suspiraban entre rezos como si sintieran
el dolor de Nuestro Señor con más intensidad que el resto
de la congregación. Los que habían renunciado del todo a
la cerveza eran los peores, a todas horas predicando lo malo
de la pinta y menospreciando a los que seguían en sus garras,
como si ellos estuvieran ya encarrilados derechito al cielo.
Actuaban como si el propio Dios fuera a darle la espalda a
cualquiera que se tomara su pinta, cuando todo el mundo
sabía lo difícil que era oír a un cura denunciar desde el púlpito el licor o a quienes lo bebían. Los sedientos se quedaban
a la entrada listos a salir corriendo por la puerta en el momento en que el cura dijera: *Ite missa est.* Podéis ir en paz.
Se quedaban a la entrada porque tenían la boca seca y se
sentían muy insignificantes como para hacerse allá adelante,
con los sobrios. Yo me quedaba cerca de la puerta para poder oír los cuchicheos de los hombres sobre lo despacioso
de la misa. Iban a misa porque es pecado mortal no ir, aunque uno se preguntaba si no era peor pecado echarle al vecino el chiste de que, si el cura no se apresuraba, la sed te
iba a matar ahí mismo. Si el padre White salía a echar el
sermón, ellos rastrillaban los pies y gruñían por sus sermones, los más largos del mundo, mientras él blanqueaba los
ojos mirando al cielo y afirmaba que todos estábamos perdidos si no nos enmendábamos y nos dedicábamos de lleno a
adorar a la Virgen María. Mi tío Pa Keating los hacía reírse
con la boca tapada cuando decía: Pues yo adoraría a la Virgen María si me brindara una pinta de amarga bien negra
y bien cremosa. Yo quería estar ahí con mi tío Pa Keating,
hecho ya un hombre yo, de pantalones largos, y hacerme
con los otros a la entrada, muerto de sed y riéndome con la
boca tapada.

En el barco, sentado en esa silla de cubierta, miraba men-
talmente y me veía pedaleando por Limerick y los campos

vecinos repartiendo telegramas. Me veía recorrer de madrugada los caminos rurales mientras la bruma se elevaba por encima de los vallados y las vacas me lanzaban uno que otro mugido y los perros me perseguían hasta que los espantaba a pedradas. Oía cómo en las casas de los granjeros los recién nacidos lloraban por sus madres, y también a los campesinos que arreaban las vacas a los pastos después del ordeño.

Y me ponía a llorar a solas, en esa silla de cubierta, con el esplendoroso Atlántico rodeándome, y Nueva York por delante, la ciudad de mis sueños que me iba a dar el bronceado de oro, los deslumbrantes dientes blancos. Me preguntaba qué, en el nombre de Dios, me estaría pasando para añorar tan pronto a Limerick, ciudad de grises miserias, lugar donde soñaba con huir a Nueva York. Oía la advertencia de mamá: Más vale malo conocido que bueno por conocer.

Los pasajeros del barco íbamos a ser catorce, pero uno de ellos canceló su pasaje y tuvimos que zarpar con un número de mal agüero. En la primera noche a bordo el capitán se levantó durante la cena y nos dio la bienvenida. Se rió y dijo que él no tenía agüeros sobre el número de pasajeros pero que, en vista de que había un sacerdote con nosotros, ¿no sería maravilloso que su reverencia rezara una oración que nos amparara de todo mal? El padre era un hombrecito regordete oriundo de Irlanda, pero llevaba tanto tiempo en una parroquia de Los Ángeles que no tenía el más leve rastro de acento irlandés. Cuando se levantó para santiguarse y rezar, hubo cuatro pasajeros que no alzaron las manos de los muslos, y eso me dijo que eran protestantes. Mamá decía que los protestantes se distinguían a una legua de distancia por su carácter reservado. El padre le pidió a Nuestro Señor que nos mirara desde lo alto con compasión y amor, pero que no nos importaba lo que pasara en esos mares tormentosos, dispuestos como estábamos a que nos acogiera para siempre en Su Divino Regazo. Un viejo protestante buscó la mano de su esposa. Ella sonrió y le meneó la cabeza por respuesta, y él también le sonrió como diciendo: No te preocupes.

El padre se sentó a cenar junto a mí. Me susurró que la pareja de viejos protestantes se había enriquecido criando caballos de pura sangre en Kentucky y que si yo estaba en mis cabales debía portarme bien con ellos, uno nunca sabía.

Quise preguntarle cómo hacía uno para portarse bien con los protestantes ricos criadores de caballos de carreras, pero no me atreví por miedo a parecerle imbécil. Les había oído decir a los protestantes que los irlandeses eran tan encantadores y sus niños tan adorables que casi no se les notaba lo pobres que eran. Sabía que si les hablaba a los protestantes ricos tendría que sonreírles y enseñar mi dentadura estropeada y que eso sería el fin de todo. Apenas consiguiera algún dinero en Estados Unidos correría a donde el dentista a que me remendara la sonrisa. En las revistas y en las películas se veía que la sonrisa abría puertas y atraía tropeles de muchachas, y si a mí me faltaba la sonrisa, igual podía volverme para Limerick a clasificar cartas en un oscuro cuarto trasero de la oficina de correos, donde les daba igual que uno no tuviera un solo diente en la boca.

Antes de irnos a dormir, el camarero servía té con galletas en el salón. El padre le decía: Dame un escocés doble y olvídate del té, Michael; el whisky me ayuda a dormir. Se tomaba el whisky y volvía a susurrarme: ¿Has hablado con los ricos de Kentucky?

No.

Maldita sea. ¿Qué te pasa? ¿No quieres progresar en este mundo?

Sí.

Bueno, ¿entonces por qué no les hablas a los ricos de Kentucky? Podrían encariñarse contigo y darte trabajo en las caballerizas o algo así y podrías mejorar de condición en vez de irte para esa Nueva York, que es un lugar que incita grandemente al pecado, un antro de depravación donde el católico tiene que bregar día y noche por no perder la fe. Dime por qué no puedes hablarle a esa buena gente de Kentucky y convertirte en alguien.

Cada vez que mentaba a los ricos de Kentucky lo hacía en un susurro y yo no sabía qué decir. Si mi hermano Malachy estuviera ahí, iría derecho a donde los ricos y los cautivaría y a lo mejor ellos lo adoptaban y le dejaban sus millones junto con las caballerizas, los purasangres, una casa grande y criadas para el aseo. Yo nunca había hablado con ricos en mi vida, como no fuera para decirles: Telegrama, doña, y entonces me decían que diera la vuelta por la entrada del servicio, ésta es la puerta principal, ¿o es que acaso eres tonto?

Eso quería decirle al padre, pero tampoco sabía cómo hablarle a él. Lo único que sabía de los curas era que decían la misa y todo eso en latín, que me escuchaban los pecados en inglés y me los perdonaban en latín en el nombre del propio Nuestro Señor, que al fin y al cabo es Dios. Debía de ser muy raro ser un sacerdote y despertar por las mañanas en la cama sabiendo que tienes el poder de perdonarle a la gente o de no perdonarle, según el del genio de ese día. Saber latín y perdonar pecados lo hace a uno muy poderoso y difícil de hablarle, porque uno conoce los secretos más negros de la gente. Hablarle a un sacerdote es como hablarle al mismísimo Dios, y si le dices la cosa equivocada te condenas.

No había un alma en ese barco que pudiera decirme

cómo hablarles a los protestantes ricos o a los curas exigentes. Mi tío político Pa Keating podría habérmelo dicho, pero él estaba allá en Limerick, donde todo le importaba el pedo de un violinista. Yo sabía que si él estuviera ahí se negaría de plano a hablarles a los ricos y le diría al sacerdote que bien podía besarle su real culo irlandés. Así me gustaría ser a mí, pero si tienes destruidos los dientes y los ojos no sabes nunca qué decir o cómo comportarte.

En la biblioteca del barco había un libro, *Crimen y castigo*, y pensé que podía ser una buena novela policiaca, aunque estaba repleto de nombres rusos enredados. Sentado en una silla de cubierta, traté de leerlo, pero la trama me hizo sentir raro. Trataba de un estudiante ruso, Raskólnikov, que mata a una anciana, una usurera, y después intenta convencerse de que tiene derecho a su dinero porque ella no le sirve al mundo para nada mientras que su dinero pagaría los gastos universitarios que a él le permitirían graduarse de abogado para ir por ahí defendiendo gente que haya matado ancianas por la plata. Me hizo sentir raro por esa vez en Limerick en que tuve un trabajo de escritor de cartas de amenaza para una vieja prestamista, la señora Finucane, y cuando se murió sentada en una silla yo tomé parte de su plata para ayudarme a pagar el pasaje a América. Sabía que no había matado a la señora Finucane, pero sí que había tomado su dinero, y eso me hacía sentir casi tan malo como Raskólnikov y que si me moría en ese instante él sería el primero con quien me iba a tropezar en el infierno. Podría salvar mi alma confesándome con el padre, pero aunque se supone que a él se le olvidan tus pecados apenas te da la absolución, quedaría con poder sobre mí y empezaría a mirarme raro y a decirme que fuera a seducir a los protestantes ricos de Kentucky.

Me quedé dormido leyendo el libro y un marinero de

cubierta me despertó para decirme: La lluvia le está mojando el libro, señor.

Señor. Heme ahí, sacado de un callejón de Limerick, y un hombre que ya peinaba canas me decía señor aunque, para empezar, no debía decirme una sola palabra, por simple cuestión de reglamento. El primer piloto me contó que a los marineros rasos les estaba prohibido dirigirles la palabra a los pasajeros, como no fuera para darles los buenos días o las buenas noches. Me contó que el canoso marinero en particular había sido oficial del *Queen Elizabeth*, pero que lo habían despedido porque lo habían descubierto con una pasajera en su camarote de primera clase haciendo algo que era causal de confesión. El hombre se apellidaba Owen, y era un tipo raro que pasaba todo el tiempo leyendo en la bodega y cuando el barco atracaba bajaba a tierra con un libro y se ponía a leerlo en un café mientras el resto de la tripulación se amarraba tremenda perra y había que remolcarlos en taxis de vuelta al barco. Incluso el capitán lo respetaba, hasta tal punto que iba a visitarlo a su camarote y tomaban el té y conversaban de cuando prestaron servicio en un destructor inglés que fue hundido por un torpedo, y ambos se salvaron prendidos de una balsa en pleno Atlántico, a la deriva y congelándose y hablando del día en que volverían a Irlanda a tomarse una buena pinta y devorarse una montaña de repollo con tocino.

Owen me habló al día siguiente. Me dijo que sabía que estaba violando el reglamento pero que no podía dejar de hablarle a alguien que estuviera leyendo *Crimen y castigo* en esa nave. Cierto es que había grandes lectores en la tripulación, pero no pasaban de Edgar Wallace o Zane Gray, y él daría lo que fuera por charlar sobre Dostoievski. Me preguntó si había leído *Los endemoniados* o *Los hermanos*

Karamázov y puso cara de tristeza cuando le dije que nunca había oído hablar de ellos. Me dijo que apenas llegara a Nueva York debía correr a una librería a comprar libros de Dostoievski y que así nunca me volvería a sentir solo. Me dijo que cualquiera que fuera el libro de Dostoievski que uno se leyera, siempre le daba a uno qué masticar, y mejor ganga que ésa no había ninguna. Eso me dijo Owen, aunque yo no tenía idea de qué me estaba hablando.

Entonces el cura asomó por la cubierta y Owen se marchó. El cura me dijo: ¿Estabas hablando con ese hombre? Te vi haciéndolo. Bueno, pues te digo que no es buena compañía. Te das cuenta de eso, ¿no? Ya me contaron todo sobre él. Hay que verlo, ya canoso y todavía fregando pisos. Es muy extraño que puedas conversar con un simple marinero sin moral, pero si te pido que les hables a los protestantes ricos de Kentucky, no tienes ni un minuto.

Pero si sólo estábamos hablando de Dostoievski.

Dostoievski, ¡por favor! Mucho que va a servirte eso en Nueva York. No vas a ver muchos anuncios requiriendo los servicios de alguien que conozca a Dostoievski. No logro hacer que les hables a los ricos de Kentucky, pero te sientas aquí a cotorrear horas enteras con los marineros. Mantente lejos de los viejos marineros. Ya sabes cómo son. Habla con gente que te pueda ayudar. Lee las vidas de los santos.

A lo largo de la orilla del Hudson del lado de Nueva Jersey había centenares de barcos apiñados en los atracaderos. Owen, el marinero, dijo que eran los buques de la Libertad que llevaban suministros a Europa durante la guerra y después, y que qué tristeza pensar que los iban a remolcar un día de éstos para desguazarlos en los astilleros. Pero así es la vida, dijo, y un barco no dura más que el gemido de una puta.

2

El cura me pregunta si alguien me está esperando y, cuando le respondo que nadie, me dice que puedo viajar con él en el tren a Nueva York. Así me vigilará. Cuando desembarcamos, vamos en taxi a la estación Grand Union de Albany y mientras sale el tren tomamos café en unas tazas grandes y gruesas y pastel en unos platos gruesos. Es la primera vez que pruebo el pastel merengado de limón y pienso que si en Estados Unidos comen todo el tiempo así no me va a dar ni pizca de hambre y voy a estar sano y gordo, como dicen en Limerick. Para la soledad voy a tener a Dostoievski, y pastel para el hambre.

El tren no es como los de Irlanda, en los que compartes un vagón con otras cinco personas. Este tren tiene vagones muy largos en los que caben docenas de personas y está tan lleno que algunas van de pie. Apenas nos subimos, más de uno le cede el asiento al sacerdote. Él da las gracias y me señala el asiento del lado, pero me doy cuenta de que los que le ofrecieron el puesto no se ponen muy contentos al verme ocupar uno, porque salta a la vista que no soy nadie.

Más adelante, en el mismo coche, van unos jóvenes cantando, riéndose y pidiendo a voces la llave de la iglesia. El padre dice que son universitarios que van a pasar en casa el fin de semana, y que la llave de la iglesia es el abrelatas con el destapador para las cervezas. Dice que pueden ser unos chicos decentes pero que no deberían beber tanto y espera que yo no vaya a resultar así cuando me instale en Nueva York. Dice que me debo encomendar a la Virgen María y pedirle que interceda ante su Hijo para que me conserve puro y sobrio y libre de todo mal. Él va a rezar por mí durante todo el viaje hasta Los Ángeles y dirá una misa especial por mí el ocho de diciembre, día de la Inmaculada Concepción. Me gustaría preguntarle por qué escogió esa festividad, pero me callo, no sea que le dé por fastidiarme con los protestantes ricos de Kentucky.

Me dice todo eso, pero yo sueño cómo será ser estudiante en América, en una de esas universidades como las de las películas, donde siempre aparece una torre de iglesia blanca y sin cruz, para mostrar que es protestante, y con chicos y chicas paseándose por el campus con unos libros grandes y sonriéndose con dientes que parecen copos de nieve.

Cuando llegamos a la estación Grand Central no sé para dónde agarrar. Mamá me había dicho que tratara de dar con un viejo amigo, Dan MacAdorey. El cura me enseña a usar el teléfono pero Dan no contesta. Bueno, dice el padre, no te puedo dejar solo en la Grand Central. Le dice al taxista que nos lleve al hotel New Yorker.

Subimos las maletas a un cuarto donde hay sólo una cama. El padre dice: Suelta el equipaje. Vamos a comer algo en la cafetería de abajo. ¿Te gustan las hamburguesas?

No lo sé. Nunca he probado una.

Alza la vista al cielo y le dice a la mesera que me traiga una hamburguesa con papas a la francesa y que se asegure de que la carne esté bien cocida porque soy irlandés y allá se nos va la mano en la cocción de todo. Lo que los irlandeses les hacen a las verduras es como para llorar de vergüenza. Dice que al que adivine qué verdura sirven en un restaurante irlandés se gana la entrada gratis. La mesera se ríe y dice que entiende. Es medio irlandesa por el lado materno y su mamá es la peor cocinera del mundo. Su esposo era italiano y él sí sabía cocinar pero lo perdió en la guerra.

Waw. Dice *waw* en vez de *war.* Quiere decir *war*, pero es como todos los norteamericanos, que no les gusta pronunciar la ere final de las palabras. Dicen *caw* en vez de *car*, y uno se pregunta por qué no pueden pronunciar las palabras como Dios las hizo.

Me gusta el pastel merengado de limón pero no me gusta la manera como los norteamericanos se comen la ere final de las palabras.

Mientras despachamos las hamburguesas, el padre dice que tendré que pasar la noche con él y que después veremos. Es raro quitarse la ropa delante de un sacerdote y me pregunto si debería arrodillarme a rezar mis oraciones. Él me dice que me puedo duchar si quiero, y por primera vez en la vida me doy un duchazo con chorros de agua caliente y sin escasez de jabón, en barra para el cuerpo y en frasco para la cabeza.

Termino y me seco la cabeza con la toalla gruesa que hay colocada junto a la bañera y me pongo la ropa interior antes de regresar al cuarto. El padre está sentado en la cama, con una toalla enrollada en la panza, hablando por teléfono con alguien. Cuelga el teléfono y se queda mirándome. Por Dios, ¿de dónde sacaste esos calzoncillos?

De los almacenes Roche de Limerick.

Si cuelgas esos calzoncillos en la ventana de este hotel no va a faltar quien se rinda. Un consejito: no dejes que ningún norteamericano te vea en calzoncillos largos. Van a pensar que acabas de pasar por Ellis Island*. Consíguete unos cortos. ¿Los conoces?

No.

Consíguete unos, de todas formas. Un chico como tú debería usar calzoncillos cortos. Ahora estás en los Estados Unidos. Okey, ven, salta a la cama. Y eso me desconcierta, porque no da señal de que vaya a rezar y eso es lo primero que uno espera de un cura. Se va para el baño pero no ha acabado de entrar cuando ya saca la cabeza a preguntarme si me he secado el cuerpo.

Sí.

Bueno, tu toalla está intacta, así que con qué te secaste.

Con la toalla que está junto a la bañera.

¿Qué? Eso no es una toalla. Es una alfombrilla de baño. Es para pararse en ella al salir de la ducha.

Alcanzo a verme en un espejo que hay sobre el escritorio y me estoy poniendo rojo y me pregunto si debería disculparme con el cura por lo que hice o si es mejor quedarme callado. Cuesta saber qué hacer cuando cometes un error en tu primera noche en Estados Unidos, pero sé que en un dos por tres me voy a convertir en el típico yanqui que lo hace todo bien. Sabré pedir mis propias hamburguesas, aprenderé a decirles papas a la francesa a las papas fritas, a chancearme con las meseras y a no volver a secarme jamás con la alfombrilla de baño. Algún día diré *war* y *car* sin la ere final, pero no si me devuelvo para Limerick. Si regresara a Limerick con acento norteamericano, la gente pensaría que me estaba dando ínfulas y me dirían que tengo el culo gordo como todos los yanquis.

---

* Isla en la bahía de Nueva York, sede de la oficina de control de inmigración hasta 1954 y sitio de acceso a los Estados Unidos de millones de inmigrantes europeos durante más de un siglo.

El padre sale del baño envuelto en la toalla y dándose plamaditas en la cara, y en el aire hay un delicioso olor a perfume. Dice que no hay nada más refrescante que la loción para después de la afeitada y que si quiero me puedo poner un poquito. No es sino ir al baño. No sé qué hacer ni qué decir. ¿Debo decirle que no, gracias, o bajarme de la cama e ir al baño y echarme cantidades de loción para después de la afeitada? Nunca supe de nadie en Limerick que se echara cosas en la cara después de la afeitada, pero me figuro que en Estados Unidos es distinto. Siento no haber buscado un libro que me dijera qué hacer en la primera noche en Nueva York en un hotel con un cura y en permanente riesgo de hacer el oso a diestro y siniestro. Él dice: ¿Y bien? Y yo le digo: Ah, no, gracias. Él dice: Haz como quieras, y me doy cuenta de que está un poquito enfadado, como cuando me negaba a hablarles a los protestantes ricos de Kentucky. Fácilmente podría decirme que me fuera y ahí estaría yo en plena calle con mi maleta marrón y sin tener a dónde ir en Nueva York. No quiero arriesgarme a eso, así que en definitiva le digo que quiero echarme la loción. Menea la cabeza y me dice que adelante.

Me veo en el espejo del baño poniéndome la loción para después de la afeitada y sacudiendo en silencio la cabeza, porque siento que si las cosas van a ser así en Estados Unidos es una lástima haberme venido de Irlanda. Bastante trabajo te ha costado llegar hasta aquí para que encima venga un cura a criticarte por no haber hecho migas con unos protestantes ricos de Kentucky, por tu ignorancia sobre las alfombrillas de baño, por la forma de tus calzoncillos y por tus dudas sobre la loción para después de la afeitada.

El padre se acuesta y cuando salgo del baño me dice: Okey, a la cama. Mañana nos espera un largo día.

Levanta las sábanas para que yo me meta, y qué escán-

dalo ver que no tiene nada puesto. Me da las buenas noches,
apaga la luz y empieza a roncar sin haber dicho ni un avemaría o alguna otra oración antes de dormirse. Yo siempre
había creído que los sacerdotes pasaban horas enteras de
rodillas antes de dormirse, pero este hombre debe de estar
en un inmenso estado de gracia y sin pizca de miedo de
morirse. Me pregunto si todos los sacerdotes son así, desnudos en la cama. Da trabajo dormirse en una cama con un
cura desnudo roncando al lado tuyo. Entonces me pregunto
si el propio papa se acostará en esas condiciones o si una
monja le traerá una piyama con el escudo y los colores
papales. Me pregunto cómo hará para quitarse esa bata
blanca tan larga que se pone, si se la saca por encima de la
cabeza o la deja caer al piso y se la quita con los pies. Un
papa anciano no sería capaz de sacársela por encima de la
cabeza y probablemente tendría que llamar a un cardenal
que pasara por ahí a que le echara una mano, a menos que
el cardenal también estuviera demasiado viejo, y entonces
tendría que llamar a una monja, a menos que el papa no
llevara nada por debajo de la bata blanca, cosa que el cardenal sabría de todos modos, porque no hay un cardenal en
el mundo que no sepa qué se pone el papa, siendo que todos
ellos quieren ser papas y no ven la hora de que el papa actual
se muera. Si llaman a una monja es para que lleve la bata
blanca a las profundidades humeantes de la lavandería del
Vaticano a que la laven otras monjitas y novicias que cantan
himnos de alabanza al Señor por la merced de lavar la ropa
del papa y del colegio de cardenales en pleno, con excepción de la ropa interior, que pasa a otro cuarto a que la laven
unas monjas ancianas que están ciegas y no van a tener
pensamientos pecaminosos por lo que tienen en las manos,
y lo que yo tengo en mi propia mano es algo que no debía
cogerme en presencia de un cura en la cama y por esta vez

en la vida me resisto a pecar y me vuelvo de costado y me quedo dormido.

Al otro día el padre encuentra en el periódico el anuncio de un cuarto amoblado por seis dólares a la semana y me pregunta si puedo pagarlo hasta que consiga algún trabajo. Vamos a la calle 68 este y la casera, la señora Austin, me lleva arriba a ver el cuarto. Consiste en el extremo de un pasillo cerrado por medio de un tabique con su puerta, y tiene una ventana que da a la calle. A duras penas hay espacio para la cama, un mueblecito con cajones y espejo, y una mesa, y si estiro los brazos toco las paredes de los lados. La señora Austin dice que es un cuarto muy lindo y que tengo suerte de que no me lo hayan arrebatado de las manos. Ella es sueca y se da cuenta de que soy irlandés. Espera que no sea bebedor, y si lo soy no puedo subir chicas a este cuarto bajo ninguna circunstancia, esté borracho o sobrio. Ni chicas ni licor ni comida. Las cucarachas huelen la comida a la legua y cuando entran es para hacerte eterna compañía. Me dice: Claro que tú no veías ni una cucaracha en Irlanda. Si es que allá no hay comida. Ustedes lo único que hacen es beber. Las cucarachas allá se morirían de hambre o se volverían alcohólicas. ¡Dímelo a mí! Mi hermana está casada con un irlandés, su peor error en la vida. Los irlandeses son excelentes para salir con ellos pero no para casarse con una.

Toma los seis dólares y me dice que necesita otros seis de depósito, me da el recibo y me dice que me puedo mudar a la hora que quiera de ese mismo día y que confía en mí porque vine con ese sacerdote tan agradable, aunque ella no es católica, y que suficiente hay con que su hermana se haya casado con un católico, irlandés además, Dios la asista, y mira si está pagando las consecuencias.

El padre pide otro taxi, que nos lleva al hotel Biltmore,

en la acera de enfrente de la puerta por donde salimos de la estación Grand Central. Dice que es un hotel famoso y que vamos a la sede del partido demócrata y que si ellos no le pueden encontrar un trabajo a un muchacho irlandés, nadie puede.

Un hombre se nos adelanta a la entrada y el padre me susurra: ¿Sabes quién es?

No.

Claro que no. Si no sabes la diferencia entre una alfombrilla de baño y una toalla, menos vas a saber que ése es el gran jefe Flynn, del Bronx, el hombre más poderoso de Estados Unidos después del presidente Truman.

El gran jefe oprime el botón del ascensor y mientras espera se mete un dedo en la nariz, se mira lo que tiene en la punta del dedo y lo sacude lejos en la alfombra. Mamá llamaba a eso cavar en busca de oro. Es el estilo norteamericano. Me gustaría decirle al cura que De Valera no se hurgaría la nariz de ese modo y que uno jamás vería acostarse en cueros al obispo de Limerick. Me gustaría decirle al cura lo que en general pienso de un mundo en el que Dios te tortura con enfermedades de los ojos y los dientes pero no puedo por miedo a que la emprenda con lo de los protestantes ricos de Kentucky y cómo me perdí una ocasión única en la vida.

El padre habla con una señorita sentada detrás de un escritorio en la sede del partido demócrata y ella levanta el teléfono. Le dice al teléfono: Aquí hay un chico... recién desembarcado... ¿tienes diploma de secundaria?... naaa, ningún diploma... bueno, qué esperabas... la Madre Patria sigue siendo pobre... *yeah*, ya te lo hago subir.

Tengo que presentarme el lunes por la mañana en la oficina del señor Carey, en el piso veintidós, y él me va a dar un empleo ahí mismo, en el hotel Biltmore, y mira si tengo suerte de encontrarme un trabajo acabando apenas de desembarcar. Eso dice ella, y el padre le dice: Éste es un gran país y los irlandeses les deben todo a los demócratas, Maureen, y acaban de engancharse otro voto por el partido si es que el chico llega a votar alguna vez, ja ja ja.

El padre me dice que me vaya al hotel y que después pasa por mí a llevarme a comer. Dice que puedo ir a pie, que las calles van de este a oeste y las avenidas de norte a sur, que no tendré problema. No es sino cruzar la 42 hasta la Octava avenida y doblar al sur hasta encontrarme el hotel New Yorker. Puedo leer un periódico o un libro o darme un duchazo si prometo no tocar la alfombrilla de baño, ja ja. Me dice que si tenemos suerte podremos ver al gran Jack Dempsey en persona. Yo le digo que preferiría conocer a Joe Louis, si eso es posible, y él me responde bruscamente: Más te vale aprender a meterte únicamente con los tuyos.

Por la noche el mesero del Dempsey's le sonríe al sacerdote: Jack no está aquí, padre. Está en el *Gawden*, examinando a un peso medio de *New Joisey*.

Gawden. Joisey. No llevo un día en Nueva York y ya la gente está hablando como los gángsteres de las películas que veía en Limerick.

El cura dice: Mi joven compañero aquí presente es de la Madre Patria y preferiría conocer a Joe Louis. Suelta la carcajada y el mesero se ríe y dice: Bueno, así hablan los novatos, padre. Ya aprenderá. Déle seis meses en este país para que eche a correr como un condenado apenas vea un morenito. ¿Y qué quiere pedir, padre? ¿Una copita antes de la cena?

Quiero un martini doble, seco, y quiero decir que bien seco, y sin hielo y con una cascarita de limón.

¿Y el novato?

Él va a tomar, bueno..., ¿qué te vas a tomar?

Una cerveza, por favor.

¿Tienes dieciocho, chico?

Diecinueve.

No los aparentas, aunque no importa para nada, con tal que andes con el padre. ¿Verdad, padre?

Verdad. Yo me encargo de él. No conoce un alma en Nueva York y lo voy a dejar instalado antes de irme.

El cura se toma el martini doble y pide otro para acompañar su bisté. Me dice que debería pensar en hacerme sacerdote. Él me podría conseguir un trabajo en Los Ángeles y yo me daría la buena vida con las viudas muriéndose y dejándome todo incluidas sus hijas, ja ja, qué martini del diablo, perdona el lenguaje. Se come la mayor parte del bisté y le dice al mesero que traiga dos tartas de manzana con helado y que quiere un coñac Hennessy doble para pasarlo. Se come el helado solamente, se toma la mitad del coñac y se queda dormido con la barbilla subiéndole y bajándole en el pecho.

Al mesero se le borra la sonrisa. Maldita sea, tiene que pagar la cuenta. ¿Dónde tiene la maldita billetera? En el bolsillo de atrás, chico. Pásamela.

No le puedo robar a un sacerdote.

No le estás robando. Él está pagando su condenada cuenta y tú vas a necesitar un taxi para llevarlo a casa.

Dos meseros le ayudan a subirse al taxi y dos botones del hotel New Yorker lo cargan a través del vestíbulo, lo suben en el ascensor y lo dejan caer en la cama. Los botones me dicen que una propina de un dólar no caería mal, un dólar por cabeza, chico.

Salen y me pregunto qué se supone que deba hacer con un sacerdote ebrio. Le quito los zapatos como hacen cuando alguien se priva en las películas, pero él se endereza y corre al baño, donde trasboca largo rato, y cuando sale se está quitando la ropa y tirándola al suelo: alzacuello, camisa, pantalones, interiores. Se derrumba de espaldas en la cama y veo que está excitado y se coge con la mano. Ven acá, dice, y yo reculo. Ah, no, padre, y él rueda fuera de la cama echando babas y apestando a licor y vómito y trata de agarrarme la mano para tocarse con ella pero yo retrocedo todavía más rápido hasta que salgo al pasillo y él ahí en la puerta, un padrecito gordo que me ruega: Ay, vuelve, hijo mío, vuelve, fueron las copas. Madre de Dios, cuánto lo siento.

Pero el ascensor se abre y no les puedo decir a sus respetables y mirones ocupantes que cambié de opinión, que correré de regreso a los brazos de ese cura que para empezar quería que me portara fino con unos protestantes ricos de Kentucky para que me dieran empleo limpiando establos y que ahora me menea el aparato de una manera que sin duda es pecado mortal. No es que yo, por mi parte, esté en estado de gracia. No, no lo estoy, pero de un sacerdote se esperaría que diera buen ejemplo y no que hiciera un bendito espectáculo de sí mismo en mi segunda noche en Estados Unidos. Me veo obligado a entrar al ascensor y finjo no oír los moqueos y los lloros del padre, desnudo en la puerta del cuarto. En la entrada del hotel hay un tipo vestido de almirante que me dice: ¿Taxi, señor? Yo contesto: No, gracias, y él dice: ¿De dónde eres? Oh, de Limerick. Y yo soy de Roscommon, llevo acá cuatro años.

Le tengo que preguntar al tipo cómo hago para ir hasta la calle 68 este y él me dice que doble hacia el oriente en la 34, que es muy ancha y bien iluminada, hasta llegar a la Tercera avenida y allá puedo tomar el tren elevado o, si me quedan ánimos, puedo subir derecho caminando hasta dar con mi calle. Me dice: Buena suerte, mézclate únicamente con los tuyos y cuidado con los puertorriqueños, todos cargan navajas, es hecho conocido, tienen la sangre caliente. Camina debajo de las luces por el borde de la acera, si no quieres que se te abalancen desde un zaguán oscuro.

A la mañana siguiente el padre llama a la señora Austin y le dice que me envíe por mi maleta. A mí me dice: Pasa, la puerta está abierta. Lleva su traje negro y está sentado al otro lado de la cama dándome la espalda y mi maleta está justo adentro, al pie de la puerta. Llévatela, dice. Voy a pasar unos meses en una casa de retiros en Virginia. No te quiero mirar y no quiero volver a verte nunca más en la vida porque lo que pasó fue horrible y no hubiera pasado si hubieras usado la cabeza y te hubieras marchado con los protestantes ricos de Kentucky. Adiós.

Es difícil saber qué decirle a un cura de mal genio que te da la espalda y te echa la culpa de todo, así que sólo acierto a bajar en el ascensor con mi maleta, preguntándome cómo alguien como él, que perdona los pecados, puede pecar y después echarme la culpa a mí. Sé que si yo hiciera algo así, emborracharme y fastidiar a la gente para que me toque, reconocería haberlo hecho. Eso es todo: fui yo. ¿Y a qué viene culparme sólo porque me negué a hablarles a unos protestantes ricos de Kentucky? A lo mejor es porque así entrenan a los curas. A lo mejor cuesta trabajo oír los pecados de la gente un día sí y otro también siendo que hay unos cuantos que a ti te gustaría cometer y después, cuando te tomas una copa, todos esos pecados que has oído te revientan por dentro y te pones igual que todo el mundo. Sé que yo no podría ser nunca un sacerdote, oyendo pecados todo el tiempo. Viviría en permanente estado de excitación y el obispo estaría harto de despacharme a la casa de retiros de Virginia.

3

Cuando eres irlandés y no conoces un alma en Nueva York y vas caminando por la Tercera avenida bajo el traqueteo de los trenes elevados es muy reconfortante descubrir que casi no hay una cuadra donde no haya un bar irlandés: Costello's, la Piedra de Blarney, la Rosa de Blarney, P. J. Clarke's, el Breffni, Casa de Leitrim, Casa de Sligo, el Shannon, los Treinta y Dos de Irlanda, el Irlandés de Casta. Yo probé mi primera pinta en Limerick a los dieciséis años y se me revolvió el estómago y mi padre casi acaba con la familia y con él mismo por culpa de la botella, pero me siento solo en Nueva York y me siento atraído por la voz de Bing Crosby cantando en las rocolas *Galway Bay* y por las luces intermitentes de unos tréboles verdes que por allá en Irlanda no se ven ni en pintura.

Hay un señor con cara de enojado al final de la barra de Costello's que le dice a un cliente: Usted puede tener diez pehachedés y me importa un bledo. Yo sé más de Samuel Johnson de lo que usted conoce de su propia mano y si no se comporta correctamente se va a ver en la acera. No digo más.

El cliente dice: Pero...

Fuera, dice el hombre enojado. Largo. No hay más licor para usted en este establecimiento.

El cliente se encasqueta el sombrero y sale airado y el

señor bravo me mira a mí. Y tú, dice, ¿sí tienes los dieciocho?

Sí, señor. Tengo diecinueve.

¿Y cómo sé que sí?

Tengo mi pasaporte, señor.

¿Y qué hace un irlandés con un pasaporte norteamericano?

Nací aquí, señor.

Me deja tomarme dos cervezas de quince centavos y me
dice que estaría mejor si pasara el tiempo en la biblioteca y
no en los bares, como el resto de nuestros miserables con-
géneres. Me cuenta que el doctor Johnson se tomaba cuarenta tazas de té al día y que tuvo la mente clara hasta el
final. Le pregunto que quién era el doctor Johnson y él me
fulmina con la mirada, me quita el vaso y me dice: Sal de
este bar. Dobla al este en la 42 hasta que llegues a la Quinta.
Verás dos grandes leones de piedra. Sube la escalinata entre
los dos leones, saca un carné de la biblioteca y no seas un
imbécil como los otros irlanduchos que se bajan del barco
a embrutecerse bebiendo. Léete a Johnson, léete a Pope y
mantente lejos de tus paisanos soñadores. Yo querría preguntarle su opinión acerca de Dostoievski pero él me señala la entrada: No vuelvas por acá hasta que hayas leído las
Vidas de los poetas. Anda. Sal de aquí.

Es un tibio día de octubre y no tengo nada más qué hacer
fuera de obedecer la orden y qué de malo tiene deambular
por la Quinta avenida hasta los dos leones. Las bibliotecarias son muy amables. Claro que pueden darme un carné
de la biblioteca y qué maravilla ver jóvenes inmigrantes que
desean hacer uso de la biblioteca. Puedo sacar cuatro libros
si quiero, con tal que los devuelva puntualmente. Pregunto
si tienen un libro llamado *Vidas de los poetas* de Samuel
Johnson y ellas dicen: Mira, mira, mira, conque leyendo a

Johnson. Quiero decirles que no he leído a Johnson antes, pero no quiero que se les pase la admiración por mí. Me convidan a que me dé una vuelta por el recinto y le eche un vistazo a la gran sala de lectura del tercer piso. No se parecen ni pizca a las bibliotecarias de Irlanda, que vivían en guardia protegiendo los libros de sujetos como yo.

La vista de la gran sala de lectura, de norte a sur, me pone flojo de las piernas. No sé si son las dos cervezas que me tomé o la emoción de mi segundo día en Nueva York, pero me pongo al borde de las lágrimas cuando veo los kilómetros de estanterías y pienso que nunca me podría leer todos esos libros así viviera hasta el final del siglo. Hay hectáreas de mesas lustrosas donde se sienta todo tipo de gente a leer todo el rato que quieran los siete días de la semana y nadie los molesta a menos que se queden dormidos y empiecen a roncar. Hay secciones de libros ingleses, irlandeses y norteamericanos, de literatura, historia y religión, y siento un escalofrío de pensar que puedo venir acá a cualquier hora a leer lo que quiera todo el tiempo que quiera con tal de no roncar.

Camino de regreso a Costello's con cuatro libros debajo del brazo. Quiero mostrarle al señor enojado que voy con las *Vidas de los poetas,* pero ya no está. El cantinero dice que ése debía de ser el propio Tim Costello machacando lo del bendito Johnson y, mientras dice esto, el señor enojado sale de la cocina. Dice: ¿De vuelta ya?

Traigo las *Vidas de los poetas,* señor Costello.

Podrás traer las *Vidas de los poetas* debajo del sobaco, jovencito, pero no las traes en la cabeza, así que vete a casa y léelas.

Es jueves y no tengo nada qué hacer hasta el lunes, cuando empiezo a trabajar. A falta de una silla, me siento en la cama de mi cuarto y leo hasta que la señora Austin me toca en la puerta, a las once, y me dice que ella no es millonaria y que la regla de la casa es apagar las luces a las once para mantener baja la cuenta de la electricidad. Apago la luz y me echo en la cama a escuchar a Nueva York, las conversaciones y risas de la gente, y me pregunto si algún día formaré parte de la ciudad, conversando y riéndome allá afuera.

Hay otro golpe en la puerta y este joven pelirrojo y de acento irlandés me dice que se llama Tom Clifford y que si me gustaría una cerveza rapidita porque él trabaja en un edificio del East Side y tiene que estar allá dentro de una hora. No, él no va a bares irlandeses. No se quiere meter para nada con irlandeses, así que caminamos hasta el Rhinelander de la calle 86, en donde Tom me cuenta que nació en Estados Unidos pero que lo llevaron a Cork y que salió de allá tan pronto pudo, enrolándose en el ejército de los Estados Unidos por tres años enteros en Alemania en los días en que un cartón de cigarrillos o una libra de café alcanzaban hasta para diez polvos. Hay una pista de baile y una orquesta en la parte de atrás del Rhinelander y Tom saca a bailar a una de las chicas de las mesas. Me dice: Vamos, saca a bailar a su amiga.

Pero yo ni sé bailar ni sé sacar a bailar a las muchachas. No sé nada de chicas. ¿Cómo, si me crié en Limerick? Tom le dice a la otra chica que baile conmigo y ella me lleva a la pista. No sé qué hacer. Tom ejecuta pasos y vueltas, pero yo no sé si darle hacia delante o hacia atrás con la joven que tengo en mis brazos. Ella me dice que le estoy pisando los zapatos y cuando me disculpo dice: Ay, olvídate, no estoy de ánimos para estos chancleteos. Regresa a su mesa y yo la sigo con la cara encendida. No sé si sentarme con ella o regresar a la barra, hasta que ella me dice: Dejaste tu cerveza en la barra. Me alegra tener una excusa para despedirme, porque si me sentara con ella no sabría qué decirle.

Estoy seguro de que no le interesaría si le contara que paso horas leyendo las *Vidas de los poetas* de Johnson o la emoción que sentí en la biblioteca de la 42. Tal vez podría encontrar en esa biblioteca un libro sobre cómo hablar con las muchachas o le podría preguntar a Tom, que baila y se ríe y no tiene problemas con la charla. Él vuelve a la barra y dice que va a llamar que está enfermo, lo que significa que no va a trabajar. La chica dice que él le gusta y que lo va a dejar que la acompañe a casa. Él me susurra al oído que a lo mejor se la tira, lo que quiere decir que a lo mejor se acuesta con ella. El único problema es la otra muchacha. Me dice que es mi chica. Anda, me dice. Pregúntale si la puedes llevar a su casa. Sentémonos con ellas y entonces se lo puedes preguntar.

La cerveza me está haciendo efecto y ya me siento más valiente y no me acoquina sentarme a la mesa de ellas y hablarles de Tim Costello y el doctor Samuel Johnson. Tom me codea y me cuchichea: Por el amor de Cristo, deja esa pesadez de Samuel Johnson, pregúntale que si la llevas a su casa. Y yo la miro y la veo doble y no sé a cuál de las dos preguntarle, pero si miro entre las dos veo una sola y a ésa es a la que le pregunto.

¿A mi casa?, dice. No bromees. Qué chiste. Soy una secretaria, secretaria privada, y tú no tienes siquiera el bachillerato. O sea, ¿te has mirado últimamente en el espejo? Suelta la carcajada y la cara se me vuelve a encender. Tom se toma un trago largo de cerveza y me doy cuenta de que no soy nada para estas chicas, así que me largo y bajo a pie por la Tercera avenida, mirando de vez en cuando mi reflejo en las vitrinas de las tiendas y desesperanzándome.

4

El lunes por la mañana mi jefe, el señor Carey, me dice que voy a ser mozo de escoba, un trabajo muy importante, pues estaré a cargo del vestíbulo, sacudiendo, barriendo, vaciando ceniceros, y es importante porque un hotel se juzga por el vestíbulo. Me dice que tenemos el mejor vestíbulo del país. Se llama el Palm Court y es conocido mundialmente. Todo aquel que es alguien sabe del Palm Court y del reloj del Biltmore. Jesús mío, si hasta aparecen en los libros y en cuentos, como los de Scott Fitzgerald y gente como él. Los personajes importantes dicen: Encontrémonos al pie del reloj del Biltmore, y qué va a pasar si entran y el sitio está cubierto de polvo y sepultado en basura. Ése es mi trabajo: hacer que el Biltmore siga siendo famoso. Debo limpiar y no hablar con los huéspedes, ni siquiera mirarlos. Si ellos me dirigen la palabra debo decir: Sí, señor o Sí, señora, o No, señor o No, señora, y seguir trabajando. Me dice que debo hacerme invisible, y eso lo hace reírse. Imagínate: el hombre invisible limpiando el vestíbulo. Dice que es un trabajo de categoría y que no me lo habrían dado si no me hubieran recomendado del partido demócrata por solicitud de un sacerdote de California. El señor Carey dice que al último empleado que hacía ese trabajo lo despidieron por charlar con unas universitarias al pie del reloj, pero era un italiano y qué más podía esperarse. Me dice que no le quite el ojo a lo que hago, que no olvide ducharme todos los días, éstos son los Estados Unidos, mantente sobrio, métete únicamente con los tuyos, con los irlandeses no hay pierde, cuidado con el licor, y en un año podría ascender a portero o botones y ganar propinas y, quién sabe, ascender a camarero y a ver si eso no me curaría todas las cuitas. Me dice que todo puede pasar en Estados Unidos: Mírame a mí, yo tengo cuatro trajes.

Al jefe de camareros del vestíbulo le dicen el *maître d'*. Me ordena barrer únicamente lo que caiga al suelo y no tocar nada de las mesas. Si dejan caer al suelo plata o joyas o algo por el estilo, debo entregárselo a él, al *maître d'* en persona, que ya verá él qué hacer con eso. Si hay un cenicero lleno, debo esperar a que un botones o un camarero me diga que lo vacíe. En los ceniceros quedan a veces cosas a las que hay que echarles ojo. Una mujer puede quitarse un arete que la irrita y olvidar que lo dejó en el cenicero, y hay aretes que valen miles de dólares, aunque yo no sabría nada de eso, recién desembarcado como estoy. Al *maître d'* le toca guardar todos los aretes y devolvérselos a todas las mujeres de orejas irritadas.

En el vestíbulo trabajan dos camareros que se ajetrean de acá para allá tropezando entre sí y gruñéndose en griego. Me dicen: Tú, irlandés, ven acá, limpia, limpia, vacía maldito cenicero, quita basura, vamos, vamos, ándale, ¿borracho o qué? Me gritan delante de los universitarios y las universitarias que se aglomeran ahí los jueves y los viernes. No me importaría que los griegos me gritaran si no fuera delante de esas estudiantes doradas. Ellas sacuden sus melenas y se sonríen con unas dentaduras que se ven únicamente en Estados Unidos: blancas, perfectas, y todas tienen piernas bronceadas de estrella de cine. Los muchachos llevan el pelo cortado al cepillo, lucen los famosos dientes y hom-

bros de futbolista y son desenvueltos con las chicas. Hablan
y se ríen en voz alta, y las muchachas alzan las vasos y sonríen a los chicos con ojitos chispeantes. Tendrán mi edad,
pero me escurro entre ellos avergonzado de mi uniforme y
mi escoba y mi recogedor de basura. Ojalá fuera invisible,
pero cómo podría serlo, si los camareros me gritan en griego
y en inglés y en una mezcla de ambas lenguas, o si un botones me acusa de haber manipulado un cenicero que tenía
algo dentro.

Hay veces que no sé qué hacer o qué decir. Un estudiante
con el pelo cortado al cepillo me dice: ¿Le importaría no
limpiar por aquí en este momento? Estoy hablando con la
dama. Si la chica me mira y luego aparta la vista, siento que
la cara se me pone caliente y no sé por qué. A veces alguna
de ellas me sonríe y me saluda: *Hola*, y no sé qué decir. Mis
superiores del hotel me ordenan no hablar una sola palabra
con los huéspedes, aunque de todos modos no sabría decir
Hola, porque en Limerick no saludamos así, y si saludara
así me podrían despedir de mi flamante empleo y echarme
a la calle sin un cura que me buscara otro. Me gustaría decir
Hola y ser parte de ese mundo encantador por un minuto,
pero uno de esos muchachos de pelo cepilludo podría pensar que le estaba echando el ojo a su chica y ponerle la queja al *maître d'*. Esta noche podría volver a casa, sentarme
en la cama y ensayar a sonreír y decir *Hola*. Con constancia seguramente podría apañármelas con el *Hola*, pero tendría que decirlo sin la sonrisa, porque si pelara los labios
un poquito haría morir de susto a las chicas doradas al pie
del reloj del Biltmore.

Hay días en que las chicas se quitan el abrigo, y con sus
blusas y sus suéteres se convierten en tales ocasiones de
pecar, que tengo que encerrarme en un cubículo del baño a
manipularme, cuidando de no hacer ruido, no sea que me

descubra uno de los botones puertorriqueños o de los camareros griegos y corra a donde el *maître d'* a decirle que el mozo de escoba del vestíbulo se está haciendo la paja en el baño.

5

En la fachada del cine de la 68 hay un cartel que dice: Próxima Semana: *Hamlet*, con Laurence Olivier. Ya tengo planeado darme un festín con una botella de *ginger ale* y un pastel merengado de limón de la panadería como el que me comí con el padre en Albany, el sabor más rico que había probado en la vida. Ahí estaré viendo a Hamlet en la pantalla atormentándose y atormentando a todos los demás, y tendré el picantico de la *ginger ale* y el dulce del pastel contrastando en mi boca. Antes de ir al cine puedo sentarme en el cuarto a leer *Hamlet* para asegurarme de saber qué dicen en ese inglés antiguo. El único libro que traje de Irlanda son las obras completas de Shakespeare que compré en la librería de O'Mahony por trece chelines y seis peniques, la mitad de mi salario cuando trabajaba en el correo repartiendo telegramas. Mi obra preferida es *Hamlet* por lo que tuvo que sufrir cuando la madre de él se enredó con Claudio, el hermano de su esposo, como cuando mamá se emparejó con su primo Laman Griffin. Entendía la furia de Hamlet contra ella como la que me dio a mí contra la madre mía la noche que me tomé mi primera pinta y llegué borracho a la casa y le di una palmada en la cara. Me voy a arrepentir de eso hasta el día de mi muerte, aunque aún me gustaría volver a Limerick un día de estos a buscar a Laman Griffin en alguna taberna para retarlo a salir y barrer la calle con él hasta que me implore compasión. Sé que de nada sirve hablar así porque seguramente a Laman Griffin lo habrán matado la bebida y la tisis para el día en que yo vuelva a Limerick y llevará largo tiempo en los infiernos antes de que yo rece una oración o encienda una vela por él, así Nuestro Señor nos diga que perdonemos a nuestros enemigos y que pongamos la otra mejilla. No, ni aunque Nuestro Señor regresara a la tierra y me ordenara perdonar a Laman Griffin bajo pena de ser arrojado al mar con una piedra de molino atada al cuello, la cosa que más temo en este mundo, porque tendría que decirle: Lo siento, Nuestro Señor, nunca podré perdonarle a ese hombre lo que le hizo a mi madre y a mi familia. Hamlet no andaba por Elsinore perdonando a la gente en una historia inventada, así que por qué voy a hacer eso yo en la vida real.

La última vez que fui al cine de la 68 el acomodador no me dejó pasar con una chocolatina Hershey en la mano. Dijo que era prohibido entrar comestibles o bebidas y que la consumiera afuera. Consumirla. No me podía decir que no me la comiera, y una de las cosas que más me fastidian en la vida es la costumbre que tienen los acomodadores y los uniformados en general de usar palabras rimbombantes. El cine de la 68 no se parece ni un poquito al cine Lyric de Limerick, donde podías entrar pescado con papas fritas o una buena porción de pezuñas de cerdo y una botella de cerveza de malta si se te antojaba. La noche que no me dejaron entrar con la chocolatina tuve que devorármela parado afuera, con el acomodador clavándome la vista y sin que le importara que me estuviera perdiendo partes graciosas de una película de los hermanos Marx. Ahora tengo que llevar mi impermeable negro de Irlanda en el brazo para que el acomodador no se pille la bolsa con el pastel merengado de limón o la botella de *ginger ale* metida en un bolsillo.

Apenas empieza la película trato de echarle mano al pastel pero hago crujir la caja y la gente dice: Silencio, estamos tratando de ver la película. Sé que no son la clase de personas ordinarias que van a las películas de gángsteres o de comedias musicales. Son gente que probablemente se graduó en la universidad y que vive en Park Avenue y se sabe cada línea de *Hamlet*. Nunca dirían que van al cine, sino al cinematógrafo. No voy a ser capaz de abrir el paquete sin hacer ruido y la boca se me hace agua del hambre que tengo y no sé qué hacer hasta que mi vecino me dice: *Hola*, y me echa parte de su impermeable sobre el muslo y deja que su mano se deslice por debajo. Me dice: ¿Te molesto?, y yo no sé qué responderle, aunque algo me dice que agarre mi pastel y me largue de allí. Le digo: Perdóneme, y me escurro frente a él y subo por el pasillo hasta el baño de los hombres, donde puedo abrir el pastel sin que todo Park Avenue me diga que silencio. Me da lástima perderme parte de *Hamlet* pero todo lo que él estaba haciendo en la pantalla era brincar de acá para allá y gritar cosas acerca de un fantasma.

Aunque el baño de los hombres está vacío, no quiero que me vean abrir la caja y comerme el pastel, de modo que me siento en la taza del escusado de un cubículo a zampármelo rápido para poder volver a *Hamlet,* con tal que no me tenga que sentar junto al tipo del abrigo en los muslos y la mano deslizante. El pastel me seca la boca y pienso en mandarme un buen trago de *ginger ale* hasta que me doy cuenta de que hace falta la llave de la iglesia o lo que sea para destaparla. De nada serviría ir a donde el acomodador, porque viven gruñendo y diciéndole a la gente que esta prohibido entrar comestibles o bebidas, así sean de Park Avenue. Pongo la caja del pastel en el suelo y decido que la mejor manera de destapar la botella de *ginger ale* es ponerla contra el borde del lavamanos y darle un buen golpe con el puño, pero cuando lo hago le quiebro el cuello a la botella y la *ginger ale* me salta en surtidores a la cara y el lavamanos queda untado de sangre de la cortada que me hice en la mano con la botella y me entristezco con todo lo que me está pasando porque el pastel en el piso se me inunda de sangre y *ginger ale* y al mismo tiempo me pregunto si podré ver *Hamlet* con todos los problemas que tengo cuando un tipo canoso y con cara de afán entra a las carreras y por poco me tumba y pisa mi pastel y lo vuelve una nada. Se para frente al orinal y suelta el chorro mientras trata de sacudirse la caja del pie, y me ladra: Maldita sea, maldita sea, qué diablos, por los mil demonios. Se aparta y patalea hasta que la caja del pastel le sale disparada del zapato y pega en la pared toda despachurrada y su contenido perfectamente incomible. El hombre dice: ¿Qué demonios está pasando aquí?, y yo no sé qué decirle, porque sería una larga historia que se remonta a lo emocionado que estaba desde hacía varias semanas porque iba a ver *Hamlet* y a cómo no había comido en todo el día por la deliciosa sensación de que iba a hacerlo todo al mismo tiempo: comerme el pastel, tomar *ginger ale*, ver *Hamlet* y oír todos esos gloriosos parlamentos. No creo que el tipo esté de humor por la forma como baila en un pie y luego en el otro y me dice que el lavamanos no es un maldito restaurante, que cómo diablos se me ocurre andar comiendo y bebiendo en los baños públicos y que mejor despegue el culo y me largue de ahí. Le digo que tuve un accidente tratando de destapar la botella de *ginger ale,* y él dice: ¿Nunca has oído hablar de los destapadores, o es que te acabas de bajar del condenado barco? Sale del baño y cuando me estoy envolviendo la cortada con papel higiénico el acomodador se asoma y dice que hay una queja de un cliente sobre mi comportamiento ahí dentro. Es igual al tipo canoso con sus maldito seas y sus mil demonios, y cuando trato de expli-

carle lo que pasó me dice: Despega el culo, fuera. Le digo
que pagué por ver *Hamlet* y que vine acá para no molestar
a mis vecinos de Park Avenue, que se saben *Hamlet* al derecho y al revés, pero él dice: Me importa una mierda, largo
antes de que llame al gerente o a la policía, que se va a in-
trigar con todo este reguero de sangre.

Luego señala mi impermeable negro colgado del lavamanos. Saca de aquí ese maldito impermeable. ¿Qué haces con
un impermeable hoy, que no hay una nube en el cielo? Ya
conocemos el truquito del impermeable, y les tenemos puesto el ojo a ustedes. Conocemos a toda la brigada de los im-
permeables y nos sabemos ya sus jueguitos de maricas. Se
sientan ahí haciendo cara de inocentes y cuando menos se
piensa le deslizan la mano a un muchacho inocente. Así que
saca de aquí tu impermeable, chacho, antes de que llame a
la policía, maldito pervertido.

Tomo la botella rota con la gota de *ginger ale* que todavía
le queda y bajo por la 68 y me siento en las escaleras del
inquilinato hasta que la señora Austin me grita por la ventana del sótano que está prohibido comer o beber en las
escaleras. Las cucarachas van a venir corriendo de todas
partes y la gente va a decir que somos una manada de puertorriqueños que no les preocupa dónde comen o beben o
se acuestan.

No hay dónde sentarse en la calle con todas esas caseras
que se asoman y fisgan y no me queda sino vagar hacia un
parque a la orilla del East River y preguntarme por qué los
Estados Unidos son tan duros y complicados que se me arma
todo un lío por ir a ver *Hamlet* con un pastel merengado
de limón y una botella de *ginger ale*.

6

Lo peor de levantarse y salir a trabajar en Nueva York es que tengo los ojos tan infectados que he de despegarme los párpados con los dedos. Me da la tentación de arrancarme las lagañas duras y amarillas, pero si lo hiciera se me desprenderían las pestañas, y los párpados me quedarían rojos y en carne viva, peor que antes. Puedo ponerme bajo la ducha y dejar que el agua tibia me corra por los ojos hasta sentirlos tibios y limpios aunque sigan al rojo vivo. Trato de desvanecer el enrojecimiento echándome agua helada, pero nunca funciona. Sólo consigo hacer que me duelan las bolas de los ojos, y las cosas ya están bastante mal sin que tenga que entrar al vestíbulo del Biltmore con dolor de las bolas de los ojos.

Podría aguantarme el dolor de las bolas de los ojos si no los tuviera inflamados y enrojecidos y supurando materia amarilla. Así al menos la gente no se quedaría mirándome como si fuera leproso o algo así.

Suficientemente avergonzado me siento de andar por el Palm Court en ese uniforme negro de mozo de escoba que me pone apenas un grado por encima de los lavaplatos puertorriqueños ante los ojos de todo el mundo. Hasta los maleteros tienen un toquecito de oro en sus uniformes y los propios porteros parecen almirantes de la armada. Eddie Gilligan, el dirigente del sindicato, dice que por suerte soy

irlandés, porque si no estaría abajo, en la cocina, con los
boricuas. Ésa es una nueva palabra: boricuas, y por la manera como la pronuncia sé que no le agradan los puertorriqueños. Me dice que el señor Carey cuida bien a su gente y
que por eso soy mozo de escoba uniformado y no de delantal allá abajo con los pe-erres cantando mientras lavan
los platos y berreando *Mira mira* todo el día. Me gustaría
preguntarle qué de malo tiene cantar cuando lavas los platos y berrear *Mira mira* cuando uno está de humor, pero no
me atrevo a preguntarle nada por no quedar como un bobo.
Al menos los puertorriqueños se juntan allá abajo a cantar
y chocar ollas y cacerolas y se dejan llevar por la música que
hacen y se ponen a bailar por toda la cocina hasta que los
jefes les dicen que corten con eso. A veces bajo a la cocina
y ellos me dan sobras de comida y me llaman: Frankie,
Frankie, irlandesito, ven te enseñamos español. Eddie Gilligan dice que me pagan dos dólares con cincuenta centavos
más por semana que a los lavaplatos y que tengo oportunidades de ascenso que ellos nunca van a tener, porque lo
único que quieren es no aprender inglés y conseguir suficiente plata para volver a Puerto Rico a echarse debajo de
los árboles a tomar cerveza y a tener familiones, porque para
eso sí son buenos: para beber y joder hasta que sus mujeres
se desgastan y se mueren antes de tiempo y los niños se
quedan en la calle listos a volar a Nueva York a lavar platos
y volver a empezar todo otra vez, y si no pueden conseguirse
un empleo tenemos que sostenerlos, tú y yo, para que puedan sentarse en el porche de la casa allá en East Harlem a
tocar sus malditas guitarras y a tomar cerveza en botellas
envueltas en bolsas de papel. Así son los boricuas, chico,
tenlo siempre presente. Mantente lejos de la cocina, porque
ellos no lo pensarían dos veces antes de mearse en tu café.
Dice que los vio orinarse en la cafetera antes de subirla a

un almuerzo de gala de las Hijas del Imperio Británico y que a las hijas ni les pasó por la cabeza que estuvieran tomando pipí puertorriqueño.

Entonces Eddie abre la boca y suelta la carcajada y se ahoga con el cigarrillo, porque él es irlandés-estadounidense y piensa que los pe-erres son tremenda maravilla por lo que les hicieron a las Hijas del Imperio Británico. Ahora les dice pe-erres en vez de boricuas porque hicieron una obra patriótica que se les debería haber ocurrido primero a los irlandeses. El año entrante él en persona se va a orinar en las cafeteras y se va a morir de risa cuando vea a las hijas tomando café hecho con pipí puertorriqueño e irlandés. Dice que es una lástima que las hijas no se vayan a enterar de eso nunca. Le gustaría encaramarse en el balcón del salón de baile del piso diecinueve y hacer un anuncio general: Hijas del Imperio Británico, acabáis de tomar café repleto de pipí boricua-irlandés. ¿Cómo se siente, después de todo lo que nos hicieron a los irlandeses durante ochocientos años? Ah, qué espectáculo: todas las hijas agarrándose unas a otras mientras vomitan por el salón de baile y los patriotas irlandeses bailando gigas en sus tumbas. Tremenda cosa, dice Eddie, eso sí que sería tremenda cosa.

Ahora Eddie me dice que los pe-erres no es que sean tan malos. No quisiera que su hija se casara con uno o que se mudaran a su barrio pero hay que reconocer que tienen buen oído y que nos mandan unos jugadores de béisbol hasta buenos, hay que reconocer eso. Bajas a la cocina y siempre están contentos como niños. Dice: Se parecen a los negros, no toman nada en serio. No son como los irlandeses. Nosotros nos tomamos todo en serio.

Los días duros en el vestíbulo son los jueves y viernes,

cuando la muchachería se reúne a beber y a reírse, ajenos a todo menos a la universidad y a los romances, a navegar en velero en el verano, a esquiar en el invierno y a casarse entre sí para tener hijos que vengan al Biltmore a hacer lo mismo. Sé que ni me determinan en mi uniforme con mi recogedor de basuras y mi escoba y me alegro porque hay días en que tengo los ojos tan rojos que parecen inyectados de sangre y me da pánico que una muchacha me vaya a preguntar: Excúseme, ¿dónde está el tocador? Da trabajo señalar con el recogedor y decir: Allá detrás de los ascensores, y mantener la cara desviada al mismo tiempo. Ensayé a hacer eso con una chica pero fue a quejarse con el *maître d'* de que yo era un maleducado y ahora tengo que mirar a todo el que me pregunte algo y cuando se quedan mirándome me pongo tan colorado que estoy seguro de que mi piel casa con mis ojos en cuestión de rojura. A veces me pongo colorado de la pura rabia y me dan ganas de gruñirle a la gente que se queda mirándome, pero si hiciera eso me despedirían en el acto.

No deberían quedarse mirándome. Deberían saber comportarse, con las fortunas que gastan las madres y los padres educándolos, y para qué sirve toda esa educación si eres tan ignorante que te quedas mirando a la gente recién desembarcada con los ojos rojos. Uno se imaginaría al profesor en la tarima diciéndoles a sus alumnos que si van al vestíbulo del Biltmore o a cualquier otro no se queden mirando a las personas que tienen los ojos rojos o una sola pierna o cualquier otra desfiguración.

Las muchachas se quedan mirándome de todas formas y los chicos son peores porque me miran y se sonríen y se dan con el codo y sueltan comentarios que hacen reír a todo el mundo y me gustaría partirles el recogedor y la escoba en la cabeza hasta sacarles sangre y que tuvieran que rogarme que parara y prometieran no volver a soltar comentarios sobre los ojos inflamados de nadie.

Un día una de las estudiantes pega un chillido y el *maître d'* corre a ver qué pasa. Ella llora mientras él mueve de un lado a otro las cosas de la mesa, mira por debajo y sacude la cabeza. Me llama a través del vestíbulo: McCourt, venga acá inmediatamente. ¿Usted limpió esta mesa?

Creo que sí.

¿Cree que sí? Maldita sea, con su perdón, señorita, ¿no lo sabe?

Yo la limpié, señor.

¿Se llevó una servilleta de papel?

Limpié la mesa. Vacié los ceniceros.

Una servilleta de papel que estaba aquí. ¿Se la llevó? No sé.

Bueno, déjeme decirle algo, McCourt. La jovencita aquí presente es hija del presidente del Traffic Club, que arrienda un espacio enorme en este hotel, y ella tenía una servilleta de papel con el número telefónico de un joven de Princeton, y si usted no encuentra ese pedazo de papel sepa que tiene el culo en agua hirviendo, con su perdón, señorita. Y bueno, ¿qué hizo con la basura que se llevó de aquí?

La eché abajo, en los basureros grandes, junto a la cocina.

Muy bien. Baje allá y busque la servilleta de papel y no regrese aquí sin ella.

La chica que perdió la servilleta solloza y me dice que su padre tiene mucha influencia acá y que no quisiera estar en mi pellejo si no encuentro el pedazo de papel. Sus amigas me miran todas y yo siento la cara más encendida que mis ojos.

El *maître d'* vuelve a gruñirme: Andando, McCourt, y preséntese aquí apenas la encuentre.

Los cubos de basura junto a la cocina están llenos a re-
bosar y no sé cómo voy a encontrar un pedacito de papel
perdido entre todos esos desechos, ripio de café, migas de
tostada, espinas de pescado, cáscaras de huevo, cortezas de
toronja. Me arrodillo a hurgar y separar con un tenedor de
la cocina, en donde los puertorriqueños cantan y se ríen y
chocan peroles, y eso me hace preguntarme qué hago ahí
de rodillas.

Así que me enderezo y entro a la cocina sin responderles
nada a los puertorriqueños que me llaman: Frankie, Frankie,
irlandesito, ven te enseñamos español. Busco un servilleta
de papel limpia, escribo en ella un número telefónico inventado, le hago una manchita de café y se la entrego al *maître
d'*, que se la entrega a la muchacha mientras que las amigas
aplauden alrededor. Ella le da las gracias al *maître d'* y le
adiciona una propina, un dólar completo, y lo único que
lamento es que no voy a estar presente cuando marque ese
número.

7

Llega una carta de mamá en la que dice que por casa pasan tiempos difíciles. Sabe que mi sueldo no es grande y me agradece los diez dólares a la semana pero pregunta si no podría prescindir de unos cuantos dólares más para comprar zapatos para Michael y Alphie. Ella tenía ese trabajo cuidando a un anciano, pero fue un chasco que se muriera de repente cuando ella creía que iba a aguantar hasta el año nuevo y así poder tener unos chelines para zapatos y una cena de Navidad, jamón o cualquier cosa mínimamente digna. Dice que los enfermos no deberían contratar gente que los cuide y darles falsas esperanzas de empleo cuando saben que están en los últimos estertores. Ahora no le entra nada fuera de la plata que yo le mando y parece que el pobre Michael va a tener que salirse del colegio y ponerse a trabajar apenas cumpla los catorce el año entrante y eso es una lástima y le gustaría saber: ¿Para eso luchamos contra los ingleses, para que la mitad de los niños de Irlanda anden vagando por calle, campo y monte con nada entre el suelo y los pies sino la piel pelada?

Yo ya le envío diez dólares de los treinta y dos que me gano en el hotel Biltmore, aunque son más bien veintiséis descontando la retención del Seguro Social y los impuestos. Después de pagar el alquiler me quedan veinte dólares y a mi madre le tocan diez y yo me tengo que defender con diez para comer y para el pasaje del metro cuando llueve. El resto del tiempo voy a pie para ahorrarme los cinco centavos. De vez en cuando no me aguanto y voy a ver una película al cine de la 68 y ya sé pasar de contrabando una chocolatina Hershey o dos bananos, que es la comida más barata del mundo. A veces, cuando pelo un banano, la gente de Park Avenue olfatea con sus narices sensibles y comenta: ¿No te huele a banano?, y ahí mismo amenazan con quejarse en la gerencia.

Pero ya no me importa. Si se quejan al acomodador no me voy a encerrar enfurruñado en el baño de los hombres a comerme el banano. Iré a las oficinas del partido demócrata del Biltmore y les diré que soy un ciudadano norteamericano con acento irlandés y que por qué me acosan por comerme un banano durante una película de Gary Cooper. El invierno estará por llegar en Irlanda pero hace más frío acá y la ropa que traje de Irlanda no sirve para el invierno de Nueva York. Eddie Gilligan dice que si eso es todo lo que me voy a poner para salir a la calle no llegaré a los veinte años. Dice que si no soy demasiado orgulloso puedo ir a ese gran sitio del Ejército de Salvación en el West Side a comprar por unos pocos dólares toda la ropa de invierno que me hace falta. Dice que me cerciore de conseguir ropa que me haga ver como un norteamericano en vez de esos trapos de irlandés pantanero que me hacen ver como un recogedor de nabos.

Pero no puedo ir al Ejército de Salvación a causa de un giro internacional de quince dólares que le mando a mamá, y los puertorriqueños de la cocina del Biltmore ya no me dan las sobras por miedo a contagiarse de mi mal de los ojos.

Eddie Gilligan me dice que la gente habla de mis ojos. Lo llamaron de personal por ser del sindicato y le dijeron que no puedo volver a la cocina porque tienen miedo de que toque una toalla o algo y deje a los lavaplatos puertorriqueños y a los cocineros italianos medio ciegos de conjuntivitis o lo que sea que tengo. Si no me despiden es porque soy recomendado del partido demócrata y ellos pagan mucha plata por las grandes oficinas que tienen arrendadas en el hotel. Eddie dice que el señor Carey puede ser un jefe duro pero que pone la cara por los suyos y les dice a los de personal cuándo desmontarla, les dice que en el momento en que intenten echar a un chico con los ojos enfermos se van a enterar en el partido demócrata y ese será el final del hotel Biltmore. Habrá una huelga en la que va a marchar todo el maldito Sindicato de Trabajadores Hoteleros. No más servicio a las habitaciones. Cero ascensores. Eddie dice: Esos gordos bastardos van a tener que caminar y las camareras no van a poner papel higiénico en los cuartos. Imagínate eso: los gordos bastardos varados sin con qué limpiarse el culo y todo por tus ojos enfermos, chico.

En paro, dice Eddie, el condenado sindicato en pleno. Cerraremos hasta el último hotel de la ciudad. Pero te tengo que decir que me dieron el nombre de un médico de los ojos en la avenida Lexington. Tienes que ir a verlo y venir a informarme en una semana.

El consultorio del médico queda en un edificio viejo, cuatro tramos de escaleras arriba. Se oyen bebés llorando y un radio que toca:

Niños y niñas agrupados
y yo y Mamie O'Rourke
por el fantástico alumbrado
de las aceras de Nueva York*.

---

* *Boys and girls together/ Me and Mamie O'Rourke/ We'll trip the light fantastic/ On the sidewalks of New York.*

El médico me dice: Adelante, siéntate en esta silla. ¿Qué te pasa con los ojos? ¿Vienes a que te recete gafas?

Tengo como una infección, doctor.

Por Cristo, *yeah*. Tamaña infeccioncita, cómo no. ¿Hace cuánto la tienes?

Hace nueve años, doctor. Estuve en una clínica de ojos en Irlanda a los once años.

Me hurga los ojos con un palito de madera y me los limpia con copitos de algodón que se me pega de las pestañas y me hace parpadear. Me dice que deje de pestañear, que cómo diablos quiero que me examine los ojos si me pongo a pestañear como un maniático. Pero no puedo remediarlo. Mientras más me hurga y limpia más parpadeo, hasta que se enfada tanto que arroja por la ventana el palito con un copito pegado. Se pone a abrir cajones del escritorio y a maldecir y a cerrarlos de golpe hasta que da con una botellita de whisky y un tabaco y eso lo pone de tan buen humor que se sienta en su escritorio y suelta la risa.

¿Todavía parpadeando, eh? Pues bien, chico, he estado viendo ojos durante treinta y siete años y nunca vi nada parecido. ¿Es que eres mexicano o qué?

No, soy irlandés, doctor.

Lo que tienes ahí no se da en Irlanda. Y no es conjuntivitis. Yo sé de conjuntivitis. Esto es otra cosa y te digo que tienes suerte de que todavía te queden ojos. Lo que tienes lo he visto en tipos llegados del Pacífico, de Nueva Guinea y lugares así. ¿Has estado en Nueva Guinea?

No, doctor.

Lo que tienes que hacer ahora es raparte del todo la cabeza. Tienes una especie de caspa infecciosa como la de los tipos venidos de Nueva Guinea y te cae en los ojos. Hay que motilar todo ese pelo y te vas a tener que estregar el cuero cabelludo todos los días con un jabón de fórmula. Frótatelo hasta que te rasque. Frótatelo hasta que le saques brillo y entonces ven a verme. Son diez dólares, chico.

El jabón de fórmula vale dos dólares y el peluquero italiano de la Tercera avenida me cobra otros dos dólares por cortarme el pelo y afeitarme la cabeza. Me dice que es como para llorar tener que afeitar una linda mata de pelo, que si él tuviera una mata de pelo así para rapársela tendrían primero que cortarle la cabeza, que la mayoría de esos médicos no distinguen entre la mierda y el betún, pero que si eso es lo que quiero quién es él para poner reparos.

Alza un espejo para mostrarme lo calvo que me veo por detrás y por poco me desmayo de vergüenza, con la cabeza calva, los ojos rojos, los barros, los dientes malos, y si alguien me mira en la avenida Lexington lo arrojo en medio del trafico porque estoy arrepentido de haber venido a este país que me amenaza con despedirme por mis ojos y me obliga a andar calvo por las calles de Nueva York.

Claro que se quedan mirándome en las calles y quisiera responder las miradas con una de amenaza pero no puedo por la materia amarilla de los ojos mezclada con pelusas de algodón que me deja completamente ciego. Miro arriba y abajo buscando las calles laterales menos concurridas y zigzagueo por toda la ciudad. La mejor vía es la Tercera avenida, con el traqueteo del elevado que pasa por arriba y sombras por todos lados y la gente en los bares con sus propios problemas y ocupada en sus propios asuntos sin quedarse mirando a cuanto par de ojos inflamados pase por allí. La gente que sale de los bancos y las tiendas de ropa me mira siempre, pero los concurrentes de los bares cavilan frente a sus copas y les daría igual si a uno se le cayeran los ojos en plena avenida.

Claro que la señora Austin me atisba por la ventana del sótano. No he llegado a la entrada y ella ya sube las escaleras preguntándome qué me pasó en la cabeza, que si tuve un accidente, que si vengo de un incendio o algo, y me dan ganas de contestarle con brusquedad: ¿Es que esto se parece a un puto incendio? Pero le digo que el pelo simplemente se me chamuscó en la cocina del hotel y que el peluquero dijo que era mejor cortarlo al rape para que creciera todo nuevo. Tengo que ser cortés con la señora Austin, no sea que me diga que haga maletas y me largue, y ahí estaría yo en la calle un día sábado con mi maleta marrón y la cabeza calva y tres dólares en el bolsillo. Ella dice: En fin, todavía estás joven, y baja otra vez al sótano y yo sólo atino a echarme en la cama a oír charlar y reírse a la gente, preguntándome cómo voy a hacer para ir al trabajo el lunes por la mañana con semejante calvicie, aunque esté cumpliendo órdenes del hotel y del médico.

No hago sino asomarme al espejo de mi cuarto, cada vez aterrándome de la blancura de mi cabeza y deseando poder quedarme ahí hasta que me vuelva a crecer el pelo, pero tengo hambre. La señora Austin prohíbe la comida y las bebidas en el cuarto pero en cuanto anochece salgo a la calle a conseguir el voluminoso *Sunday Times* para esconder del fisgoneo de la señora Austin la bolsa con el mojicón dulce y el litro de leche. Ahora me quedan menos de dos dólares hasta el viernes y hoy es apenas sábado. Si ella me quiere detener, yo le voy a decir que por qué voy a privarme de un mojicón dulce y un litro de leche después de que el médico me dijo que tenía una enfermedad de Nueva Guinea y de que un peluquero me afeitó la cabeza hasta los huesos. Me preguntó por qué en todas esas películas ondean las benditas barras y estrellas y se llevan la mano al pecho y declaran ante el mundo que ésta es tierra de libres y patria de valientes cuando tú mismo sabes que no puedes siquiera ir a ver *Hamlet* con tu pastel merengado de limón y tu *ginger ale* o

un banano y que no puedes entrar en la pensión de la señora Austin con comida o bebidas.

Pero la señora Austin no asoma la cara. Las caseras nunca asoman la cara cuando ya no te importa.

No puedo leer el *Times* si primero no me limpio los ojos
en el baño con agua tibia y papel higiénico y es muy rico
acostarte en la cama con el periódico y el mojicón y la leche
hasta que la señora Austin grita por la escalera que la cuenta
de la electricidad le está llegando hasta la luna y que por
favor apague la luz, que ella no es millonaria.

Cuando apago la luz recuerdo que es hora de embadur-
narme la cabeza con el ungüento pero enseguida me doy
cuenta de que si me acuesto voy a empegotar toda la almohada y la señora Austin la va a emprender conmigo otra vez.
Lo único que puedo hacer es quedarme sentado con la cabeza apoyada en el marco de hierro de la cama para poder
limpiarme el ungüento que chorree. El hierro forma volutas
y florecitas en relieve que no dejan dormir decentemente y
lo único que puedo hacer es bajarme a dormir en el suelo,
donde la señora Austin no tenga de qué quejarse.

El lunes por la mañana encuentro una nota en mi tarjeta de control de tiempo, en la que dice que me presente en
el piso diecinueve. Eddie Gilligan dice que no es nada personal, pero que en el vestíbulo ya no me quieren con esos
ojos malos y menos ahora con la cabeza rapada. Es un hecho sabido que la gente que de repente pierde todo el pelo
no va a durar mucho en este mundo, así te pares en el centro del vestíbulo y proclames que un peluquero fue el que
te lo quitó. La gente quiere creer lo peor y anda por la oficina
de personal diciendo que un problema en los ojos, otro en
la cabeza, se suman ambas cosas y el resultado es tremendo lío con la clientela del vestíbulo. Cuando me vuelva a
crecer el pelo y los ojos se me descongestionen a lo mejor

me reincorporan al vestíbulo, algún día tal vez de ayudante de camarero, y voy a recibir unas propinas tan fenomenales que podré sostener a todo tren a mi familia en Limerick, pero por el momento no, no con esa cabeza y esos ojos.

8

Eddie Gilligan trabaja en el piso diecinueve con su hermano Joe. Nuestro trabajo consiste en preparar recintos para ocasiones especiales, sean juntas en las habitaciones o banquetes y bodas en el salón de baile, y Joe no es de mucha ayuda con esas manos y esos dedos que parecen raíces. Camina por ahí con una escoba de palo largo en una mano y un cigarrillo en la otra fingiendo estar ocupado pero pasa la mayor parte del tiempo en el baño o fumando con Digger Moon, el alfombrador que dice ser un indio pies negros y que puede alfombrar más rápido y con menos arrugas que cualquier persona en los Estados Unidos, a menos que se haya tomado unas copitas y, si es así, ojo, porque entonces se acuerda de los sufrimientos de su pueblo. Cuando Digger se acuerda de los sufrimientos de su pueblo, el único que le puede hablar es Joe Gilligan, porque Joe sufre de artritis y Digger dice que Joe entiende. Cuando tienes una artritis tan grave que apenas si te puedes limpiar el culo, entiendes toda clase de sufrimientos. Eso dice Digger, y cuando Digger no va de piso en piso alfombrando o desalfombrando, se sienta con las piernas cruzadas en el suelo del depósito de alfombras a sufrir con Joe, el uno por el pasado, el otro por la artritis. Nadie molesta ni a Digger ni a Joe, porque todos en el Biltmore saben de sus sufrimientos y ellos pueden pasar días enteros en el depósito o cruzando la calle hasta

el bar McAnn's en busca de alivio. El propio señor Carey
sufre del estómago. Hace sus rondas de inspección por las
mañanas sufriendo del desayuno que le cocina su señora y
en la inspección de la tarde sufre el almuerzo que su señora
le empaqueta. Le dice a Eddie que su señora es una mujer
bella, la única que ha querido en la vida, pero que lo está
matando lentamente y que ella tampoco está en las mejores condiciones con esas piernas hinchadas por el reuma-
tismo. Eddie le dice al señor Carey que también su esposa
está en malas condiciones, después de cuatro abortos y ahora con una especie de infección en la sangre que tiene preocupado al médico. La mañana en que preparamos el banquete
anual de la Sociedad Histórica de América e Irlanda, Eddie
y el señor Carey se estacionan a la entrada del salón de baile
del piso diecinueve, Eddie fumando un cigarrillo y el señor
Carey en su traje cruzado con esmero para que uno no piense que tiene tanta panza, sobándosela para aliviar el malestar. Eddie le dice al señor Carey que no fumaba hasta que
lo tomaron por sorpresa en Omaha Beach* y cualquier hue-
vón, perdone la palabra, señor Carey, le metió un cigarrillo
en la boca mientras estaba tendido ahí esperando a los
médicos. Le pegó una fumada al cigarrillo y fue tanto el
alivio que sintió tendido ahí con las tripas afuera en Omaha
Beach, que desde eso fuma, no los puedo dejar, he tratado,
Nuestro Señor lo sabe, pero no soy capaz. Ahora Digger
Moon se arrima con una inmensa alfombra al hombro y le
dice a Eddie que haga algo con su hermano Joe, que el pobre hijo de perra sufre más que siete tribus indias y Digger
algo sabe de sufrimientos después de esa temporada en la

---

* Una de las playas del desembarco de las tropas aliadas en
Normandía en 1944, que condujo a la ruptura del frente alemán
durante la segunda guerra mundial.

infantería por todo el rejodido Pacífico, cuando le dieron con todo lo que los japonucos pudieron arrojarle, malaria, de todo. Eddie dice: *Yeah yeah,* ya sabe lo de Joe y lo compadece mucho, en fin de cuentas es su hermano, pero ya él tiene sus propios problemas con su mujer y sus abortos y la infección sanguínea y con la tripas de él hechas un lío porque no se las volvieron a meter como era, y lo que lo preocupa es que Joe ande mezclando alcohol con toda clase de analgésicos. El señor Carey eructa y suelta un quejido y Digger le pregunta: ¿Sigue comiendo mierda?, porque Digger no le teme ni al señor Carey ni a nadie. Así son las cosas cuando eres un gran alfombrador: puedes decirle lo que quieras a cualquiera y si te despiden siempre habrá trabajo en el hotel Commodore o en el Roosevelt o inclusive, Jesús bendito, *yeah,* en el Waldorf Astoria, donde viven tratando de sonsacar a Digger. Hay días en que Digger está tan agobiado por los sufrimientos de su pueblo que se niega a poner una sola alfombra, y al ver que el señor Carey no lo despide, Digger dice: Eso ser bueno. Blanco no poder vivir sin nosotros indios. Blanco necesitar iroqueses capaces de subir sesenta pisos de edificio a bailar en vigas de acero. Blanco necesitar indio pies negros para poner alfombra buena. Cada vez que Digger oye eructar al señor Carey le dice que deje de comer mierda y se tome una buena cerveza porque la cerveza nunca le ha hecho daño a nadie y que los sándwiches de la señora Carey son los que están matando al señor Carey. Digger le dice al señor Carey que tiene una teoría sobre las mujeres, que son como las arañas viudas negras, que matan al macho después de tirar con él, que le arrancan la maldita cabeza de un mordisco, que a las mujeres no les importan los hombres, que cuando pasan ellas la edad de tener hijos, los hombres ya no les sirven para nada, a menos que anden a caballo atacando a otras tribus.

Eddie Gilligan dice que uno se vería como un rejodido idiota galopando por la avenida Madison para atacar a otra tribu, y Digger dice que así es exactamente como debe ser. Dice que un hombre viene a esta tierra a pintarse la cara, montarse en el caballo, arrojar la lanza y aniquilar a la otra tribu, y cuando Eddie dice: Bah, pura mierda, Digger dice: Bah, ¿pura mierda?, el culo. ¿Y qué haces tú, Eddie? ¿Perder la vida aquí decorando salones para matrimonios y comidas? ¿Ésa es manera de vivir un hombre? Eddie se encoge de hombros y le da una chupada al cigarrillo y Digger da súbitamente media vuelta para irse y les pega a Eddie y al señor Carey con la punta de la alfombra enrollada y el empellón los mete varios metros dentro del salón de baile.

Es un accidente y nadie dice nada, pero así y todo admiro la forma como Digger va por el mundo, importándole todo el pedo de un violinista, como a mi tío Pa en Limerick, y eso porque nadie sabe alfombrar como él. Me gustaría ser como Digger pero sin las alfombras. Detesto las alfombras.

Si tuviera la plata, me compraría un farol para leer hasta el amanecer. En Estados Unidos les dicen linternas a los faroles. A los bizcochuelos les dicen galletas, un bollo es una rosquilla. La repostería es la pastelería y la carne picada es molida. Los hombres usan pantalones en vez de calzones, que son las bragas que usan las mujeres y que me suena muy gracioso. Al ascensor le dicen el elevador, y si buscas un escusado o un retrete, hay que decir que el baño, aunque no haya ni rastros de una tina. Y nadie se muere en Estados Unidos, sino que parte de esta vida o fallece, y cuando se muere llevan el cadáver, que se llama los restos, a una casa de velaciones, donde la gente simplemente se está quieta y lo mira sin que nadie cante o cuente un chiste o se tome una copa, y después se lo llevan en un ataúd a enterrarlo. No les gusta decir féretro y no les gusta decir sepultar. Nunca dicen camposanto. Cementerio les suena mejor.

Si tuviera la plata podría comprarme un sombrero y salir a la calle, pero no puedo andar por las calles de Nueva York así de calvo, no sea que la gente piense que soy una bola de nieve sobre un par de hombros flacuchentos. Dentro de una semana, cuando el pelo me oscurezca la cabeza, podré salir de nuevo y no hay nada que la señora Austin pueda hacer al respecto. Eso es lo que me da tanto placer: echarme en la cama a pensar en las cosas que se pueden hacer sin que nadie se meta. Eso es lo que el señor O'Halloran, el director, nos decía allá en Limerick: Su mente es una casa que hay que colmar de tesoros y es la única parte en la que nadie puede interferir.

Nueva York era la ciudad de mis sueños, pero ahora que estoy aquí los sueños se esfumaron y no es en absoluto lo que yo me imaginaba. Nunca pensé que daría vueltas por el vestíbulo de un hotel limpiando lo que deja la gente o fregando tazas de retretes. ¿Cómo voy a escribirle a mamá o a cualquiera en Limerick contándoles que vivo en esta tierra tan rica haciendo rendir dos dólares para toda una semana, con la cabeza calva y los ojos inflamados y una casera que no me deja encender la luz? ¿Cómo decirles que tengo que comer bananos todos los días, la comida más barata del mundo, porque en el hotel no me dejan arrimar a la cocina por las sobras porque a los puertorriqueños les da miedo de que se les pegue mi infección de la Nueva Guinea? Nunca me lo creerían. Me dirían: A otro perro con ese hueso, y se pondrían a reírse, porque basta con ir al cine para ver lo acomodados que viven los norteamericanos, cómo juegan con la comida y dejan algo servido y luego apartan el plato. Hasta trabajo da sentir lástima por los norteamericanos supuestamente pobres en películas como *Las uvas de la ira,* cuando todo se seca y se tienen que desplazar a California. Ellos al menos están secos y no tienen frío. Mi tío Pa Keating decía que si hubiera una California en Irlanda todo el país correría en tropel para allá a comer cantidades de naranjas y a nadar todo el día. Cuando estás en Irlanda cuesta creer que hay pobres en Estados Unidos, porque ves a los irlandeses que regresan, los yanquis regresados les dicen, y los distingues a la legua porque menean los culos gordos por la calle O'Connell en unos pantalones demasiado ajustados y de colores que jamás se verían en Irlanda, azules, rosas, verdes claros y hasta relumbrones de castaño rojizo. A todas horas se comportan como unos ricachones y hablan por la nariz de sus neveras y sus autos, y si van a una taberna piden bebidas norteamericanas que nadie conoce, un coctel si no hay inconveniente, aunque si actúas así en una taberna de Limerick, el cantinero te pone en tu sitio y te recuerda que saliste para América con el culo asomado por el roto de los calzones y no te des muchas ínfulas, paisano, que yo te concí cuando los mocos te colgaban de las ñatas hasta las rodillas. Y sin falta distingues a los yanquis de verdad, también por sus colores claros y sus culos gordos y por la forma como miran a todos lados y se sonríen y reparten peniques a los niños harapientos. Los yanquis de verdad no se dan ínfulas. No tienen por qué hacerlo, viniendo, como vienen, de un país donde todos tienen de todo.

Si la señora Austin no me deja tener una luz, de todos modos puedo sentarme en la cama o tenderme del todo o puedo decidir entre quedarme en casa o salir. Esta noche no salgo, por lo de mi calva, y me da igual porque puedo quedarme acá y convertir mi mente en una película de Limerick. El mayor descubrimiento que he hecho acostado en el cuarto es que si no puedo leer por culpa de mis ojos o porque la señora Austin se queja de la cuenta de la luz, puedo empe-

zar la película que quiera en la cabeza. Si aquí son las doce
de la noche, son las cinco de la mañana en Limerick y puedo imaginarme a mi mamá y a los hermanitos dormidos con
el perro Lucky gruñendo muy campante y mi tío Ab Sheenan
roncando en su cama mientras pasa la juma de las pintas
que se tomó esa noche y la pedorrera por la comilona de
pescado y papas fritas.

Puedo volar por Limerick y ver la gente que arrastra la
figura por las calles hacia la misa de alba del domingo. Puedo entrar y salir de las iglesias, las tiendas, las tabernas y
los cementerios y ver la gente dormida o gimiendo de dolor
en el hospital del Asilo Municipal. Por arte de magia vuelvo a Limerick en la mente, aun cuando eso me hace brotar
las lágrimas. Es duro pasar por los callejones de los pobres
y asomarse a sus casas y oír el llanto de los nenes y ver a las
mujeres que tratan de encender el fuego para hervir agua
en las teteras para el desayuno de pan con té. Es duro ver
tiritar a los niños cuando tienen que levantarse para ir a la
escuela o a misa y no hay calor en la casa, como el que tenemos aquí en Nueva York con los radiadores silbando a
todo vapor a las seis de la mañana. Me gustaría desocupar
los callejones de Limerick y traer a todos los pobres a Estados Unidos e instalarlos en casas con calefacción y darles
ropa abrigada y zapatos y dejarlos que se harten de puré
de papa y salchichas. Algún día voy a tener millones de
dólares y traeré a los pobres a Estados Unidos y los voy a
mandar de regreso a Limerick bien culigordos y contoneándose de arriba abajo por la calle O'Connell vestidos de color claro. Puedo hacer lo que quiera en esta cama, cualquier
cosa. Puedo soñar con Limerick o puedo manipularme, así
sea pecado, y la señora Austin nunca lo sabrá. Nadie lo
sabrá nunca, a menos que me confiese, y ya estoy demasiado condenado para eso.

Otras noches, cuando tenga ya pelo en la cabeza pero
nada de plata, podré caminar por todo Manhattan. Eso no
me choca para nada porque la calles son tan animadas como
cualquier película del cine de la 68. Siempre hay un coche
de bomberos tocando la sirena al doblar una esquina o una
ambulancia o un auto patrullero de la policía y a veces todas suenan al tiempo y sabes que hay un incendio. La gente está atenta a que el coche de bomberos disminuya la
marcha, porque eso indica a qué manzana dirigirse y a dónde mirar en busca de humo y llamas. Si hay alguien a punto
de lanzarse de una ventana la cosa es todavía más emocionante. La ambulancia espera con las luces giratorias encendidas y los policías mandan retroceder a todo el mundo. Ése
es el principal trabajo de los policías de Nueva York: decirle a todo el mundo que retroceda. Son poderosos con sus
pistolas y sus porras, pero el verdadero héroe es el bombero
especialmente cuando trepa por una escalera y pesca a una
niña por una ventana. Puede rescatar a un anciano de mule-
tas y en camisa de dormir pero es distinto cuando se trata
de una niña que se chupa el dedo y apoya la cabecita rizada
en los anchos hombros del bombero. Es ahí cuando todos
gritamos y nos miramos los unos a los otros y sabemos que
estamos felices por la misma cosa.

Y eso nos pone a hojear el *Daily Mirror* del día siguiente,
a ver si por casualidad salimos en la foto con el bombero
valiente y la niñita de pelo rizado.

9

La señora Austin me dice que su hermana Hannah, la casada con el irlandés, le va a hacer una corta visita de Nochebuena antes de ir las dos a su casa de Brooklyn, y que me quiere conocer. Habrá sándwiches y una bebida navideña para que Hannah olvide sus problemas con ese loco irlandés. La señora Austin no entiende por qué su hermana Hannah querría pasar la Nochebuena con alguien como yo, otro irlandés, pero ella siempre fue un poquito rara y a lo mejor los irlandeses le agradan a pesar de todo. La madre les había advertido hacía tiempo allá en Suecia, hace más de veinte años, quién creyera, que no se metieran ni con irlandeses ni con judíos, que se casaran con gente de su raza, y por si quiero saberlo, la señora Austin me cuenta que su marido Eugene era mitad sueco y mitad húngaro, que no se tomó una gota de licor en toda la vida pero que le encantaba comer y que eso fue lo que acabó matándolo. Por si quiero saberlo, me cuenta que murió del tamaño de una casa, que si ella no le estaba cocinando él asaltaba la nevera y que cuando compraron un televisor eso fue lo que realmente lo llevó a la tumba. Se sentaba a atracarse de comida y de líquidos y a preocuparse por la situación mundial hasta que el corazón se le paró, así de simple. Lo extraña mucho y eso es duro después de veinte años y más cuando no tuvieron hijos. Su hermana Hannah tiene cinco niños y eso porque el irlandés no la deja en paz nunca: un par de tragos y le salta encima, el típico irlandés católico. Eugene no era así, era muy respetuoso. En fin, espera verme después del trabajo la víspera de Navidad.

Llegado el día, el señor Carey convida a los mozos de escoba del hotel y a cuatro supervisoras de camareras a su oficina para un pequeño brindis navideño. Hay una botella de whisky irlandés Paddy's y otra de Four Roses que Digger Moon no quiere ni tocar. Quiere saber por qué motivo se va a tomar alguien los orines del Four Roses teniendo ahí la mejor cosa que haya venido de Irlanda: el whisky. El señor Carey se acaricia la panza bajo el traje cruzado y dice que a él le da igual, que él no puede tomar nada. Lo mataría. Pero tomen de todos modos, brinden por esta Navidad y por lo que vaya a traer el año entrante.

Joe Gilligan ya tiene pintada en la cara una sonrisa por lo que sea que ha estado sorbiendo todo el día de la cantimplora que tiene en el bolsillo de atrás, y entre eso y la artritis lo hacen tropezar aquí y allá. El señor Carey le dice: Ven, Joe, siéntate en mi silla, y cuando Joe trata de sentarse suelta tremendo quejido y se le salen las lágrimas. La señora Hynes, jefa de todas las camareras, se le acerca y le aprieta la cabeza contra el pecho y le da palmaditas y lo mece. Dice: Ay, pobre Joe, pobre Joe, no sé por qué el Señor misericordioso pudo torcerte así los huesos después de todo lo que hiciste por Estados Unidos en la guerra. Digger Moon dice que allá fue donde a Joe le dio la artritis, en el puto Pacífico, donde tienen todas las jodidas enfermedades que la humanidad haya padecido. Recuerda esto, Joe: los condenados japonucos fueron los que te pegaron esa artritis, igual que a mí me pegaron la malaria. No hemos sido los mismos desde entonces, Joe, ni tú ni yo.

El señor Carey le dice que se calme, que modere el len-

guaje, que hay damas presentes, y Digger dice: Okey, señor
Carey, le respeto eso, y hoy es Nochebuena, así que qué demonios. La señora Hynes dice: No importa, hoy es Nochebuena y debemos perdonarnos los unos a los otros y
perdonar a nuestros enemigos. Digger dice: Perdonarlos, el
culo. Yo no perdono al hombre blanco y no perdono a los
japonucos. Pero a ti te perdono, Joe. Has sufrido más que
diez tribus indias con esa maldita artritis. Entonces toma a
Joe de la mano para estrechársela y Joe aúlla de dolor y el
señor Carey dice: Digger, Digger. La señora Hynes dice: Por
el amor de Cristo, respeta la artritis de Joe. Digger dice:
Perdón, doña, le tengo el mayor respeto a la artritis de Joe,
y para demostrarlo le pone a Joe un vaso lleno de Paddy's en
los labios.

Eddie Gilligan está parado con su vaso en un rincón
aparte y me pregunto por qué mira sin decir nada siendo
que todo el mundo está preocupado por su hermano. Sé que
él tiene sus propios problemas con la infección de su esposa
en la sangre, pero no entiendo por qué no se le acerca por
lo menos al hermano.

Jerry Kerrisk me cuchichea que nos larguemos lejos de
esa banda de locos y vamos a tomarnos una cerveza. No
me gusta gastarme mi dinero en los bares con las estrecheces que está pasando mamá, pero es Nochebuena y el whisky
que he bebido me hace sentir mejor conmigo mismo y con
el mundo en general y por qué no consentirme un poco. Por
primera vez en la vida tomo whisky como un hombre y
ahora que estoy en un bar con Jerry puedo charlar sin preocuparme por mis ojos ni nada. Ahora le puedo preguntar
a Jerry por qué Eddie Gilligan es tan frío con su hermano.

Mujeres, dice Jerry. Eddie estaba comprometido con una
chica cuando lo llamaron a prestar el servicio militar pero
se fue y ella y Joe se enamoraron y cuando ella le envió de

vuelta a Eddie el anillo de compromiso él se enloqueció y
dijo que iba a matar a Joe apenas lo viera. Pero a Eddie lo
despacharon a Europa y a Joe al Pacífico y estuvieron ocupados matando otra gente y mientras estaban lejos la mujer de Joe, la que se supone que se iba a casar primero con
Eddie, se aficionó a la bebida y ahora hace que la vida de
Joe sea un infierno. Eddie dijo que ése era el castigo para el
hijo de perra por haberle robado la novia. Y el propio Eddie
conoció en el ejército a una linda chica italiana, del Cuerpo
Militar Femenino, pero ella tiene una infección en la sangre
y es como si pesara una maldición sobre todos los Gilligan.

Jerry dice que él cree que las madres irlandesas tienen
razón después de todo. Hay que casarse con la gente de uno,
con católicas irlandesas, y asegurarse de que no haya ni alcohólicas ni italianas con enfermedades de la sangre.

Se ríe al decir eso pero hay algo serio en sus ojos y yo no
digo nada porque sé que yo no me quiero casar con una
irlandesa católica y pasarme el resto de la vida obligando a
los niños a confesarse y comulgar y diciendo: Sí, padre, ah,
cómo no, padre, cada vez que me tope con un cura.

Jerry quiere quedarse en el bar tomando más cerveza y
se pone de mal humor cuando le digo que tengo que visitar
a la señora Austin y a su hermana Hannah. ¿Por qué quiero
pasar la Nochebuena con dos viejas suecas, de cuarenta años
por lo menos, cuando podría estar pasándola en grande con
mis propias muchachas de los condados de Mayo y Kerry
allá en el bar Los Treinta y Dos de Irlanda? ¿Por qué?

No le puedo responder porque no sé dónde quiero estar
o qué debo hacer. Eso es lo que hay que enfrentar cuando
vienes a Estados Unidos: una decisión tras otra. En Limerick
sabía qué hacer y tenía respuestas para las preguntas pero
ésta es mi primera Nochebuena en Nueva York y heme aquí
tentado de un lado por Jerry Kerrisk, Los Treinta y Dos de

Irlanda, la promesa de chicas de Mayo y Kerry, y del otro por dos viejas suecas, la una asomada a todas horas por la ventana por si voy a meter comida o bebidas de contrabando, la otra desdichada con su marido irlandés, y vaya uno a saber por dónde va a brincar la mujer ésa. Temo que si no voy a su casa, la señora Austin se enfurezca conmigo y me diga que me vaya, y ahí voy a quedar yo en la calle en plena Nochebuena con mi maleta marrón y los pocos dólares que me quedan después de haber mandado el giro a casa, de haber pagado el alquiler y ahora de haber comprado cerveza a diestro y siniestro en este bar. Después de todo eso, ya no me queda con qué pasar la noche repartiéndoles plata a las mujeres de toda Irlanda para una cervecita, y esa es la parte que Jerry entiende, la parte que le mejora el mal humor. Él sabe que hay que enviar giros a casa. Me desea una feliz Navidad y se ríe: Va a ser tremenda la juerga con ese par de viejas suecas. El cantinero alarga el oído y me dice: Ten cuidado con esas fiestas suecas. Te van a dar esa bebida nacional de allá, el *glug*, y si te la tomas no vas a distinguir entre la Nochebuena y la fiesta de la Inmaculada Concepción. Es negra y muy espesa y hay que tener una constitución muy fuerte para aguantarla, y después te hacen acompañarla con toda clase de pescado, pescado crudo, salado, ahumado, toda clase de pescado que no se lo darías ni a un gato. Los suecos se toman el tal *glug* y se ponen tan locos que creen que otra vez son vikingos.

Jerry dice que no sabía que los suecos eran vikingos. Creía que había que ser danés.

Para nada, dice el cantinero. Toda esa gente de esos lugares del norte eran vikingos. Donde veías hielo veías a la fija algún vikingo.

Jerry dice que es admirable todo lo que la gente sabe y el cantinero dice: Podría contarte una o dos anécdotas.

Jerry pide una cerveza más para el camino y me la tomo, aunque no sé qué va a ser de mí después de dos whiskys grandes en la oficina del señor Carey y cuatro cervezas aquí con Jerry. No sé cómo voy a aguantar una noche de *glug* y toda clase de pescado si la profecía del cantinero resulta cierta.

Subimos por la Tercera avenida cantando *Don't Fence Me In** mientras la gente cruza de largo en los apremios de la Nochebuena, sin darnos nada que no sean miradas de desaprobación. Las bombillitas de Navidad bailan por todas partes, pero a la altura de Bloomingdale's ya bailan demasiado y tengo que apoyarme en una columna del elevado de la Tercera para vomitar. Jerry me hunde el estómago con el puño cerrado. Sácalo todo, dice, y abre bastante espacio para el *glug* y mañana amaneces como nuevo. Y se pone a decir *glug glug glug* y le da tanta risa como le suena la palabra que un auto por poco lo atropella y un policía nos dice que circulemos, que debería darnos vergüenza, dos jovencitos irlandeses que deberían respetar el nacimiento del Salvador, no joda.

En la calle 67 hay una cafetería y Jerry dice que me tome un café que me componga antes de caer donde las suecas, que él paga. Nos sentamos en la barra y él me cuenta que no se va a pasar el resto de la vida trabajando como un esclavo en el hotel Biltmore. Él no va a terminar como los Gilligan, que lucharon por los Estados Unidos ¿y qué demonios consiguieron a cambio? Artritis y esposas con infecciones en la sangre, eso fue lo que consiguieron. Ah, no, Jerry va a ir a los montes Catskill en el *Memorial Day***, a

---

* No me encierren.
** Día en que se recuerda a los soldados norteamericanos muertos en campaña.

finales de mayo, al hotel Irish Alps. Hay mucho trabajo allá atendiendo mesas, haciendo el aseo, cualquier cosa, y las propinas son buenas. Allá arriba también hay sitios judíos, pero no se mueven mucho en cuestión de propinas, porque ellos pagan todo por anticipado y no tienen que llevar efectivo. Los irlandeses se emborrachan y dejan plata en las mesas o en el suelo y cuando limpias es toda tuya. A veces vuelven con pataleta, pero uno no ha visto nada. Uno no sabe nada. Uno se limita a barrer, que para eso le pagan. Claro que ellos no te lo creen y te llaman mentiroso y dicen cosas de tu madre pero no pueden hacer nada fuera de irse con su música a otra parte. Hay cantidad de chicas en los Catskills. Algunos sitios programan bailes al aire libre y todo lo que hay que hacer es alejarte bailando con tu Mary hasta el bosque y antes de darte cuenta has cometido un pecado mortal. Las irlandesas se calientan como locas cuando van a los Catskills. No hay esperanza con ellas en la ciudad porque todas trabajan en sitios elegantes, como Schrafft's, con esos vestiditos negros y esos delantalitos blancos: Ah, sí, señora, ah, cómo no, señora, ¿que el puré está un poquito grumoso, señora?, pero llévalas a los montes y son como unas gatas palo arriba y se dejan embarazar y antes de saber qué las atropelló hay docenas de Seans y Kevins arrastrando el culo por el pasillo de la iglesia mientras el cura las fulmina con los ojos y el hermano mayor las amenaza.

Quisiera quedarme toda la noche en la cafetería oyendo hablar a Jerry de las muchachas irlandesas en los Catskills pero el dueño nos dice que es Nochebuena y que ya va a cerrar por respeto a la clientela cristiana, aunque él es griego y en realidad no es su Nochebuena. Jerry le pregunta que cómo no va a ser su Nochebuena si basta con mirar por la ventana para que quede demostrado, pero el griego le dice: Nosotros somos distintos.

Jerry tiene con eso, porque él no discute ese tipo de cosas y eso es lo que me gusta de él: la manera como anda por la vida tomándose otra cerveza y soñando con pasarla en grande en los Catskills sin discutir con griegos sobre la Navidad. Ojalá yo pudiera ser como él pero siempre hay una nube negra en el fondo de mi mente: suecas que me esperan para tomar *glug* o una carta de mamá donde dice que gracias por los dolaritos, Michael y Alphie van a estrenar zapatos y vamos a tener un buen ganso para la Navidad con la ayuda de Dios y de Su Santa Madre. Nunca me dice que necesita zapatos para ella, y apenas se me ocurre pensar en eso sé que habrá otra nube negra en el fondo de mi mente. Me gustaría tener una rejita que uno pudiera correr para soltar las nubes, pero no la tengo y habrá que buscarse otra manera para no amontonar más nubes negras.

El griego dice: Buenas noches, caballeros, y nos pregunta si queremos llevarnos unas rosquillas de un día de viejas. Tómenlas, dice, porque voy a tirarlas. Jerry dice que le recibe una para aguantar el trecho hasta Los Treinta y Dos de Irlanda, donde se va a pegar una comilona de carne en molde y repollo y papas blancas y esponjosas. El griego llena una bolsa de rosquillas y pastelitos y me dice que tengo cara de que me caería bien una comida decente, así que ten la bolsa.

Jerry me da las buenas noches en la 68 y me quedo con las ganas de acompañarlo. Todo lo de ese día me tiene mareado y todavía falta lo de las suecas que me esperan allá revolviendo el *glug* y cortando el pescado crudo. Pensar en eso me pone a vomitar otra vez en plena calle y la gente que pasa en los apremios de la Nochebuena hace ruidos de asco y se aparta de mí y les dice a los niños: No miren a ese asqueroso. Está borracho. Me gustaría pedirles que no pusieran a los niños en mi contra. Me gustaría decirles que no tengo este hábito. Hay nubes en el fondo de mi mente, mamá tiene su ganso, por lo menos, pero le hacen falta zapatos.

Pero es inútil tratar de hablar con gente cargada de paquetes y llevando niños de la mano y con la cabeza llena de villancicos porque regresan a sus apartamentos alumbrados y saben que Dios está en Su cielo, todo es paz en la tierra, como dijo el poeta.

La señora Austin abre la puerta. Ay, mira, Hannah, el señor McCourt nos trajo una bolsa llena de rosquillas y golosinas. Hannah me lanza un saludito con la mano desde el sofá y dice: Qué amable, una nunca sabe cuándo va a necesitar una bolsa de rosquillas. Yo creía que los irlandeses siempre traían una botella pero veo que tú eres distinto. Dale un trago al muchacho, Stephanie.

Hannah está tomando vino tinto pero la señora Austin se acerca a un bol que hay en la mesa y con un cucharón sirve el líquido negro en un vaso: el *glug*. El estómago se me revuelve otra vez y tengo que controlarlo.

Siéntate, dice Hannah. Déjame decirte algo, irlandesito. Tu gente me importa una mierda. Tú serás agradable, eso dice mi hermana, y traes unas rosquillas agradables, pero por debajito de la piel eres pura mierda.

Por favor, Hannah, dice la señora Austin.

Por favor Hannah, el culo. ¿Qué bien le han hecho ustedes a este mundo aparte de beber? Stephanie, dale un poco de pescado, comida sueca decente. Irlanducho care'luna. Pues la enfermas a una, care'luna. Ay, ja, me salió en verso, ¿no?

Se carcajea por su propia poesía y yo no sé qué hacer con mi *glug* en una mano y la señora Austin embutiéndome pescado con la otra. La señora Austin también está tomando *glug* y se tambalea desde donde yo estoy hasta el bol y de ahí hasta el sofá, donde Hannah le alarga la copa para que le sirva más vino. Ésta se sorbe el vino haciendo ruido y me clava cuchillos con los ojos. Dice: Yo era una niña apenas cuando me casé con el irlanducho ése. Tenía diecinueve. ¿Hace cuántos años? Jesús mío, veintiuno. ¿Cuántos tienes, Stephanie? ¿Cuarenta y pico? Desperdicié mi vida con el tipo. ¿Y tú qué haces aquí? ¿Quién te envió acá?

La señora Austin.

La señora Austin. La señora Austin. Habla más duro, enano cagapapas. Tómate el *glug* y habla más duro.

La señora Austin se balancea frente a mí con su vaso de *glug*. Vamos, Eugene, acostémonos ya.

Eh, yo no soy Eugene, señora Austin.

Oh.

Da media vuelta y entra bamboleándose a otro cuarto y Hannah vuelve a soltar la carcajada: Mira eso. Todavía no sabe que enviudó. Ojalá fuera yo una jodida viuda.

El *glug* que he tomado me empieza a revolver el estómago y trato de correr a la calle, pero la puerta tiene tres seguros y me vomito en la entrada del sótano antes de poder salir. Hannah se viene del sofá haciendo eses y me dice que vaya a la cocina, que busque jabón y un trapeador y limpie esa maldita cochinada, que si no sé que hoy es Nochebuena, por el amor de Cristo, y que si así correspondo a las gentilesas de mi anfitriona.

De la cocina hasta la puerta voy con el trapeador que chorrea, fregando, exprimiendo, enjuagando en el lavaplatos de la cocina, y otra vez a empezar. Hannah me da palmaditas en el hombro y me besa la oreja y me dice que después de todo no soy un irlandesito tan malo, que me deben de haber educado bien por la manera como limpio el desastre que hice. Me dice que me sirva lo que quiera, *glug*, pescado, hasta una de mis rosquillas, pero pongo el trapeador donde lo encontré y paso de largo frente a Hannah, con la

idea en la cabeza de que después de haber limpiado no tengo
que escucharla más a ella ni a nadie de su laya. Me llama:
¿Adónde vas? ¿Adónde diablos crees que vas?, pero ya voy
escaleras arriba hacia mi cuarto, hacia mi cama, a acostarme
a oír villancicos en la radio mientras la tierra me da vueltas
y con un gran interrogante en la cabeza sobre el resto de mi
vida en Estados Unidos. Si le escribiera a alguien de Limerick
contándole de mi Nochebuena en Nueva York, dirían que
estaba inventando. Dirían que Nueva York tiene que ser un
manicomio.

Por la mañana golpean en mi puerta y es la señora Austin,
de gafas oscuras. Hannah está unos peldaños más abajo y
también lleva gafas oscuras. La señora Austin dice que se
enteró de que tuve un accidente en su apartamento pero que
nadie puede culparla ni a ella ni a su hermana porque estaban dispuestas a ofrecer la más fina hospitalidad sueca y si
yo decidí llegar tarde a la fiesta en cierto estado ellas no tienen la culpa y es una lástima porque lo único que querían
era una genuina Nochebuena cristiana y yo sólo quería
decirle, señor McCourt, que no apreciamos para nada su
comportamiento, ¿no es cierto, Hannah?

Hannah croa algo entre toses y chupadas del cigarrillo.

Bajan otra vez por las escaleras y me dan ganas de gri-
tarle a la señora Austin que si por casualidad no le sobró
una rosquilla de las de la bolsa del griego, porque estoy muy
hambreado después de todos esos vómitos de anoche, pero
ya han salido a la calle y por la ventana las veo subir agui-
naldos a un automóvil y arrancar enseguida.

Puedo quedarme todo el día parado al pie de la ventana
viendo pasar personajes felices con niños de la mano derechito a la iglesia, como dicen en Estados Unidos, o puedo
echarme en la cama a leer *Crimen y castigo* y ver en qué anda

Raskólnikov, pero eso me alborotaría los remordimientos y hoy no estoy de ánimo para eso y de todos modos no es una lectura apropiada para Navidad. Me gustaría ir a comulgar calle abajo a la iglesia de San Vicente Ferrer pero hace años que no me confieso y tengo el alma negra como el *glug* de la señora Austin. Los católicos felices que pasan con sus proles de la mano seguramente van a San Vicente Ferrer y, si los sigo, a lo mejor puedo tener como una sensación navideña.

Es delicioso entrar a una iglesia como la de San Vicente, en la que sabes que la misa será idéntica a las de Limerick o de cualquier lugar del mundo. Puedes ir a Samoa o a Kabul y allá celebran la misma misa, y aunque no me dejaron ser monaguillo en Limerick aún recuerdo el latín que papá me enseñó y en cualquier parte que esté le puedo responder al sacerdote. Nadie puede sacarme lo que tengo en la cabeza, me sé de memoria las fiestas de todos los santos, la misa en latín, las principales ciudades y productos de los treinta y dos condados de Irlanda, cantidad de canciones sobre los sufrimientos de Irlanda y el precioso poema de Oliver Goldsmith *La aldea abandonada*. Pueden encarcelarme y tirar la llave pero no pueden impedir que en mis sueños me pasee por Limerick y las vegas vecinas del Shannon ni que piense en Raskólnikov y sus tribulaciones.

La gente que va a San Vicente es como la que va a ver *Hamlet* al cine de la 68 y se saben las respuestas en latín como se saben la tragedia. Comparten sus misales y cantan himnos en coro y se sonríen unos a otros porque saben que Brigid, la criada, está allá en la cocina de Park Avenue vigilando el pavo. Sus hijos e hijas tienen cara de haber venido del colegio o la universidad y se sonríen con otros chicos de las bancas también con cara de haber venido del colegio o la universidad. Se pueden dar el gusto de sonreír porque tienen unos dientes tan blancos que si se les cayeran en la nieve los perderían para siempre.

La iglesia está atestada y hasta hay gente de pie en la parte de atrás, pero yo estoy tan débil del hambre y de la larga Nochebuena de whisky, *glug* y trasbocadas que me busco un asiento. Hay un puesto vacío al final de una banca, bastante arriba, en el pasillo central, pero en cuanto me escurro en él un hombre viene corriendo hacia mí. Anda ataviado con unos pantalones rayados, una chaqueta de faldones y una cara fruncida y me murmura al oído: Abandone de inmediato esta banca. Es para gente que tiene puesto fijo, vamos, vamos. Siento que la cara se me pone roja, y eso quiere decir que tengo peores los ojos, y bajo por el pasillo sabiendo que el mundo entero me está mirando, mirando a ese que se coló en la banca de una familia feliz con hijos venidos del colegio y la universidad.

De nada serviría hacerse siquiera en la entrada de la iglesia. Todos lo saben y me van a lanzar miradas, de manera que da igual si me marcho y sumo otro pecado a los cientos que pesan sobre mi alma: el pecado mortal de no ir a misa el día de Navidad. Dios sabrá que al menos lo intenté y no es culpa mía que haya ido a parar a la banca de una feliz familia de Park Avenue.

Ahora me siento tan vacío y hambriento que quisiera perder el seso dándome un festín en el Horn & Hardart Automat, pero no quiero ser visto allá para que después crean que soy como la gente que se pasa ahí medio día con una taza de café y un periódico atrasado porque no tiene dónde ir. Hay un Chock Full o'Nuts a las pocas cuadras y allí me tomo un buen plato de sopa de arvejas, acompañado de un pan de pasas con una lonja de queso con nueces, una taza de café, una rosquilla con azúcar blanca y una lectura del *Journal-American* que alguien dejó olvidado.

Son apenas las dos de la tarde y no sé qué hacer cuando todas las bibliotecas están cerradas. La gente que pasa con niños de la mano va a pensar que no tengo dónde ir, de modo que subo por una calle y bajo por la otra con la quijada bien en alto, como yendo de prisa a una cena con pavo. Ojalá que al abrir una puerta en algún sitio hubiera gente que me saludara: Hola, Frank, qué bueno, llegas justo a tiempo. La gente que anda de un lado para otro por las calles de Nueva York cree que todo esto le viene porque sí. Dan y reciben regalos y celebran esas grandes cenas de Navidad sin saber que hay gente que sube por una calle y baja por la otra en el día más sagrado del año. Me gustaría ser un neoyorquino común repleto de comidas, conversando en familia y con los villancicos de la radio al fondo. O tampoco me importaría estar de vuelta en Limerick con mamá y mis hermanos y el buen ganso, pero heme aquí en el sitio con el que soñé siempre, Nueva York, y estoy rendido de recorrer calles en las que no se ve ni un pájaro siquiera.

No hay nada más que hacer que regresar al cuarto a oír radio, leer *Crimen y castigo* y dormirme preguntándome por qué los rusos alargan tanto todo. En Nueva York sería imposible encontrar un detective que anduviera por ahí con alguien como Raskólnikov conversando de todo menos del asesinato de la anciana. El detective de Nueva York le echaría el guante, lo pondría tras las rejas y lo que sigue es la silla eléctrica en Sing Sing, y eso se debe a que los norteamericanos viven muy ocupados y no hay tiempo para que los detectives charlen con gente que ya saben que cometió el asesinato.

Golpean en la puerta y es la señora Austin. Señor McCourt, dice, ¿podría bajar por un minuto?

No sé qué decirle. Me gustaría decirle que me bese el culo después del modo como me habló su hermana y como ella misma me habló por la mañana, pero la sigo al sótano y allá tiene servida toda clase de comida en la mesa. Dice que la trajo de la casa de su hermana, que estaban preocupadas de que yo no tuviera a dónde ir o nada qué comer en este hermoso día. Siente haberme hablado así por la mañana y espera que yo esté dispuesto a perdonar.

Hay pavo relleno y toda clase de papas, blancas y amarillas, con salsa de arándanos para endulzarlo todo, y todo eso me pone en disposición de perdonar. Si por ella fuera, me ofrecería una copita de *glug* pero su hermana lo arrojó por la ventana y así es mejor quizá. Porque puso a trasbocar a todo el mundo.

Cuando acabo me convida a sentarme a ver su nuevo televisor, por el que pasan un programa sobre Jesús, tan celestial que me quedo dormido en el sillón. Cuando me despierto, en el reloj de la repisa de la chimenea son las cuatro y veinte de la mañana y la señora Austin está en la otra habitación soltando unos griticos: Eugene, Eugene, y eso demuestra que puedes tener una hermana e ir a su casa a celebrar la cena de Navidad pero si no tienes a tu Eugene estás tan sola como cualquier comensal del Automat y qué gran consuelo es saber que mamá y mis hermanos cenaron ganso en Limerick y el año entrante, cuando me asciendan a ayudante de camarero en el Biltmore, voy a enviarles el dinero suficiente para que puedan pasearse por Limerick encandilando a todo el mundo con sus zapatos nuevos.

10

Eddie Gilligan me dice que vaya al apartado y me ponga la ropa de calle porque hay un sacerdote en la oficina del señor Carey que me conoció de venida en el barco y que me quiere llevar a almorzar. Y agrega: ¿Y por qué te pones colorado? No es nada más que un padre y te vas a ganar un almuerzo.

Me gustaría poder decir que no quiero almorzar con el padre pero Eddie o el señor Carey podrían empezar a hacer preguntas. Si un sacerdote te invita a almorzar tienes que ir y no importa qué haya pasado en el cuarto de hotel, así no fuera culpa mía. No sería capaz de contarle a Eddie o al señor Carey la forma como se me echó encima el cura. Nunca me creerían. La gente dice a veces cosas de los curas, que son gordos o soberbios o avaros, pero nadie te va a creer que un cura quería meterse contigo en una habitación de hotel, especialmente gente como Eddie o el señor Carey, con esposas enfermas que viven confesándose por si se mueren mientras duermen. Gente como esa no se sorprendería de ver curas caminando sobre el agua.

¿Por qué el bendito padre no regresa a Los Ángeles y me deja en paz? ¿Por qué me quiere llevar a almorzar cuando debiera estar visitando moribundos y enfermos? Para eso son los sacerdotes. Hace cuatro meses se fue a esa casa de retiros en Virginia a implorar perdón y aquí sigue todavía, a este lado del país, pensando únicamente en el almuerzo.

Ahora Eddie me busca en los apartados y me dice que el sacerdote cambió de idea, que me encuentre con él cruzando la calle en McAnn's.

Da trabajo entrar a un restaurante y sentarse delante de un sacerdote que se te abalanzó hace cuatro meses en un cuarto de hotel. Da trabajo saber qué hacer cuando él te mira de frente, te da la mano, te toma del codo y te guía a tu asiento. Me dice que qué bien me veo, que tengo la cara un poquito más llena y que debo de estar comiendo apropiadamente. Dice que Estados Unidos es un gran país si te le mides, pero yo le podría responder que ya no dejan que los puertorriqueños me den sobras y que estoy harto de comer bananos, pero no quiero hablar mucho para que no vaya a creer que se me olvidó lo del hotel New Yorker. Tampoco es que le tenga rencor. No le pegó a nadie ni le hizo pasar hambre y lo que hizo fue por culpa del licor. Lo que hizo no fue tan malo como escaparse a Inglaterra y dejar a la esposa y a los hijos muriéndose de hambre, como hizo papá, pero lo que hizo es malo porque es un sacerdote y no se supone que los sacerdotes asesinen o abusen para nada de la gente.

Y lo que hizo me hace preguntarme si habrá otros curas que van por la vida abalanzándosele a la gente en los cuartos de hotel.

Ahí está él mirándome con sus grandes ojos grises, su cara restregada hasta brillar, su traje negro y su alzacuello blanco reluciente, diciéndome que quería hacer esta única parada en su viaje definitivo a Los Ángeles. Es fácil ver lo complacido que está por su estado de gracia tras cuatro meses en la casa de retiros y caigo en cuenta de que es difícil comerse una hamburguesa delante de alguien en seme-

jante estado de gracia. Es difícil saber qué hacer con los ojos
cuando me mira como si fuera yo el que se le abalanzó a
alguien en un cuarto de hotel. Me gustaría poder sostenerle
la mirada, pero de curas lo único que sé es lo que he visto
en los altares, los púlpitos y las oscuridades de los confesionarios. Probablemente está pensando que he cometido
toda clase de pecados, y tiene razón, pero al menos yo no
soy sacerdote y nunca he molestado a nadie.

Le dice al mesero que sí, que con una hamburguesa estaría bien, y no, no, por Dios que no, no va a tomar cerveza,
con agua hay, nada con alcohol volverá a pasar entre sus
labios, y me sonríe como si yo entendiera de qué habla y el
mesero se sonríe también como diciendo que ese cura no es
de lo más santo.

Me dice que se confesó con un obispo en Virginia y que
aunque recibió la absolución y pasó cuatro meses de penitencia y oración sigue sintiendo que no fue suficiente. Ha
renunciado a su parroquia y va a pasar el resto de su vida
con los mexicanos pobres y los negros de Los Ángeles. Pide
la cuenta, me dice que no me quiere ver más, que le dolería
demasiado, pero que me va a recordar al decir misa. Me dice
que tenga cuidado con la maldición irlandesa, la bebida, y
que cuando me sienta tentado a pecar medite como él en la
pureza de la Virgen María, buena suerte, Dios te bendiga,
ve al colegio nocturno, y ya va en un taxi rumbo al aeropuerto de Idlewild.

Hay días en que llueve tan fuerte que tengo que gastarme
diez centavos en el *metro* y veo jóvenes de mi edad con libros y maletines que dicen Columbia, Fordham, NYU, City
College, y sé que quiero ser uno de ellos, un estudiante.

Sé que no quiero pasar año tras año en el hotel Biltmore
preparando banquetes y juntas y tampoco quiero ser el

mozo del aseo del Palm Court. Ni siquiera quiero ser uno de esos ayudantes que reciben una porción de las propinas que los camareros reciben a su vez de los estudiantes ricos que toman ginebra con tónica y que hablan de Hemingway y de dónde ir a comer y que si será que van a la fiesta de Vanessa en Sutton Place, con lo aburrida que fue el año pasado.

No quiero ser mozo de escobas donde la gente me mira como si fuera un trozo de pared.

Veo a los universitarios en el *metro* y sueño con ser algún día como ellos, llevar mis libros, asistir a clase, graduarme de toga y birrete, ir a un trabajo donde andaré de traje, corbata y maletín, iré a casa en el tren todas las noches, besaré a mi mujer, cenaré, jugaré con los niños, leeré un libro, tendré la emoción con mi mujer y caeré dormido para estar fresco y descansado al otro día.

Me gustaría ser uno de esos universitarios del *metro* porque por los libros que llevan se nota que tienen la cabeza llena de toda clase de conocimientos, que se podrían sentar contigo a charlar toda la vida de Shakespeare y Samuel Johnson y Dostoievski. Si asistiera a la universidad viajaría en el *metro* y me aseguraría de que la gente viera los libros que lleve, para que me admiraran y desearan ir también ellos a la universidad. Sostendría en alto los libros para que vieran que estoy leyendo *Crimen y castigo* por Fiódor Dostoievski. Debe de ser fabuloso ser un estudiante sin nada qué hacer aparte de ir a clase, leer en las bibliotecas, sentarse bajo los árboles del campus y conversar sobre lo que estás aprendiendo. Debe de ser fabuloso saber que van a darte un título que te pone por delante de todo el mundo, que te vas a casar con una chica graduada y que toda la vida te vas a recostar en la cama a tener maravillosas charlas sobre temas importantes.

Pero no sé cómo voy a hacer para obtener un título universitario y progresar en el mundo si no tengo grado de
bachiller y con estos dos ojos que parecen dos hoyos de
orinar en la nieve, según me dicen todos. Algunos viejos
irlandeses me dicen que el trabajo duro no tiene nada de
malo. Muchos hombres se abrieron camino en Estados
Unidos con el sudor de la frente y arrimando el hombro y
conviene saber cuál es tu posición social en esta vida y no
tratar de elevarse por encima de ella. Me dicen que por eso
Dios puso el orgullo en la cima de los siete pecados capita-
les, para que los jovencitos como yo no se bajen del barco
con demasiados humos en la cabeza. En este país hay trabajo para todo el que quiera ganarse honestamente un dólar con las manos y el sudor de la frente y sin encaramarse.

El griego de la cafetería de la Tercera avenida me dice
que su aseador puertorriqueño le renunció y que si me gustaría trabajar una hora todas las mañanas: entro a las seis,
barro el lugar, lo trapeo, lavo los inodoros. Me ofrece un
huevo, un panecillo, una taza de café y dos dólares y, quién
sabe, más adelante a lo mejor me emplea de tiempo completo. Dice que los irlandeses le agradan, que son como los
griegos, y eso es porque llegaron de Grecia hace mucho tiempo. Eso le dijo un profesor del Hunter College, pero cuando se lo conté a Eddie Gilligan en el hotel me dijo que el
griego y el profesor estaban hablando mierda, que los irlandeses habían estado siempre ahí, en sus islita, desde el principio de los tiempos y que qué diablos sabían los griegos en
fin de cuentas. Si supieran algo no andarían voleando escoba en los restaurantes y farfullando en ese idioma de ellos
que nadie entiende.

No me importa de dónde hayan venido los irlandeses con
tal que el griego me alimente todas las mañanas y me pa-
gue dos dólares que suman diez por toda la semana, cinco

para mamá y sus zapatos y cinco para poder comprarme ropa decente y no verme como un irlanducho recién desembarcado.

Es una suerte ganarme esos dólares adicionales a la semana, especialmente después de que Tom Clifford llamó a mi puerta, en casa de la señora Austin, y me dijo que nos largáramos de allá. Dice que en la Tercera avenida con la 86 alquilan un cuarto inmenso, del tamaño de un apartamento, encima de una sombrerería que se llama Harry's Hats y que si compartimos el alquiler seguiríamos pagando los mismos seis dólares semanales y no tendríamos a la señora Austin vigilando cada movida. Podríamos entrar lo que quisiéramos: comida, bebidas, chicas.

Yeah, dice Tom, chicas.

El nuevo cuarto va del frente a la parte de atrás de la edificación y tiene vista sobre la Tercera avenida, por donde vemos pasar el elevado justo al frente. Saludamos con el brazo a los pasajeros y descubrimos que nos les importa devolvernos el saludo por las tardes, cuando vuelven a casa del trabajo, pero que muy pocos lo hacen por las mañanas, por el mal humor que les causa tener que ir a trabajar.

Tom trabaja en el turno nocturno en un edificio de apartamentos y yo me quedo solo en el cuarto. Por primera vez en la vida tengo una sensación de libertad, sin jefes, sin la señora Austin diciéndome que apague la luz. Puedo pasearme por todo el vecindario y mirar los negocios y los bares y los cafés alemanes y todos esos bares irlandeses de la Tercera avenida. Hay bailes de irlandeses en el Caravan, el Tuxedo, la Casa de Leitrim, la Casa de Sligo. Tom no va a los bailes de irlandeses. Quiere conocer muchachas alemanas, por los tres años felices que pasó en Alemania y porque sabe hablar alemán. Dice que los irlandeses pueden besarle el culo y no lo entiendo, porque cada vez que oigo música irlandesa se me brotan las lágrimas y quisiera estar en la orilla del Shannon viendo los cisnes. A Tom le queda fácil hablarles a las chicas alemanas o a las irlandesas cuando está de humor pero para mí nunca es fácil hablar con nadie porque sé que se están fijando en mis ojos.

Tom recibió mejor educación en Irlanda que la que yo recibí y si quisiera podría asistir a la universidad. Pero dice que prefiere hacerse rico, que para eso son los Estados Unidos. Me dice que soy un tonto por partirme el culo trabajando en el hotel Biltmore cuando podría buscarme por ahí un trabajo con un sueldo decente.

Tiene razón. Odio trabajar en el hotel Biltmore y odio hacerle el aseo al griego todas las mañanas. Cuando limpio las tazas de los inodoros me da rabia conmigo mismo porque me recuerda cuando tenía que vaciar el orinal de Laman Griffin, el primo de mamá, por unos peniques y el préstamo de su bicicleta. Y me pregunto por qué me esmero tanto con las tazas de inodoro, por qué quiero dejarlas impecables, si podría pasarles el trapo por encima y santo remedio. No, yo tengo que usar cantidades de detergente y dejarlas brillando como si la gente fuera a comer en ellas. El griego está contento pero me lanza unas miradas raras que dicen: Muy bien, ¿pero por qué? Podría decirle que estos diez dólares adicionales por semana y la comida de las mañanas son un regalo que no quiero perder. Además, él quiere saber qué hago yo ahí para empezar. Soy un irlandés de lo más agradable, hablo inglés, soy inteligente, así que qué hago limpiando inodoros y trabajando en hoteles cuando podría estar educándome. Si él hablara inglés estaría en la universidad estudiando la maravillosa historia de Grecia y a Platón y Sócrates y todos los escritores griegos. Él no estaría limpiando tazas de inodoro. Cualquiera que hable inglés no debería estar limpiando tazas de inodoro.

II

Tom saca a bailar a Emer, una chica del salón de baile del Tuxedo, que está ahí con el hermano de ella, Liam, y cuando Tom y Liam van a buscar una copa yo la saco aunque no sé bailar. Ella me agrada porque es amable incluso cuando la piso y también cuando me aprieta el brazo o la espalda para que vaya para el lado correcto y no choquemos con los hombres y mujeres de Kerry, Cork, Mayo y otros condados. Me gusta porque se ríe con facilidad, aunque a veces me da la sensación de que se ríe de mis torpezas. Tengo veinte años de edad y nunca en la vida fui con una chica a bailar o al cine o siquiera a tomar el té y es hora de aprender a hacerlo. Ni siquiera sé cómo hablarles a las chicas porque en la casa nunca hubo una mujer, si descontamos a mamá. No sé nada después de haberme criado en Limerick oyendo a los curas tronar todos los domingos contra los bailes y los paseos con muchachas.

La música se acaba y Tom y Liam están allá en el bar riéndose de algo y yo no sé qué hacer o qué decirle a Emer. ¿Debo quedarme en el centro de la pista y esperar a que empiece la pieza siguiente o debo escoltarla a ella hasta donde están Liam y Tom? Si me quedo acá voy a tener que hablarle y no sé de qué hablar y si la guío donde Liam y Tom va a pensar que no quiero estar con ella y eso sería la peor cosa en este mundo porque yo sí quiero estar con ella y tengo tales nervios por el trance en que estoy que el corazón se me dispara como una ametralladora y me da trabajo respirar y quisiera que Tom viniera a pedirme su pareja y yo pudiera ir a reírme con Liam aunque no quiero que Tom me pida su pareja porque lo que quiero es estar con Emer, pero de todos modos él no viene y heme ahí con la música que vuelve a empezar, un *jitterbug* o algo en el que los hombres avientan a las chicas por toda la pista y las elevan por el aire, la clase de baile que yo ni en sueños practicaría con esa ignorancia mía que a duras penas me permite mover un pie y después el otro, y ahora tengo que ponerle las manos en algún sitio a Emer para bailar el *jitterbug* y no sé dónde hasta que ella me toma de la mano y me lleva donde Liam y Tom, que se están riendo, y él, Liam, me dice que con unas pocas noches más en el Tuxedo me voy a convertir en todo un Fred Astaire y todos se ríen porque saben que eso nunca va a pasar y cuando se ríen me pongo colorado porque Emer me mira de una forma que indica que sabe más de eso que Liam o que sabe inclusive lo de mi corazón latiendo así y cortándome la respiración.

No sé qué hacer respecto a lo del diploma de secundaria. Vivo el tedio de todos los días sin saber cómo escapar hasta que estalla un pequeño conflicto en Corea y me dicen que si empeora me van a reclutar en el ejército de los Estados Unidos. Eddie Gilligan dice: No hay riesgo. En el ejército te ven esos ojos lagañosos y te mandan de vuelta con la mamá.

Pero los chinos se meten en la guerra y recibo una carta con un saludo del gobierno en la que dice que debo presentarme en la calle Whitehall para ver si soy apto para luchar contra los chinos y los coreanos. Tom Clifford me dice que si no quiero ir me ponga los ojos en carne viva frotándomelos con sal y que chille cuando el doctor me los examine. Eddie Gilligan me dice que me queje de jaquecas y dolores y que si me ponen a leer un letrero diga todas las letras mal. Me dice que no sea tonto, que por qué voy a dejar que una manada de amarillos me den bala por el culo cuando podría quedarme aquí, en el Biltmore, y subir en el escalafón. Podría ir a la escuela nocturna, hacerme arreglar los ojos y los dientes, ganar un poquito de peso y en unos cuantos años sería igual al señor Carey, de punta en blanco con un traje cruzado.

No le puedo decir ni a Eddie ni a Tom ni a nadie más que me dan ganas de hincarme de rodillas y darle gracias a Mao Tse-tung por enviar sus tropas a Corea y liberarme a mí del hotel Biltmore.

Los médicos castrenses de la calle Whitehall no me miran los ojos para nada. Me dicen que lea ese letrero en la pared. Dicen que okey. Me miran los oídos. Bip. ¿Oyes eso? Bien. Me miran la boca. Jesucristo, dicen. Lo primero es que te vea un dentista. No han rechazado a nadie en este ejército por los dientes, y bueno está, porque la mayoría de los que vienen aquí tienen los dientes como unos basureros.

Nos hacen hacer fila en un salón y un sargento entra acompañado de un médico y nos dice: Bueno, chicos, a empelotarse y agarrarse la verga. Ahora ordéñensela. Y el médico nos examina uno por uno a ver si los badajos chorrean alguna secreción. El sargento le grita a un hombre: Usted, ¿cómo se llama?

Maldonado, sargento.

¿Es una erección eso que veo, Maldonado?

Ah, no sargento. Yo... yo... yo...

¿Se está excitando, Maldonado?

Quiero mirar a Maldonado pero si miras a cualquier lado que no sea al frente el sargento te grita y te pregunta que

qué diablos miras, que quién les dijo que miraran, partida
de maricas. Después nos dice que nos demos vuelta, nos
agachemos y nos las separemos, quiero decir: que nos separemos bien las nalgas. Y el médico se sienta en una silla
y nosotros tenemos que retroceder con el culo abierto para
que nos lo examine.

Nos hacen formar fila frente al gabinete de un psiquiatra.
Me pregunta si me gustan las mujeres y yo me pongo colorado porque es una pregunta boba y le digo que sí, señor.

¿Y por qué te sonrojas?

No lo sé, doctor.

¿Pero te gustan más las mujeres que los hombres?

Sí, señor.

Okey, puedes retirarte.

Nos mandan a Camp Kilmer, (Nueva Jersey), donde nos
dan orientación y adoctrinamiento, uniformes y equipos y
unas rapadas que nos dejan calvos. Nos dicen que somos
unas tristes mierdas, el peor grupo de reclutas y conscriptos
que se haya visto en ese campamento, una deshonra para
el Tío Sam, bultos de cebo para las bayonetas chinas, pura
carne de cañón, y no olviden eso por un segundo, manada
de arrastraculos vagabundos. Nos dicen que nos endere-
cemos y a volar como es debido, barbilla adentro, pecho
afuera, hombros atrás y hunda esa barriga, maldita sea, muchacho, esto es el ejército y no un jodido salón de belleza,
ay, niñas, qué bonito caminan, ¿qué van a hacer el sábado
por la noche?

Me mandan a Fort Dix (Nueva Jersey), a dieciséis semanas de entrenamiento básico de infantería y otra vez a decirnos todos los días que no servimos para nada, jop jo jop jo
jup jup jup jo, en fila aquí, soldado, maldita sea, vergüenza
me da llamarlo soldado, puto grano en el culo del ejército,

póngase en fila si no quiere sentir una bota de cabo por ese culo gordo arriba, jop jo, jop jo, vamos, vamos a cantar que se oiga duro:

En Jersey City tenía una chica
llena de herpes en la alcancía.
Que se oiga duro, mar,
que se oiga duro, mar,
un, dos, tres, cuatro,
un, dos, tres, cuatro*.

Éste es su fusil, óigame bien, su fusil, no su maldita arma, dígale arma y se lo embuto por el culo, su fusil, soldado, su pieza, ¿entiende? Éste es su fusil, su M1, su pieza, su novia por el tiempo que dure en el ejército. Es su compañía en la cama. Es lo que hay entre usted y los malditos amarillos y los malditos fumanchús. ¿Entiende? La puta pieza se agarra como se agarra a una mujer, no, hay que apretarla más que a una mujer. Déjelo caer y lo amarramos del culo. Déjelo caer y considérese en el puto calabozo. Un fusil caído es un fusil que puede dispararse, que puede volarle el culo a alguien. Si eso pasa, niñas, considérense muertas, reputamente muertas.

Los instructores y entrenadores son también reclutas y conscriptos que nos llevan unos pocos meses de ventaja. Se llaman el cuadro de entrenamiento y hay que decirles cabos aunque sean soldado rasos como nosotros. Nos gritan como si nos odiaran y si uno les responde se mete en líos. Nos dicen: Te amarramos del culo, soldado. Te tenemos cogido de las bolas y no es sino apretar.

---

* *I got a gal in Jersey City/ She got gumboils on her titty./ Sound off, cadence count,/ Sound off, cadence count,/ One two three four/ One two three four.*

En mi pelotón hay soldados cuyos padres y hermanos
estuvieron en la segunda guerra mundial y que lo saben todo
acerca del ejército. Dicen que para que seas un buen soldado en el ejército, primero te tienen que desbaratar y volver
a armarte. Llegas a la tropa lleno de cagadas sabihondeces,
te crees la gran mierda, pero el ejército ha existido toda la
vida desde los tiempos de Julio puto César y saben cómo
lidiar con los reclutas culicagados altaneros. Inclusive si
entras con muchos ánimos en el ejército te quitan también
eso. Animoso o negativo, le importa la misma mierda al
ejército, porque ellos te dicen qué pensar, qué sentir, qué
hacer, cuándo cagar, mear, peer o apretarte las putas espini-
llas, y si no te gusta eso le puedes escribir a tu congresista,
anda, y cuando nos enteremos de eso te vamos a patear ese
culito blanco de una punta de Fort Dix a la otra jodida punta
y vas a berrear que vengan a salvarte tu mamá, tu hermana,
tu novia y la puta de la calle vecina.

Antes del toque de apagar luces me echo en mi catre a
oír hablar de chicas, de la familia, de la comida casera de
mamá, de lo que papá hizo en la guerra, de fiestas de grado
de secundaria en las que a cada cual le tocó follarse una, en
lo que vamos a hacer cuando salgamos del condenado ejército, en cómo no vemos la hora de estar con Debbie o Sue
o Cathy y cómo vamos a joder hasta quedar azules, mierda, hombre, no me voy a poner la maldita ropa en un mes,
me meto en la maldita cama con mi chica, con la de mi hermano, con cualquiera, y no saco la cara ni para respirar, y
cuando me den la baja me consigo un trabajo, pongo un
negocio, me voy a vivir a Long Island y todas las noches
cuando llegue a la casa le digo a mi mujer: quítate los calzon-
citos, nena, quiero un poco de acción, tengamos niños, *yeah*.

Bueno, chicos, cierren el triste culo, apaguen la luz, ni

un cagado ruido o los mando a mondar papas en menos de lo que dura el pedo de una puta.

Y cuando el cabo sale, vuelve a empezar la charla, ah, el primer permiso para un fin de semana después de cinco semanas de entrenamiento básico, joder por la ciudad, joder con Debbie, con Sue, con Cathy, con cualquiera.

Ojalá yo pudiera decir algo como que voy a Nueva York en mi primer permiso a follarme una. Ojalá pudiera decir algo que los hiciera sonreír a todos o siquiera asentir con la cabeza para mostrarme que soy uno de ellos. Pero sé que si abro la boca van a decir: *Yeah*, oigan al irlandés hablando de mujeres, o que uno de ellos, Nelson, va a ponerse a cantar *When Irish Eyes are Smiling** y que todos van a reírse por lo de mis ojos.

En cierta forma no me importa, porque me puedo echar aquí en el catre sintiéndome muy limpio y cómodo después del duchazo de la noche, cansado de marchar y correr todo el día con el morral de treinta kilos que, según los cabos, es más pesado que los de la Legión Extranjera, después de un día de adiestramiento en armas, de desmontarlas y volverlas a armar, de disparar a distintos blancos, de reptar por debajo de alambradas mientras las ametralladoras tabletean por encima, de trepar lazos, árboles y muros, de atacar bultos con la bayoneta calada gritando mongol hijo de puta, según las instrucciones de los cabos, de luchar en los bosques con efectivos de otras compañías que llevan cascos azules como distintivo enemigo, de subir lomas llevando al hombro cañones de ametralladora calibre cincuenta, de cruzar lodazales, de nadar con el morral de treinta libras, de pasar la noche en el monte con el morral a manera de almohada y los zancudos devorándome la cara.

---

* Cuando sonríen los ojos irlandeses.

Cuando no estamos en el campo estamos en unas salas grandes oyendo conferencias sobre lo peligrosos y taimados que son los coreanos, los norcoreanos y los chinos, que son todavía peores. Todo el mundo sabe que los chinos son unos bastardos traicioneros, y si en estas tropas hay alguien que sea chino qué cagada pero así son las cosas, mi padre era alemán, soldados, y tuvo que soportar un montón de mierda en la segunda guerra mundial cuando al *SauerKraut* se le decía "repollo libre", así eran las cosas. Estamos en guerra, soldados, y cuando miro los especímenes que son ustedes, el corazón se me encoge por el futuro de Estados Unidos.

Nos dan películas sobre este glorioso ejército, el ejército de los Estados Unidos, que ha luchado contra los ingleses, los franceses, los indios, los mexicanos, los españoles, los alemanes, los japoneses y ahora contra esos putos amarillos y esos fumanchús, y nunca ha perdido una guerra, nunca. Recuerden eso, soldados: nunca ha perdido una maldita guerra.

Nos dan películas sobre armas y tácticas y sífilis. La de la sífilis se llama *La bala de plata* y muestra hombres que se quedan sin voz y que se están muriendo y que dicen lo arrepentidos que están, lo estúpidos que fueron por haber estado con mujeres infectadas en el extranjero y ahora el pene se les está cayendo y no hay nada qué hacer aparte de pedirle perdón a Dios y a la familia allá en casa, a mamá y a papá que sorben limonada en el porche, a mi hermanita que se ríe en el columpio del patio de atrás porque la empuja Chuck, el *quarterback* que está de vacaciones de la universidad.

Mis compañeros de pelotón se acuestan en los catres a conversar sobre *La bala de plata*. Thompson dice que qué película más putamente estúpida, hay que ser un verdade-

ro culo de mula para que se la peguen a uno así y, además,
para qué están los condones, ¿verdad, Di Angelo, tú que
estuviste en la universidad?

Di Angelo dice que hay que cuidarse.

Thompson dice: ¿Qué diablos sabes tú, condenado
italaco espaguetero?

Di Angelo dice: Si vuelves a decir eso, Thompson, voy a
tener que retarte a salir.

Thompson se ríe: *Yeah, yeah.*

Adelante, Thompson, repítelo.

No, a lo mejor tienes una navaja escondida. Los italacos
todos cargan navajas.

Cero navaja, Thompson, únicamente yo.

No confío en ti, Di Angelo.

Cero navaja, Thompson.

Yeah.

Todo el pelotón guarda silencio y me pregunto por qué
la gente como Thompson tiene que hablarles así a los demás. Eso muestra que en este país siempre eres otra cosa.
No puedes ser un norteamericano simplemente.

Hay un viejo cabo del ejército regular, Dunphy, que trabaja en dotación y reparación de armamento y que a todas
horas huele a whisky. Todo el mundo sabe que deberían
haberlo expulsado del ejército hace tiempo pero que el sargento mayor Tole lo protege. Tole es un negro enorme, con
una panza tan grande que se necesitan dos cananas para
darle la vuelta. Es tan gordo que no puede ir a ningún lado
sin un *jeep* y todo el tiempo nos aúlla que no puede ni vernos, que somos las plastas más perezosas que ha tenido la
desgracia de conocer. Nos informa a nosotros y a todo el
regimiento que al que se meta con el cabo Dunphy le parte
el espinazo a mano limpia, que el cabo ya mataba alema-

nes en Monte Cassino cuando nosotros apenas empezábamos a menearnos el aparato.

Una noche el cabo me encuentra limpiando el cañón de mi fusil con un escobillón. Me arrebata el fusil y me dice que lo siga a las letrinas. Desarma el fusil y sumerge el cañón en agua jabonosa caliente y yo quiero decirle que los del cuadro de entrenamiento nos tienen advertido que nunca se le echa agua a la pieza, que se usa aceite de linaza porque el agua produce óxido y cuando menos te das cuenta la pieza se corroe y se te encasquilla en la mano y cómo diablos te vas a defender del millón de fumanchús que se te vienen en tropel montaña abajo.

El cabo me responde que eso que dicen es pura mierda, seca el cañón con un trapo enredado en la punta del escobillón y se mira en el cañón el reflejo de la uña del pulgar. Me devuelve el cañón y yo me encandilo con el resplandor de por dentro y no sé qué decirle. No sé por qué me ayuda y lo único que le puedo decir es: Gracias, mi cabo. Él me dice que soy un buen muchacho y que no sólo eso sino que va a dejarme leer su libro preferido.

Es *El joven Studs Lonigan* de James T. Farrell, edición de bolsillo, todo descuadernado. El cabo me dice que cuide el libro con mi vida, que él lo lee y lo relee, que James T. Farrell es el escritor más grande que ha existido en los Estados Unidos de América, un escritor que nos entiende a ti y a mí, muchacho, no como esos artistas culifruncidos y habladores de mierda de Nueva Inglaterra. Me dice que me puedo quedar con el libro hasta que termine el entrenamiento básico y que después voy a tener que conseguirme mi propio ejemplar.

Al otro día el coronel va a pasar revista y nos confinan en las barracas, después de la ración, a limpiar, restregar y brillar. Antes del toque de apagar la luz tenemos que cuadrarnos al pie del catre para una estricta inspección del sargento mayor Tole y dos sargentos del ejército regular que meten las narices en todo. Si encuentran algo malo tenemos que hacer cincuenta de pecho con el pie de Tole apoyado en la espalda y tarareando *Swing low, sweet chariot, commin' for to carry me home**.

El coronel no inspecciona fusil por fusil pero cuando mira por mi cañón da un paso atrás, me mira fijamente y le dice al sargento Tole: Este sí es un fusil limpio como el demonio, sargento, y me pregunta a mí: ¿Quién es el vicepresidente de los Estados Unidos?

Alben Barkley, mi coronel.

Bien. Diga el nombre de la ciudad donde cayó la segunda bomba atómica.

Nagasaki, mi coronel.

Okey, sargento, éste es nuestro hombre. Y ése sí es un fusil limpio como el demonio, soldado.

Pasada la revista, un cabo me dice que todo el día de mañana voy a ser ordenanza del coronel, que me toca ir con el chofer en su vehículo y abrirle la portezuela, hacerle el saludo militar, cerrar la portezuela, esperar, hacerle el saludo, volver a abrirle la portezuela, hacerle el saludo y cerrar la portezuela.

Y si resulto ser un buen ordenanza de coronel y no me cago en todo, me darán un permiso de tres días la próxima semana, del viernes por la noche al lunes por la mañana, y puedo ir a Nueva York a echarme un polvo. El cabo dice que no hay nadie en Fort Dix que no pagara cincuenta dólares por ser ordenanza del coronel y que no saben cómo diablos me lo concedieron a mí apenas por tener limpio el

---

* Según el *spiritual* o himno religioso negro, que más o menos dice así: Desciende, dulce coche, para llevarme a casa.

cañón del fusil. ¿Y dónde diablos aprendí a limpiar así el fusil?

Por la mañana el coronel tiene dos juntas largas y yo no tengo nada qué hacer fuera de sentarme a oír a su chofer, el cabo Wade Hansen, quejarse de que el Vaticano se está apoderando del mundo y jurar que si un católico llega a ser presidente de este país él emigra a Finlandia, donde mantienen a los católicos en su sitio. Es oriundo de Maine y es congregacionalista, a mucho honor, y no conviene con esas religiones extranjeras. Una prima segunda de él se casó con un católico y se tuvo que ir del estado hasta Boston, que está plagado de católicos que le dejan la herencia al papa y de cardenales de esos a los que les gustan los niños.

El día con el coronel es corto porque a la hora del almuerzo se emborracha y nos da la tarde libre. Hansen lo lleva a sus habitaciones y me dice que me baje del auto, que él no quiere cabezas de pescado en su carro. Como es un cabo, yo no sé qué decirle, pero aunque yo no fuera soldado raso no sabría qué decirle, porque es difícil entender a la gente cuando me habla así.

Son apenas las dos de la tarde y estoy libre hasta la hora de comer, a las cinco, así que puedo ir a la cantina a leer revistas, oír en la rocola a Tony Bennett cantar que por ti canta el corazón, y puedo ilusionarme con mi permiso de tres días para ir a ver a Emer, la chica de Nueva York, y con que saldremos a comer y al cine y tal vez a un bailadero irlandés, donde ella tendrá que enseñarme los pasos, y es una bonita ilusión porque en ese fin de semana del permiso voy a cumplir los veintiún años.

12

El viernes del permiso tengo que hacer cola fuera del despacho de comunicaciones con otros soldados que esperan sus permisos ordinarios. Un cabo del cuerpo de entrenamiento, Sneed, cuyo verdadero apellido es un apellido polaco que nadie puede pronunciar, me dice: Oiga, soldado, recoja esa colilla.

Oh, yo no fumo, mi cabo.

No le pregunté si fumaba o qué mierda. Recoja esa colilla.

Howie Abramowitz me da un codazo y me cuchichea: No seas bruto. Recoge la puta colilla.

Sneed tiene los brazos en jarra: ¿Y bien?

Yo no arrojé esa colilla, mi cabo. No fumo.

Okey, soldado, acompáñeme.

Entramos al despacho y él solicita mi permiso. Ahora, dice, vamos a su barraca y se me pone el uniforme de campaña.

Pero, mi cabo, tengo un permiso de tres días. Fui ordenanza del coronel.

Me importa mierda, así le haya limpiado el culo al coronel. Póngase el uniforme de campaña sin demora y traiga su pala para cavar trincheras.

Pero si es mi cumpleaños, mi cabo.

Sin demora, soldado, o lo mando al puto calabozo.

Me hace marchar frente a los soldados que hacen cola. Les menea en la cara mi licencia y les dice que le digan adiós y ellos se ríen y la despiden con la mano porque no hay más remedio y no quieren meterse en problemas. Únicamente Howie Abramowitz sacude la cabeza como diciendo que siente mucho lo que está pasando.

Sneed me hace marchar por el campo de parada hasta un claro en el bosque del fondo. Okey, imbécil, a cavar.

¿A cavar?

Yeah, cáveme un buen hoyo de un metro de hondo y sesenta centímetros de ancho y cuanto más rápido lo haga mejor le va.

Eso querrá decir que cuanto más pronto acabe, más pronto puedo reclamarle el pase para irme. ¿O será otra cosa? Todos en mi compañía saben que Sneed vive amargado porque era una gran estrella del fútbol en la universidad de Bucknell y quería jugar con Las Águilas de Filadelfia, sólo que Las Águilas no lo aceptaron y ahora va por ahí haciéndole cavar hoyos a la gente. No es justo. Sé de soldados a los que han obligado a cavar un hoyo y enterrar el permiso para desenterrarlo acto seguido y no entiendo por qué voy a tener que hacer yo eso. No hago sino decirme que no me importaría si fuera un permiso ordinario para un fin de semana pero éste es de tres días y es mi cumpleaños y no sé por qué tengo que hacer eso. Pero no hay más remedio. Igual da si hago el hoyo tan rápido como pueda y entierro el permiso y lo desentierro.

Y mientras estoy cavando sueño que lo que realmente me gustaría hacer sería encasquetarle la palita a Sneed en la cabeza y aporrearlo hasta pelarle la cabeza y hacérsela sangrar y no me importaría ni pizca cavar un hoyo para su gordo corpachón de futbolista. Eso es lo que me gustaría hacer.

Me pasa el permiso para que lo entierre y cuando acabo de taparlo con paladas de tierra me dice que la apisone con la herramienta. Que quede bien planito, dice.

No sé para que quiere que lo deje bien planito siendo que lo voy a destapar dentro de un minuto, pero ahora me dice: Media vuelta, marchando, ar, y me hace marchar por donde vinimos, frente al despacho de comunicaciones donde la cola de soldados que esperaban sus permisos ya no está, y me pregunto si estará satisfecho por ese día y si va a entrar por un permiso de repuesto, pero no, me hace seguir derecho hasta el comedor y le dice al sargento a cargo que soy un candidato a recluta de cocina, que necesito una pequeña lección de cómo obedecer órdenes. Eso les hace soltar una buena carcajada, y el sargento le dice que un día de estos deben salir a tomarse una copa y hablar de Las Águilas de Filadelfia, qué equipazo del diablo. El sargento llama a otro soldado, Henderson, para que me enseñe mi trabajo, el peor que te pueden asignar en el comedor: ollas y peroles.

Henderson me manda a fregar las hijas de madre hasta que resplandezcan, porque la inspección es permanente y una mancha de grasa en cualquier utensilio me suma otra hora de pinche de cocina y a ese paso voy a estar ahí hasta que los amarillos y los fumanchús hayan vuelto a casa con sus familias.

Es la hora de la comida y hay pilas altas de ollas y peroles junto a los fregaderos. En los cubos de basura alineados contra la pared detrás de mí pululan las voraces moscas de Nueva Jersey. Los mosquitos entran zumbando por las ventanas y se dan un festín conmigo. Por todas partes hay vapor y humo de los mecheros de gas y de los hornos y chorros de agua caliente y en un santiamén estoy empapado de grasa y de sudor. Los cabos y sargentos van llegando y les pasan un dedo a los peroles y me dicen que los vuelva a lavar y sé que eso se debe a que Sneed está en el comedor contándoles anécdotas de fútbol y diciéndoles que pueden divertirse un poquito con el recluta de ollas y peroles.

Cuando ya se oye menos bulla en el comedor y no hay tanto trabajo el sargento me dice que puedo irme por esa noche pero que debo presentarme al otro día por la mañana, el sábado a la seis cero cero, y eso quiere decir que a las seis cero cero. Quisiera decirle que se supone que tengo un permiso de tres días por haber sido ordenanza del coronel, que mañana es mi cumpleaños, que una chica me espera en Nueva York, pero sé que más conviene no decir nada porque cada vez que abro la boca las cosas empeoran. Comprendo el mensaje del ejército cuando nos dicen: denles únicamente el nombre, el grado y el número de identificación.

Emer llora al otro lado del teléfono: Ay, Frank, ¿dónde estás ahora?

En el BM.

¿Qué es el BM?

El bazar militar. Es donde se pueden comprar cosas y llamar por teléfono.

¿Y por qué no viniste? Te tenemos una tortica y todo.

Estoy en el servicio de cocina, ollas, peroles, esta noche, mañana, puede que el domingo.

¿Qué? ¿De qué hablas? ¿Estás bien?

Estoy rendido de cavar hoyos y de lavar ollas y peroles.

¿Por qué?

Por no recoger una colilla.

¿Y por qué no recogiste una colilla?

Porque yo no fumo. Tú sabes que no fumo.

¿Pero por qué tenías que recoger una colilla?

Porque un puto cabo, perdóname, porque un cabo del cuerpo de entrenamiento que rechazaron Las Águilas de Filadelfia me dijo que recogiera la colilla y yo le dije que yo no fumaba y por eso estoy aquí cuando debería estar contigo en mi puto, perdóname, en mi cumpleaños.

Frank, sé que es tu cumpleaños. ¿Estás bebiendo?

No, no estoy bebiendo. ¿Cómo voy a beber y cavar hoyos y fregar trastos todo al mismo tiempo?

¿Pero por qué estabas cavando hoyos?

Porque me obligaron a enterrar el maldito permiso.

Ay, Frank. ¿Cuándo te voy a ver?

No lo sé. A lo mejor nunca. Dicen que cada mancha de grasa que deje en un perol me da otra hora en la cocina y que me puedo quedar aquí lavando ollas y peroles hasta el día de mi baja.

Mamá te manda a preguntar que si no puedes ir a donde un sacerdote o algo, a donde el capellán.

No quiero ver a ningún cura. Son peores que los cabos con ese gusto por...

¿Con ese gusto por qué?

Oh, por nada.

Ay, Frank.

Ay, Emer.

La comida del sábado es mortadela con ensalada de papas y los cocineros dejan descansar las ollas y peroles. A las seis el sargento me dice que me puedo marchar y que no tengo que presentarme el domingo por la mañana. No debería decírmelo, dice, pero el tal Sneed es un maldito polaco abusivo que nadie quiere y es fácil ver por qué lo rechazaron Las Águilas de Filadelfia. El sargento me dice que lo siente pero que él no podía evitar ponerme de pinche por haber desobedecido una orden directa. *Yeah*, él sabía que fui ordenanza del coronel y todo eso pero estamos en el ejército y lo mejor que puede hacer un recluta como yo es cerrar la boca. Dales sólo el nombre, el grado y el número de identificación. Haz lo que te ordenen, mantén la boca cerrada especialmente si tienes semejante acento del terruño, y si haces eso te volverás a ver algún día con tu novia con las bolas intactas.

Gracias, mi sargento.

Okey, chico.

El área de mi compañía está desierta a excepción de los soldados del despacho de comunicaciones y de los detenidos en las barracas.

Di Angelo está echado en su catre, detenido por lo que dijo después de la proyección de una película sobre lo pobre que es todo el mundo en la China. Dijo que Mao Tsetung y los comunistas iban a ser la salvación de la China y el teniente que nos mostró la película dijo que el comunismo es pérfido, ateo y antinorteamericano, y Di Angelo dijo que el capitalismo es pérfido, ateo y antinorteamericano y que él de todos modos no daba dos centavos por ningún ismo porque los seguidores de los ismos son los causantes de todos los problemas del mundo y que si acaso no han notado que democracia no acaba en ismo. El teniente le dijo que no hablara sin ser autorizado y Di Angelo le dijo que este es un país libre y eso le valió una detención en las barracas y perder la salida durante tres fines de semana.

Está en su catre leyendo el ejemplar de *Studs Lonigan* que el cabo Dunphy me prestó y cuando me ve me dice que lo tomó prestado de la parte de arriba de mi *locker* y que quién, por el amor de Dios, me metió en un pozo de manteca. Me cuenta que un fin de semana le tocó prestar servicio de cocina y que Dunphy le enseñó a sacarle la grasa al uniforme de campaña. Lo que debo hacer ahora es ponerme debajo de una ducha caliente, tan caliente como pueda resistirla, sin quitarme el uniforme y sacarle la grasa con un cepillo de fregar y una barra de ese jabón de ácido fénico que usan para lavar los inodoros.

Cuando estoy en la ducha restregándome, asoma Dunphy la cabeza y me pregunta qué hago y cuando se lo digo me responde que él también solía hacer eso, sólo que traía el fusil para hacer todo de una vez. Cuando era un muchachito recién entrado al ejército tenía el uniforme de campaña y el fusil más limpios de su unidad y si no fuera por la maldita bebida a estas alturas ya sería sargento primero a punto de jubilarse. Hablando de bebida, va para la cantina a tomarse una cerveza y pregunta si quiero acompañarlo, después de cambiarme el uniforme enjabonado, claro.

Me gustaría invitar a Di Angelo pero está detenido en las barracas por ensalzar a los comunistas chinos. Mientras me pongo el uniforme caqui le cuento todo lo que le debo a Mao Tse-tung por atacar a Corea y liberarme del Palm Court del hotel Biltmore y él me dice que tenga cuidado con lo que digo si no quiero acabar como él, detenido en barracas.

Dunphy me llama desde la salida: Vamos, chico, corriendo, que la garganta me pide una cerveza. En cierto modo preferiría quedarme a conversar con Di Angelo, que es tan suave, pero Dunphy me ayudó a ser ordenanza del coronel, para lo que me sirvió, y a lo mejor necesita compañía. Si yo fuera un cabo del ejército regular no me quedaría en la base un sábado por la noche pero sé que hay bebedores como Dunphy que no tienen a nadie ni un hogar a dónde ir. Ahora se toma la cerveza con tanta rapidez que no puedo seguirlo. Trasbocaría si lo intentara. Él toma y fuma y señala todo el tiempo hacia el cielo con el dedo medio de la mano derecha. Me dice que la vida militar es fabulosa, especialmente en tiempos de paz. Nunca estás solo, a menos que seas una especie de cretino como Sneed, el condenado futbolista, y si te casas y tienes hijos el ejército se encarga de todo. Lo único que hay que hacer es mantenerse en forma para combatir. *Yeah, yeah,* ya sabe que él no se mantiene en forma pero tiene tanta metralla teutona en el cuerpo que podrían venderlo como chatarra, y la bebida es el único placer que puede darse. Tenía una esposa y dos hijas, pero se fueron todas. A Indiana, allá se fueron ellas, a la casa del papi y la mami de su esposa, y quién demonios quiere irse a Indiana. Saca unas fotos de la billetera y me las muestra: la esposa, las dos niñas. Voy a decirle lo lindas que me parecen pero él se pone a llorar tan fuerte que le da un ataque de tos y tengo que darle palmadas en la espalda para que no se ahogue. Okey, dice, okey. Maldita sea, así me duele cada vez que las veo. Mira lo que perdí, chico. Podría tenerlas viviendo en una casita cerca de Fort Dix. Podría estar en casa con Mónica haciendo la comida y yo con los pies alzados echándome un sueñito en mi uniforme de sargento primero. Okey, chico, vámonos. Larguémonos de aquí y veamos si puedo enderezar toda esta mierda e irme para Indiana.

A medio camino de las barracas cambia de idea y regresa a tomar más cerveza y eso me dice que nunca va a llegar a Indiana. Se parece a mi padre y ya en el catre me pregunto si papá se habrá acordado del cumpleaños veintiuno de su hijo mayor, si brindaría por mí en algún *pub* de Coventry.

Lo dudo. Mi padre se parece a Dunphy, que nunca verá a Indiana.

13

El domingo por la mañana me llevo una sorpresa cuando Di Angelo me pregunta si quiero ir a misa con él, una sorpresa porque uno pensaría que la gente que les canta alabanzas a los comunistas chinos no pisaría nunca una iglesia, capilla o sinagoga. Camino de la capilla de la base me explica su manera de sentir: que la Iglesia le pertenece a él y no que él le pertenece a la Iglesia y que no está de acuerdo con la forma como la Iglesia actúa como una gran corporación declarándose dueña de Dios y creyendo que tiene derecho a repartirlo en trocitos siempre y cuando la gente haga lo que le ordena desde Roma. En lo que a él concierne, sabe que peca todas las semanas por comulgar sin haberle confesado primero sus pecados a un cura. Dice que sus pecados no son asunto de nadie sino de él y de Dios y que se confiesa con Él todos los sábados antes de dormirse.

Habla de Dios como si Él estuviera en el cuarto del lado tomándose una pinta y fumando cigarrillo. Sé que si yo volviera a Limerick y hablara de ese modo me darían un golpe en la cabeza y me subirían al próximo tren para Dublín.

Podemos estar en una base del ejército y rodeados de barracas, pero dentro de la capilla es la pura Norteamérica. Hay oficiales con sus señoras e hijos y tienen esa apariencia limpia y restregada que resulta de las duchas, el champú y

un constante estado de gracia. Tienen facha de Maine o
California, de algún pueblito, arvejas, puré de papas, pastel
de manzana, té helado, papá que hace la siesta y deja caer
al suelo el enorme periódico del domingo, niños leyendo
cómics, mamá en la cocina lavando platos y tarareando *Oh,
what a beautiful morning**. Tienen cara de cepillarse los
dientes después de todas las comidas y de izar la bandera el
cuatro de julio. Pueden ser católicos pero no creo que se
sentirían cómodos en una iglesia irlandesa o italiana entre
los bisbiseos y soplidos de los viejos, trazas de whisky o vino
en el ambiente y el tufo de unos cuerpos alejados del agua
y el jabón hace varias semanas.

Me gustaría ser miembro de una familia norteamericana, arrimármele a una muchachita rubia y ojiazul hija de
un oficial y susurrarle que no soy lo que parezco. Puedo
tener barros y los dientes malos y ojos de alarma de incendios pero en el fondo soy igual a todos ellos: un alma bien
restregada que sueña con una casa en un barrio residencial
de las afueras, con el césped bien podado donde nuestro
niño, el pequeño Frank, monta en su triciclo mientras yo
sólo quiero leer el periódico del domingo como un verdadero papá norteamericano y tal vez darle una lavada y
brillada a nuestro flamante Buick para ir a visitar a los abue-
litos por parte de mamá y mecernos en su porche con vasos
de té helado en la mano.

El sacerdote reza algo en el altar y cuando le contesto
en latín Di Angelo me da un codazo y me pregunta que si
estoy bien, que si acaso tengo una resaca de mi noche
cervecera con Dunphy. Me gustaría ser como Di Angelo,
tomar mis propias decisiones sin que nada me importara el
pedo de un violinista, como a mi tío Pa Keating allá en

---

* Ah, qué linda mañana.

Limerick. Sé que Di Angelo se reiría si le contara que estoy
tan hundido en el pecado que no me confieso por miedo a
que me digan que estoy perdido y que únicamente un obispo
o un cardenal me puede dar la absolución. Se reiría si le
dijera que hay noches en que me da miedo quedarme dormido porque puedo morirme e irme al infierno. Para él, ¿cómo
iba a inventar el infierno un Dios que toma cerveza y fuma
cigarrillo en el otro cuarto?

Es entonces cuando las nubes negras me revolotean como
murciélagos en la cabeza y quisiera poder abrir una ventana
y dejarlas ir.

Ahora el padre solicita voluntarios que vayan por las
canastillas al fondo de la capilla y pasen haciendo la colecta.
Di Angelo me da un empujoncito y ya estamos en el pasillo
arrodillándonos y enviando las canastillas a lo largo de las
bancas. Los oficiales y suboficiales con familia les entregan
siempre los donativos a los menores para que los echen a
la canastilla y eso hace que todos sonrían: el pequeñín está
tan orgulloso de sí mismo como los padres están orgullosos
del pequeñín. Las señoras de los oficiales se sonríen con las
de los suboficiales como diciendo: A todas nos cobija el techo de la Iglesia católica. Pero uno sabe que al salir ellas
saben que son distintas.

La canastilla pasa de banca en banca hasta que la recibe
el sargento que cuenta la plata y se la pasa al capellán. Di
Angelo me cuchichea que él conoce al sargento y que cuenta la plata de a dos partes: una para ti y una para mí.

Le digo a Di Angelo que no pienso volver a misa. ¿Para
qué, si me hallo en semejante estado de impureza y todo eso?
No puedo estar en la capilla con todos esas familias norteamericanas limpias y en estado de gracia. Esperaré hasta que
tenga el valor de confesarme y comulgar y si sigo cometiendo
pecados mortales por no ir a misa, pues no importa, porque

de todos modos ya estoy condenado. Un pecado mortal te manda al infierno con la misma facilidad que diez.

Di Angelo me dice que tengo la cabeza llena de mierda. Me dice que vaya a misa si me da la gana, que los curas no son los dueños de la Iglesia.

No puedo pensar como Di Angelo, todavía no. Les tengo miedo a los curas y a las monjas y a los obispos y a los cardenales y al papa. Le tengo miedo a Dios.

El lunes por la mañana me dicen que me presente ante el sargento mayor Tole en su oficina de la Compañía B. Está sentado en un sillón y suda tanto que tiene parches oscuros en el uniforme caqui. Me gustaría preguntarle acerca del libro que hay en la mesa junto a él, *Memorias del subsuelo* de Dostoievski, y me gustaría contarle de Raskólnikov, pero hay que tener cuidado con lo que se les dice a los sargentos mayores y al ejército en general. Dices lo que no es y estás de vuelta a las ollas y peroles.

Me dice que descanse y me pregunta por qué desobedecí una orden directa y quién demonios creo que soy para desafiar a un suboficial, así él sea del cuerpo de entrenamiento, ¿eh?

No sé qué responder porque él lo sabe todo y temo que si abro la boca me despachen para Corea al otro día. Me dice que el cabo Sneed, o como maldita sea que se llame en polaco, estaba en todo su derecho al castigarme pero que se había propasado, especialmente teniendo en cuenta que se trataba de un permiso de tres días por haber sido ordenanza del coronel. Me gané ese permiso y, si todavía lo quiero, él me lo puede conseguir para el próximo fin de semana.

Gracias, mi sargento.

Okey. Puede irse.

¿Sargento?

¿Yeah?

Yo leí *Crimen y castigo.*

Oh, *¿yeah?* Bueno, ya se me hacía que no eres tan bobo como pareces. Puedes irte.

En la semana catorce del entrenamiento básico corren rumores de que nos van a destinar a Europa. En la quince los rumores dicen que vamos a Corea. En la dieciséis nos dicen que definitivamente nos van a enviar a Europa.

14

Desembarcamos en Hamburgo y de allí nos envían a Sonthofen, que es una brigada de tropas de reemplazo en Baviera. Allá disgregan mi unidad de Fort Dix y la reparten por todo el Comando Europeo. Yo tengo la esperanza de que me envíen a Inglaterra para poder viajar fácilmente a Irlanda. Pero en vez de eso me envían a un cuartel en Lenggries, un pueblito de Baviera, donde me destinan a manejar perros en el destacamento canino. Le digo al capitán que no me gustan los perros, que me volvían trizas los talones cuando repartía telegramas en Limerick, pero el capitán dice: ¿Quién te lo preguntó? Me deja en manos de un cabo que está picando unos tasajos de carne ensangrentada y que me dice: Deja de hacer pucheros, llena de carne ese maldito plato de lata, métete a la perrera y dale de comer a tu animal. Pon el plato en el suelo y retira la mano pronto, no sea que el animal crea que es su cena.

Me tengo que quedar en la perrera viendo comer al animal. El cabo llama a eso familiarización. Me dice: Este animal va a ser tu esposa mientras estés aquí de base, bueno, no tu esposa propiamente, porque no es una perra, pero tú me entiendes. Tu fusil M1 y tu animal van a ser toda tu familia.

Mi perro es un pastor alemán negro y no me gusta. Se llama Iván y no se parece a los otros perros, pastores y dóberman, que le ladran a todo lo que se mueve. Cuando termina de comer me mira, se lame el hocico y retrocede pelando los colmillos. El cabo está fuera de la perrera diciéndome que el que tengo ahí es un tremendo perro, más jodido que el diablo, que no ladra ni arma un mierdero de bulla, que es el perro ideal para el combate, cuando un ladrido te puede significar la muerte. Me dice que me agache despacio, recoja el plato, le diga a mi perro que es un buen perro, mi buen Iván, Ivancito lindo, te veo por la mañana, dulzura, retrocede con mucha maña, cierra la puerta, échale el pasador, retira la mano rápido. Me dice que estuve okey. Le parece que Iván y yo somos ya amigos de pipí cogido.

Todas las mañanas a las ocho salgo con un pelotón de entrenadores de perros venidos de toda Europa. Marchamos en círculo mientras el cabo nos grita desde el centro: jap jo, jap jo, ¡jil!, y cuando jalamos las traíllas nos alegra que los perros nos gruñan debajo de un bozal.

Marchamos y corremos con los perros durante seis semanas. Escalamos las montañas detrás de Lenggries y apostamos carreras en las vegas de los ríos. Les damos de comer y los cuidamos hasta que llegue la hora de quitarles el bozal. Nos dicen que ése será el gran día, como una graduación o un matrimonio.

Pero entonces el jefe de la compañía me manda llamar. Su oficinista, el cabo George Shemanski, va a viajar de licencia a los Estados Unidos por tres meses y a mí me van a enviar a la escuela de oficinistas de compañía durante seis semanas a fin de prepararme para reemplazarlo. Puede retirarse, soldado.

No quiero ir a la escuela de oficinistas. Quiero quedarme con Iván. Después de seis semanas de estar juntos, somos ya camaradas. Sé que cuando me gruñe me está diciendo simplemente que me quiere pero que sigue teniendo tamaña dentadura por si acaso lo ofendo. Quiero mucho a Iván y estoy listo a quitarle el bozal. Nadie más se lo podría quitar sin perder la mano. Quiero ir con él a las maniobras del Séptimo Ejército en Stuttgart y cavar allá un hoyo en la nieve para estar cómodos y abrigados. Quiero ver cómo sería soltarlo contra un soldado disfrazado de ruso y ver a Iván rasgarle en pedacitos el traje de protección antes de darle la orden de parar. O ver cómo se le abalanza a la entrepierna y no al cuello cuando le sacudo enfrente un ruso de trapo. No me pueden mandar a la escuela de oficinistas por seis semanas y dejar que otra persona maneje a Iván. Todos saben que es el mismo hombre para el mismo perro y que tomaría meses adiestrar a otro entrenador.

No sé por qué me tienen que elegir para la escuela de oficinistas siendo que nunca fui a la secundaria y que el cuartel está repleto de bachilleres. Me hace pensar si la escuela de oficinistas no será un castigo por no haber ido nunca a la secundaria.

Tengo la cabeza llena de nubes negras y ojalá me la pudiera golpear contra las paredes. La única palabra en mi mente es *reputa* y yo odio esa palabra porque quiere decir odio. Ganas tengo de matar al comandante de la compañía y ahora viene este subteniente a gritarme porque pasé junto a él sin hacerle el saludo.

Soldado, venga acá. ¿Qué debe hacer cuando ve a un superior?

El saludo, señor.

¿Y?

Disculpe, señor. No lo vi.

¿No me vio? ¿No me vio? ¿Iría a Corea para después decir que no vio a los amarillos bajando por la loma? ¿Verdad, soldado?

No sé qué decirle a este subteniente que tendrá mi edad

y está tratando de dejarse un bigotico de tristes cerdas rojas. Quisiera decirle que me van a enviar a la escuela de oficinistas y que si eso no es suficiente castigo por no hacerle el saludo a mil subtenientes juntos. Quisiera contarle de mis seis semanas con Iván y de mis líos allá en Fort Dix cuando tuve que enterrar mi permiso pero hay nubes negras y sé que hay que quedarse callado, no les dé sino el nombre, grado y número de identificación. Sé que debo quedarme callado pero me gustaría decirle al subteniente que se vaya a la mierda, bésame el culo con tu triste bocito pelirrojo.

Me dice que me presente con él en mi uniforme de campaña a las veintiuna horas en punto y me pone a desmalezar el campo de parada a la vista de los demás entrenadores de perros que van a ir de permiso a Lenggries a tomarse una cerveza.

Cuando termino voy hasta la perrera de Iván y le quito el bozal. Me siento en el suelo a hablarle, y si me masca en pedacitos no me importa, porque no tendré que ir a la escuela de oficinistas de compañía. Pero él me gruñe un poquito y me lame la cara y me alegra que no haya nadie por ahí viendo cómo me siento.

La escuela de oficinistas queda en el cuartel de Lenggries. Nos sentamos ante unos pupitres y los instructores se pasean de arriba abajo. Nos dicen que el oficinista de la compañía es el más importante de todos los soldados de una unidad. A los oficiales los matan o los trasladan, a los suboficiales también, pero una unidad sin oficinista está perdida sin remedio. El oficinista de una compañía en combate es el que conoce la fuerza numérica de la unidad, sabe quién está muerto, quién herido, quién falta, y sustituye al oficial de pertrechos cuando a éste le vuelan la puta cabeza. El oficinista de la compañía es, soldados, el que les reparte el correo cuando al cartero le encajan una bala culo arriba, es el que los mantiene en contacto con los viejos allá en casa.

Después de aprender lo importantes que somos nos enseñan a escribir a máquina. Tenemos que teclear un modelo de informe diario de asistencia con cinco copias con papel carbón, y si cometemos un error, si damos un golpecito de más, si hacemos una suma mal, una letra montada, hay que volver a escribir todo desde el principio.

Cero borrones, maldita sea. Estamos en el Ejército de los Estados Unidos y no permitimos borrones. Permitir un borrón en un informe es permitir que el desgreño cunda por todo el frente. Soldados, aquí se protegen las trincheras contra el avance de los malditos rojos. No puede haber desgreños. Perfección, soldados, perfección. Y ahora a escribir, carajo.

El tableteo simultáneo de treinta máquinas de escribir hace que el cuarto suene como una zona de combate, con los lamentos de los soldados-mecanógrafos cuando le dan a la tecla equivocada y hay que arrancar el informe del rodillo y empezar otra vez. Nos damos coscorrones y sacudimos los puños hacia el cielo y le decimos a los instructores que ya casi habíamos terminado, que por favor, sí, por favor, nos dejen borrar ese puntico ínfimo del carajo.

Cero borrones, soldado, y ojo con su lenguaje. Llevo el retrato de mi madre en el bolsillo.

Al final del curso me entregan un certificado con la calificación de excelente. El capitán que entrega los certificados dice que está orgulloso de nosotros y que están orgullosos de nosotros de ahí para arriba hasta el comandante supremo de las fuerzas en Europa, el mismísimo Dwight D. Eisenhower. El capitán tiene el orgullo de informarnos que únicamente nueve soldados se quedaron varados en el curso y que los veintiuno que pasamos somos motivo de orgullo para los viejos allá en casa. Nos entrega los certificados y unas galletas con motas de chocolate, horneadas por su mujer y sus dos hijitas, y nos da permiso de comernos las galletas ahí mismo, por tratarse de una ocasión especial. Detrás de mí los soldados maldicen y murmuran que las galletas saben a mierda de gato y el capitán sonríe y se alista a echarse otro discurso hasta que un mayor le dice algo al oído y más tarde me entero de que el mayor le había dicho: Cállese, usted está bebido, y eso es cierto, porque el capitán tiene cara de no hurtarle jamás el cuerpo a una botella de whisky.

Si a Shemanski no le hubieran concedido la licencia yo seguiría en las perreras con Iván o habría bajado a tomar cerveza a Lenggries con los otros adiestradores. Ahora tengo que pasar una semana con él en la oficina de ordenanzas viéndolo mecanografiar informes y cartas mientras me dice que debería agradecerle que me haya alejado de los perros y puesto en un buen trabajo que puede serme útil en la vida civil. Dice que me debería alegrar de haber aprendido mecanografía, que a lo mejor acabo escribiendo otro *Lo que el viento se llevó*, ja ja ja.

La víspera de su partida hay una fiesta en una cervecería de Lenggries. Es un viernes por la noche y yo tengo un permiso de dos días. Shemanski debe volver a las barracas porque su licencia comienza apenas al otro día, y cuando él sale, su novia, Ruth, me pregunta dónde voy a pasar el fin de semana libre. Me invita a su casa a tomarme una cerveza, Shemanski no va a estar allí, pero no hemos acabado de cerrar la puerta cuando ya estamos en la cama todos desenfrenados. Ay, Mac, dice ella, ay, Mac, egues tan joven. Ella sí tiende a vieja, treinta y uno, pero no los aparenta con ese modo de no dejarme dormir, y si así se comporta todas las veces con Shemanski con razón que él necesita una larga licencia en los Estados Unidos. Entonces amanece y llaman a la puerta abajo y cuando ella se asoma por la ventana suelta un chillidito: Oh, *mein Gott*, es Shemanski, vete, vete, vete. Me levanto de un salto y me visto tan rápido como puedo pero hay un problema cuando me pongo la botas y enseguida trato de subirme los pantalones por encima de ellas y las piernas se me atoran y se enredan y Ruth que silba y chilla pasito: Pog la ventana, ay, pog favog, ay, pog favog. No puedo salir por la puerta principal con Shemanski ahí dando qué golpes, seguro que me mata, así que a saltar por la ventana sobre un metro de nieve que me salva la vida y sé que Ruth está allá arriba cerrando la ventana y corriendo la cortina para que Shemanski no me vea tratando de quitarme las botas para poder ponerme los pantalones, y otra vez a bregar con las botas, con el pipí tan aterido que está del tamaño de un botón, y nieve por todas partes, hasta el ombligo, en mis pantalones, llenándome las botas.

Ahora tengo que escabullirme de la casa de Ruth y volver a Lenggries a buscar dónde tomarme un café caliente mientras me seco, pero no hay nada abierto todavía y regreso al cuartel preguntándome si Dios pondría a Shemanski en este mundo para que fuera mi perdición completa.

Ahora que soy oficinista de compañía me siento en el escritorio de Shemanski y lo peor del día es tener que escribir el bendito informe de asistencia todas las mañanas. El sargento mayor Burdick toma café en el otro escritorio y me recuerda lo importante que es ese informe y dice que lo esperan en el cuartel general para poder añadirlo a los demás informes de asistencia que van a Stuttgart y a Francfort y a

Eisenhower y a Washington para que el propio presidente Truman conozca las fuerzas numéricas del ejército de los Estados Unidos en Europa por si hay un ataque de sorpresa de esos jodidos rusos que no dudarían en lanzarlo si nos faltara un soldado, uno solo, McCourt. Lo están esperando, McCourt, así que haga de una vez ese informe.

La idea de que todo el mundo está a la espera de mi informe me pone tan nervioso que pulso las teclas equivocadas y tengo que empezar desde el principio. No hago más que decir: Mierda, mierda, y sacar el informe del rodillo. Las cejas del sargento Burdick se le alzan hasta el borde del pelo. Se toma su café, consulta su reloj y pierde el dominio de las cejas, y yo me angustio hasta tal punto que tengo miedo de estallar en llanto. Burdick recibe llamadas telefónicas del cuartel general, desde donde le dicen que el coronel está esperando, el general, el jefe del estado mayor, el presidente. Envían un mensajero a que recoja el informe. Me espera al pie del escritorio y eso empeora más las cosas y ganas me dan de estar en el hotel Biltmore fregando inodoros. Cuando termino el informe sin un error el otro se lo lleva y el sargento Burdick se seca la frente con un pañuelo verde. Me dice que me olvide de las demás tareas, que me debo quedar ahí en el escritorio todo el día practicando, practicando, practicando, hasta que me salgan bien los malditos informes. En el cuartel general deben de estar hablando de eso y preguntándose qué clase de pendejo será, él, Burdick, por tener un oficinista que ni siquiera sabe mecanografiar un informe. Los oficinistas de las otras compañías producen el informe en diez minutos y él no quiere que la Compañía C sea el hazmerreír de toda la brigada.

Así pues, McCourt, que usted no sale de aquí hasta que no sepa mecanografiar a la perfección esos informes. Empiece a teclear.

Me obliga a practicar día y noche, pasándome diferentes cifras y diciéndome: Ya me lo agradecerás.

Y sí, se lo agradezco. En pocos días escribo los informes con tanta rapidez que del cuartel general mandan un teniente a ver si son números inventados la noche anterior. El sargento Burdick dice: No, no, si no le quito el ojo, y el teniente me mira y le dice: Creo que ahí tenemos a un futuro cabo, mi sargento.

El sargento dice: Sí, señor, y al sonreír las cejas le bailan.

Cuando Shemanski regresa espero que me vuelvan a asignar mi trabajo con Iván, pero el capitán me dice que me van a dejar de encargado de suministros. Estaré a cargo de sábanas, mantas, almohadas y condones, y los debo repartir entre los aprendices de entrenadores de perros de todo el Comando Europeo y asegurarme de que al marcharse devuelvan todo, todo menos los condones, ja ja ja.

¿Cómo decirle al capitán que no quiero quedarme trabajando allá abajo en el sótano donde hay que hacer los pedidos al revés: fundas, almohadas, blancas, o: bolas, pong ping, y contar cosas y hacer listas cuando lo único que quiero es volver con Iván y los entrenadores de perros y tomar cerveza y cazar chicas en Lenggries, Bad Tolz o Múnich?

Mi capitán, ¿no hay modo de que me vuelvan a enviar con los perros?

No, McCourt. Eres un oficinista del carajo. Puedes retirarte.

Pero, mi capitán...

Puede retirarse, soldado.

Hay tantas nubes negras volando en mi cerebro que me cuesta salir de la oficina del capitán, y cuando Shemanski se ríe y me dice: Te mostró el dedo, ¿eh? ¿No te dejó volver con el guau-guau? yo lo mando a la mierda y déle otra vez a la oficina del capitán para una amonestación severa y a que me digan que si esto se vuelve a repetir me someten a un consejo de guerra que va a hacer que mi libreta del ejército se parezca a la hoja de detenciones de Al Capone. El capitán me grita que ahora soy un soldado de primera clase y que si me porto bien y hago inventarios exactos y controlo los condones puedo ascender a cabo en menos de seis meses y ahora lárguese de aquí, soldado.

Pasada una semana me meto otra vez en líos, y todo por mi mamá. Cuando llegué a Lenggries fui al cuartel general a llenar un formulario para una asignación para mi madre. En el ejército me retendrían la mitad de la paga, ellos pondrían otro tanto y cada mes le mandarían un cheque a ella.

Ahora me estoy tomando una cerveza en Bad Tolz y Davis, el encargado de las asignaciones, está en el mismo sitio tomando aguardiente, y cuando me llama: Oye, McCourt, qué tristeza que tu madre ande nadando en mierda, las nubes negras de la cabeza me enceguecen hasta el punto de que arrojo mi jarro de cerveza y me le lanzo con toda la intención de estrangularlo hasta que dos sargentos me separan de él y me ponen en manos de la policía militar.

Me arrestan esa noche en Bad Tolz y al otro día me llevan ante un capitán. Me pregunta por qué ando atacando cabos que se toman una cerveza sin meterse con nadie y cuando le cuento lo del insulto a mi mamá me pregunta: ¿Quién es el encargado de las asignaciones?

El cabo Davis, mi capitán.

Y usted, McCourt, ¿de dónde es?

De Nueva York, mi capitán.

No, no, quiero decir que de dónde es en realidad.

De Irlanda, mi capitán.

No joda. Conozco el sitio. Usted tiene el mapa grabado en la cara. ¿De qué parte?

De Limerick, mi capitán.

Oh, ¿*yeah*? Mis padres son de Kerry y de Sligo. Lindo país pero muy pobre, ¿verdad?

Sí, mi capitán.

Okey, que pase Davis.

Davis entra y el capitán se vuelve hacia el soldado que toma notas al lado suyo y le dice: Jackson, no escriba esto. Y bien, Davis, ¿dijo usted algo de la madre de este soldado en público?

Yo... yo sólo...

¿Dijo algo de carácter confidencial sobre los problemas económicos de la dama?

Bueno, mi capitán...

Davis, usted es un cretino y podría enviarlo a un consejo de guerra en el batallón pero me voy a limitar a decir que se tomó unas cuantas cervezas y que se le aflojó la lengua.

Gracias, mi capitán.

Y si me entero de que ha vuelto a hacer un comentario de ese estilo le meto un cacto por el culo. Puede retirarse.

Cuando Davis se va, dice el capitán: Los irlandeses, McCourt, tenemos que ser solidarios. ¿Verdad?

Sí, mi capitán.

En el pasillo Davis me tiende la mano: Discúlpame, McCourt. Obré mal. Mi madre recibe una asignación también y es irlandesa. Quiero decir, los papás de ella eran irlandeses, de modo que yo soy medio irlandés.

Es la primera vez en la vida en que alguien se disculpa conmigo y sólo atino a balbucir cualquier cosa y me pongo colorado y le estrecho la mano a Davis porque no sé qué decirle. Y no sé qué decirle a la gente que me sonríe y me dice que sus mamás o sus papás o sus abuelos eran de Irlanda. Un día te mientan la madre y al siguiente se están jactando de que las de ellos son de Irlanda. ¿Por qué será que apenas abro la boca todo el mundo me dice que es irlandés y que vamos a tomarnos un trago? No basta con ser norteamericano. Siempre hay que ser algo más, irlandés-norteamericano, germano-norteamericano, y uno se pregunta cómo hubieran hecho para arreglárselas si no se hubieran inventado los guiones.

15

Cuando me nombraron encargado de suministros, el capitán no me dijo que dos martes de cada mes había que hacer atados con la ropa de cama de la compañía y llevarlos a la lavandería militar de las afueras de Múnich. No me importa, porque eso está a un día de viaje del cuartel y me podré echar en los atados con los otros dos encargados de suministros, Rappaport y Weber, a conversar sobre la vida civil. Antes de salir del cuartel paramos en el BM a recoger nuestra ración mensual de una libra de café y un cartón de cigarrillos para vendérselos a los alemanes. Rappaport tiene que recoger una remesa de kótex con los que se protege esos hombros huesudos del peso del fusil cuando le toca hacer la guardia. A Weber le causa gracia eso y nos cuenta que él tiene tres hermanas pero que primero se iría a los infiernos antes que pedirle unos kótex a un vendedor. Rappaport le dice con una sonrisita: Si tuvieras hermanas, Weber, serían de esas que todavía usan un trapo.

Nadie sabe por qué tenemos asignada una libra de café pero los otros encargados de suministros me dicen que soy un hijo de puta afortunado por no fumar. Desearían no fumar para poder canjear los cigarrillos por relaciones sexuales con las muchachas alemanas. Weber, que es de la Compañía B, dice que uno con un cartón se puede conseguir una camionada de coños, y eso lo excita tanto, que con

la lumbre del cigarrillo le hace un hoyo a un atado de sábanas de la Compañía A, y Rappaport, que es el encargado
de suministros de esa compañía y va en su primer viaje,
como yo, le dice que se fije, si no quiere que le saque la
mierda a las patadas. Weber dice: Oh, *¿yeah?*, pero en ésas
el camión se detiene y Buck, el conductor, dice que todo el
mundo abajo, porque hemos llegado a un tomaderito secreto de cerveza y, si tenemos suerte, puede que en la trastienda haya unas cuantas chicas dispuestas a hacer cualquier
cosa por dos o tres cajetillas de los cartones que traemos.
Los otros me ofrecen precios bajos por mis cigarrillos, pero
Buck me dice: No vas a ser pendejo, Mac, eres un mucha-
chote y también tú tienes que echarte un polvo si no te quieres poner raro de la cabeza.

Buck tiene canas y unas medallas de la segunda guerra
mundial. Todos saben que se ganó el ascenso a oficial en el
campo de batalla pero que tanto se emborrachaba y perdía
el juicio que lo fueron degradando por todo el escalafón
hasta soldado raso. Eso dicen de Buck, pero ya me estoy
dando cuenta de que sea lo que sea que digan de cualquier
cosa en el ejército hay que creerlo con reservas y cruzar los
dedos por la espalda. Buck me recuerda al cabo Dunphy, allá
en Fort Dix. Un par de bárbaros, hombres que hicieron su
parte en la guerra y que no saben qué hacer consigo mismos en la paz, no los pueden enviar a Corea con ese modo
de beber y el ejército es su único hogar hasta la muerte.

Buck habla alemán y al parecer conoce a todo el mundo
y toda clase de cervecerías clandestinas en la carretera de
Lenggries a Múnich. Resulta que no hay chicas en la trastienda, y cuando Weber se queja, Buck le dice: Uf, vete a la
mierda, Weber. ¿Por qué no vas detrás de ese árbol y te haces
la paja? Weber dice que no necesita esconderse detrás de
ningún árbol. Éste es un país libre y él se puede hacer la paja

donde le dé la gana. Buck le dice: Muy bien, Weber, muy bien, me importa un culo. Por mí puedes sacarte la verga y meneártela en plena vía.

Buck nos dice que volvamos a subirnos al camión y seguimos hacia Múnich sin volver a parar en ningún otro tomaderito secreto de cerveza.

Los sargentos no deberían ordenarte llevar la ropa sucia a un lugar como éste sin decirte qué lugar es. No deberían mandar a Rappaport en particular, porque es judío, y no deberían esperar a que alce la vista por encima del camión y grite: Ay, Cristo bendito, cuando ve el nombre del lugar en la fachada principal: Dachau.

¿Qué más va a hacer aparte de saltar del camión cuando Buck disminuye la marcha frente a la PM de la entrada, saltar del camión, salir corriendo por la carretera a Múnich y gritar como un loco? Ahora Buck tiene que estacionar el camión a un lado mientras miramos cómo dos policías militares persiguen a Rappaport, le echan mano, lo suben arrastrado al *jeep* y lo traen de vuelta. Me da lástima verlo así de pálido y tiritando como si hubiera estado aguantando frío durante mucho rato. No hace sino decir: Lo siento, lo siento, pero no puedo, no puedo, y los pe-emes le dan un trato suave. Uno de ellos llama por teléfono desde la garita de vigilancia y cuando vuelve le dice a Rappaport: Okey, soldado, no tiene que entrar. Puede quedarse con el teniente allí y esperar a que laven la ropa. Sus compañeros se pueden encargar de sus atados.

Mientras descargamos el camión, me hago preguntas sobre los ayudantes alemanes que tenemos. ¿Estarían acá en los malos tiempos? ¿Cuánto saben? Los soldados que descargan otros camiones bromean y se ríen y hacen guerras de atados, pero los alemanes trabajan sin una sonrisa y sé que tienen recuerdos negros en la mente. Si vivían en Dachau o Múnich tenían que saber de este lugar y me gustaría saber qué piensan todos los días al venir a este sitio.

Hasta que Buck me dice que él no les puede hablar porque no son ningunos alemanes. Son refugiados, desplazados húngaros, yugoslavos, checos, rumanos. Viven en campamentos repartidos por toda Alemania hasta que alguien decida qué hacer con ellos.

Cuando el descargue termina, Buck dice que es hora de almorzar y enfila hacia el comedor. Weber lo sigue. Yo no puedo almorzar sin antes darle una mirada a este lugar que tanto he visto en los diarios y en los noticieros cinematográficos desde que era un niño en Limerick. Hay losas con inscripciones en hebreo y alemán y me pregunto si debajo habrá fosas comunes.

Hay hornos con las puertas abiertas y sé qué entraba en ellos. Había visto las fotos en revistas y libros, y las fotos son fotos pero estos son los hornos y si quisiera los podría tocar. No sé si quiero hacerlo pero si me marchara y no volviera nunca más a traer la ropa sucia a este lugar me diría: Pudiste haber tocado los hornos de Dachau y no lo hiciste ¿y qué les vas a decir a tus hijos y nietos? Podría no decirles nada pero éso no me haría ningún bien cuando estuviera a solas preguntándome por qué no toqué los hornos de Dachau.

Así que atravieso por entre las losas y toco los hornos y me pregunto si estará bien decir una oración católica en presencia de los muertos judíos. Si los ingleses me mataran, ¿me ofendería que alguien como Rappaport tocara mi lápida y orara en hebreo? No, no me ofendería, porque los sacerdotes nos han dicho que las oraciones desinteresadas y que no son por uno mismo llegan a los oídos de Dios.

Así y todo no soy capaz de rezar los tres avemarías de costumbre porque mencionan a Jesús y él no les ayudó para nada a los judíos de estos últimos tiempos. No sé si será apropiado rezar un padrenuestro mientras toco la puerta de un horno pero se me hace bastante inofensivo y eso es lo que rezo esperando que los muertos judíos comprendan mi ignorancia.

Weber me llama desde la entrada del comedor: McCourt, McCourt, ya van a cerrar. Si quieres almorzar mueve rápido ese culo.

Llevo mi bandeja con el plato hondo de *gulasch* húngaro y un pan hasta la mesa junto a la ventana donde están Buck y Weber pero cuando miro afuera veo los hornos y ya no tengo tantas ganas de *gulasch* húngaro y por primera vez en la vida hago a un lado un plato de comida. Si en Limerick me vieran apartar el plato así dirían que me había enloquecido completamente pero cómo va a sentarse uno aquí a comer *gulasch* con esos hornos abiertos saltándole a la cara y pensando en la gente que quemaron allí, especialmente en los bebés. Cuando en los periódicos sacan fotos de madres que murieron juntas con sus bebés, el niño aparece acunado en el pecho de la madre dentro del ataúd y están juntos por toda la eternidad y hay un consuelo en eso. Pero eso nunca se vio en las fotos de Dachau o de otros campos de exterminio. En las fotos aparecían bebés tirados a un lado como perros y si acaso los enterraban se veía que era lejos de sus madres y solos por toda la eternidad, y ahí sentado sé que cuando alguien me ofrezca *gulasch* húngaro en la vida civil voy a acordarme de los hornos de Dachau y voy a decir: No, gracias.

Le pregunto a Buck si habrá fosas comunes bajo las losas y me responde que no hacen falta fosas comunes cuando quemas a todo el mundo, y que eso fue lo que hicieron en Dachau, los muy hijos de perra.

Weber dice: Oye, Buck, no sabía que eras judío.

No, cretino. ¿Acaso hay que ser judío para ser humano?

Buck dice que Rappaport debe de tener hambre y que le llevemos un sándwich, pero Weber dice que eso es lo más ridículo que ha oído en la vida. El almuerzo fue *gulasch* y cómo hacer un sándwich con eso. Buck dice que se puede hacer un sándwich con todo y que si Weber no fuera tan estúpido se daría cuenta de eso. Weber le muestra el dedo y le dice: Tu madre, y Buck no ataca a Weber porque el sargento de turno lo detiene y nos dice a todos que nos vamos, que el sitio está cerrado, a no ser que queramos quedarnos a dar una barridita.

Buck se sube a la cabina del camión y Weber y yo nos echamos una siesta en la parte de atrás mientras lavan la ropa y es hora de cargar. Rappaport está sentado al pie de la entrada leyendo el *Stars and Stripes* del ejército. Querría contarle de los hornos y de las maldades de ese sitio pero él sigue pálido y con cara de frío.

A mitad de camino hacia Lenggries, Buck se desvía de la carretera principal y sigue por una trocha estrecha hasta una especie de campamento, un sitio lleno de chozas, enramadas y toldos viejos, por donde corretean niños descalzos en medio del frío de la primavera y con hogueras en torno de las cuales se sientan los adultos en el suelo. Buck salta de la cabina y nos dice que traigamos el café y los cigarrillos y Rappaport le pregunta que para qué.

Para un polvo, muchacho, para un polvo. No nos lo van a dar de balde.

Weber dice: Vamos, vamos, pero si no son más que unos desplazados.

Los refugiados, hombres y mujeres, corren hacia nosotros, pero no tengo ojos más que para las chicas. Nos sonríen y nos jalan las latas de café y los cartones de cigarrillos y Buck nos grita: Agárrenla bien, no se dejen quitar la mercancía. Weber se mete en una choza con una vieja de unos treinta y cinco y yo miro por todos lados buscando a Rappaport. Sigue en el camión, mirando a otro lado, pálido. Buck me señala una de las muchachas y me dice: Okey, aquí está tu amorcito, Mac. Dale los cigarrillos y quédate con el café, y ojo con la billetera.

La chica lleva puesto un vestido harapiento con flores rosadas y tiene tan poca carne que es difícil adivinar su edad. Me lleva de la mano a un cobertizo y no le cuesta desnudarse porque no lleva nada debajo del vestido. Se recuesta en un montón de trapos en el suelo y yo estoy tan impaciente por lanzármele que me apresuro a bajarme los pantalones hasta que se me atoran en las piernas a la altura de las botas. Ella tiene el cuerpo frío pero por dentro está caliente y yo me emociono tanto que acabo en un minuto. Ella rueda lejos de mi hasta un rincón donde se pone en cuclillas sobre un balde y eso me hace recordar mis días en Limerick, cuando teníamos un balde en el rincón. Se para del balde, se sube el vestido y me estira la mano.

¿Cigarrillos?

No sé qué se supone que le deba dar. ¿Debo darle todo el cartón por ese solo minuto de emoción o debo darle un paquete de veinte?

Ella vuelve a decir que cigarrillos y cuando miro el balde en el rincón le doy el cartón entero.

Pero no se contenta con eso. ¿Café?

Le digo que no, no, no hay café, pero ella se me acerca y me abre la bragueta y yo me excito tanto que volvemos a

dar sobre los trapos y por primera vez ella sonríe pensando
en el tesoro de café y cigarrillos, y cuando le veo los dientes
me doy cuenta de por qué no se sonríe tanto.

Buck se vuelve a subir a la cabina sin decirle una palabra a Rappaport y yo no digo nada porque creo que estoy
avergonzado de lo que acabo de hacer. Trato de convencerme de que no estoy avergonzado, de que pagué por el servicio y hasta le di a la chica mi café. No comprendo por qué
me da vergüenza delante de Rappaport. Creo que es porque él tuvo respeto por los refugiados y no se quiso aprovechar de ellos, pero si eso es así, ¿por qué no les mostró
ese respeto regalándoles su café y sus cigarrillos?

A Weber lo trae sin cuidado Rappaport. No para de
hablar sobre el tremendo culo que se tiró y lo poquito que
pagó. Le dio a la hembra apenas cinco cajetillas y todavía
le queda el café y tiene para follar en Lenggries durante una
semana.

Rappaport le dice que es un retardado mental e intercam-
bian insultos hasta que Rappaport se le arroja encima y
ruedan por la ropa limpia con las narices reventadas, hasta
que Buck frena el camión y les dice que corten con eso y a
mí lo único que me preocupa es que de pronto hayan en-
sangrentado la ropa de cama de la Compañía C.

16

Al día siguiente de la misión de lavandería a Dachau el cuello se me hincha y el médico me dice que empaque el morral, que me va a enviar de vuelta a Múnich, que tengo paperas. Me pregunta si he tenido contacto con algún niño, porque de ahí vienen las paperas, de los niños, y dice que cuando un hombre adulto se contagia, ahí puede terminar su descendencia.

¿Entiende lo que digo, soldado?

No, señor.

Quiere decir que usted tal vez nunca va a poder tener hijos.

Me envían en un *jeep* conducido por el cabo John Calhoun, quien me informa que las paperas son el castigo que Dios manda por fornicar con alemanas y que debo tomarlo como un aviso. Detiene el *jeep* y cuando me dice que nos arrodillemos a la vera del camino a implorar el perdón de Dios antes de que sea demasiado tarde, tengo que obedecerle, por los dos galones que lleva. Echa espuma por las comisuras de la boca y desde que yo era niño en Limerick me enseñaron que ésa es señal segura de demencia y que si no me hinco de rodillas con John Calhoun, él se puede poner violento en el nombre de Dios. El tipo alza los brazos al cielo y alaba a Dios por darme el don de las paperas justo a tiempo para que enmiende mis costumbres y redima mi alma, y le pide a Dios que me siga mandando otros sutiles toques de atención sobre mis pecaminosos hábitos: varicela, dolor de muelas, sarampión, migrañas y hasta neumonía, dado el caso. Sabe que no por coincidencia fue escogido para llevarme a Múnich con mis paperas. Sabe que la guerra de Corea se desató para que lo pudieran reclutar y lo destinaran a Alemania para salvar mi alma y las de todos los demás fornicadores. Le da gracias a Dios por ese privilegio y le promete cuidar del alma del soldado McCourt en el pabellón de las paperas del hospital militar de Múnich durante todo el tiempo que el Señor lo desee. Le dice al Señor lo feliz que está por haber alcanzado la salvación, está dichoso, oh, dichoso de verdad, y canta una canción sobre congregarse a la orilla de un río y le da golpes al volante y maneja tan rápido que me pregunto si no voy a estar muerto en una cuneta antes de curarme de las paperas.

Me guía por la entrada del hospital, canta sus himnos, le dice a todo el mundo que me he salvado, que en verdad el Señor me ha enviado una señal: las paperas, y que estoy dispuesto a arrepentirme. Alabado sea Dios. Aleluya. Le dice al enfermero encargado de las admisiones, un sargento, que me deben dar una biblia y tiempo para orar y el sargento le dice que se largue a los infiernos. El cabo Calhoun lo bendice por eso, lo bendice desde el fondo de su corazón, promete orar por el sargento, que claramente está del lado del demonio, le dice al sargento que está perdido pero que si al instante cayera de rodillas y aceptara al Señor Jesús conocería la paz que sobrepasa todo entendimiento, y echa tanta babaza por la boca que la barbilla se le pone blanca.

El sargento le da la vuelta al mostrador y saca a Calhoun a empellones hasta la puerta principal mientras Calhoun lo conmina: Arrepiéntase, sargento, arrepiéntase. Hagamos una pausa, hermano, y oremos por este irlandés iluminado por el Señor, iluminado por las paperas. Oh, congreguémonos a la orilla del río.

Sigue orando e implorando cuando el sargento lo empuja a la noche de Múnich.

Un enfermero alemán me dice que se llama Hans y me lleva a una sala de seis camas donde me suministran una piyama de hospital y dos bolsas repletas de hielo. Cuando me dice: Ésta es paga el cueio y ésta es paga las bolas, cuatro soldados cantan en coro desde las camas: Ésta es paga el cueio y ésta paga las bolas. Él sonríe y me pone una bolsa de hielo en la garganta y la otra en la ingle. Los soldados le arrojan sus bolsas para que les ponga más hielo y le dicen: Hans, eres tan bueno atrapando que podrías ser jugador de béisbol.

El tipo de la cama del rincón lloriquea sin arrojar su bolsa. Hans camina hasta su cama. Dimino, ¿quiegues hielo?

No, no quiero hielo. ¿Para qué?

Ay, Dimino.

Ay, Dimino, el culo. Malditos alemanes. Mire lo que ustedes me hicieron. Me pegaron las jodidas paperas. Nunca voy a tener hijos.

Oh, clago que vas a teneg hijos, Dimino.

¿Y cómo sabes? Mi señora va a creer que soy un maricón.

Oh, Dimino, tú no egues maguicón, y Hans mira a los otros: ¿Dimino es un maguicón?

Yeah, yeah, es un maricón, eres un maricón, Dimino, y el hombre se voltea contra la pared, sollozando.

Hans le toca el hombro. Ellos no green eso, Dimino.

Y los soldados cantan: Sí creemos, sí creemos. Eres un maricón, Dimino. Tenemos las bolas hinchadas y tú también pero tú eres un lloretas maricón.

Y canturrean hasta que Hans le da otras palmaditas en el hombro a Dimino, le alarga unas bolsas de hielo y le dice:

Toma, Dimino, mantén fguías las bolas y vas a teneg muchos hijos.

¿De veras, Hans? ¿De veras?

Clago que sí, Dimino.

Gracias, Hans. Para ser alemán estás okey.

Grrracias, Dimino.

Hans, ¿tú eres maricón?

Sí, Dimino.

¿Y es por eso que te gusta ponernos bolsas de hielo en las pelotas?

No, Dimino. Es mi tgrabajo.

No me importa que seas maricón, Hans.

Grrracias, Dimino.

De nada, Hans.

Otro enfermero entra empujando un carrito con libros y me doy un banquete de lectura. Ahora puedo terminar el libro que empecé en el barco cuando venía de Irlanda: *Crimen y castigo* de Dostoievski. Preferiría leer a F. Scott Fitzgerald o a P. G. Wodehouse pero Dostoievski me tiene pendiente de un hilo con su historia de Raskólnikov y la anciana. Me vuelve a hacer sentir culpable por haberle robado un dinero a la señora Finucane en Limerick cuando ella se murió en la silla y me pregunto si debería pedir un capellán del ejército para confesarme de mi horrible crimen.

No. Tal vez sería capaz de confesarme en la penumbra de un confesionario de iglesia pero jamás podría hacerlo aquí, a plena luz del día, todo hinchado de paperas y con un biombo para tapar la cama y el sacerdote mirándome a la cara. No sería capaz de decirle que la señora Finucane tenía planeado dejar su herencia para que los curas dijeran misas por su alma y que yo me robé parte de la plata. Jamás podría contarle los pecados que cometí con la muchacha del campamento de refugiados. Y ahora que pienso en ella me emociono tanto que tengo que manipularme debajo de las sábanas y heme aquí con un pecado encima de otro. Si llegara a confesarme ahora con un sacerdote me excomulgaría sin remedio, así que mi única esperanza es que me atropelle un camión o que algo me caiga desde muy alto y eso me dé un segundo para rezar un acto de contrición perfecta antes de morirme sin que haga falta un sacerdote.

A veces pienso que yo sería el mejor católico del mundo si suprimieran a los curas y me dejaran hablar con Dios ahí en la cama.

17

Después que salgo del hospital me pasan dos cosas buenas. Me ascienden a cabo por la poderosa mecanografía de mis informes sobre suministros, y el premio es una licencia de dos semanas para ir a Irlanda, si quiero. Mamá me había escrito hacía unas semanas contándome de la suerte que había tenido de que le adjudicaran una de las nuevas casas construidas por el municipio en Janesboro y lo lindo que era contar con unas cuantas libras para comprar muebles nuevos. Piensa tener un baño con tina, lavamanos, inodoro y agua caliente y fría. Piensa tener una cocina con estufa de gas y fregadero y una sala con chimenea, donde se pueda sentar a calentarse las canillas y a leer el periódico o una buena novela rosa. Piensa tener un jardín adelante con florecitas y follaje y un huerto atrás con toda clase de hortalizas, y ya ni va a saber cómo se llama con todos esos lujos.

Durante todo el viaje en el tren que me lleva a Francfort sueño con la nueva casa y las comodidades que les traerá a mamá y a mis hermanos Michael y Alphie. Sería de esperarse que después de haber vivido tantas miserias en Limerick yo no quisiera regresar a Irlanda, pero cuando el avión atraviesa la costa y las sombras de las nubes se mueven por los campos y todo se pone verde y misterioso no soy capaz de contener el llanto. La gente me mira y es bueno que no me pregunten por qué lloro. No sabría qué decirles. No sabría describir el sentimiento que se apoderó de mi corazón al llegar a Irlanda, porque no hay palabras para eso y porque yo no sabía que iba a sentir eso. Es raro pensar que no hay palabras para describir lo que siento, a no ser que estén en Shakespeare o en Samuel Johnson o en Dostoievski y no haya reparado en ellas.

Mamá me espera en la estación del tren, sonriéndome con sus nuevos dientes blancos, engalanada con un vestido claro de estreno y unos zapatos negros y relucientes. Mi hermano Alphie la acompaña. Va a cumplir doce años y está vestido con un traje que seguramente fue el de su confirmación, el año pasado. Se nota que está orgulloso de mí, especialmente de mis galones de cabo, tan orgulloso que se ofrece a cargarme el talego de lona. Hace el intento pero es demasiado pesado y no puedo dejar que lo arrastre por el suelo porque dentro van el reloj de cuco y la porcelana de Dresde que traigo de regalo para mamá.

Yo también me siento orgulloso de saber que la gente me mira con mi uniforme del ejército norteamericano. No todos los días se ve bajar del ferrocarril de Limerick a un cabo norteamericano y no veo la hora de ir por las calles sabiendo que las chicas se dirán al oído: ¿Quién es ése? ¿No es divino? Probablemente pensarán que luché cuerpo a cuerpo con los chinos en Corea y que he vuelto para curarme de una grave herida que no muestro porque soy muy valiente.

Cuando salimos de la estación y pisamos la calle me doy cuenta de que no vamos en la dirección correcta. Deberíamos dirigirnos hacia Jonesboro y la nueva casa, pero en vez de eso atravesamos el Parque del Pueblo, como cuando llegamos por primera vez de América, y quiero saber por qué vamos a la casa de la abuela en la calle Little Barrington. Mamá dice que, bueno, la luz y el gas no han llegado todavía a la casa nueva.

¿Y eso por qué?

Bueno, ¿será porque no hice las diligencias?

¿Y por qué no las hiciste?

Quería, pero no sé.

Eso me enfurece. Sería de esperarse que se alegrara de salir de ese tugurio, en esa callejuela, para instalarse allá arriba, en la nueva casa, a sembrar flores y hacer el té en su nueva cocina que da al jardín. Sería de esperarse que ansiara estrenar las camas con las sábanas limpias y sin pulgas y usar el baño. Pero no. Se tiene que aferrar a ese tugurio y no entiendo por qué. Ella dice que es difícil mudarse y dejar a su hermano, mi tío Pat, que él no anda bien y apenas si camina con toda esa renguera. Todavía vende periódicos por todo Limerick pero, Dios lo ayude, está un poquito inválido, y además nos dejó estar en esa casa cuando estuvimos en las malas. Yo le digo que no me importa, que no pienso regresar a esa casa en ese callejón. Me voy a quedar aquí en el hotel Nacional hasta que ella haga poner la luz y el gas en Jonesboro. Me echo el talego al hombro y mientras me alejo ella me sigue, gimoteando: Ay, Frank, Frank, una noche siquiera, una última noche en la casa de mi madre, seguro que eso no te va a matar, una sola noche.

Paro y me doy vuelta y grito: No quiero ni una noche en la casa de tu madre. ¿De qué demonios sirve mandarte la asignación si tú quieres vivir como los cerdos?

Ella llora y me alarga los brazos y Alphie tiene los ojos muy abiertos, pero a mí no me importa. Me registro en el hotel Nacional y arrojo el talego en la cama y me pregunto qué clase de estúpida mamá es la que tengo que se quiere quedar en un tugurio un minuto más de lo necesario. Me siento en la cama con mi uniforme del ejército norteamericano y mis flamantes galones de cabo y me pregunto si me debo quedar aquí, en medio de este ataque de ira, o salir a las calles a que el mundo me admire. Por la ventana veo el reloj de Tait, la iglesia de los dominicos, y más allá el cine Lyric, donde hay una cola de niños que esperan para entrar a ver los dioses allí donde yo solía ir por dos peniques. Los niños se ven desharrapados y son unos alborotadores, y si miro por la ventana el tiempo suficiente me puedo imaginar que vuelvo a ver mis días pasados en Limerick. Hace apenas diez años yo tenía doce y me enamoraba de Hedy Lamarr, que estaba allá arriba en la pantalla con Charles Boyer, los dos en Argel, y el galán le decía: Ven conmigo a la Casbah. Anduve diciendo eso durante varias semanas hasta que mamá me rogó que parara. Ella adoraba a Charles Boyer y prefería oírlo de boca de él. También adoraba a James Mason. Todas las mujeres del callejón adoraban a James Mason, tan guapo y peligroso que era. Y todas estaban de acuerdo en que lo adoraban por lo peligroso. Porque un hombre sin su peligro a duras penas era un hombre. Melda Lyons les decía a todas en la tienda de Kathleen O'Connell que estaba loca por James Mason y ellas se reían cuando les decía: Por Cristo que, si me lo encontrara, en un segundo lo tendría más desnudo que un huevo. Y al oír eso mamá reía más duro que todas las mujeres en la tienda de Kathleen O'Connell y me pregunto si ahora estará allá contándole a Melda y a las demás que su hijo Frank acaba de bajarse del tren y no quiso pasar ni una noche en la casa y me pregunto si ellas van a ir a sus casas a decir que Frankie McCourt volvió con su uniforme norteamericano y que vino demasiado grandioso para quedarse con su pobre madre allá en el callejón de abajo, aunque quién se sorprende, porque él siempre tuvo ese modo de ser raro del papá.

No me voy a morir si camino por esta última vez hasta la casa de la abuela. Estoy seguro de que mis hermanos Michael y Alphie están jactándose delante de todo el mundo de que voy a venir a casa y que se van a poner tristes si no marcho callejón abajo con mis galones de cabo.

Apenas bajo los escalones del hotel Nacional los chicos del cine Lyric me gritan del otro lado de la plaza Pery: Joi, soldado yanqui, yuuuju, ¿trajiste chicles? ¿Tienes un penique de sobra en el bolsillo o una barra de caramelo en el bolsillo?

Pronuncian caramelo con acento norteamericano y eso los hace carcajearse tanto que se tropiezan entre sí y contra el muro.

Hay un chico apartado de ellos que no se saca las manos de los bolsillos y alcanzo a verle los ojos rojos y lagañosos en una cara llena de barros y una cabeza rapada hasta los huesos. Me cuesta admitir que yo me veía así diez años atrás y cuando me llama del otro lado de la plaza: Joi, soldado yanqui, date la vuelta para poderte ver el culo gordo, me gustaría plantarle un buen zapatazo en su propio culito flacuchento. Debería respetar el uniforme que salvó al mundo aunque yo sea apenas un encargado de suministros con ilusiones de que me devuelvan mi perro. Sería de esperarse que Lagañas me viera los galones de cabo y mostrara un poquito de respeto, pero no, eso es lo que pasa cuando creces en un callejón. Tienes que aparentar que no te importa el pedo de un violinista aunque te importe.

Así y todo me gustaría cruzar la plaza hasta donde está Lagañas y sacudirlo y decirle que es mi retrato calcado cuando tenía su edad pero que yo no me hacía afuera del cine Lyric a atormentar a los yanquis por culones. Trato de convencerme de que así era yo, hasta que otra parte de mi mente me dice que era idéntico a Lagañas, que era tan capaz como él de atormentar a los yanquis o a los ingleses o a cualquiera de traje y de corbata o al que llevara una pluma estilográfica en el bolsillo de arriba o estuviera estrenando bicicleta, que yo era igual de capaz de arrojar una piedra por la ventana de una casa de gente respetable y de correr riéndome primero y hecho una furia al momento siguiente.

Ahora sólo atino a alejarme torciendo el cuerpo hacia los muros para que Lagañas y los otros chicos no me vean el culo y dejarlos sin motivo.

Todo es confusión y nubes negras en mi mente hasta que se me viene a la cabeza otra idea: Vuelve donde los chicos como un soldado de esos de las películas y dales las monedas que tengas en los bolsillos. No te vas a morir si haces eso.

Me ven venir y parecen a punto de salir disparados pero ninguno quiere quedar como un cobarde corriendo de primero. Cuando les reparto las monedas sólo atinan a decir: Huy, Dios, y ahora me miran de otra manera y eso me hace sentir feliz. Lagañas recibe su parte y no dice nada hasta que estoy a cierta distancia y entonces me grita: Oiga, míster, vusté no tiene nada nada de culo.

Y eso es lo que más feliz me hace sentir.

Apenas doblo la esquina de la calle Barrington y comienzo a bajar por el callejón oigo gente que dice: Ay, Dios, ahí viene Frankie McCourt con su uniforme norteamericano. Kathleen O'Connell está en la puerta de la tienda muy sonriente y ofreciéndome un recorte de caramelo Cleeves. Claro, toda la vida te encantó, Frankie, aunque acabó con los dientes de todo Limerick. Su sobrina está ahí también, la que perdió un ojo cuando el cuchillo con que abría una bolsa de papas se le resbaló y se le clavó en la cara. Ella se ríe también del caramelo Cleeves y me pregunto cómo hará uno para reírse cuando le falta un ojo.

Kathleen llama a una mujercita regordeta que está en la esquina del callejón: Ya llegó, señora Patterson, hecho todo un galán del cine. La señora Patterson me agarra la cara con las manos y me dice: Estoy muy contenta por tu pobre madre, Frankie, con la terrible vida que ha llevado.

Y ahí aparece la señora Murphy, que perdió a su esposo en alta mar cuando la guerra y que ahora cohabita en pecado con el señor White, sin que nadie en los callejones se escandalice en lo más mínimo, y me sonríe: Todo un galán de cine, cómo no, Frankie, ¿y cómo están tus pobres ojos? Oye, se ven magníficos.

Todos los habitantes del callejón salen a las puertas a decirme que me veo magnífico. Hasta la señora Purcell me dice que me veo magnífico, y eso que es ciega. Pero comprendo que me hubiera dicho eso si pudiera ver y cuando me le acerco ella estira los brazos y me dice: Ven acá, Frankie McCourt, y dame un abrazo en memoria de los días en que oíamos juntos a Shakespeare y Sean O'Casey por la radio.

Y cuando me rodea con los brazos me dice: *Arrah*, Dios de las alturas, no tienes ni un filo en todo el cuerpo. ¿Te están cebando en el ejército americano? Pero no importa: hueles magnífico. Siempre huelen así, los yanquis esos.

Me cuesta mirar a la señora Purcell con esos párpados delicados que a duras penas pestañean sobre unos ojos hundidos en el rostro y recordar las noches en que me dejaba sentarme en su cocina a oír obras de teatro y cuentos en la radio y la facilidad con que me daba una buena taza de té y una gran rebanada de pan con mermelada. Me cuesta hacerlo porque los habitantes del callejón han salido encantados a sus puertas y a mí me da vergüenza haber dejado plantada a mi mamá para irme a hacer pucheros en el hotel Nacional. Quisiera caminar los pocos pasos que me separan de mamá en su puerta y pedirle perdón pero no puedo decir una palabra por miedo a que se me salgan las lágrimas y ella me diga: Ay, tienes la vejiga debajo del ojo.

Sé que diría eso para hacerme reír y reprimir sus propias lágrimas y así no sentir bochorno y vergüenza por nuestras lágrimas. Lo único que se le ocurre decir ahora es lo que diría cualquier madre de Limerick: Debes de estar muriéndote de hambre. ¿Te gustaría una buena taza de té?

Mi tío Pat está sentado en la cocina y cuando alza la cara para verme me enferma verle los ojos rojos y la materia amarilla. Me recuerda al pequeño Lagañas del cine Lyric. Me recuerda a mí mismo.

El tío Pat es hermano de mamá y en todo Limerick lo conocen como Ab Sheenan. Hay quienes le dicen el Abad y nadie sabe por qué. Me dice: Qué manífico uriforme ese que tienes, Frankie. ¿Y 'ónde dejastes la escopeta? Se ríe y me muestra las cepas amarillas de los dientes en las encías. Tiene el pelo negro entreverado de gris y todo apelmazado de no lavárselo y hay mugre en las arrugas de su cara. También su ropa brilla con la grasa sin lavar y me pregunto cómo hará mamá para vivir con él sin mantenerlo aseado y recuerdo lo testarudo que era él en no bañarse y en usar la misma ropa día y noche hasta que se le deshilachaba sobre el cuerpo. Mamá no podía encontrar el jabón una vez y cuando le preguntó a él si lo había visto él le dijo: No me van a culpar por el japón. Yo no he visto el japón. Si es que yo no me buño desde hace una semana. Y dijo eso como si fuera de lo más admirable. Me gustaría desnudarlo en el patio y lavarlo con manguera y agua caliente hasta sacarle la mugre de las arrugas de la cara y lavarle el pus de los ojos.

Mamá prepara el té y es bueno ver que ahora tiene tazas y platillos decentes y no como en los viejos días, cuando lo tomábamos en frascos de mermelada. El Abad rechaza las nuevas tazas. Yo quiero mi propio pote, dice. Mamá discute con él y dice que ese pote es una desgracia así lleno de tierra en las rajaduras donde habrá toda clase de enferme-

dades al acecho. A él le da lo mismo. Dice: Ese era el pote
de mi 'amá y ella me lo dejó, y no hay forma de discutir con
él sabiendo que lo dejaron caer de cabeza cuando estaba
chiquito. Se levanta y sale rengueando al retrete del patio
y, cuando se ha ido, mamá dice que ella hizo todo lo posible
por sacarlo de esta casa y llevárselo a vivir con ella por un
tiempo. No, no quiso irse. No va a dejar la casa de su madre y el pote que le regaló hace tanto tiempo y la estatuilla
del Niño Jesús de Praga y el cuadro grande del Sagrado
Corazón de Jesús arriba en el dormitorio. No, él no va a
dejar nada de eso. Qué más da. Mamá tiene a Michael y a
Alphie para que la cuiden. Alphie no ha salido aún del colegio y el pobre Michael trabaja de lavaplatos en el restaurante Savoy, Dios se apiade de él y lo favorezca.

Nos tomamos el té y salgo a pasearme con Alphie por la
calle O'Connell para que todos me vean y me admiren. Tro-
pezamos con Michael, que viene del trabajo, y el corazón
me duele al verlo, con un mechón de pelo negro casi tapán-
dole los ojos y el cuerpo hecho un costal de huesos y una
ropa tan grasienta como la del Abad, de lavar platos todo
el día. Me sonríe con su aire tímido y dice: Dios mío, te veo
muy en forma, Frankie. Yo le devuelvo la sonrisa y no sé
qué decirle porque me da vergüenza la facha que tiene y si
mamá estuviera aquí le gritaría a ella y le preguntaría por
qué Michael tiene esa facha. ¿Por qué no puede comprarle
ropa decente o por qué en el Savoy no pueden darle por lo
menos un delantal para que no se salpique de grasa? Si él
viviera en la calle Ennis o en la Circular del Norte, en estos
momentos estaría en el colegio jugando rugby y yendo a
pasar las vacaciones en Kilkee. No veo la razón de regresar
a Limerick si los niños siguen correteando con los pies descalzos y contemplando el mundo con ojos lagañosos, si mi
hermano Michael tiene que lavar platos y mi madre se toma

todo el tiempo para mudarse a una casa decente. Yo no esperaba que fuera así y eso me da tanta tristeza que me dan ganas de estar de nuevo en Alemania tomando cerveza en Lenggries.

Algún día los sacaré de aquí, a mamá, a Alphie, a Michael, y los voy a llevar a Nueva York, donde Malachy está trabajando ya y con planes de alistarse en la fuerza aérea para que no lo recluten y lo despachen a Corea. No quiero que Alphie se salga del colegio a los catorce años, como el resto de nosotros. Por lo menos está con los hermanos cristianos y no en una escuela nacional como la de Leamy, a la que asistimos los demás. Algún día irá a la escuela secundaria y aprenderá latín y otras materias importantes. Por ahora, al menos, tiene ropa y zapatos y comida y no tiene de qué avergonzarse. Se ve lo robusto que es, no como Michael, el costal de huesos.

Damos media vuelta y desandamos el recorrido por la calle O'Connell y sé que la gente me admira con mi uniforme de recluta, hasta que alguien exclama: Jesús, ¿eres tú, Frankie McCourt? y todo el mundo se entera de que no soy un verdadero recluta norteamericano, que soy simplemente alguien salido de los callejones traseros de Limerick todo acicalado con el uniforme del ejército de Estados Unidos y los galones de cabo.

Mamá viene por la calle hecha toda sonrisas. Mañana instalan la luz y el gas en la nueva casa y podremos mudarnos. La tía Aggie mandó decir que oyó de mi llegada y nos invita a tomar el té. Nos está esperando ahora mismo.

También la tía Aggie se deshace en sonrisas. No es como en los viejos tiempos, cuando en su cara no había más que amargura por no tener niños propios, aunque, con amargura y todo, ella fue la que se preocupó de que yo tuviera ropa decente para mi primer empleo. Creo que está impresiona-

da con mi uniforme y mis galones de cabo porque no deja
de preguntarme si no quiero más té, más jamón, más queso.
No se muestra así de generosa ni con Michael ni con Alphie
y a mamá le toca ver que coman lo suficiente. O son demasiado tímidos para pedir repeticiones o tienen miedo. Saben
que la tía tiene un carácter fiero por no haber tenido hijos
propios.

Su marido, el tío Pa Keating, no se sienta a la mesa para
nada. Se hace junto a la estufa de carbón con su taza de té
y lo único que hace es fumar cigarrillos y toser hasta el borde
del desmayo, agarrándose y riéndose: Estos jodidos chicotes
van a acabar matándome.

Mamá le dice: Deberías dejarlos, Pa, y él le responde: Si
los dejara, Ángela, ¿que me pondría a hacer? ¿Sentarme aquí
con mi té a mirar la candela?

Ella le dice: Te van a matar, Pa.

Y si me matan, Ángela, me importa el pedo de un violinista.

Esa es la parte del tío Pa que siempre me encantó, eso
de que todo le importa el pedo de un violinista. Si fuera
como él, yo sería libre, aunque no me gustaría tener sus pulmones, con la manera como se los destruyeron con gas alemán en la Gran Guerra y después trabajando durante varios
años en la fábrica de gas de Limerick y ahora con los chicotes junto a la estufa. Me entristece verlo sentado ahí matándose cuando era el único que me decía la verdad. Él fue
el que me dijo que no me enredara presentando exámenes
para entrar a trabajar al correo cuando podía ahorrar la
plata para irme a América. Uno nunca se imaginaría al tío
Pa diciendo una mentira. Eso lo mataría más rápido que el
gas o los chicotes.

Todavía anda todo tiznado de palear turba y carbón en

la fábrica de gas y no tiene carne en el esqueleto. Cuando alza la vista en su asiento junto al fuego, los blancos de los ojos le relumbran en torno de los iris azules. Cuando nos mira a todos se nota que le tiene un cariño especial a mi hermano Michael. Ojalá me tuviera ese cariño, pero no lo tiene, y me conformo con que me haya comprado la primera cerveza hace ya tiempo y me haya dicho siempre la verdad. Me gustaría decirle lo que siento por él. No, me da miedo de que alguien se ría.

Después del té en la casa de la tía Aggie me entran deseos de regresar a mi cuarto del hotel Nacional, pero temo que mamá vuelva a lanzarme esa mirada herida. Ahora tendré que pasar una mala noche en la cama con Michael y Alphie, y sé que las pulgas me van a enloquecer. Desde que salí de Limerick no ha habido una pulga en mi vida, pero ahora que soy un soldado con un poquito de carne en los huesos me van a comer vivo.

Mamá dice que no, que hay un polvo llamado DDT que mata todo y que ella lo regó por toda la casa. Yo le cuento que en Fort Dix nos rociaban con eso desde unas avionetas para librarnos de la tortura de los mosquitos.

Así y todo quedamos muy estrechos en la cama con Michael y Alphie. El Abad está en su cama contra la otra pared y gruñe y come pescado y papas fritas en un periódico, como ha hecho siempre. No me puedo dormir oyendo el ruido que hace y pensando en los días en que yo me lamía la grasa del periódico con que él envolvía el pescado y las papas fritas. Heme aquí en la vieja cama con mi uniforme colgado en el espaldar de una silla y sin que nada haya cambiado en Limerick a excepción del DDT que espanta las pulgas. Me consuelo pensando en los niños que ahora pueden dormir, gracias al DDT, sin la tortura de las pulgas.

———

Al otro día, mamá trata de convencer por última vez al tío Pat, su hermano, de que se mude a Jonesboro con nosotros. Él dice que nah y que nah. Él habla así porque lo dejaron caer de cabeza. No piensa irse. Se va a quedar aquí y cuando nos vayamos se va a pasar a la cama grande, la cama de su madre, en la que dormimos todos durante tantos años. Siempre quiso esa cama y ahora va a ser suya y todas las mañanas se va a tomar el té en el pote que le dio su mamá.

Mamá lo mira y se le vuelven a salir las lágrimas. Eso me hacer perder la paciencia y le digo que agarre sus cosas y nos vamos. Si el Abad quiere ser así de estúpido y de terco, hay que dejarlo. Ella dice: No sabes lo que es tener un hermano así. Tienes suerte de que todos tus hermanos estén enteros.

¿Enteros? ¿De qué está hablando ella?

Tienes suerte de tener hermanos sensatos y sanos y que nunca se han caído de cabeza.

Vuelve a llorar y le pregunta al Abad si le gustaría una buena taza de té y él le dice que nah.

¿Le gustaría subir a la nueva casa y darse un buen baño caliente en la nueva tina?

Nah.

Ay, Pat, ay, Pat, ay, Pat.

Tanto la ahoga el llanto, que tiene que sentarse y él no hace sino mirarla con esos ojos purulentos. La mira sin decir palabra y al fin echa mano al pote de su madre y dice: Me quedo con el pote de 'amá y la cama de 'amá que vustedes me quitaron tantos años.

Alphie se le acerca a mamá y le pregunta que por qué no nos vamos a la nueva casa. Él sólo tiene once años y está emocionado. Michael ya salió para el restaurante Savoy a lavar platos y cuando termine podrá ir a la nueva casa, donde tendrá agua caliente y fría del acueducto y podrá darse el primer baño en tina de su vida.

Mamá se seca los ojos y se levanta. ¿Estás seguro, Pat, de que no quieres venir? Puedes traer el pote, si quieres, pero la cama no la podemos llevar.

Nah.

Y se acabó. Ella dice: Yo crecí en esta casa. Cuando me fui a América ni siquiera me paré a mirar atrás cuando subía por el callejón. Pero ahora es distinto. Tengo cuarenta y cuatro años y todo es distinto ahora.

Se pone el abrigo y se queda mirando a su hermano y yo estoy tan cansado de sus lamentaciones que me dan ganas de sacarla arrastrada de la casa. Le digo a Alphie: Vámonos, y salimos por la puerta para obligarla a que nos siga. Cuando algo le duele, la cara se le pone más pálida y la nariz se le afila, y así está ahora. No me dirige la palabra, me trata como si le hubiera hecho un mal enviándole la asignación para que pudiera vivir decentemente. Yo tampoco le quiero hablar a ella porque es difícil sentir lástima por alguien, así sea tu madre, que se quiere quedar en un tugurio con un hermano pobre de espíritu porque lo dejaron caer de cabeza.

Actúa así durante todo el viaje en autobús hasta Jonesboro. Luego, en la puerta de la nueva casa, se pone a esculcar el bolso. Ay, Dios mío, creo que se me quedó la llave, lo que comprueba que desde el principio no tenía intenciones de irse de la vieja casa. Algo semejante me contó una vez el cabo Dunphy en Fort Dix. Su mujer tenía la costumbre de olvidar las llaves, y cuando tienes esa costumbre quiere decir que no quieres ir a casa. Quiere decir que le tienes miedo a tu propia puerta. Ahora tengo que ir a la casa vecina a ver si me dejan pasar a la parte de atrás por si hay una ventana abierta por la que pueda entrar.

Eso me pone de muy mal humor y así casi no puedo disfrutar de la nueva casa. A ella le sucede lo contrario. Apenas pisa el zaguán la palidez se le va de la cara y el filo se le va de la nariz. La casa está amoblada, al menos había hecho eso, y ahora ella dice lo que diría cualquier madre de Limerick: Bueno, que tal si nos tomamos una buena taza de té. Se parece al capitán Boyle cuando le grita a Juno en *Juno y el pavo real*: Té, té, té, hasta a un moribundo tratarías de embutirle una taza de té.

18

Cuando me criaba en Limerick me ponía a mirar a la gente que iba a los bailes del hotel Cruise o del salón de baile Stella. Ahora puedo ir solo y sin una pizca de timidez con las chicas debido a mi uniforme norteamericano y mis galones de cabo. Si me preguntan que si estuve en Corea y que si me hirieron les voy a sonreír un poquito y voy a actuar como si no quisiera hablar de eso. Tal vez cojee un poco y esa sería suficiente excusa para no bailar correctamente, cosa que de todas maneras no sería capaz de hacer. A lo mejor haya al menos una chica que se compadezca de mi herida y me invite a su mesa a tomarme un vaso de limonada o de cerveza negra.

Bud Clancy está allá en la tarima con su banda y me reconoce apenas entro. Me hace una seña para que suba a donde él. ¿Cómo estás, Frankie? De vuelta de las guerras, ja ja ja. ¿Quieres que toquemos algo en especial?

Le digo que *American Patrol* y él anuncia por el micrófono: Damas y caballeros, saludemos aquí a uno de los nuestros venido de guerrear: Frankie McCourt. Y me siento en el cielo con todo ese gentío mirándome. No me miran largo rato porque apenas empieza *American Patrol* se ponen a dar vueltas y a menearse en la pista. Yo me quedo junto a la orquesta preguntándome cómo hacen para ponerse a bailar sin prestarle atención al cabo norteamericano que se encuentra entre ellos. Nunca pensé que iban a dejarme de lado así, y ahora tengo que sacar a bailar a una muchacha para quedar bien. Las chicas están en una hilera de sillas recostadas contra las paredes y toman limonada y conversan entre ellas, y cuando las invito a bailar sacuden la cabeza: No, gracias. Sólo una dice que sí, y cuando se levanta le noto la cojera y eso me pone en el dilema de aplazar o no mi propia cojera por miedo a que vaya a creer que la estoy remedando. No puedo dejarla ahí parada toda la noche, así que la acompaño hasta la pista y ahora me doy cuenta de que todos me miran porque ella es tan coja que por poco se cae cada vez que da un paso con la pierna derecha, que es más corta que la izquierda. Cuesta saber qué hacer cuando hay que bailar con alguien que tiene una cojera grave. Ahora me doy cuenta de que sería una estupidez adoptar mi falsa cojera de batalla. Todo el mundo se reiría de nosotros, yo para un lado y ella para el otro. Peor todavía: no sé de qué hablarle. Sé que si uno dice la cosa apropiada puede sortear cualquier situación, pero tengo miedo de hablarle. No sé si decirle que siento lo de su cojera o preguntarle de dónde la sacó. Ella no me da ocasión de decir nada. Me ladra: ¿Se va a quedar ahí mirándome toda la noche? y me toca llevarla por la pista mientras la banda de Bud Clancy toca *Chattanooga Choo Choo, won't you hurry me home*. No sé por qué Bud tiene que tocar canciones rápidas cuando hay muchachas con cojeras como ésta que a duras penas pueden poner un pie delante del otro. ¿Por qué no toca *Moonlight Serenade* o *Sentimental Journey* a ver si puedo sacar a relucir los pocos pasos que Emer me enseñó en Nueva York? Ahora la chica me pregunta que si creo que estoy en un velorio y le noto ese acento destemplado que delata que viene de un barrio pobre de Limerick. Vamos, yanqui, a menearse, me dice, y se aparta y se pone a dar vueltas como un trompo en la pierna buena. Otra pareja choca con nosotros y le dicen: Poderosa, Madeline, poderosa. Qué quiebres los de esta noche, Madeline. Mejor que la propia Ginger Rogers.

Las chicas de la hilera en la pared se están burlando. La cara se me incendia y le pido a Dios que Bud Clancy toque *Three O'Clock in the Morning* para poder llevar a Madeline de vuelta a su silla y renunciar al baile para siempre, pero no, Bud empieza a tocar una lenta, *The Sunny Side of the Street*, y Madeline me aprieta la nariz contra el pecho y me empuja por toda la pista, zapateando el uno y cojeando la otra, hasta que se aparta de mí y me dice que si así bailan los yanquis entonces de ahora en adelante no va a bailar sino con hombres de Limerick, que sí saben cómo se hace, muchas gracias, señor.

Las chicas de la pared se ríen todavía más duro. Hasta los hombres que no pueden sacar a bailar a nadie y matan el rato bebiendo cerveza se ríen también y sé que igual da si me voy de una vez, porque nadie va a bailar conmigo después del oso que acabo de hacer. Me siento tan impotente y tan avergonzado que quiero hacer que todo el mundo también sienta vergüenza y la única manera es poniéndome a cojear y espero que crean que es una herida de guerra pero cuando rengueo hacia la puerta, las muchachas chillan y se ponen histéricas de la risa y yo echo a correr escaleras abajo y salgo a la calle tan avergonzado que quisiera tirarme al río Shannon.

Al otro día mamá me dice que oyó decir que estuve en un baile anoche, que bailé con Madeline Burke, de la calle Mungret, y que todas andan diciendo que cómo es de bueno Frankie McCourt: sacar a bailar a Madeline en esas condiciones, Dios nos proteja, y él de uniforme y todo.

No importa. No voy a salir más en uniforme. Voy a estar de civil y nadie va a mirar a ver si tengo el culo gordo. Si voy a un baile me voy a hacer junto a la barra a tomar pintas con los hombres que fingen que no les importa cuando las chicas les dicen que no.

Me quedan diez días de licencia y quisiera que fueran diez minutos para poder volver a Lenggries y conseguir lo que quiera a cambio de una libra de café y un cartón de cigarrillos. Mamá dice que ando muy malhumorado pero no le puedo comunicar los sentimientos raros que me produce Limerick después de las malas épocas de mi infancia y ahora con la humillación que me labré en la pista de baile. No me importa si fui bueno con Madeline y su cojera. No regresé a Limerick para hacer eso. Jamás voy a sacar a bailar a nadie sin mirar antes si sus piernas son iguales de largas. Será fácil si las atisbo cuando van para el baño. A la larga es más fácil estar con Buck y Rappaport, hasta con Weber, llevando la ropa sucia a Dachau.

Pero no le puedo decir nada de esto a mamá. Es difícil decirle nada a nadie, especialmente si es acerca de idas y regresos. Tienes que acostumbrarte a un sitio grande y pujante como Nueva York, donde puedes quedarte muerto en la cama muchos días y con un olorcito saliendo por debajo de la puerta antes de que alguien se dé cuenta. Luego te mandan al ejército y tienes que acostumbrarte a otros hombres venidos de todas partes de Estados Unidos, de todos los colores y sabores. Cuando vas a Alemania miras la gente de las calles y las cervecerías. Te tienes que acostumbrar también a ellos. Parecen gente común y corriente, aunque te gustaría inclinarte hacia el grupo de la mesa contigua y preguntar: ¿Alguno aquí ha matado judíos? Claro que en las clases de orientación militar nos dijeron que había que mantener la boca cerrada y tratar a los alemanes como nuestros aliados en la guerra contra el comunismo ateo, pero así y todo te gustaría preguntar por pura curiosidad o para ver qué cara ponen.

Lo más duro de las idas y vueltas es Limerick. Me gustaría pasearme por ahí para que me admiraran por mi uniforme y mis galones de cabo y me imagino que eso haría si no hubiera crecido aquí, pero son demasiadas las personas que me conocen de cuando repartía telegramas y trabajaba en Eason's y ahora sólo escucho: Ay, Jesús, Frankie McCourt, ¿eres tú? ¿No te ves magnífico? ¿Cómo siguen tus pobres ojos y cómo sigue tu pobre madre? Nunca tuviste mejor aspecto, Frankie.

Podría llevar un uniforme de general pero para ellos seguiría siendo Frankie McCourt, el repartidor de telegramas lagañoso, hijo de esa pobre y sufrida madre.

Lo mejor de estar en Limerick son los paseos con Alphie y Michael, aunque Michael, por regla general, está ocupado con una chica que está loca por él. Todas están locas por él, con su pelo negro y sus ojos azules y su sonrisa tímida.

Ah, Mikey John, dicen, ¿no es divino?

Si se lo dicen en la cara, él se sonroja y eso las hace quererlo todavía más. Mamá dice que es un gran bailarín, que eso le dijeron por ahí, y que nadie canta mejor *When April showers, they come your way*. Un día que él estaba comiendo dijeron por la radio que Al Jolson había fallecido y él se levantó llorando y dejó la comida servida. Es un asunto grave cuando un muchacho deja servida la comida y eso demuestra lo mucho que Michael quería a Al Jolson.

Con todo ese talento, sé que Michael debería estar en América, y me aseguraré de que así sea.

Hay días en que recorro las calles de civil y sin compañía. Cuando visito los sitios donde antes vivimos, se me ocurre pensar que entro en un túnel del pasado del que voy a salir contento al otro lado. Miro la fachada de la escuela de Leamy, donde recibí la educación que tengo, buena o mala. Puerta con puerta está la Sociedad de San Vicente de Paúl, a donde iba mamá para que no muriéramos de hambre. Vago por las calles de iglesia en iglesia, llenas de recuerdos por todas partes. Oigo voces, coros, himnos, sacerdotes que pronuncian un sermón o hablan en voz baja durante la confesión. Miro las puertas de las casas de Limerick y sé que en cada una entregué un telegrama.

Me encuentro con profesores de la Escuela Nacional de Leamy y me dicen que yo era un chico bueno, aunque se les olvida que me vapuleaban con la férula y la vara cuando no recordaba las respuestas del catecismo o las fechas y nombres de la larga y triste historia de Irlanda. El señor Scanlon me dice que de nada me sirve vivir en América si no me hago rico, y míster O'Halloran, el director, detiene el auto para preguntarme por mi vida en Estados Unidos y para recordarme lo que decían los griegos: que el camino de la sabiduría no está empedrado de oro. Se sentiría muy sorprendido, me dice, si yo me olvidara de los libros para unirme a los tenderos del mundo, para manipular la grasienta caja registradora. Me sonríe con su sonrisa a lo presidente Roosevelt y pone el auto en marcha.

Me encuentro con algunos padres de nuestra parroquia, la de San José, y de otras iglesias donde tal vez me confesé algún día o repartí telegramas, pero pasan de largo. Hay que ser rico para ganarse el saludo de un cura, a no ser que sea franciscano.

Con todo, me siento en el silencio de las iglesias a mirar los altares, los púlpitos, los confesionarios. Me gustaría saber a cuántas misas fui, cuántos sermones me dejaron con el alma a los pies, cuántos sacerdotes se aterraron de mis

pecados hasta que dejé de confesarme. Sé que estoy condenado por ser como soy, aunque me confesaría con un curita
bondadoso si pudiera dar con uno. A veces me gustaría ser
protestante o judío, porque ellos no conocen algo mejor.
Cuando perteneces a la Fe Verdadera, no hay excusas y estás
acorralado.

Llega una carta de la hermana de papá, la tía Emily, diciendo que la abuela espera que pueda ir al norte a verlos
antes de volver a Alemania. Papá vive con ellos, trabajando
de peón agrícola en las vecindades de Toome, y a él también
le gustaría verme después de tantos años.

No tengo inconveniente en ir al norte a ver a mi abuela
pero no sé qué le voy a decir a papá. Ahora que tengo veintiún años sé, por mis caminadas por Múnich y Limerick
observando a los niños en las calles, sé que nunca seré la
clase de padre que los abandona. Él nos dejó cuando yo
tenía diez años para irse a trabajar a Inglaterra y mandarnos
la plata, pero, como decía mamá, prefería la botella a los
bebés. Mamá me dice que vaya al norte porque la abuela
está mal de salud y tal vez no dure hasta la próxima vez que
yo vuelva a casa. Dice que hay cosas que sólo puedes hacer
una vez y que más conviene hacerlas de inmediato.

Me sorprende que hable así de la abuela después de la
manera fría como la recibió cuando desembarcó de regreso
de América con mi padre y cuatro hijos pequeños pero hay
dos cosas que ella detesta en esta vida: guardar rencores y
deber plata.

Si viajo en tren al norte debo ir de uniforme por toda la
admiración que con seguridad voy a despertar, aunque sé
que si abro la jeta con este acento de Limerick la gente va a
mirar para otro lado o a clavar las narices en libros y pe-

riódicos. Podría simular un acento norteamericano, pero ya ensayé eso con mamá y se puso histérica de la risa. Me dijo que sonaba como Edward G. Robinson debajo del agua.

Si alguien me habla, lo único que puedo hacer es asentir con la cabeza o sacudirla o hacer cara de que tengo una pena secreta causada por una grave herida de guerra.

Y todo para nada. Los irlandeses están tan acostumbrados a este ir y venir de soldados desde que terminó la guerra que igual sería si yo fuera invisible en mi rincón del coche a Dublín y de allí a Belfast. Cero curiosidad y nadie dice: ¿Viene usted de Corea? ¿No son horribles esos chinos?, y ya ni siquiera me dan ganas de fingir la cojera. Una cojera es como una mentira: hay que sostenerlas todo el tiempo.

Mi abuela dice: *Och*, qué espléndido te ves en tu uniforme, y la tía Emily dice: *Och*, ya eres un hombre hecho y derecho.

Mi padre dice: *Och*, aquí estás. ¿Cómo está tu mamá?

Divinamente.

¿Y tu hermano Malachy y tu hermano Michael y tu hermanito que cómo se llama?

Alphie.

Och, ajá, Alphie. ¿Cómo está tu hermanito Alphie?

Todos están divinamente.

Suelta un pequeño *Och* y suspira: Magnífico.

Entonces me pregunta si quiero una copa, y la abuela dice: Vamos, Malachy, no le hables de eso.

Och, yo sólo quería prevenirlo de las malas personas que se puede topar en las tabernas.

Este es mi padre que nos dejó cuando yo tenía diez años para gastarse hasta el último penique del salario en los *pubs* de Coventry mientras las bombas alemanas caían por todos lados, con la familia a punto de morirse de hambre en Limerick, y helo ahí dándose aires de estar bañado en gra-

cia santificante y lo único que se me ocurre pensar es que
debe de haber algo de verdad en la historia de que lo dejaron
caer de cabeza o en la de que sufrió de alguna enfermedad
como la meningitis.

Eso podría servir de excusa para beber: la caída de cabeza
o la meningitis. Las bombas alemanas no podrían servir de
excusa, porque en Coventry había otros hombres de Limerick que enviaban dinero a casa, con bombas o sin bombas.
Hasta había quiénes se amancebaban con inglesas, y así y
todo seguían mandando plata a casa, plata que iba dismi-
nuyendo hasta ser nada, porque las inglesas son famosas por
no querer que los irlandeses sostengan a sus familias allá en
casa cuando ellas tienen tres o cuatro mocosos inglesitos
malcriados corriendo y berreando por su puré de papa con
salchichas. Al final de la guerra más de un irlandés se vio
tan atrapado sin remedio entre la familia irlandesa y la inglesa, que no tuvo otra opción que subirse a un barco con
rumbo al Canadá o a Australia, y ojos que te han visto.

Mi papá no era de esos. Si tuvo siete niños con mamá
fue porque ella estaba ahí en la cama cumpliendo sus deberes
conyugales. Las inglesas no son así de fáciles. No dejarían
jamás que un irlandés se les echara encima envalentonado
por dos o tres cervezas, y eso quiere decir que no hay
bastarditos McCourt corriendo por las calles de Coventry.

No sé qué decirle, con su sonrisita y sus *Och* ajás, porque
no sé si le hablo a un hombre en su sano juicio o al que dejaron caer de cabeza o al que le dio meningitis. ¿Cómo poder
hablarle si se levanta, se mete las manos en los bolsillos y
se pone a caminar por toda la casa silbando *Lily Marlene*?
La tía Emily me cuchichea que hace siglos él no se toma una
copa y que le ha costado mucho esfuerzo. Quisiera responderle que más esfuerzo le costó a mamá mantenernos con
vida pero sé que él cuenta con la conmiseración de toda su

familia y que de todos modos de nada sirve volver sobre el pasado. Entonces él me dice lo mucho que sufrió con los humillantes líos de mamá con el primo de ella, cómo hasta el norte corrió el cuento de que convivían como marido y mujer y que cuando él se enteró en Coventry, con las bombas cayendo por todas partes, se enloqueció hasta el punto de que pasaba en los *pubs* los días, las noches y el resto del tiempo. Otros hombres que hubieran estado en Coventry podrían dar fe de cómo salía él corriendo a la calle y alzaba los brazos hacia el cielo y le pedía a la Luftwaffe que le dejara caer una bomba en su pobre cabeza atormentada.

Mi abuela mueve la cabeza, en señal de conformidad con la tía Emily: *Och, aye*. Me gustaría recordarles que papá bebía desde antes de las malas épocas en Limerick, que teníamos que salir a seguirle la pista por todos los bares de Brooklyn. Me gustaría decirles que si tan sólo nos hubiera enviado algún dinero habríamos podido permanecer en nuestra propia casa en vez de que nos desahuciaran y tuviéramos que mudarnos a casa del primo de mamá.

Pero la abuela está muy delicada y me tengo que contener. Siento la cara tensa y tengo nubes negras en la cabeza y sólo acierto a quedarme ahí de pie y decirles que mi padre bebió todos esos años, que bebía porque nacía un niño o porque se moría y que bebía porque bebía.

Ella dice: *Och*, Francis, y sacude la cabeza como en desacuerdo conmigo, como defendiendo a papá, y eso me enfurece hasta el punto de que no sé qué hacer y en un momento bajo las escaleras arrastrando mi talego de lona y salgo a la carretera a Toome, con la tía Emily gritándome desde el seto: Francis, ay, Francis, regresa, tu abuela quiere hablar contigo, pero yo sigo andando aunque me muero por echar marcha atrás, pues por malo que fuera mi papá yo por lo menos sé quién fue, y la abuela hacía apenas lo que hubiera hecho cualquier madre, defender a un hijo que dejaron caer de cabeza o que sufrió de meningitis, y casi me regreso si no fuera porque un automóvil se detiene y un tipo me ofrece llevarme a la estación de Toome y ya dentro del auto no hay modo de echarse atrás.

No estoy de humor para conversar pero tengo que ser educado con el tipo inclusive cuando dice que los McCourts de Moneyglass son una buena familia a pesar de ser católicos.

A pesar de ser católicos.

Me gustaría decirle al tipo que pare el auto para bajarme con mi talego de lona, pero si lo hago estaría en la mitad del recorrido a Toome y me entrarían ganas de volver a pie a la casa de la abuela.

No puedo regresar. El pasado no se olvida en esta familia y con seguridad volverían a hablar del gran pecado de mamá y entonces tendríamos otro choque y ya estaría arrastrando el talego de lona por la carretera a Toome.

Cuando el tipo detiene el auto para que me baje y le doy las gracias me pregunto si marchará cada doce de julio golpeando un tambor con los otros protestantes, pero tiene un rostro amable y no me lo imagino golpeando un tambor por ningún motivo.

Durante todo el viaje en autobús a Belfast y en tren de Belfast a Dublín siento que me muero por regresar adonde la abuela, a la que quizá no volveré a ver más, y también para ver si soy capaz de ir más allá de los *Och* ajás y las sonrisitas de papá, pero ya en el tren a Limerick la cosa no tiene retorno. Tengo la cabeza atiborrada de imágenes de papá, de la tía Emily, de la abuela y de la triste vida que llevan en la granja y sus siete acres estériles. También está mamá allá en Limerick, a los cuarenta años madre de siete niños, tres muertos, y lo único que quiere, según dice, es un poquito de paz, calma y tranquilidad. Está la triste vida del cabo Dunphy en Fort Dix y de Buck en Lenggries, dos hombres que hicieron del ejército su hogar por no saber qué hacer en el mundo exterior, y me temo que si no dejo de pensar en esas cosas se me van a salir las lágrimas y voy a hacer el ridículo en un vagón delante de cinco personas que al verme de uniforme se van a preguntar: Jesús bendito, quién será ese yanqui que llora en el rincón. Mamá diría que tengo la vejiga debajo del ojo, pero los pasajeros del tren se preguntarían: ¿Ése es un ejemplar de los que luchan cuerpo a cuerpo con los chinos en Corea?

Así no hubiera un alma en el vagón, tendría que controlarme, porque al menor asomo de una lágrima salada los ojos se me pondrían más rojos de lo que ya están y no quiero bajarme del tren y caminar por las calles de Limerick con los ojos como dos agujeros de orinar en la nieve.

Mamá abre la puerta y se lleva las manos al pecho. Madre de Dios, creí que eras una aparición. ¿Por qué has vuelto tan rápido? Pero si saliste ayer por la mañana. ¿Te vas un día y regresas al otro?

No le puedo contar que volví a casa por las cosas malas que allá en el norte decían de ella y su horrible pecado. No le puedo contar que tienen a papá poco menos que canonizado por lo que ha sufrido con el tal pecado. No le puedo contar porque no quiero que el pasado me torture y porque no quiero quedar atrapado entre el norte y el sur, entre Toome y Limerick.

Le tengo que mentir y decirle que papá estaba bebiendo y eso hace que a ella la cara se le ponga otra vez blanca y la nariz se le afile. Le pregunto por qué reacciona tan sorprendida. ¿Acaso él no fue siempre así?

Ella dice que tenía la ilusión de que él hubiera dejado de

beber para que así tuviéramos un padre con el que pudiéramos hablar, aunque fuera en el norte. Le gustaría que
Michael y Alphie vieran a ese padre que casi no conocían y
no quisiera que lo vieran todo desbocado. Cuando él estaba sobrio era el mejor marido del mundo, el mejor padre.
Siempre tenía una canción o un cuento o un comentario
sobre la situación que la hacían reír. Hasta que todo se fue
al suelo por la bebida. Vinieron los demonios, Dios nos
ampare y nos favorezca, y los niños estuvieron mejor sin él.
Ella también está mejor ahora, sola y con las pocas libras
que le entran y con la paz, calma y tranquilidad que todo
eso trae, y lo mejor ahora sería una rica taza de té porque
me debo de estar muriendo de hambre después de semejante viaje al norte.

En los días que me quedan en Limerick no hago más que
recorrerlo, a sabiendas de que tendré que abrirme mi camino en América y que no voy a regresar en mucho tiempo.
Me arrodillo en la iglesia de San José junto al confesionario donde me confesé por primera vez. Voy hasta el comul-
gatorio del altar a mirar el sitio donde el obispo me dio una
palmadita en la mejilla en mi confirmación y me hizo soldado de la Iglesia Verdadera. Me paseo por el callejón de
Roden, donde vivimos tantos años, y me pregunto cómo
siguen viviendo allí las familias cuando hay que compartir
una sola letrina. De la casa de los Downes no queda sino el
esqueleto y eso es señal de que hay otros sitios a donde ir
fuera de los barrios bajos. El señor Downes se llevó a toda
la familia para Inglaterra, y eso es el resultado de trabajar
y no beberse el sueldo que hay que entregarles a la esposa y
los hijos. Podría desear haber tenido un padre como el señor Downes, pero no lo tuve y de nada sirve quejarse.

19

En los meses que me quedan de mi estancia en Lenggries paso la mayor parte del día manejando la bodega de suministros y leyendo libros de la biblioteca de la base.

No hay más viajes de lavandería a Dachau. Rappaport le contó a alguien de nuestra visita al campamento de refugiados y cuando la historia llegó a oídos del capitán nos arrestaron y nos reprendieron por conducta indigna del ejército y nos confinaron a las barracas por dos semanas. Rappaport se disculpa. No pensaba que el imbécil fuera a regar el cuento pero él se había sentido muy mal por esas mujeres desplazadas. Me dice que yo no debería andar con tipos como Weber. Buck está muy bien pero Weber parece caído de un árbol. Rappaport dice que mejor me concentre en mi educación, que si yo fuera judío no pensaría en nada más. Cómo iba a saber él de todas las veces que vi a esos universitarios de Nueva York y quise ser como ellos. Me dice que cuando me den la baja ya va a estar aprobada la ley de combatientes en Corea y que voy a poder ir gratis a la universidad, pero de qué me sirve, si no tengo siquiera el diploma de secundaria. Rappaport me dice que no piense por qué no puedo hacer algo. Dice que piense por qué sí puedo hacerlo.

Así habla Rappaport y me figuro que así ocurre cuando uno es judío.

Le digo que al volver a Nueva York no puedo asistir a la escuela secundaria, porque tengo que ganarme la vida.

Pues ve de noche, dice Rappaport.

¿Y cuánto demora obtener así el diploma de bachiller?

Unos pocos años.

No puedo hacer eso. No puedo pasar años trabajando de día y estudiando de noche. En un mes estaría muerto.

¿Entonces qué otra cosa vas a hacer?

No lo sé.

¿Y qué, pues?, dice Rappaport.

Tengo los ojos rojos y me supuran y el sargento Burdick me envía a consulta médica. El médico del ejército me pregunta acerca de mi último tratamiento y cuando le cuento lo del médico de Nueva York que dijo que tenía una enfermedad de Nueva Guinea, me dice que eso es: Eso es lo que le dio, soldado, vaya a que le rapen la cabeza y vuelva a presentarse dentro de dos semanas. No es tan horrible que en el ejército te rapen la cabeza cuando hay que usar una gorra o un casco, sólo que si vas a una cervecería las chicas de Lenggries te van a decir: Oh, al irlandés le pegaron la gono, y si tratas de explicarles que no es una venérea, lo único que hacen es darte palmaditas en la mejilla y decirte que cuándo vas a hacerles la visita, con gonorrea o no. A las dos semanas no se me nota ninguna mejoría en los ojos, y el médico dice que debo volver al hospital militar de Múnich a que me pongan en observación. No me dice que siente haber cometido un gran error, que siente haberme hecho rapar la cabeza, que probablemente no era ni la caspa ni nada traído de Nueva Guinea. Dice que la situación es desesperada, con los rusos concentrados en toda la frontera, nuestras tropas tienen que estar sanas y él no va a correr el riesgo de que esa enfermedad ocular de Nueva Guinea se propague por todo el Comando Europeo.

Me mandan otra vez en un *jeep* pero ahora el conductor es un cabo cubano, Vinnie Gandia, que es asmático y en la vida civil toca la batería. Se le había hecho muy duro enrolarse pero el negocio musical estaba quieto y él tenía que buscarse la manera de enviarle una platica a la familia en Cuba. Casi lo expulsan del ejército durante el entrenamiento básico porque tenía los hombros tan huesudos que no podía llevar el fusil o el cañón de cincuenta milímetros de una ametralladora, hasta que vio una foto de un kótex en una caja y tuvo una idea luminosa. Jesús santo. Era la solución. No era sino meterse por debajo de la camisa las almohadillas kótex a manera de hombreras y estaría listo para cualquier cosa que el ejército quisiera echarle encima. Al recordar que Rappaport hacía lo mismo, me pregunté si en la empresa Kótex sabrían cuánto ayudaban a los combatientes de Estados Unidos. Durante todo el viaje hasta Múnich, Vinnie maneja el volante con los codos para poder golpear con sus palillos de batería en cualquier superficie dura. Jadea pedacitos de canciones: señor Como-se-llame qué va a hacer esta noche, y bap bap da du bap du du de du bap, al ritmo de la música y se entusiasma tanto que le da un ataque de asma y empieza a resollar tanto que tiene que parar el *jeep* para bombear el inhalador. Apoya la frente en el volante y cuando alza la vista tiene lágrimas en las mejillas del esfuerzo hecho para respirar. Me dice que debería estar agradecido de tener los ojos inflamados. A él le gustaría tener los ojos inflamados en vez de asma. Así podría tocar la batería sin tener que parar para sacar el inhalador. Los ojos inflamados no detuvieron nunca a un baterista. A él no le importaría quedarse ciego como un perro con tal de poder tocar la batería. ¿Para qué vivir si no puedes tocar tu puta batería? La gente no aprecia el no sufrir de asma. Se sientan a lamentarse y a quejarse de la vida y todo el tiempo respiran y respiran como una seda y sin ni siquiera darse cuenta. Que sufran un día de asma y pasarán el resto de la vida dándole gracias a Dios por cada respiro que den, tan sólo por un día. Dice que va a tener que inventar un aparato para colgárselo sobre la cara a fin de poder respirar mientras está tocando, tal vez una especie de casco, y uno metido ahí respirando aire puro como un bebé mientras se zafa con la batería, coño, hombre, eso sería el cielo. Gene Krupa, Buddy Rich, esos malnacidos, tienen la suerte de no sufrir de asma. Me dice que si no he perdido la vista cuando salga del ejército me va a llevar a los sitios de la calle 52, la calle más importante del mundo. Y si no puedo ver, también me va a llevar. Coño, no hay que ver para oír los sonidos, hombre, y eso sí que sería digno de verse, él asfixiándose y yo con un bastón o un perro lazarillo andando de arriba a abajo por la 52. Yo me podría sentar con ese tipo ciego, Ray Charles, para comparar impresiones. Vinnie se ríe al pensar en eso y vuelve a darle el ataque de asma y cuando recobra el aliento dice que el asma es una perra, porque si se te ocurre algo gracioso sueltas la risa y eso te deja sin respiración. Eso también le da toda la bronca: que la gente ande riéndose sin ni siquiera darse cuenta y sin imaginarse cómo sería tocar la batería con asma, sin pensar nunca cómo sería no poder reírse. La gente simplemente no piensa en esas cosas.

El médico castrense de Múnich me dice que los médicos de Nueva York y Lenggries están hablando mierda, y me echa en los ojos una sustancia plateada que me arde como un ácido. Me dice que deje de lloriquear, que sea macho, no eres el único efectivo que tiene esta infección, maldita sea. Debería agradecer de no ser un efectivo en Corea con el culo sirviendo de blanco a las balas, que la mitad de todos esos efectivos que apoltronan sus posaderas en Alemania deberían estar luchando con sus paisanos en Corea. Me dice que alce los ojos, que los baje, que mire a la derecha, que mire a la izquierda, que eso hará que las gotas calen por todas partes. ¿Y cómo diablos, me pregunta, cómo diablos admitieron este par de ojos en este ejército de bravos? Es bueno que me hayan destinado a Alemania. En Corea hubiera necesitado un perro lazarillo para luchar contra los condenados efectivos chinos. Debo permanecer en el hospital durante otros dos o tres días y si mantengo los ojos abiertos y la boca cerrada seré un efectivo okey.

No sé por qué no hace sino decirme efectivo y empiezo a preguntarme si los médicos de los ojos serán distintos a los demás médicos.

Lo mejor de estar en el hospital es que aún con los ojos malos puedo leer todo el día y parte de la noche. El médico dice que debo dejar descansar los ojos. Le dice al enfermero que le eche líquido plateado en los ojos a este efectivo todos los días hasta nueva orden, pero el enfermero, Apollo, me dice que el doctor está hablando mierda y trae un tubo de ungüento de penicilina y me lo unta en los párpados. Apollo dice que él sabe una cosa o dos porque él también fue a la escuela de medicina pero que tuvo que salirse por un mal de amores.

La infección desaparece en un día y ahora temo que el médico me va a enviar de regreso a Lenggries y se me van a acabar los días fáciles leyendo a Zane Grey, Mark Twain, Herman Melville. Apollo me dice que no me preocupe. Si el médico viene a mi pabellón debo frotarme sal en los ojos y se me van a ver como…

Dos hoyos de orinar en la nieve, digo yo.

Exacto.

Le cuento que hace tiempo mi madre me hacía frotarme

los ojos con sal para que parecieran inflamados y nos dieran plata para comprar comida a un tipo de lo más mezquino allá en Limerick. Apollo dice: *Yeah*, pero esto es ahora.

Me pregunta por mi ración de cigarrillos y café, que, como es obvio, no estaré utilizando, y dice que con gusto los aceptaría a cambio del ungüento de penicilina y el tratamiento de la sal. De lo contrario, el médico va a venir con el líquido plateado y en un santiamén voy a verme de regreso en Lenggries contando sábanas y frazadas hasta que me den la baja en tres meses. Apollo dice que Múnich está que hierve de mujeres y que es de lo más fácil echarse un polvo pero que él quiere personal con clase y no cualquier ramera en un edificio bombardeado.

La causa de todas mis desdichas es un libro de Herman Melville llamado *Pedro o las ambigüedades,* que no se parece ni pizca a *Moby Dick* y es tan pesado que me duerme en pleno día, y he ahí al doctor despertándome a sacudones y agitando en mi cara el tubito de penicilina que se le había quedado olvidado a Apollo.

Despierte, maldita sea. ¿De dónde sacó esto? Fue Apollo, ¿verdad? Ese efectivo, Apollo. Ese maldito renegado de la escuela ésa de medio pelo de Misisipí.

Marcha hasta a la puerta y ruge por el corredor: Apollo, mueva el trasero y venga de inmediato, y se oye la voz de Apollo: Sí, señor, sí, señor.

Usted, maldita sea, usted. ¿Le dio usted esta pomada a este efectivo?

En cierto modo sí, señor.

¿Qué diablos quiere decir eso?

Él estaba sufriendo, doctor, chillando con los ojos.

¿Cómo diablos se chilla con los ojos?

Quiero decir, doctor, que duele. Él chillaba. Yo le aplicaba la penicilina.

¿Quién le dijo que hiciera eso, eh? ¿Es usted un maldito médico?

No, señor. Es apenas algo que les veía hacer en Misisipí.

A la mierda Misisipí, Apollo.

Sí, señor.

Y usted, soldado, ¿qué está leyendo con esos ojos?

Pedro o las ambigüedades, doctor.

Por Cristo. ¿Y de qué diablos trata eso?

No lo sé, doctor. Creo que es sobre un tal Pedro que se ve atrapado entre una morena y una rubia. Está tratando de escribir un libro en un cuarto de Nueva York y tiene tanto frío que las mujeres le tienen que calentar ladrillos para los pies.

Cristo bendito. Lo mando de regreso con su unidad, soldado. Si puede echarse aquí de culo a leer libros sobre efectivos como ése es porque puede volver a ser un efectivo en servicio activo. Y usted, Apollo, considérese afortunado de no tener el culo frente a un pelotón de fusilamiento.

Sí, señor.

Puede retirarse.

Al otro día Vinnie Gandia me lleva de regreso a Lenggries y conduce sin sus palillos. Dice que ya no puede tocar más estando al volante, que casi se mata después que me trajo a Múnich la última vez. No se puede conducir, tocar con los palillos y bregar con el asma al mismo tiempo. Había que escoger, y adiós a los palillos. Si él se accidentara y se estropeara las manos y no pudiera tocar, metería la cabeza en el horno, así de simple. No ve la hora de volver a Nueva York a deambular por los lados de la 52, la calle más importante del mundo. Me hace prometerle que lo voy a buscar en Nueva York y me dice que me va a llevar a todos los sitios de *jazz*, sin cobrar nada, sin costo, porque él conoce a todo el mundo y todos saben que si no tuviera esta maldita asma estaría ahí en la tarima con Krupa y Rich, en la pura tarima.

Hay una ley que dice que me puedo alistar por otros nueve meses en el ejército y librarme de los seis años obligatorios como reservista. Si me reengancho no me pueden volver a llamar cada vez que los Estados Unidos decidan defender la democracia en lugares remotos. Podría quedarme aquí en la bodega esos nueve meses repartiendo sábanas, frazadas y condones, tomando cerveza en el pueblo, yendo a la casa de esta o aquella chica, leyendo libros de la biblioteca de la base. Podría viajar otra vez a Irlanda para decirle a la abuela lo mucho que siento haberme ido enojado. Podría tomar clases de baile en Múnich para que todas las muchachas de Limerick hicieran cola para salir a la pista de baile conmigo, que luciría ya los galones de sargento que con seguridad me otorgarían.

Pero no puedo permitirme otros nueve meses en Alemania cuando me llegan cartas de Emer en las que dice que está contando los días que faltan para mi regreso. No sabía que yo le gustara tanto y ahora ella me gusta porque yo le gusto y además es la primera vez que una chica me dice eso. Estoy tan emocionado de gustarle a Emer que le escribo diciéndole que la quiero y ella me dice que me quiere también, y eso me hace sentir en el cielo y me dan ganas de empacar mi talego de lona y subirme al primer avión para ir a su lado.

Le escribo para decirle lo mucho que la añoro y que aquí estoy en Lenggries aspirando el perfume de sus cartas. Sueño con la vida que vamos a llevar en Nueva York, cómo saldré para el trabajo por la mañana, a un lugar de trabajo tibio y bajo techo, donde me sentaré en un escritorio a redactar importantes decisiones. Todas las noches comeremos y nos acostaremos temprano de modo que haya cantidades de tiempo para la excitación.

Claro que en las cartas no puedo mencionar lo de la excitación porque Emer es casta y pura y si su madre se enterara de que tengo esa clase de sueños me darían un portazo en las narices para siempre y ahí quedaría yo, privado de la compañía de la única chica que me había dicho que yo le gustaba.

No puedo contarle a Emer todo lo que deseaba a las universitarias del hotel Biltmore. No le puedo contar de los momentos excitantes que he tenido con las chicas de Lenggries y de Múnich y con la del campamento de refugiados. Se escandalizaría tanto que podría contárselo a toda su familia, especialmente a su hermano mayor Liam, y habría amenazas contra mi vida.

Rappaport dice que antes de casarte tienes la obligación de contarle a la novia todas las cosas que has hecho con otras chicas. Buck dice: Pura mierda, lo mejor en la vida es mantener la boca cerrada especialmente con alguien con quien te vas a casar. Es como en el ejército: no decir nunca nada, no ofrecer nunca nada.

Weber dice: Yo no le diría nada a nadie, y Rappaport le dice que vaya a columpiarse en una rama. Weber dice que cuando se case sí va a hacer una cosa por su chica: se va a cerciorar de no tener él la gono porque se la puede contagiar y no le gustaría que un hijo suyo naciera con la gono.

Rappaport dice: Jesús, la bestia tiene sentimientos.

La víspera de mi regreso a los Estados Unidos hay una fiesta en un restaurante de Bad Tolz. Los oficiales y los suboficiales llevan a sus esposas y eso quiere decir que los soldados rasos no pueden llevar a sus amiguitas alemanas. Las señoras de los oficiales reprobarían eso, sabiendo que hay soldados rasos con esposas que los esperan allá en casa y que no es debido alternar con chicas alemanas que a lo mejor están destruyendo alguna honesta familia norteamericana.

El capitán dice unas palabras sobre que fui uno de los mejores soldados que hayan estado bajo sus órdenes. El sargento Burdick también dice unas palabras y me entrega un pergamino en honor a mi firmeza en el control de sábanas, frazadas y dispositivos de protección.

Cuando dice dispositivos de protección hay risitas en la mesa hasta que los oficiales lanzan furiosas miradas de advertencia que les dicen a los soldados: Corten con eso, nuestras esposas están presentes.

Uno de los oficiales está casado con una mujer, Belinda, de mi edad. Si ella no tuviera marido tal vez me tomaría unas cervezas para tener el valor de hablarle, pero no tengo necesidad de eso porque se inclina hacia mí y me dice que a todas las esposas les parezco buen mozo. Eso me hace poner tan colorado que tengo que ir al baño y cuando vuelvo Belinda está diciendo algo que hace reír a las otras mujeres y cuando me miran se ríen todavía más duro y estoy seguro de que se ríen de lo que Belinda me dijo. Eso me hace sonrojarme otra vez y me pregunto si en este mundo habrá alguien en quien se pueda confiar.

Buck parece haberse dado cuenta de lo que acaba de pasar. Me dice al oído: Al diablo con esas mujeres, Mac. No deberían burlarse así de ti.

Sé que él tiene razón pero me da tristeza que el último recuerdo que me voy a llevar de Lenggries sea el de Belinda y las otras esposas de los oficiales burlándose de mí.

20

El día de mi baja del ejército en Camp Kilmer me encontré con Tom Clifford en la barra del Breffni, en la Tercera avenida de Manhattan. Comimos carne de molde con repollo rebozada en mostaza y tomamos montones de cerveza para refrescar la boca. Tom había encontrado un lugar de cama y desayuno en el South Bronx, la pensión de Logan, y apenas yo dejara allá el talego podríamos volver al centro y ver a Emer, después del trabajo, en su apartamento de la calle 54.

El señor Logan tenía facha de viejo, con la cabeza calva y la cara carnuda y colorada. Puede que fuera viejo pero tenía una esposa joven, Nora, de Kilkenny, y un bebé de pocos meses. Me dijo que él ocupaba una alta jerarquía en la Antigua Orden Hibernesa y en la de los Caballeros de Colón, que más me convenía tener clara su posición respecto a la religión y a la ética en general, y que ninguno de sus doce huéspedes podía esperar el desayuno del domingo si no podía demostrar que había ido a misa y, de ser posible, que había participado de la santa comunión. Para los que comulgaran y tuvieran al menos dos testigos para probarlo habría salchichas con el desayuno. Y, claro, cada huésped traía a otros dos huéspedes a que rindieran testimonio de que había comulgado. Había testimonios a diestro y siniestro y el señor Logan se molestaba tanto con lo que tenía que

pagar en salchichas que un día se disfrazó con el abrigo de
Nora y a paso de viejecita se coló en la iglesia para descubrir no sólo que los huéspedes no subían a comulgar sino
que Ned Guinan y Kevin Hayes eran los únicos que habían
ido a la misa. Los otros estaban en la avenida Willis colán-
dose por la puerta trasera de un bar para tomarse una copa
ilegal antes de la hora de abrir al mediodía, y cuando regresaron a tomar el desayuno tambaleándose y apestando
a licor, el señor Logan quiso olerles el aliento. Ellos le dijeron
que se fuera a joder a otro lado, que este era un país libre,
y que si se tenían que dejar oler la boca por una simple salchicha, mejor se contentaban con esos huevos aguachentos
y esa leche y ese pan rancio y ese té claro.

Tampoco podía haber malas palabras ni ninguna clase
de patanerías en casa del señor Logan, si no queríamos que
nos pidieran "desistir y partir". Él no iba a permitir que
Nora, su mujer, y Luke, su hijo, se vieran expuestos a ninguna clase de comportamiento indigno por ninguno de sus
doce jóvenes huéspedes irlandeses. Nuestras camas podían
estar en el sótano, pero ya él se daría cuenta de cualquier
comportamiento indigno. No, pues se requieren muchos
años para instalar y consolidar una casa de huéspedes, y él
no iba a permitir que doce obreros del Viejo Terruño la echaran por tierra. Malo era ya que los negros se estuvieran
mudando por todas partes y acabando con el vecindario,
gente sin moral, sin trabajo y sin padres de todos esos niños que corrían por las calles como unos salvajes.

La tarifa semanal era de dieciocho dólares por cama y
desayuno, y si se quería la cena se tendría que pagar un dólar
más al día. Había ocho camas para doce huéspedes y eso
se debía a que todos trabajaban en diferentes turnos en los
muelles y en distintas bodegas y de nada serviría tener más
camas atiborrando el espacio de los dos cuartos del sótano.

El único día en que se llenaban todas las camas era el sábado por la noche y entonces había que compartir el lecho con
otro. Eso no importaba, porque la noche del sábado era para
emborracharse en la avenida San Nicolás y te daba igual si
dormías con hombre, mujer u oveja.

Había un solo baño para todos, traiga su propio jabón,
y dos tiras largas de toalla que antaño fueron blancas. Cada
toalla tenía una raya negra que separaba la parte de arriba
y la de abajo y se supone que así debía secarse uno. En la
pared había un letrero escrito a mano que decía que la parte de arriba empezaba a partir del ombligo y la de abajo de
ahí para abajo, firmado: *J. Logan*, prop. Cambiaban las
toallas cada dos semanas aunque eran constantes las peleas
entre los huéspedes que respetaban las reglas y los que a lo
mejor se habían tomado una copa.

Chris Wayne, de Lisdoonvarna, era el huésped más viejo, cuarenta y dos años, y trabajaba en construcción y ahorraba para traer a su novia, de veintitrés, para poder casarse
y tener hijos mientras aún le quedara un poquito de poten-
cia. Los huéspedes lo llamaban el Duque* por el apellido y
porque decirle así era una clara tontería. No tomaba ni fumaba, todos los domingos iba a misa y comulgaba y nos
esquivaba a los demás. Tenía mechones grises entre los crespos negros y estaba enjuto a fuerza de beatería y frugali-
dad. Tenía su propia toalla, jabón y dos sábanas que llevaba
en un bolso por miedo a que los usáramos. Todas las noches se arrodillaba al pie de la cama y rezaba un rosario
completo. Era el único que se había ganado una cama para
él solo porque nadie, sobrio o ebrio, se acostaría junto a él
o usaría la cama en su ausencia, con ese olor de santidad

---

* Por el actor de cine John Wayne, apodado el Duque y céle-
bre por sus papeles de hombre rudo.

que despedía. Trabajaba de ocho a cinco todos los días laborales y cenaba con los Logans todas las noches. Ellos lo
adoraban porque eso les representaba siete dólares adicionales a la semana y lo adoraban aún más por las diminutas
porciones que se echaba entre el pecho y la espalda flacuchenta. Más adelante dejaron de adorarlo cuando empezó
a toser y a esputar y a dejar puntos de sangre en el pañuelo. Le dijeron que tenían que pensar en el niño y que mejor
se fuera buscando otra pensión. Él le respondió al señor
Logan que era un hijo de perra y un triste malparido que le
daba hasta lástima. Si creía que de veras era el padre de ese
niño, más le valdría al señor Logan echarles una buena
mirada a sus huéspedes, y si no estaba completamente ciego detectaría un marcado parecido con el niño en la cara
de uno de ellos. El señor Logan se levantó penosamente del
sillón y entre resuellos dijo que si no fuera por ese problema del corazón mataría ahí mismo a Chris Wayne. Trató
de perseguir al Duque pero el corazón no se lo permitió y
tuvo que hacerle caso a Nora, la de Kilkenny, que le chillaba
que parara porque de lo contrario ella sería una viuda con
un hijito huérfano.

El Duque se reía y al fin le dijo a Nora en un jadeo: No
se preocupe, a ese niño no le va a faltar nunca un padre.
Claro que él no está aquí en este cuarto.

Salió tosiendo del cuarto y bajó las escaleras hasta el
sótano y nadie más volvió a saber de él.

Después de eso, la vida allí se puso muy difícil. El señor
Logan sospechaba de todos y lo oíamos desatarse contra
Nora, la de Kilkenny, a todas horas. Nos suprimió una de
las toallas y ahorraba dinero comprando el pan viejo de la
panadería y sirviéndonos huevos y leche en polvo al desayuno. Pretendía hacer que todos fuéramos a confesarnos
para poder mirarnos las caras y saber si lo que el Duque le

había dicho era verdad. Nos negamos a eso. Sólo había cuatro huéspedes con suficiente antigüedad en la pensión para ser sospechosos, y Peter McNamee, el que más tiempo llevaba, le dijo al señor Logan en la cara que tirarse a Nora, la de Kilkenny, sería la última cosa que le pasaría por la cabeza. Ella era un costal de huesos de tanto oficio que hacía en la casa y se podía oírla traquetear y crujir cuando subía la escalera.

El señor Logan resollaba en el sillón y le dijo a Peter: Me duele, Peter, que digas que mi esposa cruje, cuando tú has sido el mejor inquilino que hemos tenido, aunque durante mucho tiempo nos dejamos engañar por la falsa piedad de ese tipo que se acaba de ir, a Dios gracias.

Siento herirlo, señor Logan, pero Nora, la de Kilkenny, no es ningún bocado. Nadie aquí la miraría dos veces en un bailadero.

El señor Logan nos miró en derredor. ¿Es cierto eso, muchachos? ¿Es cierto?

Lo es, señor Logan.

¿Estás seguro de eso, Peter?

Lo estoy, señor Logan.

Dale gracias a Dios por eso, Peter.

Los huéspedes ganan buena plata en los muelles y bodegas. Tom trabaja en Bodegas Portuarias cargando y descargando camiones, y si trabaja horas extras gana salario y medio o dos salarios, de modo que se hace más de cien dólares a la semana.

Peter McNamee trabaja en los Frigoríficos Merchant descargando y almacenando carne traída de Chicago en camiones refrigerados. Los Logans lo quieren por los filetes de res o de cerdo que trae a casa todos los viernes, ande borracho o sobrio, carne que vale por lo menos dieciocho dólares. Nosotros no la vemos nunca y algunos huéspedes dicen que el señor Logan la vende a una carnicería de la avenida Willis.

Todos los huéspedes son bebedores, así digan que quieren ahorrar para volver a Irlanda en busca de la paz y la calma que hay allí. Únicamente Tom dice que nunca va a volver, que Irlanda es un miserable cagadero, y los otros lo toman como un insulto personal y lo retan a salir a la calle a arreglar eso. Tom se ríe. Él sabe lo que quiere y no es propiamente una vida de peleas y borracheras y de quejarse por Irlanda y de compartir toallas en posadas de mala muerte como ésa. El único que está de acuerdo con Tom es Ned Guinan, y en él eso no importa porque tiene tisis, como el Duque, y no va a durar mucho en este mundo. Está ahorrando para poder viajar a su natal Kildare, a morir en la casa en que nació. Sueña que está en Kildare recostado en una cerca del Curragh viendo el entrenamiento matinal de los caballos que trotan a través de la neblina que empaña la pista de carreras hasta que el sol la penetra y pinta todo el mundo de verde. Cuando habla de ese modo, los ojos le chispean y hay un leve rubor en sus mejillas y se sonríe de tal forma que dan ganas de acercársele y abrazarlo un momento, aunque ésa es la clase de cosa que mirarían con malos ojos en una pensión irlandesa. Es asombroso que el señor Logan le permita quedarse, pero Ned está tan delicado que el señor Logan lo trata como a un hijo y se olvida del bebé, que podría verse en peligro por las toses, los esputos y las salpicaduras de sangre. Es asombroso que lo conserven en la nómina de la bodega Baker and Williams, donde lo tienen en la oficina contestando al teléfono porque está tan débil que no puede levantar ni una pluma. Si no está contestando al teléfono, estudia francés para poder hablar con santa Teresita de Lisieux, la Florecilla, cuando esté en el cielo. El señor Logan le dice con mucha suavidad que a lo mejor se equivoca en este punto, que el latín es la lengua que hay que hablar en el cielo, y eso conduce a una larga discusión entre los huéspedes sobre qué idioma hablaba Nuestro Señor, en la que Peter McNamee da por hecho sentado y comprobado que era el hebreo. El señor Logan dice: Creo que así era, Peter, porque no quiere contradecir al hombre que le trae la carne del domingo a domicilio todos los viernes por la noche. Tom Clifford dice riéndose que más nos vale pulir nuestro irlandés por si nos encontramos con san Patricio o santa Brígida, y todos lo fulminan con los ojos, todos salvo Ned Guinan, que se sonríe por todo porque nada te importa, ni fu ni fa, cuando sueñas con los caballos de Kildare.

Peter McNamee dice que es un milagro que siquiera uno de nosotros haya sobrevivido con todas las cosas que hay en contra nuestra en el mundo: con el clima de Irlanda, la tuberculosis, los ingleses, el gobierno de De Valera, la Una, Santa, Católica y Apostólica Iglesia Romana, y ahora con el modo como tenemos que rompernos el culo para ganarnos unos cuantos dólares en muelles y bodegas. El señor Logan le suplica que modere su lenguaje en presencia de Nora, la de Kilkenny, y Peter le dice que lo siente, que a veces se deja llevar por la exaltación.

Tom me habla de un trabajo consistente en descargar camiones en Bodegas Portuarias. Emer dice que no, que debo trabajar en una oficina donde pueda usar la inteligencia. Tom dice que los trabajos en las bodegas son mejores que los de las oficinas, donde te pagan menos y te hacen usar saco y corbata y tienes que estar tanto tiempo sentado que el culo se te pone del tamaño de la puerta de una catedral. Me gustaría trabajar en una oficina pero en la bodega me pagan setenta y cinco dólares semanales y eso es más de lo que yo hubiera soñado después de los treinta y cinco que me ganaba en el hotel Biltmore. Emer dice que bueno, con tal que ahorre un poco y me instruya también. Habla así porque todos en su familia fueron al colegio y no me quiere ver cargando y remolcando bultos hasta que me convierta en un viejo acabado a la edad de treinta y cinco años. Por lo que Tom y yo decimos de los huéspedes, sabe que hay bebida y toda clase de juergas y no me quiere ver perdiendo el tiempo en bares cuando podría estar haciendo algo de mí mismo.

Emer tiene la mente despejada porque no bebe ni fuma y la única carne que come es un bocadito de pollo de vez en cuando para la sangre. Asiste a una escuela de comercio en el Rockefeller Center para poder ganarse la vida y llegar a ser alguien en este país. Sé que su mente despejada me conviene pero quiero el dinero de la bodega y le prometo a ella y me prometo a mí mismo que algún día me dedicaré al estudio.

El señor Campbell Groel es el dueño de Bodegas Portuarias y no está tan seguro de querer contratarme, quizá porque le parezco demasiado flacucho. Entonces mira a Tom Clifford, que es todavía más pequeño y flacucho que yo y el mejor trabajador en la plataforma, y dice que si soy siquiera la mitad de fuerte y de rápido que él, puedo contar con el empleo.

El jefe de plataforma es Eddie Lynch, un gordinflón de Brooklyn, y cuando habla conmigo o con Tom suelta la carcajada y simula un acento a lo Barry Fitzgerald que no me parece ni pizca de gracioso aunque tengo que sonreírme porque él es el jefe y quiero esos setenta y cinco dólares todos los viernes.

Al mediodía nos sentamos en la plataforma con nuestros

almuerzos de la cafetería de la esquina, unos sándwiches
largos de salchicha de hígado con cebolla embadurnados de
mostaza y unas cervezas Rheingold tan frías que me hacen
doler las sienes. Los irlandeses hablan de las juergas de la
noche anterior y se ríen de sus padecimientos por la mañana.
Los italianos comen cosas traídas de sus casas y no saben
cómo podemos comernos esa mierda de hígado. Los irlandeses se ofenden y quisieran pelear pero Eddie Lynch dice
que el que busque camorra en esta plataforma puede ir
buscando empleo también.

Hay un negro, Horace, que se sienta aparte de todos. De
vez en cuando se sonríe y no dice nada, porque así son las
cosas.

Cuando acabamos, a las cinco, cualquiera dice: Okey,
vamos a tomarnos una cerveza, una cerveza, una no más, y
todos nos reímos de pensar en una sola cerveza. Tomamos
en los bares con los estibadores de los muelles que viven
discutiendo si su unión, la ILA, se debería unir a la AFL o a
la CIO, y si no están discutiendo por eso están discutiendo
por lo injustas que son las políticas de contratación. Los
contratadores y los capataces van a otros bares más hacia
el centro de Manhattan, para ahorrarse problemas en la
zona portuaria.

Hay noches en que trasnocho tanto y estoy tan aturdido
por el licor, que no tiene sentido ir hasta el Bronx cuando
es igual de fácil dormir en la plataforma con los borrachines
que prenden hogueras en unos grandes tambores de metal
que hay en la calle hasta que Eddie Lynch se aparece con
su acento de Barry Fitzgerald y nos dice: Levanten el trasero,
a trabajar. Ni la resaca impide que me entren ganas de decirle que trasero no se pronuncia así, pero él es de Brooklyn
y es el jefe y seguirá por siempre pronunciándolo mal.

A veces resulta trabajo por las noches, consistente en

descargar algún barco en los muelles y si no hay suficientes estibadores con carnés de la ILA contratan trabajadores de bodega como yo, con carnés del sindicato de camioneros. Hay que tener cuidado de no quitarle el trabajo a un estibador, porque a ellos no se les da nada clavarte un gancho de embalaje en el cráneo y empujarte entre el barco y el muelle a ver si quedas aplastado hasta lo irreconocible. Ganan más plata en los muelles que nosotros en las bodegas pero el trabajo es inestable y hay que luchar por él todos los días. Yo cargo mi propio gancho de la bodega pero no sé hacer nada con él fuera de alzar cosas.

Pasadas tres semanas de trabajar en la bodega y de comer tantas salchichas de hígado con cerveza, me veo más flacuchento que nunca. Eddie Lynch dice con su acento de Brooklyn: A fe di uno rialmente, podría pasarte a ti y a Clifford por el culito de un jilguero, a los dos juntos.

Con las noches de juerga o de trabajo en los muelles los ojos se me vuelven a inflamar. Se me empeoran cuando me toca bajar sacos de ají picante de Cuba de algún barco de la United Fruit. A veces lo único que me alivia es un poco de cerveza y Eddie Lynch dice: Jesucristo, el chico tiene tantas ganas de cerveza que le está chorreando por los ojos.

El sueldo de la bodega es bueno y debería conformarme, pero en mi mente sólo hay confusión y tinieblas. El elevado de la Tercera avenida va todas las mañanas repleto de gente de saco y corbata, recién bañada y limpia y feliz de la vida. Si no leen el periódico van charlando y los oigo discutir sus planes para las vacaciones o alardear de lo bien que les está yendo a sus muchachos en el colegio o la universidad. Sé que trabajarán día tras día hasta estar viejos y que estarán ufanos de sus hijos y nietos y me pregunto si algún día viviré como ellos.

En junio los periódicos se llenan de historias sobre las pruebas de graduación profesional y de retratos de los felices graduandos con sus familias. Trato de ver las fotos pero el tren se mece y se sacude y me zarandea contra los pasajeros, que me lanzan miradas de superioridad por mi ropa de obrero. Quisiera proclamar que es sólo por un tiempo, que algún día ingresaré a un establecimiento educativo y voy a usar un traje como el de ellos.

21

Ojalá fuera más firme en la bodega para decir que no cuando alguien dice riéndose que vamos a tomar una cerveza, una sola cerveza, una no más. Debería decir que no especialmente cuando voy a encontrarme con Emer para ir al cine o a comer una presa de pollo. A veces, después de haber estado bebiendo horas enteras, la llamo para decirle que tengo que trabajar horas extras, pero ella sabe que no es así y cuanto más le miento más fría suena su voz y ya de nada sirve llamarla para mentirle.

Entonces, bien entrado el verano, Tom me dice que Emer está saliendo con otro, que está comprometida, que lleva un anillo que le dio el novio, un vendedor de seguros del Bronx.

No me pasa al teléfono y cuando llamo a su puerta no me deja entrar. Le suplico que me conceda un minuto para explicarle que soy un hombre cambiado, que voy a enmendar mis hábitos y a llevar una vida decente, que no me voy a atracar más con sándwiches de salchicha de hígado ni voy a zampar más cerveza hasta casi no poder sostenerme en pie.

No me deja entrar. Está comprometida y hay un chispazo de diamante en su dedo que me enloquece tanto que me entran ganas de aporrear la pared, de arrancarme el pelo, de arrojarme a sus pies. No me quiero retirar derrotado hasta la pensión Logan con su única toalla y a las bodegas y los muelles y las juergas hasta cualquier hora mientras el resto del mundo, incluidos Emer y su vendedor de seguros, llevan vidas limpias con cantidades de toallas, todos felices en el día del grado y sonriendo con sus perfectas dentaduras norteamericanas que se cepillan después de todas las comidas. Quiero que me reciba para que hablemos de los días que nos esperan, cuando tendré un traje y un trabajo de oficina y tendremos nuestro propio apartamento y estaré a salvo del mundo y todas sus tentaciones.

No me deja entrar. Se tiene que ir ya. Se tiene que ver con alguien y sé que es con el tipo de los seguros.

¿Está ahí adentro?

Ella dice que no, pero sé que está ahí y le grito que me lo deje ver, que arree al maricón hasta la puerta para encargarme de él, para dejarlo arreglado.

Entonces ella me da un portazo en las narices y me quedo tan pasmado que los ojos se me secan y el calor todo se me va del cuerpo. Me quedo tan pasmado que me pregunto si mi vida será una serie de portazos en las narices, tan pasmado que ni siquiera tengo ganas de ir a tomarme una cerveza al bar Breffni. La gente pasa junto a mí por las calles y los automóviles hacen sonar sus cláxones, pero me siento tan frío y solo que igual podría estar en la celda de una cárcel. Me siento en el elevado de la Tercera con dirección al Bronx y pienso en Emer y su vendedor de seguros, en que estarán tomándose un té y riéndose de la manera como me humillé, en lo limpios y sanos que son ellos, los dos, que no beben ni fuman y dejan empezado el pollo.

Sé que así es en todo el país: parejas resguardadas en sus salas de estar, sonrientes, seguras, resistiendo la tentación, envejeciendo juntos porque son capaces de decir: No, gracias, no quiero una cerveza, ni una sola.

Sé que Emer actúa de ese modo por mi comportamiento y sé que ella me quiere a mí y no a ese tipo que probable-

mente se sorbe el té y la aburre a morir con sus anécdotas
de seguros. A lo mejor yo volvería a gustarle y me recibiría
de nuevo si renunciara a la bodega, a los muelles, a las salchichas de hígado, a la cerveza, y me consiguiera un trabajo
decente. Me queda todavía una oportunidad porque Tom
me dijo que no van a casarse hasta el año entrante y si yo
empiezo a reformarme a partir de mañana ella me va a recibir otra vez seguramente aunque me desagrada imaginár-
melo a él sentado durante varios meses en el sofá besándola
y pasándole las garras por la espalda.

Desde luego que él es un católico irlandés-norteamericano, eso me dijo Tom, y desde luego que le va a respetar la
castidad hasta la noche de bodas, el tal vendedor de seguros, pero yo sé que los católicos irlando-norteamericanos
tienen la mente sucia. Tienen los mismos sueños sucios que
yo tengo, especialmente los vendedores de seguros. Sé que
el hombre de Emer está pensando en las cosas que van a
hacer en la noche de bodas aunque antes de casarse va a
tener que confesarle al sacerdote sus pensamientos sucios.
Qué bueno es que yo no me vaya a casar, porque tendría
que confesar las cosas que hice con las mujeres de Baviera
y pasando la frontera de Austria y a veces hasta en Suiza.

En el periódico sale un anuncio de una agencia de em-
pleos donde se ofrecen trabajos de oficina, estables, seguros,
bien pagados, entrenamiento pagado de seis semanas, se
exige traje y corbata, veteranos de guerra tienen preferencia.

El formulario pregunta que dónde me gradué de secundaria y que cuándo y me veo obligado a mentir: Colegio de
los Hermanos Cristianos, Limerick (Irlanda), junio de 1947.

El hombre de la agencia me dice el nombre de la compañía que ofrece el trabajo: Cruz Azul.

Señor, ¿qué clase de compañía es?

De seguros.

Pero...

¿Pero qué?

Nada, así está bien, señor.

Está bien porque sé que si me contratan en esta compañía de seguros voy a poder mejorar en la vida y Emer me va a volver a recibir. Sólo tendría que escoger entre dos vendedores de seguros, así el otro ya le haya regalado un anillo de diamante.

Antes de volver siquiera a hablar con ella tengo que terminar mi curso de inducción de seis semanas en Cruz Azul. Las oficinas quedan en la Cuarta avenida, en un edificio con una entrada como el portón de una catedral. Hay siete hombres en el curso, todos bachilleres, uno de ellos tan malherido en la guerra de Corea que la boca se le corrió a un lado de la cara y se babea sobre el hombro. Tarda uno días en entender lo que trata de decir: que quiere trabajar en la Cruz Azul para poder ayudar a otros veteranos de guerra como él que hayan sido heridos y no tengan a nadie. Pero pasados unos días descubre que está en el lugar equivocado, que él quería ir era a la Cruz Roja, y la emprende contra el instructor por no haberle dicho antes. Nos alegra verlo irse, así haya sufrido tanto por este país, pero es que es duro sentarse todo el día junto a un hombre con la boca a un lado de la cara.

El instructor es el señor Puglio, y lo primero que nos dice es que estudia para sacar una maestría en comercio en la Universidad de Nueva York y, en segundo lugar, que todo la información que escribimos en nuestras solicitudes será comprobada cuidadosamente, así que si alguien dice que fue a la universidad y no es así, más le conviene retractarse ahora. Lo único que en Cruz Azul no se tolera es una mentira.

Los huéspedes de la pensión se ríen todas las mañanas

cuando me pongo el traje, la camisa y la corbata. Se ríen
aún más cuando les digo que me pagan cuarenta y siete
dólares a la semana, que aumentarán a cincuenta cuando
termine el curso.

Ahora sólo quedan ocho huéspedes. Ned Guinan regresó a Kildare a contemplar los caballos y a morirse y otros
dos se casaron con meseras de Schrafft's, que tienen fama
de ahorrar para volver a la tierra natal y comprar la vieja
granja familiar. La toalla marcada arriba y abajo sigue ahí
pero nadie la usa después de que Peter McNamee provoca-
ra tremenda sensación yendo a comprar una toalla propia.
Dice que estaba harto de ver que unos hombres ya hechos
y derechos salieran empapados de la ducha y se tuvieran que
secar sacudiéndose como perros viejos, hombres que des-
pilfarraban en whisky medio sueldo pero a los que no se les
ocurría comprar una toalla. Dice que la copa se le rebosó
el último sábado, cuando cinco huéspedes la pasaron sentados en la cama tomando whisky irlandés libre de impuestos traído del aeropuerto Shannon, hablando y cantando las
canciones de un programa radial irlandés, calentándose para
salir a bailar a Manhattan por la noche. Después que se
ducharon, la toalla era una porquería y en vez de circular y
de secarse sacudiéndose se pusieron a bailar los aires típi-
cos que tocaban en la radio y la estaban pasando en grande hasta que Nora, la de Kilkenny, entró a reponer el papel
higiénico sin llamar antes a la puerta y cuando vio lo que
vio se puso a chillar como alma en pena y echó a correr
histérica escaleras arriba adonde el señor Logan, quien bajó
y encontró a los bailarines en cueros y rodando de risa por
el suelo sin que les importara el pedo de un violinista ni el
señor Logan ni sus gritos de que eran una deshonra para la
patria irlandesa y para la Santa Madre Iglesia y que ganas
tenía de arrojarlos a la calle así en pelota y que qué clase de

madres los habrían tenido. Al fin volvió a subir rezongando, pues nunca echaría a cinco huéspedes que le representaban un ingreso de dieciocho dólares semanales por cabeza.

Cuando Peter trajo su propia toalla todos quedaron asombrados y se la pidieron prestada, pero él los mandó a la mierda y la escondió en distintos sitios, aunque eso era un problema, porque una toalla para secarse tiene que estar colgada y se pone toda húmeda y con olor a moho si la doblan y la esconden debajo del colchón o de la misma bañera. Peter vivía amargado de no poder colgarla a secar hasta que Nora, la de Kilkenny, le ofreció llevarla arriba y vigilarla mientras se secaba, pues ella y el señor Logan estaban muy agradecidos por la carne que sin falta les traía cada viernes.

La cosa funciona bien hasta que el señor Logan empieza a perturbarse cada vez que Peter sube por la toalla seca y se queda un rato conversando con Nora, la de Kilkenny. El señor Logan mira intensamente a su bebé, Luke, y luego a Peter y otra vez al bebé y frunce tanto el ceño que las cejas se le juntan. Cuando no se aguanta más, grita al pie de la escalera: Peter, ¿vas a demorarte todo el día recogiendo tu toalla seca? Nora tiene oficios que hacer en esta casa. Peter baja y le dice: Ah, lo siento señor Logan, lo siento mucho, pero eso no satisface al señor Logan, que otra vez mira con cuidado al pequeño Luke y luego a Peter. Tengo algo que decirte, Peter: No vamos a necesitar ya más tu carne y vas a tener que encontrarte la manera de secar esa toalla por tu cuenta. Nora ya tiene suficiente trabajo para que encima tenga que montarle guardia a tu toalla mientras se seca.

Esa noche se oyen gritos y voces en el cuarto de los Logan y al otro día el señor Logan le engancha una notica a la toalla de Peter en la que dice que se tiene que ir, que ya le

ha hecho bastante daño a la familia Logan aprovechándo-
se de su buena disposición en el asunto de secar la toalla.

A Peter no le importa. Se va a mudar a Long Island, a la
casa de su primo. Todos lo vamos a extrañar por habernos
descubierto el mundo de las toallas, y ahora todos las tenemos, tendidas a secar por todas partes, y cada uno cumple
el pacto de no usar la del otro porque de todos modos ninguna se seca por completo con lo húmedo que es el cuarto
del sótano.

22

Ahora es más fácil viajar en el tren por las mañanas en traje y corbata y sosteniendo el *New York Times* bien alto, para que todo el mundo vea que no soy uno de esos pelmas que leen las tiras cómicas del *Daily News* o el *Mirror*. La gente verá que soy un hombre de traje y capaz de vérselas con las grandes palabras camino de un trabajo importante en una oficina de seguros.

Puedo llevar puesto un traje y leer el *Times* y recibir miradas de admiración pero así y todo sigo cometiendo mi pecado cotidiano: la envidia. Cuando veo a los universitarios con esos libros con cubiertas que dicen Columbia, Fordham, NYU, CCNY, me siento vacío al pensar que nunca voy a ser uno de ellos. Me gustaría ir a una de sus librerías a comprar cubiertas de la universidad para ostentarlas en el tren pero sé que me descubrirían y se reirían de mí.

El señor Puglio nos instruye sobre las distintas pólizas de seguros que ofrece Cruz Azul: familiar, individual, de compañía, para viudas, huérfanos, veteranos, inválidos. Dar clases lo emociona y nos dice que es maravilloso dormir de noche sabiendo que la gente no tiene de qué preocuparse si se enferma con tal que cuente con la Cruz Azul. Estudiamos en un cuartucho con el aire enrarecido por el humo de cigarrillo, ya que no hay ventanas, y cuesta mantenerse despierto en una tarde de verano con el señor Puglio entusiasmándose con lo de las primas. Todos los viernes nos hace un examen y qué humillación los lunes cuando encomia los puntajes más altos y censura los más bajos, como los míos. Los míos son bajos porque los seguros no me interesan y me pregunto si Emer estará en su sano juicio habiéndose comprometido con un hombre que vende seguros cuando podría estar con otro que pasó de adiestrar pastores alemanes a escribir los informes matinales más rápidos de todo el Comando Europeo. Estoy tentado a llamarla y contarle que ahora que entré al negocio de los seguros me estoy enloqueciendo y que si está contenta de haberme hecho esto. Podría estar trabajando todavía en Bodegas Portuarias paladeando mi salchicha de hígado con cerveza si ella no me hubiera roto el corazón completamente. Me gustaría llamarla pero temo que se muestre fría y que eso me empuje al bar Breffni en busca de consuelo.

Tom está en el Breffni y dice que lo mejor es curarme la herida, tómate una copa, y de dónde sacaste ese traje tan horrible. Bastante malo es sufrir por la Cruz Azul y Emer para que encima te desprecien el traje, y cuando le digo a Tom que se vaya a la mierda, él se ríe y me dice que sobreviviré. En cuanto a él, piensa irse de la pensión a un apartamento en Woodside, Queens, y si quiero compartirlo el costo son diez dólares a la semana y nos tenemos que hacer nuestra propia comida.

Vuelven a entrarme ganas de llamar a Emer y contarle de mi importante empleo en Cruz Azul y del apartamento que vamos a alquilar en Queens, pero su rostro ya se me desdibuja en el recuerdo y otra parte de mi mente me dice que qué bueno es estar soltero en Nueva York.

———

Si Emer no me quiere, ¿de qué sirve estar en el negocio de los seguros, donde todos los días me sofoco en un cuarto sin aire y con el señor Puglio poniéndose agresivo cada vez que me quedo dormido? Cuesta quedarse ahí sentado cuando nos dice que el primer deber de todo hombre casado es entrenar a su mujer para cuando sea viuda, y fantaseo imaginándome a la señora Puglio al recibir las clases de viudez. ¿Se las da el señor Puglio en la mesa o cuando están echados en la cama?

Para colmo de males, se me va el apetito por pasarla sentado todo el día en mi traje y si compro un sándwich de salchicha de hígado le doy la mayor parte a las palomas de Madison Park.

Me siento en ese parque a oír hablar de sus trabajos a tipos que llevan camisa blanca y corbata, de la bolsa de valores, del negocio de los seguros, y me pregunto si se conformarán sabiendo que no van a hacer más que eso hasta que el pelo se les ponga blanco. Se cuentan cómo pusieron al patrón en su sitio, cómo él no supo qué decirles y abrió la boca así, mira, y se quedó pegado a la silla. Algún día ellos también van a ser patrones con gente que los pondrá en su sitio y quién sabe si eso les va a gustar. Hay días en que daría cualquier cosa por estar paseándome a la orilla del Shannon o del río Mulcaire o escalando las montañas de Lenggries.

Uno de los aprendices de Cruz Azul pasa junto a mí, caminando de regreso a la oficina.

Jo, McCourt, son las dos. ¿Vienes?

Dice *jo* porque conducía un tanque en una unidad de caballería en Corea y así se decía cuando en la caballería tenían caballos. Dice *jo* para enterar al mundo de que no era ningún simple soldado de infantería.

Llegamos al edificio de la aseguradora y me doy cuenta

de que no voy a ser capaz de traspasar esa entrada de catedral. Sé que no estoy hecho para el mundo de los seguros.

Jo, McCourt, vamos, ya es tarde. A Puglio le va a dar
un ataque de mierda.

No voy a entrar.

¿Qué?

No voy a entrar.

Me alejo por la Cuarta avenida.

Jo, McCourt, ¿estás loco, hombre? ¿Quieres que te despidan? Mierda, hombre, tengo que irme ya.

Yo sigo andando bajo el brillante sol de junio hasta llegar
a Union Square, donde me siento a pensar que qué fue lo
que hice. Dicen que si abandonas un puesto en cualquier
compañía grande o te despiden, todas las otras compañías
reciben un informe y te cierran las puertas para siempre.
Cruz Azul es una compañía grande y ya puedo ir perdiendo toda esperanza de conseguir empleo en una compañía
grande. Pero es bueno haber renunciado ahora y no esperar
a que descubrieran las mentiras de mi solicitud. El señor
Puglio decía que eso era una falta tan grave que no sólo te
despedían de Cruz Azul sino que te exigían el reembolso de
los pagos durante el entrenamiento y encima de eso enviaban tu nombre a todas las demás compañías grandes con
una banderita roja en la parte de arriba de la página para
prevenirlas. Esa banderita roja, decía el señor Puglio, quiere
decir que están excluidos de por vida del sistema empresarial
norteamericano y que es hora de ir pensando en irse a vivir
a Rusia.

Al señor Puglio le encantaba hablar así y me alegra estar lejos de él mientras salgo de Union Square para bajar
por Broadway con todos esos otros neoyorquinos que no
parecen tener nada qué hacer. Es fácil ver que algunos tie-

nen la banderita roja unida al nombre, hombres que llevan barbas y alhajas y mujeres de pelo largo y de sandalias que jamás serían admitidas puertas adentro del sistema empresarial norteamericano.

Hay sitios de Nueva York que hoy veo por primera vez: el ayuntamiento, a lo lejos el puente de Brooklyn, la iglesia protestante de San Pablo, donde está la tumba de Thomas Addis Emmet, el hermano de Robert, que murió en el patíbulo por Irlanda, y más allá, bajando por Broadway, la iglesia de La Trinidad, que da hacia Wall Street.

Por el atracadero de los ferris de Staten Island hay un bar, el Bean Pot, donde el hambre me alcanza para comerme un sándwich entero de salchicha de hígado y un jarro de cerveza, ahora que me he quitado la corbata y el saco está colgado del espaldar de la silla, y siento alivio de haberme escapado con la banderita roja adherida a mi nombre. No sé por qué el hecho de comerme todo el sándwich me dice que he perdido a Emer para siempre. Si algún día se entera de mis líos con el sistema empresarial norteamericano, quizá derrame una lágrima de lástima por mí, aunque a la larga se va a alegrar de haberse decidido por el vendedor de seguros del Bronx. Se sentirá a salvo sabiendo que está asegurada contra todo, que no puede dar un paso que no esté cubierto por un seguro.

El ferri de Staten Island vale cinco centavos y la vista de la estatua de la Libertad y de Ellis Island me recuerda esa mañana de octubre de 1949 cuando entré por Nueva York en el *Irish Oak* y atravesamos la ciudad subiendo por el río hasta Poughkeepsie y al otro día hasta Albany, donde tomé el tren de vuelta a Nueva York.

Eso fue hace casi cuatro años, y heme aquí en el ferri de Staten Island con la corbata enrollada en el bolsillo del saco que llevo colgado al hombro. Heme aquí sin un trabajo en esta vida, sin novia y con la banderita roja ondeando sobre mi nombre. Podría regresar al hotel Biltmore y retomar las cosas donde las dejé, limpiando el vestíbulo, fregando tazas de inodoro, poniendo alfombras, pero no, quien ya una vez fue cabo no puede volver a hundirse tanto.

Al ver en Staten Island un viejo ferri de madera que se pudre entre dos edificaciones, pienso en toda la gente que pasaría por allí antes que yo, antes que mi padre y mi madre, toda la gente que huía de la hambruna en Irlanda, toda la gente de todas partes de Europa que desembarcaba con el corazón en un puño por miedo a que les descubrieran alguna enfermedad y los enviaran de regreso, y cuando uno piensa en eso un gran lamento venido de Ellis Island atraviesa las aguas y uno se pregunta si los devueltos tendrían que regresar con sus bebés a lugares como Checoslovaquia o Hungría. La gente que fue devuelta así es la gente más triste de la historia, peor que los que, como yo, podemos tener los ojos malos y una banderita roja pero que así y todo estamos seguros con nuestro pasaporte norteamericano.

No es permitido quedarse en el ferri cuando atraca. Hay que ir a la taquilla, pagar los cinco centavos y esperar a que venga el próximo, y ya que estoy ahí igual da si me tomo una cerveza en el bar de la terminal. No hago sino pensar en mis padres cuando entraron a este mismo puerto hace más de veinticinco años, y mientras voy de ida y vuelta en el ferri, seis veces en total, tomándome una cerveza en cada extremo, no hago sino pensar en las personas devueltas por tener enfermedades y eso me entristece tanto que me bajo definitivamente del ferri para llamar a Tom Clifford, a Bodegas Portuarias, y decirle que nos encontremos en el Bean Pot para que me indique cómo hago para ir al apartamento de Queens.

Nos encontramos en el Bean Pot y cuando le digo que

los sándwiches de salchicha de hígado del sitio son una delicia me dice que él ya se dejó de salchichas de hígado, que pasó a otra cosa. Se ríe entonces y me dice que se me nota que me tomé unas cuantas, que se me traba la lengua para decir salchichas de hígado y le digo que no, que es por el día que tuve con Puglio en Cruz Azul y el cuarto sin aire y la banderita roja y los devueltos, los más tristes de todos.

Él no entiende de qué le estoy hablando. Me dice que estoy mirando bizco, que me ponga el saco, arranquemos para la casa de Queens y me meta a la cama.

El señor Campbell Groel me vuelve a contratar en Bodegas Portuarias y me alegra recibir otra vez un salario decente, setenta y cinco dólares semanales que suben a setenta y siete por manejar el carrito elevador de carga dos días a la semana. El trabajo normal de plataforma te tiene de pie todo el día dentro del camión montando cajas, guacales y sacos de frutas o de ají sobre las planchas. Trabajar en el carrito elevador es más descansado. Alzas las planchas con la carga, las almacenas en la bodega y aguardas al próximo viaje. A nadie le importa si lees el periódico mientras esperas, pero si es el *New York Times* se ríen y dicen: Miren al intelectualote del elevador.

Uno de mis trabajos consiste en apilar en la bodega de fumigación sacos de ají picante venidos en barcos de la United Fruit. En los días de poco movimiento es un buen sitio para traer una cerveza, leer el periódico y echarse una siesta sin que a nadie le importe. Hasta el señor Campbell Groel al salir de la oficina se asoma de pasada y sonríe: No se maten, muchachos, que hace mucho calor.

El negro Horace se sienta en un saco de ají a leer un diario de Jamaica o a leer y releer una carta de su hijo que está estudiando en una universidad del Canadá. Cuando lee esa

carta se da palmadas en el muslo y dice riéndose: Ay, hombre,
ay, hombre. La primera vez que lo oí hablar, su acento me
sonó tan irlandés que le pregunté si era del condado de Cork
y él soltó la carcajada y me dijo: Todos los habitantes de
las islas tenemos sangre irlandesa, hombre.

Horace y yo estuvimos a punto de morir juntos en esa
bodega de fumigación. Con la cerveza y el calor nos entró
el sueño y nos quedamos dormidos en el piso hasta que oímos el golpe de la puerta al cerrarse y el silbido del gas que
inyectaban en la bodega. Tratamos de abrir la puerta pero
estaba atorada y el gas nos estaba mareando ya hasta que
Horace se encaramó en una pila de sacos, rompió el cristal
de una ventana y empezó a pedir socorro. Eddie Lynch, que
estaba afuera cerrando el negocio, nos oyó y abrió por fin
la puerta.

Son un par de bastardos con suerte, dijo, y nos invitó a
tomarnos unas cervezas calle abajo para limpiarnos los
pulmones y para celebrar. Horace dice: No, hombre, yo no
puedo ir a ese bar.

¿De qué demonios hablas? dice Eddie.

Al negro no lo admiten en ese sitio.

Al carajo con ese cuento, dice Eddie.

No, hombre, cero líos. Vamos por la cerveza a otro sitio,
hombre.

No sé por qué Horace se rinde así de fácil. Tiene un hijo
estudiando en una universidad del Canadá pero él no puede tomarse una cerveza en un bar de Nueva York. Me dice
que yo no entiendo de eso, que soy demasiado joven y que
ni me imagino la lucha del negro.

Eddie dice: *Yeah*, tienes razón, Horace.

A las pocas semanas el señor Campbell Groel dice que
el puerto de Nueva York ya no es lo que era, que los nego-

cios andan lentos, que tendrá que salir de unos cuantos hombres y que, claro, siendo yo el más nuevo, voy a ser el primero.

A las pocas cuadras están los Frigoríficos Merchant y necesitan un trabajador de plataforma para reemplazar a los que están de vacaciones de verano. Me dicen que aunque puede que haya una oleada de calor me ponga ropa cálida.

Mi trabajo consiste en descargar carne de los camiones refrigerados que traen los cortes de res desde Chicago. Afuera, en la plataforma, estamos en agosto pero adentro, donde colgamos la carne, la temperatura es helada. Los trabajadores se ríen y dicen que somos los únicos que van así de rápido del polo norte al ecuador, y a la inversa.

Peter McNamee es interinamente jefe de plataforma mientras el titular está de vacaciones y al verme dice: ¿Qué, en nombre de Jesús crucificado, estás haciendo aquí? Yo creía que tenías un cerebro en la cabeza.

Me dice que debería estar en clases, que no hay justificación para que ande cargando cuartos de res de un lado para otro cuando podría aprovecharme de la ley de exreclutas para progresar en la vida. Dice que éste no es un trabajo para irlandeses. Entran aquí y en un momento están tosiendo y escupiendo sangre y descubriendo que toda la vida han tenido la tuberculosis, la maldición de la raza irlandesa, aunque ésta será la última generación que la padece. Peter tiene el deber de informar si alguien tose o escupe encima de la carne. Los inspectores de la Junta de Salud cerrarían el sitio en un segundo y quedaríamos en la calle rascándonos el culo y buscando trabajo.

Peter me dice que él ya está cansado de todo el juego. No se entendió con el primo de Long Island y ahora está de vuelta en otra pensión del Bronx y es el juego de siempre:

lleva a casa un filete de res o cualquier otro tipo de carne todos los viernes y a cambio recibe hospedaje gratis. Su madre lo atormenta con sus cartas. ¿Por qué no puede conseguirse una buena muchacha y casarse con ella y darle nietos? ¿O va a esperar a que la bajen a la tumba? Tanta es la cantaleta para que se busque una esposa, que ya él no quiere leer las cartas que le envía.

En mi segundo viernes en los Frigoríficos Merchant, Peter envuelve su filete de res en un periódico y me invita a tomarnos una copa en esa misma calle. Pone el filete en una banqueta de la barra pero la carne empieza a descongelarse y chorrea sangre y eso molesta mucho al cantinero. Le dice a Peter que está prohibido entrar cosas como ésa al bar y que mejor la ponga en otra parte. Peter dice que bueno, bueno, y cuando el cantinero se descuida lleva el filete al baño de los hombres y lo deja ahí. Vuelve a la barra y cuando empieza a hablar de las cantaletas de su madre pasa de la cerveza al whisky. El cantinero lo comprende porque ambos son del condado de Cavan y me dicen que yo no entendería.

De pronto se oye un grito en el baño de los hombres y un gran tipo fornido sale violentamente y chilla que hay una rata enorme en la tapa del inodoro. El cantinero regaña a Peter: Maldita sea, McNamee, ¿pusiste ahí la condenada carne? Sácala de este bar.

Peter va por su carne. Vámonos, McCourt, esto ya se acabó. Estoy harto de cargar con la carne todos los viernes por la noche. Voy a ir a un baile a conseguir esposa.

Vamos en taxi al Jaeger House pero no dejan entrar a Peter con la carne. Él propone dejarla en el guardarropa pero ellos no convienen. Entonces arma un alboroto y cuando el administrador le dice: Vamos, vamos, saque de aquí esa carne, Peter intenta golpearlo con el filete de carne. El administrador grita pidiendo ayuda y dos hombrones del condado de Kerry nos empujan a Peter y a mí por las escaleras. Peter grita que él sólo está buscando esposa y que vergüenza debería darles. Los tipos de Kerry se ríen y le dicen que es tamaño pendejo y que si no se comporta le ponen el filete de sombrero. Peter se queda quieto en plena acera y les lanza a los tipos de Kerry una mirada rara, sobria. Tienen razón, les dice, y les ofrece la carne. No se la aceptan. Se la ofrece a los transeúntes que pasan por ahí pero sacuden la cabeza y aceleran el paso.

No sé que hacer con esta carne, dice. Medio mundo se está muriendo de hambre pero nadie me recibe mi carne.

Vamos al restaurante Wright's en la calle 86 y Peter les pregunta si nos dan dos comidas a cambio del filete. No, no pueden hacer eso. Normas de la Junta de Salud. Corre hasta el medio de la calle, pone la carne en la línea del centro, corre otra vez hasta la acera y se ríe de los bandazos que dan los autos para esquivar la carne, y más se ríe aún cuando suenan las sirenas y un auto de la policía y una ambulancia doblan ruidosamente por la esquina y se detienen con las luces giratorias encendidas y los hombres rodean el filete, se rascan la cabeza y acaban por reírse y arrancan con la carne en la parte de atrás del auto de la policía.

Ya parece estar sobrio y pedimos huevos con tocineta en Wright's. Hoy es viernes, dice Peter, pero me importa mierda. Es la ultima vez que voy a llevar carne por las calles y estaciones del metro de Nueva York. De todos modos estoy cansado de ser irlandés. Me gustaría despertar por las mañanas sin ser nada o siendo un protestante norteamericano. Así que págame los huevos porque tengo que ahorrar mi plata para irme para Vermont a no ser nada.

Y sale por la puerta.

23

Cuando no hay mucho movimiento en los Frigoríficos Merchant nos dicen que podemos irnos a casa. En vez de tomar el tren a Queens camino por la calle Hudson y entro a un bar que se llama White Horse. Voy a cumplir veintitrés años pero tengo que probar que tengo dieciocho para que me den una cerveza y un sándwich de salchichón. No hay mucha bulla en el bar aunque he leído que es un sitio frecuentado por poetas, especialmente por ese loco de Dylan Thomas. Las personas sentadas en las mesas al pie de la vidriera tienen cara de poetas y artistas y a lo mejor se preguntan qué hago yo en ese bar con esos pantalones encostrados de sangre de matadero. Quisiera poder sentarme al pie de la vidriera con una chica de pelo largo y contarle que he leído a Dostoievski y que por culpa de Herman Melville me expulsaron de un hospital en Múnich.

Me resigno a sentarme en la barra a torturarme con mis interrogantes. ¿Qué hago aquí con este salchichón y esta cerveza? ¿Qué hago en la vida? ¿Voy a pasar el resto de mi vida cargando cuartos de res del camión al frigorífico y viceversa? ¿Terminaré mis días en un estrecho apartamento en Queens mientras Emer levanta feliz una familia en un barrio residencial de las afueras, perfectamente asegurada contra todo? ¿Voy a viajar en metro toda la vida, envidiando a los que llevan libros de las universidades?

No debería estar comiendo salchichón en un trance como este. No debería estar tomando cerveza cuando no tengo una respuesta en la cabeza. No debería estar en este bar con poetas y artistas que se sientan ahí a conversar en voz baja cosas serias. Estoy harto del salchichón y las salchichas de hígado y de sentir la carne congelada en los hombros día tras día.

Aparto el salchichón y dejo medio jarro de cerveza y salgo por la puerta, cruzo la calle Hudson y tomo por la calle Bleecker sin saber a dónde voy pero sabiendo que hay que seguir andando hasta que sepa a dónde voy, y heme aquí en Washington Square y ahí está la Universidad de Nueva York y sé que es ahí adonde tengo que ir con mi ley de exreclutas, con secundaria o no. Un estudiante me señala la oficina de admisiones y una mujer me entrega un formulario. Me dice que no lo he llenado debidamente, que necesitan saber de mi grado de secundaria, dónde y cuándo.

No estudié secundaria.

¿No es bachiller?

No, pero me cobija la ley de exreclutas y he leído libros toda la vida.

Ay, Dios, pero aquí exigimos el diploma de secundaria o su equivalente.

Pero yo he leído libros. Leí a Dostoievski y leí *Pedro o las ambigüedades*. No es tan bueno como *Moby Dick* pero lo leí en un hospital de Múnich.

¿De veras se leyó a *Moby Dick*?

Sí, y por culpa de *Pedro o las ambigüedades* me echaron del hospital en Múnich.

Veo que ella no entiende. Entra a otra oficina con mi solicitud y trae a la decana de admisiones, una mujer de rostro amable. La decana me dice que soy un caso raro y me pregunta sobre mi educación en Irlanda. Por experiencia sabe que los estudiantes europeos están mejor preparados para el trabajo universitario y dice que me permitirá entrar a la universidad si puedo mantener un promedio de B durante un año. Me pregunta en qué trabajo y cuando le cuento lo de la carne dice: Vaya, vaya, se aprende algo todos los días.

Como no soy bachiller y trabajo jornada completa, no me dejan tomar más de dos materias: introducción a la literatura e historia de la educación en Estados Unidos. No veo por qué me tengan que introducir en la literatura pero la mujer de la oficina de admisiones dice que es un requisito aunque haya leído a Dostoievski y Melville y eso sea admirable en alguien que no ha hecho secundaria. Dice que el curso de historia de la educación me dará los el panorama general cultural que necesito para suplir las lagunas de mi educación europea.

Estoy en el séptimo cielo y lo primero que hago es comprar los textos y forrarlos con las cubiertas moradas y blancas de la universidad para que los pasajeros del metro me miren con admiración.

Lo único que sé de las clases en la universidad es lo que hace tiempo veía en las películas en Limerick y heme aquí asistiendo a una: historia de la educación en Estados Unidos, con la profesora Maxine Green en la tarima explicándonos cómo educaban los peregrinos, o sea los primeros colonizadores de América del Norte, a sus hijos. A mi alrededor los estudiantes garrapatean en sus cuadernos y me encantaría saber escribir así de rápido. ¿Y cómo saber qué es lo importante de todas esas cosas que ella dice? ¿Habrá que acordarse de todo? Algunos estudiantes alzan la mano para hacer preguntas pero yo no sería capaz de hacer eso. Toda la clase se fijaría en mí y se preguntaría quién es el tipo de acento extranjero. Podría tratar de hablar con acento norteamericano, pero eso nunca me ha resultado. Cuando lo intento, la gente se ríe y me dice: ¿No detecto un dejillo irlandés?

La profesora dice que los peregrinos salieron de Inglaterra huyendo de la persecución religiosa, y eso me extraña, porque los peregrinos eran ingleses y los ingleses siempre eran los que perseguían a todos los demás, especialmente a los irlandeses. Me gustaría levantar la mano y contarle a la profesora lo que durante siglos padecieron los irlandeses bajo el dominio de Inglaterra, pero estoy seguro de que todos en esta clase tienen un diploma de bachiller y que si abro la boca van a saber que no soy uno de ellos.

Los otros alzan la mano tranquilamente y no hacen sino decir: Bueno, eso pienso yo.

Algún día alzaré la mano y diré: Bueno, eso pienso yo, pero no sé qué pensar de los colonizadores y su educación. Entonces la profesora nos dice que las ideas no caen del cielo plenamente desarrolladas, que al fin y al cabo los peregrinos eran hijos de la Reforma, con la correspondiente visión de la vida, y que obraban con sus hijos en conformidad con esa visión.

Hay más garrapateos en los cuadernos por toda el aula, más diligentes las mujeres que los hombres. Las mujeres toman nota como si cada palabra salida de los labios de la profesora Green fuera de suma importancia.

Entonces me pregunto para qué tengo ese texto gordo sobre la educación en Estados Unidos que sostengo en el metro a fin de que admiren mi condición de estudiante universitario. Sé que habrá exámenes, el de mitad de semestre y el final, pero no sé de dónde saldrán las preguntas. Con la profesora hablando a ese paso y las setecientas páginas del libro, seré hombre perdido.

En la clase hay muchachas bonitas y me gustaría preguntarle a una de ellas si sabe qué es lo que debo aprenderme para el examen parcial dentro de siete semanas. Me gustaría ir a la cafetería de la universidad o a una en Greenwich Village a conversar con ella sobre los peregrinos y sus costumbres puritanas y cómo mantenían aterrados a sus hijos. Podría contarle que he leído a Dostoievski y a Melville y ella quedaría impresionada y se enamoraría de mí y estudiaríamos juntos la historia de la educación en Estados Unidos. Ella prepararía espaguetis y nos acostaríamos a excitarnos y después la pasaríamos en la cama leyendo algún texto gordo y preguntándonos por qué los primeros habitantes de Nueva Inglaterra se empeñaban en ser tan infelices.

Los hombres de la clase miran a las mujeres garrapateadoras y se sabe que ellos no le prestan ni pizca de atención a la profesora. Se sabe que están decidiendo a cuál de ellas van a hablarle después y que cuando termine esta primera clase se les van a acercar a las bonitas. Les van a sonreír tranquilamente con sus perfectas dentaduras blancas, pues están acostumbrados a conversar, porque eso es lo que hacían en esos colegios donde los niños y las niñas van a clase juntos. Una chica bonita siempre tendrá a alguien esperándola afuera, en el pasillo, y el tipo de la clase que quiso entablar conversación con ella perderá la sonrisa.

El profesor de la clase del sábado por la mañana es el señor Herbert. Parece que les gusta a las muchachas y lo deben de conocer de otros cursos porque le preguntan por su luna de miel. Él se sonríe y hace sonar las monedas del bolsillo del pantalón y nos cuenta de su luna de miel y me pregunto qué tiene que ver eso con la introducción a la literatura. Después nos dice que escribamos doscientas palabras sobre un autor que nos gustaría conocer personalmente y por qué. El mío es Jonathan Swift y pongo que me gustaría conocerlo por los *Viajes de Gulliver*. Sería grandioso com-

partir una taza de té o una pinta con el dueño de una imaginación como ésa.

El señor Herbert se cuadra en la tarima, hojea los trabajos y dice: Hmmm, Frank McCourt. ¿Quién es Frank Mc-
Court?

Alzo la mano y siento que la cara se me pone colorada.
Ah, dice el señor Herbert, ¿conque le gusta Jonathan Swift?

Sí.

Por su imaginación, ¿eh?

Sí.

Se le va la sonrisa y su voz no me suena muy amistosa y
me siento incómodo con las miradas de todos los alumnos
puestas en mí. Dice: Usted sabe que Swift escribía sátiras,
¿verdad?

No tengo idea de qué me habla. Le tengo que mentir y
digo: Sí.

Él dice: Sabrá que fue tal vez el más grande escritor satírico de la literatura inglesa.

Yo creía que él era irlandés.

El señor Herbert mira a la clase y se sonríe. ¿Eso quiere
decir, señor McCourt, que si nací en las Islas Vírgenes soy
virgen?

Se escuchan risas en el aula y yo tengo la cara hecha una
brasa. Sé que se ríen de mí por la manera como el señor
Herbert se mofó de mí y me puso en mi sitio. A continuación le dice a la clase que mi ensayo es el perfecto ejemplo
de una aproximación simplista a la literatura, que si bien
los *Viajes de Gulliver* se pueden disfrutar como un cuento
para niños, su importancia en la literatura inglesa, no la
irlandesa, damas y caballeros, se debe a su chispa satírica.
Dice: Al leer las grandes obras de la literatura en la universidad hay que esforzarse por superar lo pueril y trivial, y al
decir eso me mira a mí.

La clase se termina y las chicas rodean al señor Herbert para sonreírle y decirle lo mucho que les gustó su relato de la luna de miel, y yo tengo tanta vergüenza que bajo a pie los seis tramos de escalera para no compartir el ascensor con estudiantes que quizá me desprecien por haber disfrutado de manera incorrecta los *Viajes de Gulliver* o hasta con estudiantes que a lo mejor me tengan lástima. Llevo mis libros en una bolsa porque ya no me importa que en el metro me miren con admiración. No soy capaz de conservar a mi chica, no soy capaz de cuidar un trabajo de oficina, me pongo en ridículo en mi primera clase de literatura y me pregunto para qué habré salido de Limerick. Si me hubiera quedado allá y hubiera presentado el examen, ahora sería cartero y andaría por las calles repartiendo cartas, charlando con las mujeres y volviendo a casa a tomarme mi té sin la menor preocupación en esta vida. Podría leer a Jonathan Swift hasta la coronilla sin que me importara el pedo de un violinista que fuera satírico o imaginativo.

24

Tom está en el apartamento cantando, preparando estofado irlandés, charlando con la mujer del propietario, el griego del primer piso que tiene un negocio de lavado en seco. La mujer del propietario es una rubia delgada que a las claras no me quiere ahí. Atravieso Woodside hasta la biblioteca para tomar prestado un libro que tengo visto desde la última vez que estuve allí: *Llamo a la puerta*, de Sean O'Casey. El libro trata de una infancia en la pobreza en Dublín y yo no sabía que se pudiera escribir sobre esas cosas. Estaba bien que Charles Dickens hubiera escrito acerca de los pobres de Londres, pero sus libros terminan siempre en que los personajes descubren que son los hijos hace tiempo perdidos del duque de Somerset y después de eso todos viven felices hasta el día de la muerte.

Pero no hay vida feliz hasta el día de la muerte en Sean O'Casey. Sus ojos están peor que los míos, tan mal que a duras penas puede ir a la escuela. Así y todo se las arregla para leer, aprende a escribir solo, aprende irlandés solo, escrie obras para el teatro Abbey, conoce a lady Gregory y al poeta Yeats, pero tiene que abandonar a Irlanda cuando todos se vuelven en su contra. Él jamás se hubiera sentado en una clase a que alguien se burlara de él por cuenta de Jonathan Swift. Respondería con una o dos pedradas y saldría caminando de inmediato aunque fuera dándose contra la pared, con esa vista mala que tenía. Entre los escritores irlandeses que he leído hasta ese momento, es el primero que escribe sobre harapos, mugre, hambre, bebés que mueren. Los otros escritores hablan de granjas y hadas y de la niebla posada en el pantano y es un descanso conocer a uno con la vista mala y una madre sufrida.

Lo que ahora descubro es que una cosa conduce a la otra. Cuando Sean O'Casey escribe acerca de lady Gregory o Yeats, los tengo que buscar en la Enciclopedia Británica y eso me tiene entretenido hasta que el bibliotecario empieza a prender y apagar la luz. No sé como hice para llegar a los diecinueve años en Limerick ignorando todo lo que había pasado en Dublín antes de haber nacido yo. Tengo que recurrir a la Enciclopedia Británica para saber lo famosos que fueron los escritores irlandeses: Yeats, lady Gregory, George William Russell y John Millington Synge, que escribía obras de teatro en las que la gente habla de una manera que jamás oí en Limerick ni en ningún otro lado.

Heme aquí en una biblioteca de Queens descubriendo la literatura irlandesa y preguntándome por qué el director de la escuela no nos habló nunca de esos escritores, hasta que descubro que todos eran protestantes, incluido Sean O'Casey, cuyo padre era oriundo de Limerick. Nadie en Limerick reconocería como un gran escritor irlandés a ningún protestante.

En la segunda semana de introducción a la literatura, el señor Herbert dice que desde su punto de vista personal uno de los ingredientes más apetecibles en una obra literaria es la vitalidad y que ésta no escasea ciertamente en las obras de Jonathan Swift y su admirador, nuestro amigo el señor McCourt. Si bien hay cierta ingenuidad en las apreciaciones del señor McCourt sobre Swift, el entusiasmo la compensa.

El señor Herbert le dice a la clase que fui el único entre treinta y tres personas que escogió a un escritor realmente grande y que lo desanima saber que en este curso hay gente que cree que Lloyd Douglas o Henry Morton Robinson son grandes escritores. Ahora quiere saber cómo y cuándo leí a Jonathan Swift por primera vez y tengo que decirle que un ciego en Limerick me pagaba para que le leyera a Swift cuando yo tenía doce años.

No quisiera hablar de ese modo en la clase por lo de la vergüenza de la semana pasada pero tengo que hacer lo que me ordenan si no quiero que me echen de la universidad. Los demás estudiantes me miran y cuchichean entre ellos y no sé si se burlan de mí o si me admiran. Cuando la clase se termina vuelvo a bajar por las escaleras en vez de usar el ascensor pero no puedo salir por la puerta del fondo porque tiene un letrero que dice Salida de Emergencia y me advierte que si muevo algo van a sonar alarmas por todas partes. Vuelvo a subir hasta el sexto piso para tomar el ascensor pero la puerta de ese piso y las de los demás están cerradas y no me queda más remedio que empujar la puerta del primer piso hasta que la alarma se dispara y me llevan a una oficina para que llene una planilla y redacte una declaración sobre lo que yo estaba haciendo allá abajo que disparó la alarma.

De nada serviría hacer una declaración sobre mis tribulaciones con un profesor que en la primera semana se mofa de mí y me elogia en la segunda, así que escribo que aunque los ascensores me dan pánico los voy a usar a partir de este día. Sé que eso es lo que quieren oír y en el ejército aprendí que en las oficinas lo mejor es decirles lo que quieren oír porque de lo contrario siempre resulta un empleado superior que te pide que llenes una planilla todavía más larga.

25

Tom dice que está cansado de Nueva York, que se va para Detroit, donde tiene conocidos y puede hacer buena plata trabajando en la cadena de montaje de alguna fábrica de autos. Me dice que me vaya con él, que me olvide de la universidad, que me faltan años para el grado y que si me lo dan no me van a pagar mayor cosa después. Si eres hábil en la cadena de montaje te ascienden a capataz y luego a supervisor y antes de que te des cuenta estás en una oficina dando órdenes, sentado ahí de saco y corbata con la secretaria sentada enfrente sacudiéndose el pelo, cruzando las piernas y preguntándote si quieres algo, lo que sea.

Claro que me gustaría irme con Tom. Me gustaría tener plata para pasearme en un flamante automóvil por Detroit con una rubia al lado mío, una protestante sin sentido del pecado. Podría volver a Limerick con ropa norteamericana de colores vivos, sólo que me preguntarían por mi trabajo y no sería capaz de decirles que paso todo el día de pie poniéndoles cositas a unos buicks que van pasando en una banda. Preferiría decirles que estudio en la Universidad de Nueva York, así algunos pregunten: ¿La universidad? ¿Cómo, en nombre de Dios, entraste a la universidad, tú que saliste de la escuela a los trece años y jamás has pisado un colegio de secundaria? En Limerick dirían que a mí siempre se me subieron los humos a la cabeza, que no cabía en mis botas, que me creía mucha cosa, que a algunos Dios nos mandó acá a cortar leña y bombear agua y que quién me figuro que soy de todas formas después de haber vivido en los callejones de Limerick.

Horace, el negro que casi se muere conmigo en la bodega de fumigación, me dice que sería un idiota si abandonara la universidad. Él trabaja para sostener a su hijo en la universidad en el Canadá y eso es lo que hay que hacer en Estados Unidos, hombe. Su esposa limpia oficinas en Broad Street y vive feliz porque tienen un buen muchacho allá arriba en el Canadá y están ahorrando para el día del grado, dentro de dos años. Su hijo, Timothy, quiere ser pediatra para poder volver a Jamaica a curar a los niños.

Horace me dice que le agradezca a Dios ser blanco, un joven blanco cobijado por la ley de exreclutas y con buena salud. Tal vez un problemita ahí en los ojos, pero así y todo en este país es mejor ser blanco con la vista mala que negro con la vista buena. Si su hijo le llegara a decir que se quiere salir de la universidad para ir a pararse en una fábrica frente a una cadena de montaje a ponerles encendedores de cigarrillos a los autos, él subiría en persona al Canadá a romperle la crisma.

En la bodega no falta quién se ría de mí y me pregunte por qué demonios almuerzo en compañía de Horace. ¿Qué se habla con un tipo cuyos abuelos bajaron de los árboles? Y si me siento aparte al final de la plataforma a leer un libro de estudio me preguntan si soy marica o qué y aflojan las muñecas poniendo las manos hacia abajo. Me gustaría clavarles el gancho de embalaje en la cabeza pero Eddie Lynch les dice que corten con eso, que dejen al chico en paz, que ellos son los patanes ignorantes cuyos abuelos vivían en un pantano y no sabían qué era un árbol aunque se los metieran culo arriba.

Los hombres no le responden a Eddie pero se desquitan conmigo cuando estamos descargando un camión, soltando de repente las cajas o guacales para que el estirón me haga doler los brazos. Si uno de ellos maneja el elevador de carga, amaga con clavarme en la pared y dice riéndose: Huy, no te vi. Después de almuerzo pueden mostrarse amistosos y preguntarme si me gustó el sándwich y si digo que sí me dicen: Mierda, hombre, ¿no te supo a la caca de paloma que Joey te untó en el jamón?

Hay nubes negras en mi mente y quisiera atacar a Joey con mi gancho de embalaje pero el jamón se me sube a la garganta y me vomito en la plataforma mientras los otros se abrazan y se ríen, y los únicos que no se ríen son Joey, que está en la punta que da al río mirando al cielo porque todos sabemos que no está sano de la cabeza, y Horace, que desde la otra punta mira sin decir nada.

Pero cuando vomito todo el jamón y se me terminan las arcadas sé lo que piensa Horace. Piensa que si se tratara de su hijo Timothy le diría que se alejara de todo esto y sé que eso es lo que debo hacer. Voy a donde Eddie y le entrego mi gancho, tomando la precaución de ofrecérselo por el mango para no ofenderlo dándoselo por el lado del gancho en sí. Él lo recibe y me da la mano. Dice: Okey, chico, buena suerte, te haremos llegar el cheque del salario. Puede que Eddie sea un jefe de plataforma sin ninguna educación y que ascendió a fuerza de trabajar, pero conoce la situación, sabe qué estoy pensando. Voy a donde Horace y le estrecho la mano. No sé qué decirle porque siento por él un extraño afecto que me dificulta el habla, y deseo que él fuera mi padre. Él tampoco dice nada porque sabe que hay ocasiones como ésta en las que las palabras carecen de sentido. Me da palmaditas en el hombro y asiente con la cabeza y lo último que oigo en Bodegas Portuarias es la voz de Eddie Lynch: Vuelvan a su trabajo, partida de pendejos inútiles.

Un sábado por la mañana Tom y yo vamos en tren a la estación de autobuses de Manhattan. Él va para Detroit y yo voy con mi talego de lona del ejército a una pensión de Washington Heights. Tom compra el boleto, guarda las maletas en el compartimiento de equipajes, se sube al autobús y me dice: ¿Estás seguro? ¿Seguro de que no quieres venir a Detroit? Podrías llevar una vida del diablo.

Nada me costaría subirme a ese autobús. Todo lo que poseo va en el talego de lona y podría meterlo junto a las maletas de Tom, comprar un boleto y partir en busca de una gran aventura con mucha plata y rubias y secretarias que me lo ofrecen todo, lo que sea, pero recuerdo a Horace cuando me decía lo idiota que sería y sé que tenía razón y le digo que no con la cabeza a Tom antes de que la puerta del autobús se cierre y él vaya a acomodarse en su asiento, sonriendo y despidiéndose con la mano.

Durante todo el viaje en tren hasta Washington Heights, me debato entre Tom y Horace, Detroit y la Universidad de Nueva York. ¿Por qué no conseguirme simplemente un puesto en una fábrica, de ocho a cinco, una hora para almorzar, dos semanas de vacaciones al año? De noche regresaría a casa, me daría un duchazo, saldría con una chica, leería un libro cuando se me antojara. No tendría que preocuparme de que en una semana los profesores se burlaran de mí y a la siguiente me elogiaran. No tendría que preocuparme por los trabajos de redacción ni por las tareas de lectura en esos textos gordos ni por los exámenes. Sería libre.

Pero si viajara en un tren o en un autobús en Detroit a

lo mejor vería estudiantes con sus libros y me pregunto qué clase de idiota sería yo si abandonara la Universidad de Nueva York por hacer plata trabajando en una cadena de producción en serie. Sé que jamás me conformaría sin un título universitario y preguntándome qué me habría perdido.

Todos los días aprendo lo ignorante que soy, en especial cuando voy a tomarme un café con un sándwich de queso a la plancha en la cafetería de la universidad. Allí siempre hay montones de estudiantes que tiran los libros por el suelo y no parecen tener nada qué hacer salvo hablar de sus asignaturas. Se quejan de los profesores y los maldicen porque les ponen notas bajas. Alardean de haberse servido del mismo trabajo escrito en más de una materia o se ríen por todas las maneras que hay para engañar al profesor con trabajos copiados directamente de una enciclopedia o parafraseados de un libro. La mayoría de las clases tienen tal número de alumnos, que los profesores sólo alcanzan a mirar por encima los trabajos, y si tienen asistentes son unos brutos que no distinguen ni mierda. Eso dicen los estudiantes y parece que ir a la universidad es un tremendo juego para ellos.

Todos hablan al mismo tiempo y nadie escucha y puedo ver por qué. Me gustaría ser un estudiante común que conversa y se queja pero no sería capaz de escuchar a nadie que hablara de algo que se llama el promedio académico. Hablan del tal promedio porque es lo que te da el ingreso a las mejores escuelas de posgrado y es lo que realmente preocupa a los padres.

Cuando no hablan de sus promedios, los estudiantes discuten sobre el significado de todo: de la vida, de la existencia de Dios, de la terrible situación mundial, y uno nunca sabe cuándo va a salir alguien con la única palabra que hace que todos pongan cara de profunda seriedad: existencialismo. Pueden hablar de querer ser doctores y abogados hasta que alguien alza las manos y declara que nada tiene sentido, que la única persona en el mundo que habla con sentido es Albert Camus, quien dice que tu más importante acto de todos los días es el de no suicidarte.

Si me quiero sentar algún día con un grupo como éste con mis libros en el suelo a ponerme lúgubre por lo vacío que es todo, lo mejor es consultar qué es el existencialismo y quién es Albert Camus. Ésa es mi intención hasta que los estudiantes empiezan a hablar de las distintas facultades y descubro que estoy en la que todo el mundo mira despectivamente: la de educación. Lo bueno es estar en la de comercio o en la facultad de artes y ciencias de Washington Square, pero si estás en la de "edu" estás en el fondo del escalafón. Vas a ser un maestro y quién quiere ser un maestro. Algunas de las madres de los estudiantes son maestras y no les pagan ni mierda, hermano, ni mierda. Te quiebras el culo por un montón de niños que ni aprecio te tienen, ¿y qué consigues? Una friolera, eso es lo que te dan.

Por la manera de decirlo, sé que friolera no es lo mejor y que es otra palabra que hay que consultar junto con existencialismo. Me entra una negra sensación cuando me siento ahí en la cafetería a escuchar las conversaciones animadas que me rodean sabiendo que nunca me voy a emparejar con mis condiscípulos. Ahí están ellos con sus diplomas de bachillerato y sus padres que trabajan para enviarlos a la Universidad de Nueva York para que sean doctores y abogados, pero ¿sabrán de todo el tiempo que sus hijos e hijas pasan en la cafetería hablando del existencialismo y el suicidio? Heme aquí, a los veintitrés años y sin diploma de secundaria, con los ojos malos, los dientes malos, todo malo, y sin siquiera tener idea de qué ando haciendo ahí.

Creo que fue una suerte no haberme sentado con los inteligentes estudiantes suicidas. Si descubrieran que voy a ser maestro sería el hazmerreír del grupo. Probablemente tendría que sentarme en otra parte de la cafetería con los futuros maestros de la facultad de educación, aunque eso les mostraría a todos que estoy con los perdedores que no pudieron pasar a las facultades buenas.

No hay más remedio que terminar el café y el sándwich de queso a la plancha e ir a la biblioteca a buscar qué es el existencialismo y averiguar por qué Camus vive tan triste, por si las moscas.

26

Mi nueva casera es la señora Agnes Klein, y me enseña un cuarto que vale doce dólares a la semana. Es un cuarto de verdad, no como ese extremo de pasillo que la señora Austin me alquilaba en la 68. Tiene una cama, un escritorio, una silla, un pequeño sofá en el rincón al pie de la ventana, donde mi hermano Michael podrá dormir cuando llegue de Irlanda dentro de pocos meses.

No he atravesado el umbral y ya la señora Klein me cuenta su historia. Me dice que no me apresure a sacar conclusiones. Si se apellida Klein es porque su marido era judío. Su apellido de soltera es Canty, y debo saber perfectamente que más irlandés que eso no hay nada y que si no tengo a dónde ir en la Navidad puedo pasarla con ella y con su hijo Michael, o más bien con lo que queda de él. Su marido Eddie fue la causa de todas sus cuitas. Justo antes de la guerra el hombre viajó a Alemania con su hijo Michael, que tenía cuatro años, porque la madre estaba agonizando y él esperaba heredar una fortuna. Desde luego, apresaron a toda la tribu de los Klein, con madre y todo, y fueron a parar a un campo de concentración. De nada valió decirles a los nazis que Michael era ciudadano norteamericano de Washington Heights. Al marido no lo volvieron a ver nunca, pero Michael sobrevivió, y al terminar la guerra el pobre niño

aún estaba en condiciones de decirles quién era a los norteamericanos. Me dice ella que lo que queda de él está en un
cuartico al final del pasillo. Me dice que baje a su cocina el
día de Navidad a eso de las dos de la tarde a que hagamos
un brindis antes de la cena. No va a haber pavo. Preferiría
preparar algo europeo, si no tengo inconveniente. Me dice
que no tengo que aceptar si no quiero, que no tengo que
venir a la cena de Navidad si estoy invitado a otro sitio,
donde alguna chica irlandesa que me haga puré de papas.
Dice que no me preocupe por ella. No sería su primera
Navidad sola con Michael al final del pasillo, o lo que queda de él.

El día de Navidad salen olores raros de la cocina y ahí
está la señora Klein, revolviendo cosas en una sartén. *Pierogis*, dice, de Polonia. A Michael le encantan. Tómate un
vodka con un poquito de jugo de naranja. Cae bien en esta
época del año, con tanta gripe que hay.

Nos sentamos en la sala con nuestras copas y ella se pone
a hablar de su marido. Dice que si por él fuera no estaríamos
sentados tomando vodka y cocinando los *pierogis* de costumbre. La Navidad era para él un día de trabajo como
cualquier otro.

Se inclina para acomodar una lámpara y se le cae la peluca, y el vodka que he bebido me hace reír ruidosamente
al verle la calva con mechoncitos de pelo castaño. Adelante,
ríete, me dice. Llegará el día en que a tu madre se le caiga
la peluca y ya veremos si eso te da risa. Y se chanta otra
vez la peluca.

Le digo que mi madre tiene una linda melena y ella dice:
Valiente gracia. Tu madre nunca estuvo casada con un luná-
tico que corrió a los brazos de los nazis, por el amor de Cristo. Si no fuera por él, Michael, lo que queda de él, estaría

fuera de esa cama tomándose un vodka y con su pobre boquita hecha babas por los *pierogis* que tanto le gustan. Ay, Dios mío, los *pierogis*.

Se levanta de un salto y corre a la cocina. Bueno, están un poquito quemados, pero eso los pone más ricos y crujientes. Mi filosofía, ¿quieres saber cuál es mi filosofía? Que a cualquier contratiempo que tengas en la cocina le puedes sacar provecho. Y da lo mismo si nos tomamos otro vodka mientras ella prepara el chucrut con *kielbasa*.

Sirve las copas y me regaña cuando le pregunto qué es *kielbasa*. Dice que no puede creer tanta ignorancia. ¿Dos años en el ejército de los Estados Unidos y no sabes qué es *kielbasa*? Con razón los comunistas están ganando terreno. Es polaco, por el amor de Cristo, salchicha, y mejor me ves freírla por si acaso te casas con una chica que no sea irlandesa, con una buena chica que exija su *kielbasa*.

Nos quedamos en la cocina tomándonos otro vodka mientras las *kielbasas* chirrían y el chucrut hierve a fuego lento y suelta un olor a vinagre. La señora Klein pone tres platos en una bandeja y sirve una copa de Manischewitz porque a Michael, lo que queda de él, le encanta, dice ella, le encanta el Manischewitz con *pierogis* y *kielbasa*.

La sigo a través de su alcoba hasta el cuartico donde Michael, lo que queda de él, está recostado en la cama con la vista fija hacia adelante. Traemos unas sillas y usamos su cama a manera de mesa. La señora Klein enciende la radio y oímos música de acordeón. Es su música preferida, dice ella. Cualquier cosa de Europa. Se pone nostálgico, ¿sabes?, nostálgico por Europa, por el amor de Cristo. ¿No es cierto, Michael? ¿No es cierto? Te estoy hablando. Feliz Navidad, Michael, feliz jodida Navidad. Se arranca la peluca y la arroja a un rincón. No finjamos más, Michael. Estoy harta. O me hablas o el año entrante cocino algo norteamericano.

El próximo año el pavo, Michael, el relleno, la salsa de arándano, el paquete completo, Michael.

Él mira fijamente hacia adelante y la grasa de la *kielbasa* brilla en su plato. Su madre lidia con la radio hasta dar con Bing Crosby cantando *Navidad blanca*.

Mejor te vas acostumbrando, Michael. El año entrante Bing con el relleno. Al diablo el *kielbasa*.

Aparta su plato en la cama y se queda dormida con la cabeza junto al hombro de Michael. Yo espero un rato, me llevo mi comida a la cocina, la tiro a la basura, voy a mi cuarto y me echo en mi propia cama.

Timmy Coin trabaja en los Frigoríficos Merchant y vive en la pensión de Mary O'Brien, en el 720 oeste de la calle 180, a la vuelta de la esquina de donde vivo yo. Me dice que caiga cuando quiera una taza de té, que Mary es así de atenta.

En realidad no es una pensión sino un apartamento grande y hay cuatro huéspedes, cada uno de los cuales paga dieciocho dólares a la semana. Reciben un desayuno decente a cualquier hora que lo pidan y no como en la pensión de Logan, en el Bronx, donde había que ir a misa o vivir en estado de gracia. La propia Mary prefiere quedarse en la cocina los domingos por la mañana, tomando té, fumando cigarrillos y sonriendo con las historias de los huéspedes, que le cuentan cómo se ganaron esas resacas incurables que los hacen jurar que nunca más. Me dice que me podré mudar allí si uno de los muchachos se marcha de regreso a Irlanda. Viven volviendo, dice ella. Creen que basta con juntar unos dólares e instalarse en la vieja granja con una joven de la aldea, pero qué vas a hacer noche tras noche sin nada excepto tu mujer sentada frente a ti con la labor a la luz de la chimenea y uno pensando en las luces de Nueva York,

en los salones de baile del East Side y en los acogedores bares
de la Tercera avenida.

Me gustaría mudarme a la casa de Mary O'Brien para
huir de la señora Agnes Klein, que al parecer vive parada
al otro lado de la puerta esperando a que yo gire la llave en
la cerradura para poder plantarme un vodka con jugo de
naranja en la mano. Le da lo mismo que yo tenga que leer
o escribir trabajos para la universidad. No importa que yo
llegue rendido del turno de medianoche en los muelles o en
las plataformas de las bodegas. Quiere contarme la historia
de su vida, de cómo Eddie le hechizó el trasero mejor que
cualquier irlandés y que cuidado con las judías, Frank, porque ellas también son hechiceras y ¿como se dice? muy sensuales y antes de que te des cuenta estás pisando la copa.

¿Pisando la copa?

Exactamente, Frank. ¿Te importa que te llame Frank? No
se casan contigo si no pisas una copa de vino y la quiebras.
Y luego quieren que te conviertas, para que los niños sean
judíos y puedan heredarlo todo. Pero yo me negué. Iba a
hacerlo, pero mi madre me dijo que si yo me volvía judía
ella se tiraría del puente George Washington y, aquí entre
nos, a mí me importaba un culo que se tirara y fuera a dar
contra un remolcador. Ella no fue la que impidió que me
volviera judía. Guardé la fe por papá, tenía un problemita
con la bebida, pero qué se iba a esperar de un apellido como
Canty, que está regado por todo ese condado de Kerry que
algún día voy a visitar, si Dios me da salud. Dicen que el
condado de Kerry es muy verde y muy bonito y yo nunca
veo el verde. Lo único que veo es este apartamento y el supermercado, nada sino este apartamento y a Michael, lo que
queda de él, al final del pasillo. Mi padre dijo que le iba a
partir el corazón si me volvía judía, no es que tuviera nada
contra ellos, pobre gente sufrida, pero nosotros también

habíamos sufrido, ¿y le iba yo a dar la espalda a las generaciones de personas que murieron ahorcadas y quemadas a diestro y siniestro? Él estuvo en mi boda pero mi madre no. Ella me dijo que yo estaba condenando otra vez a Cristo a padecer en la cruz, con heridas y todo. Me dijo que la gente en Irlanda prefería morir de inanición antes que tomarse la sopa protestante y que qué iban a decir de mi modo de obrar. Eddie me abrazaba y me decía que él también tenía problemas con su familia, me decía que cuando uno quiere a alguien le puede decir a todo el mundo que le bese el culo, y mira lo que le pasó a Eddie, ir a parar a un jodido horno, Dios me perdone el lenguaje.

Se sienta en mi cama, pone el vaso en el piso, se tapa la cara con las manos. Jesús, Jesús, dice. No puedo dormir pensando en lo que le hicieron y en lo que Michael vio. ¿Que qué vio Michael? Yo vi las fotos en la prensa. Jesús. Y los conozco, a los alemanes. Unos de ellos viven aquí. Tienen *delicatessen* y niñitos y yo les pregunto si me mataron a mi Eddie y se quedan mirándome.

Se pone a llorar, se recuesta en mi cama y se queda dormida y yo no sé si despertarla y decirle que estoy fundido, que le pago doce dólares semanales para que ella se quede dormida en mi cama y a mí me toque tratar de dormir en el sofá duro del rincón, que espera a que mi hermano Michael venga dentro de pocos meses.

Les cuento esto a Mary O'Brien y sus huéspedes y se desternillan de risa. Mary dice: Ay, Dios se apiade de ella. Conozco a la pobre Agnes y a todos los suyos. Hay días en que pierde el juicio del todo y vaga por el barrio sin su peluca preguntando que dónde está el rabino para convertirse por el bien de su hijo, el pobre Michael en la cama, lo que queda de él.

Cada quince días vienen dos monjas a ayudarle a la señora Klein. Lavan a Michael, lo que queda de él, y le cambian las sábanas. Limpian el apartamento y la cuidan a ella mientras se da un baño. Le cepillan la peluca para que no se vea así de desgreñada. Ella no lo sabe pero le aguan el vodka y si ella se emborracha es en la imaginación.

La hermana Mary Thomas muestra curiosidad por mí. ¿Practico la religión? Y a qué colegio voy, porque ve libros y cuadernos. Cuando le digo que a la Universidad de Nueva York, ella frunce el ceño y me pregunta si no temo perder la fe en semejante sitio. No le puedo decir que hace años dejé de ir a misa, pues ella y la hermana Beatrice son muy buenas con la señora Klein y Michael, lo que queda de él.

La hermana Mary Thomas me dice al oído algo que jamás debo contarle a nadie a menos que sea sacerdote: que se tomó la libertad de bautizar a Michael. Después de todo él no es realmente judío, ya que su madre es católica irlandesa y la hermana no quisiera ni pensar en lo que podría pasarle al pobre Michael si muriera sin el sacramento. ¿No sufrió ya bastante en Alemania? ¿No vio el niñito cuando se llevaron a su padre o algo peor? ¿Y no merece la purificación del bautismo por si se llega el día en que ya no despierte de su postración?

Quiere saber cuál es mi situación allí. ¿Instigo a Agnes a beber, o es al contrario? Le digo que no me queda tiempo para nada con lo ocupado que vivo entre las clases y el trabajo y tratando de dormir un poco. Me pregunta si le puedo hacer un pequeño favor, para tranquilidad de su alma. Si tengo un momento y la pobre Agnes está dormida o privada por el vodka, ¿podría ir al final del pasillo, arrodillarme al pie de la cama de Michael y rezar unos cuantos avemarías o si se puede un misterio del rosario? Quizá él no comprenda, pero nunca se sabe. Con la ayuda de Dios, los avemarías pueden calarle en su pobre cerebro atormen-

tado y ayudarle a regresar al reino de los vivos, regresar a
la Fe Verdadera, que le llegó por el lado materno.

Si eso hago, ella rezará por mí. Ante todo rezará para
que yo abandone la Universidad de Nueva York, que es,
como todo el mundo lo sabe, un semillero de comunismo,
donde corro gran peligro de perder mi alma inmortal, ¿y de
qué le sirve a un hombre ganar todo el mundo si pierde su
alma inmortal? Dios sabe que sería mejor que consiguiera
una plaza en Fordham o en St. John's, que no son semille-
ros de ateísmo comunista, como sí lo es la Universidad de
Nueva York. Es mejor que me salga de la Universidad de
Nueva York, antes que el senador McCarthy, a quien Dios
bendiga y guarde, empiece a perseguirla. ¿No es así, hermana Beatrice?

La otra monja asiente con la cabeza porque vive tan
ocupada que rara vez habla. Mientras la hermana Mary
Thomas trata de salvar mi alma del comunismo ateo, la
hermana Beatrice está bañando a la señora Klein o limpiando a Michael, lo que queda de él. A veces cuando la hermana Beatrice abre la puerta de Michael el olor que se esparce
por el pasillo basta para darte náuseas, pero eso no le impide entrar. Así y todo lo lava y le cambia la ropa de cama
y se oye que le tararea algún himno. Si la señora Klein ha
bebido demasiado y se pone caprichosa cuando le van a dar
el baño, la hermana Beatrice la sujeta, le murmulla sus himnos y le acaricia los mechoncitos de pelo castaño de la calva hasta que la señora Klein se convierte en una niñita en
sus brazos. Eso impacienta a la hermana Mary Thomas, que
le dice a la señora Klein: No tiene derecho a hacernos perder el tiempo así. Tenemos otras pobres almas que visitar,
católicas, señora Klein, católicas.

La señora Klein gimotea: Yo soy católica, yo soy católica.

Eso es discutible, señora Klein.

Y si la señora Klein se pone a sollozar, la hermana Beatrice la estrecha aún más, le aprieta la palma abierta de la
mano en la cabeza y le canturrea mirando al cielo con una
sonrisita. La hermana Mary Thomas me advierte, sacudién-
dome un dedo: Cuidado con casarte por fuera de la Verdadera Fe. Mira lo que sucede.

27

Llega una carta en la que dice que me presente ante mi consejero académico en el departamento de inglés, el señor Max Bogart. Me dice que mis notas no son satisfactorias, B menos en la historia de la educación en Estados Unidos y C en introducción a la literatura. Se supone que debo mantener un promedio de B en mi año de prueba para seguir en la universidad. Después de todo, dice, la decana le hizo a usted un favor dejándolo ingresar sin un diploma de secundaria y no la puede decepcionar.

Tengo que trabajar.

¿Cómo así que tiene que trabajar? Todo el mundo tiene que trabajar.

Tengo que trabajar de noche y a veces de día en los muelles y las bodegas.

Me dice que me decida entre el trabajo y la universidad. Esta vez me lo va a perdonar y me va a poner a prueba por encima de la prueba en que ya estoy. En junio entrante me quiere ver con un buen promedio de B, si no mejor.

No sabía que la universidad iba a ser puros números y letras y grados y promedios y personas poniéndome a prueba. Creía que sería un sitio en el que amables eruditos, hombres y mujeres, me iban a enseñar con mucha calidez y que si no entendía se iban a detener para explicarme. No sabía que iba a ir de materia en materia con docenas de estudiantes, a veces hasta cien, mientras los profesores dictan cátedra sin siquiera mirarte. Algunos de ellos miran por la ventana o al techo y otros clavan la nariz en un libro y leen en papeles amarillentos y que se desmenuzan de lo viejos. Si los alumnos hacen una pregunta, los desdeñan con un ademán. En las novelas inglesas los estudiantes de Oxford y Cambridge vivían reuniéndose en las cámaras de los profesores a saborear un jerez mientras analizaban a Sófocles. A mí también me gustaría analizar a Sófocles, pero primero tendría que leerlo y no tengo tiempo, por lo de mis noches en los Frigoríficos Merchant.

Y si quiero analizar a Sófocles y ponerme sombrío por el existencialismo y el problema del suicidio en Camus, tendré que renunciar en los Frigoríficos Merchant. Si no tuviera que trabajar de noche, podría sentarme en la cafetería a hablar de *Pedro o las ambigüedades* o de *Crimen y castigo* o de Shakespeare en general. En la cafetería hay chicas que se llaman Rachel y Naomi, y de ellas era que me hablaba la señora Klein, las judías tan sensuales. Me gustaría tener el valor de hablarles, pues deben de ser como las protestantes, todas desesperadas por la vacuidad de todo, sin sentido del pecado y prestas a toda clase de sensualidades.

En la primavera de 1954 ya soy un estudiante de tiempo completo en la Universidad de Nueva York y trabajo apenas media jornada en los muelles y bodegas o cuando de la agencia Manpower me envían a un trabajo temporal. El primero de ellos es en una fábrica de sombreros en la Séptima avenida, donde el dueño, el señor Meyer, me dice que el trabajo es fácil. Sólo tengo que tomar esos sombreros de mujer, todos de colores neutrales, empapar esas plumas en esos distintos potes de tintura, dejar secar la pluma, buscar el sombrero que le haga juego y pegarle la pluma al sombrero.

Fácil, ¿verdad? *Yeah*, uno creería que sí, dice el señor Meyer, pero cuando dejo que una de mis ayudantes puertorriqueñas ensaye a hacerlo, salen con unas combinaciones de colores como para dejarlo a uno ciego. Esas pe-erres creen que la vida es un desfile de pascua, y no lo es. Hay que tener buen gusto para combinar pluma y sombrero, buen gusto, amigo mío. Las viejecitas judías de Brooklyn no van a querer llevar el desfile de pascua en la cabeza cuando lo que celebran ellas es el *seder**, si me entiende.

Me dice que tengo cara de inteligente, universitario, ¿verdad? Un trabajo fácil como éste no va a ser ningún problema. Si lo es, no debería estar en la universidad. Él va de viaje por unos días, así que voy a quedarme solo con las señoras puertorriqueñas que trabajan en las máquinas de coser y las mesas de corte. *Yeah*, dice, las señoras pe-erres te van a cuidar, ja ja.

Quisiera preguntarle si hay colores que hacen juego y colores que no, pero ya se fue. Meto las plumas en los potes y cuando se las pego a los sombreros las puertorriqueñas, jóvenes y viejas, empiezan a reírse y a burlarse. Termino un lote de sombreros y ellas los llevan a las estanterías contra las paredes y me traen otro. Todo el tiempo tratan de no reírse pero no pueden evitarlo y yo no dejo de sonrojarme. Trato de variar los coloridos tiñendo las plumas en diferentes potes para lograr un efecto arco iris. Uso una pluma a manera de pincel y ensayo a pintarles puntos, rayas, puestas de sol, lunas crecientes y menguantes, ríos ondulantes con peces saltarines y pájaros en sus nidos, y las mujeres se ríen tanto que tienen que soltar las máquinas de coser. Quisiera poder hablar con ellas y preguntarles qué estoy

---

* Conmemoración del éxodo de los israelitas del antiguo Egipto.

haciendo mal. Quisiera decirles que no vine a este mundo a pegar plumas en sombreros, que soy un universitario que adiestraba perros en Alemania y ha trabajado en los muelles.

El señor Meyer regresa a los tres días y cuando ve los sombreros se detiene en la puerta como paralizado. Mira a las mujeres y ellas sacuden la cabeza como diciendo que en este mundo hay locos. Me pregunta: ¿Qué has hecho?, y no sé qué responderle. Dice: Jesús. ¿Eres puertorriqueño o qué?

No, señor.

Irlandés, ¿verdad? *Yeah*, eso es. A lo mejor eres daltónico. No te pregunté eso. ¿Te pregunté sobre tu daltonismo?

No, señor.

Si no eres daltónico, no sé como vas a explicar estas combinaciones. Haces que las puertorriqueñas parezcan apagadas, ¿sabías? Apagadas. Me imagino que será esa cosa irlandesa, nulo sentido del color, cero arte, por Cristo bendito. O sea, ¿dónde están los pintores irlandeses? Nómbrame uno.

No puedo.

Has oído hablar de Van Gogh, ¿no? ¿De Rembrandt? ¿De Picasso?

Sí, había oído hablar.

A eso me refiero. Ustedes son buena gente, los irlandeses, grandes cantantes, John McCormack. Grandes policías, políticos, sacerdotes. Hay montones de curas irlandeses, pero nada de artistas. ¿Cuándo has visto un cuadro irlandés en una pared? ¿Un Murphy, un Reilly, un Rooney? Nah, chico. Creo que es porque tu gente conoce apenas un color: el verde. Cierto, ¿no? Así que te aconsejo que te mantengas alejado de todo lo que tenga que ver con el color. Entra a la policía, haz campaña política, ve por tu paga y que tengas una vida feliz, no te guardo rencor.

En las oficinas de Manpower menean la cabeza. Pensaban que ése sería el trabajo perfecto para mí, un universitario, ¿no? ¿Qué tan difícil es pegarles unas plumas a unos sombreros? El señor Meyer los llamó y les dijo que por favor no le mandaran más universitarios irlandeses. Son daltónicos. Mándenme un burro que sepa de colores y no me dañe los sombreros.

Me dicen que si supiera mecanografía me podrían enviar a un montón de trabajos. Les digo que puedo mecanografiar, que aprendí en el ejército y soy poderoso para eso.

Me mandan a oficinas en la zona de Manhattan. De nueve a cinco me siento ante un escritorio a mecanografiar listas, facturas, direcciones en sobres, cartas de embarque. Los supervisores me dicen qué debo hacer y me hablan únicamente cuando cometo algún error. Los otros oficinistas ni me determinan, porque soy temporal, un tempo, dicen, y bien puedo no estar ahí mañana. Ni siquiera me ven. Podría caer muerto en mi escritorio y pasarían de largo hablando de lo que vieron anoche en la televisión y cómo van a salir rapidito de aquí el viernes por la tarde rumbo a las playas de Jersey. Mandan a traer café y pasteles y no me preguntan si tengo una boca en la cara. Cuando sucede cualquier cosa fuera de lo común es una excusa para armar una fiesta. Se dan regalos por un ascenso, por un embarazo, por un compromiso o una boda, y desde una hora antes de salir se juntan al otro lado de la oficina a tomar vino y comer galletas de soda con queso. Las mujeres traen a sus bebés recién nacidos y todas las demás corren a hacerles cosquillitas y decir: ¿No es precioso? Sacó tus ojos, Miranda, definitivamente salió con tus ojos. Los hombres dicen: Hola, Miranda. Te ves bien. Bonito niño. No pueden decir más porque se supone que los hombres no pueden mostrar entusiasmo o emoción con los bebés. No me convidan a las fiestas y me siento raro tecleando en mi máquina de escribir mientras los demás se divierten. Si un supervisor va a decir unas palabras y yo estoy mecanografiando, me llaman del otro lado de la oficina: Excúseme, usted el de allá, pare el ruido por un minuto, ¿sí? Mire que acá no podemos ni pensar.

No sé cómo hacen para trabajar en esas oficinas día tras día, un año sí y el otro también. No hago sino mirar el reloj y a veces me entran ganas de pararme y largarme como hice en la aseguradora Cruz Azul. En las oficinas no parece importarles. Van a la fuente de agua, al baño, pasan charlando de escritorio en escritorio, se llaman por teléfono desde los escritorios, se admiran los vestidos, los peinados y el maquillaje, y los kilos que alguien rebaja en una dieta. Si a una mujer le dicen que ha perdido peso, sonríe durante media hora y no deja de pasarse las manos por las caderas. La gente de las oficinas alardea de sus hijos, de sus mujeres, de sus maridos, y sueña con las vacaciones de dos semanas.

Me envían a una compañía de importaciones y exportaciones en la Cuarta avenida. Me entregan una pila de papeles que tienen que ver con una importación de muñecas japonesas. Debo pasar lo de este papel a ese otro papel. Son las 9:30 a.m. en el reloj de la oficina. Miro por la ventana. El sol alumbra afuera. Una pareja se besa a la salida de un café al otro lado de la avenida. Son las 9:33 a.m. en el reloj de la oficina. El hombre y la mujer se separan y caminan en direcciones opuestas. Regresan. Corren a besarse otra vez. Son las 9:36 a.m. en el reloj de la oficina. Descuelgo mi chaqueta del espaldar de la silla y me la pongo. El director de la oficina está en la puerta de su cubículo y me dice: Oye, ¿qué pasa? No le contesto. Hay gente esperando el ascensor pero yo me dirijo a las escaleras y bajo corriendo a toda velocidad los siete pisos. La pareja que se besaba ha desparecido y yo lo siento. Quería verlos una vez más. Espero que no vayan rumbo a una oficina a mecanografiar listas de muñecas japonesas o a decirle a todo el mundo que se van casar para que el director de la oficina les conceda una hora de vino y queso y galletas de soda.

Como mi hermano Malachy, que está en la fuerza aérea, le envía una asignación mensual, mi madre tiene un buen pasar en Limerick. Tiene la casa con los jardines delantero y trasero, en los que puede sembrar flores y cebollas si quiere. Tiene dinero suficiente para la ropa y para el bingo y los paseos a la playa en Kilkee. Alphie está en el colegio de los hermanos cristianos, donde recibirá educación secundaria y tendrá toda clase de oportunidades. Con las comodidades de la nueva casa: camas, sábanas, mantas, almohadas, no tiene que preocuparse de pelear con las pulgas toda la noche, para eso está el DDT, y no tiene que bregar para encender el fuego en la hornilla todas las mañanas, para eso está la cocina de gas. Puede comerse un huevo todos los días si quiere y sin pensar en él como hacíamos nosotros. Tiene ropa y zapatos decentes y vive calientito, así haga mal tiempo.

Ya es hora de mandar por Michael para que venga a Nueva York y se labre una vida. Cuando llega lo veo tan delgado que me entran ganas de sacarlo a que se dé una comilona de hamburguesas y pastel de manzana. Se queda conmigo por un tiempo, en casa de la señora Klein, y trabaja en distintas partes pero corre el peligro de que lo recluten en el ejército y a él le parece mejor la fuerza aérea, porque el uniforme tiene un bonito tono azul, más elegante que el marrón caca del uniforme del ejército y más atractivo para las muchachas. Cuando Malachy salga de la fuerza aérea, Michael podrá seguir enviándole a mamá la asignación mensual que le permitirá pasarla bien otros tres años y yo sólo tendré que preocuparme de mí mismo hasta que acabe en la Universidad de Nueva York.

28

Cuando ella entra al aula de psicología el propio profesor deja caer la mandíbula y aprieta tanto la tiza que la raja y la parte. Le dice: Excúseme, señorita, y ella le sonríe de tal modo que él no tiene más remedio que devolverle la sonrisa. Excúseme, señorita, pero acá nos sentamos por orden alfabético y necesito saber su nombre y apellido.

Alberta Small, dice ella, y él le señala una fila detrás de la mía y a nadie le importa un comino que se tome todo el día para llegar al puesto porque nos recreamos con su pelo rubio, sus ojos azules, sus labios voluptuosos, ese pecho que es tentación a pecar, ese cuerpo que te hace palpitar en mitad de tu cuerpo. Por las hileras de atrás se excusa ella en voz baja, y se oye el revuelo de estudiantes que se ponen de pie para abrirle paso.

Me gustaría ser uno de los que se ponen de pie y le abren paso, para que me rozara y me tocara.

Al terminar la clase la espero para verla venir y verla irse con ese cuerpo que únicamente se ve en las películas. Cuando pasa me regala una leve sonrisa y me pregunto por qué será tan bueno Dios conmigo que me da el privilegio de una sonrisa de la chica más linda de toda la Universidad de Nueva York, tan rubia y ojiazul que parece sacada de una tribu de beldades escandinavas. Me gustaría ser capaz de decirle: Hola, ¿te gustaría un café y un sándwich de queso a la plancha y debatir sobre el existencialismo?, pero sé que eso nunca va a pasar, especialmente cuando veo con quién se encuentra en el corredor: un estudiante grande como una montaña y que lleva una chaqueta del equipo de fútbol de la universidad.

En la siguiente clase de psicología el profesor me hace una pregunta sobre Jung y el inconsciente colectivo y en cuanto abro la boca sé que todos me miran como diciéndose: ¿Quién es el tipo del acento irlandés? El propio profesor dice: Oh, ¿no detecto un dejillo irlandés? y tengo que reconocer que sí. Le dice al resto de la clase que, desde luego, la Iglesia católica ha sido tradicionalmente hostil al psicoanálisis. ¿No es verdad, McCourt?, y siento como si me acusara a mí. No entiendo por qué habla de la Iglesia católica si yo sólo trataba de responder su pregunta sobre el inconsciente colectivo, y no sé si se supone que deba defenderla.

No lo sé, profesor.

De nada serviría decirle que uno de los padres redentoristas de Limerick solía despotricar desde el púlpito todos los domingos contra Freud y Jung y predecir que irían a parar al hoyo más profundo del infierno, el par de malandrines. Cuando hablo en clase sé que nadie me escucha. Sólo oyen mi acento, y a veces me gustaría poder meterme la mano en la boca y arrancarme el acento de raíz. Incluso cuando trato de sonar norteamericano la gente me mira con extrañeza y dice: ¿No detecto un dejillo irlandés?

Al final de la clase espero que la rubia pase de largo pero ella se detiene, me sonríe con sus ojos azules y me dice: Hola, y el corazón me retumba en el pecho. Me dice: Me llamo Mike.

¿Mike?

Bueno, en realidad me llamo Alberta pero me dicen Mike.

Afuera no hay futbolista alguno y ella me dice que tiene dos horas libres antes de la próxima clase y que si me gustaría ir a tomarnos algo a Rocky's.

Yo tengo otra clase dentro de diez minutos pero no voy a perder la oportunidad de estar con esta chica que todos miran, esta chica que me eligió de entre toda la gente del mundo para saludarme. Tenemos que ir rápido a Rocky's para que no nos encontremos con Bob el futbolista. Podría enojarse si supiera que ella se estaba tomando una copa con otro niño.

Me pregunto por qué llamará niños a los hombres. Yo tengo veintitrés años.

Me dice que ella está medio comprometida con Bob, que están enganchados, y no sé de qué me habla. Me explica que estar enganchados es estar comprometido a comprometerse y que se sabe que una niña está enganchada cuando lleva el anillo de grado de secundaria de su novio en una cadenita alrededor del cuello. Entonces le pregunto por qué no lleva el anillo de Bob. Me dice que él le regaló una esclavita de oro con el nombre de ella grabado para que la llevara en el tobillo como señal de que estaba ligada pero que ella no quiere porque eso es lo que hacen las puertorriqueñas, que son tan charras. La esclava es lo que viene antes del anillo de compromiso y ella mejor espera a verlo, muchas gracias.

Me dice que viene de Rhode Island. Fue criada allá desde los siete años por la abuela paterna. Su madre tenía apenas dieciséis años cuando ella nació y su padre veinte, así que ya te puedes figurar que pasó ahí. Tuvieron que casarse de emergencia. Cuando estalló la guerra y a él lo reclutaron y lo destinaron a Seattle, el matrimonio se acabó. Aunque es protestante, Mike se graduó de un colegio de monjas de Fall River (Massachusetts), y sonríe al recordar ese verano de la graduación cuando salía con un chico distinto cada noche.

Ella sonríe pero yo me ahogo de la ira y la envidia y quisiera matar a todos esos niños que comieron con ella rosetas de maíz y que seguramente la besaron en un cine al aire libre. Ahora ella vive con su padre y su madrastra en Riverside Drive y la abuela va a pasar ahí un tiempo mientras ella se enseña a la ciudad. No es ni pizca de tímida para decirme que le gusta mi acento irlandés y que también le gusta verme en clase la parte de atrás de la cabeza con ese pelo negro y ondulado. Eso me hace ponerme colorado y aunque no hay mucha luz en Rocky's ella me ve el sonrojo y le parece una monada.

Tengo que acostumbrarme al significado que le dan a monada en Nueva York. Cuando en Irlanda dicen que alguien hace monadas quieren decir que hace barbaridades, cosas propias de monos.

Estoy en Rocky's y también en el cielo tomando una cerveza con esta chica que parece bajada de la pantalla, otra Virginia Mayo. Sé que soy la envidia de todo hombre o niño en Rocky's, que igual será en la calle, con la gente volviéndose a mirarnos y preguntándose quién será ése que anda con la chica más linda de la Universidad de Nueva York y del propio Manhattan.

A las dos horas me dice que tiene que ir a clase. Me ofrezco a llevarle los libros como hacen en el cine pero me dice que no, que mejor me quede ahí un rato para que no nos encontremos con Bob, a quien no le agradaría para nada verla con alguien como yo. Se ríe y me dice que recuerde lo corpulento que es el otro, gracias por la cerveza, nos vemos la otra semana en clase, y desaparece.

Su vaso sigue en la mesa y está manchado de pintalabios rosa. Le paso los labios por encima a ver a qué sabe ella y sueño que algún día le besaré los labios mismos. Presiono el vaso contra mi mejilla y me la imagino besando al futbolista y la cabeza se me llena de nubes negras. ¿Por qué vino conmigo a Rocky's si está medio comprometida con él? ¿Así se hace en Estados Unidos? Cuando quieres a alguien se supone que le eres fiel en todo momento. Si no, está bien que tomes cerveza en Rocky's con otra persona. Si ella viene a Rocky's conmigo eso quiere decir que no lo quiere a él, y me siento mejor.

¿Será que me tiene lástima por mi acento irlandés y mis ojos rojos? ¿Se habrá dado cuenta de que me da trabajo hablarles a las chicas si ellas no me hablan primero? En todo este país los hombres se les acercan a las chicas y les dicen: Hola. Yo no sería capaz de hacer eso jamás. Me sentiría como un tonto diciendo Hola, en primer lugar porque no crecí diciendo así. Tendría que decir que cómo está o algo de gente adulta. Ni siquiera cuando ellas me hablan sé qué decirles. No quiero que se enteren de que no hice el bachillerato ni de que crecí en una barriada de Irlanda. Me avergüenzo tanto del pasado que sólo atino a mentir sobre él.

El profesor de redacción inglesa, el señor Calitri, nos pide que escribamos un ensayo sobre un objeto de nuestra niñez, un objeto que haya tenido significación para nosotros, algo de la casa, preferiblemente.

No quisiera contarle a nadie de ningún objeto de mi infancia. No quisiera que el señor Calitri ni nadie más supiera de la letrina de tugurio que teníamos que compartir con todas esas otras familias en el callejón de Roden. Podría inventar algo pero no se me ocurre nada por el estilo de lo que hablan mis condiscípulos: el auto de la familia, el viejo guante de béisbol de papá, el trineo con el que tanto se divertían, la vieja heladera, la mesa en la cocina donde hacían las tareas del colegio. Lo único que se me viene a la cabeza es la cama que compartía con mis tres hermanitos, y aunque me da vergüenza no hay más remedio que escribir sobre ella. Me mortificaría inventar algo más amable y decente y no escribir acerca de la cama. Además, el único que lo va a leer será el señor Calitri y no corro peligro.

LA CAMA

Cuando yo era un niño en Limerick mamá tuvo que ir a la Sociedad de San Vicente de Paúl a ver si podía conseguirse una cama para mí y mis hermanos Malachy, Michael y Alphie, que hacía sus primeros pinitos. El señor de la Sociedad de San Vicente le dijo que le podía dar un vale para que fuera a Irishtown a un sitio donde vendían camas usadas. Mamá le preguntó si no podían darnos una cama nueva, porque nunca se sabe qué se le puede pegar a uno en una vieja. Podía haber toda clase de enfermedades.

El señor le dijo que el indigente no ha de ser exigente y que no fuera tan escrupulosa.

Pero ella no cedía. Le preguntó si por lo menos era posible averiguar si alguien se había muerto en la cama. Eso seguramente no sería pedir mucho. No quería acostarse de noche en su cama a pensar en sus cuatro niñitos durmiendo en un colchón en el que alguien se había muerto, alguien que a lo mejor sufría de fiebres o de tisis.

El señor de la Sociedad de San Vicente de Paúl le dijo: Doña, si no quiere la cama devuélvame el vale para dárselo a alguien menos escrupuloso.

Mamá dijo: Ah, no, y vino a casa por el cochecito de Alphie para poder cargar con el colchón, el somier y el armazón de la cama. El hombre de la tienda en Irishtown quería que ella se llevara un colchón con cerdas que se le salían y lleno de chorreaduras y manchones, pero mamá le dijo que en semejante cosa ella no dejaría dormir ni a una vaca, que si eso que él tenía allá en el rincón no eran también colchones. El hombre refunfuñó y le dijo: Está bien, está bien, Jesús bendito, los casos de caridad se están poniendo de lo más exigentes, y se quedó detrás del mostrador viendo cómo arrastrábamos el colchón a la calle.

Había que empujar el cochecito tres veces de subida y bajada por las calles de Limerick para llevar el colchón y las diferentes partes del armazón de hierro: la cabecera, el pie, el soporte y el somier. Mamá dijo que le iba a dar la vergüenza de su vida, que si eso no se podía hacer de noche. El hombre le dijo que lo sentía mucho pero que él cerraba a las seis en punto y que no iba a dejar abierto ni aunque la Sagrada Familia viniera por una cama.

Daba trabajo empujar el cochecito porque tenía una rueda descuajaringada que cogía por su propio lado, y todavía era más trabajoso con Alphie sepultado debajo del colchón berreando por su mamá.

Ya en casa papá nos ayudó a arrastrar el colchón al piso de arriba y a armar el somier y las otras piezas de la cama. Claro que no quiso ayudarnos a empujar el cochecito los tres kilómetros que había desde Irishtown, por la vergüenza de dar un espectáculo. Él era de Irlanda del Norte y allá seguramente tienen otra forma de traer la cama a casa.

Tendimos abrigos viejos en la cama porque en la Sociedad de San Vicente de Paúl no nos quisieron dar un vale para sábanas y mantas. Mamá prendió la chimenea y cuando nos sentamos a tomarnos un té dijo que al fin quedábamos todos altos del suelo y que si no era Dios muy bueno.

A la otra semana el señor Calitri se sienta en el borde del escritorio sobre la tarima. Saca del maletín nuestros ensayos y le dice a la clase: No están mal los ensayos esta vez, acaso uno o dos demasiado sentimentales. Pero hay uno que me gustaría leerles si el autor no tiene inconveniente: *La cama*.

Me mira y alza las cejas como preguntándome: ¿Le importa? No sé qué decir, aunque querría implorarle: No, no, por favor no le diga a todo el mundo de dónde vengo, pero ya tengo la cara encendida y sólo atino a encogerme de hombros como si no se me diera nada.

Lee *La cama*. Siento los ojos de toda la clase puestos en mí y me avergüenzo. Me alegro de que Mike Small no esté en esta clase. No volvería ni a mirarme. Hay chicas en la clase y a lo mejor están pensando que deberían apartar sus asientos del mío. Quisiera decirles que es un cuento inventado pero el señor Calitri ya lo está comentando y les dice a los alumnos que me calificó con una A y que mi estilo es directo y el tema rico. Se ríe al decir rico. Sabrán a qué me refiero, dice. Me dice que debería continuar explorando mi rico pasado y vuelve a sonreírse. No sé de qué me habla. Estoy arrepentido de haber escrito acerca de la cama y tengo miedo de que todos me vayan a compadecer y a tratarme como un caso de caridad. La próxima vez que tome un curso de redacción inglesa voy a poner a mi familia en una casa cómoda en los suburbios y mi padre será un cartero jubilado.

Al terminar la clase los otros estudiantes me miran asintiendo con la cabeza y me sonríen y me pregunto si ya me estarán teniendo compasión.

Mike Small era salida de otro mundo, ella y el futbolista. Podían ser de diferentes lugares de Estados Unidos, pero eran adolescentes y eso era igual en todas partes. Los sábados por la noche hacían salidas en las que el chico tenía que ir por la muchacha a su casa, y, desde luego, ella nunca lo aguardaba en la puerta para que él no la viera muy ganosa e hiciera correr la voz y ella tuviera que pasar sola todos los sábados hasta el día de su muerte. El chico la esperaba en la sala con un papá callado y que sin falta atisbaba tras las páginas del periódico con desaprobación, sabiendo lo que él mismo hacía cuando salía con una chica en los viejos tiempos y preguntándose que le irían a hacer a su hijita. La madre hacía alharacas y preguntaba qué película iban a ver y a qué horas iban a volver porque la hija era una niña juiciosa que necesitaba dormir bien para conservar ese color del cutis para ir mañana por la mañana a la iglesia. En el cine se agarraban de la mano y si el chico tenía suerte podía robarle un beso o tocarle el pecho por accidente. Si eso ocurría ella le lanzaba una mirada cortante y eso quería decir que el cuerpo estaba reservado para la luna de miel. Después de la película comían hamburguesas con leche malteada en la fuente de sodas con los compañeros del colegio, los chicos con el pelo cortado al cepillo y las chicas de faldas y medias tobilleras. Cantaban las canciones de la rocola y las niñas chillaban de amor por Frankie. Si a la chica le gustaba el chico podía dejarse dar un beso largo en la puerta de la casa y tal vez una metidita de lengua en la boca, pero si él trataba de dejar ahí la lengua ella retrocedía y le daba las buenas noches, fue divertido, gracias, y ése era otro recordatorio de que el cuerpo estaba reservado para la luna de miel.

Había chicas que se dejaban tocar y sobar y besar pero que no te dejaban ir hasta el final y las llamaban las noventa por ciento. Las noventa por ciento tenían algunas esperanzas pero las que iban hasta el final tenían tan mala reputación que nadie del pueblo se casaría con ellas y ésas eran las que un día hacían las maletas y se iban a Nueva York, donde todo el mundo hace de todo.

Eso era lo que yo había visto en el cine o les había oído en el ejército a los soldados venidos de todas partes del país. Si tenías un automóvil y una chica aceptaba ir a un cine al aire libre sabías que iba por algo más que rosetas de maíz y la acción de allá arriba en la pantalla. No tenía sentido ir sólo por un beso. Eso podía hacerse en un cinematógrafo común. El cine al aire libre era el lugar para meter la lengua en la boca y poner la mano en el seno y cuando te dejaba llegar hasta el pezón, hombre, la muchacha era tuya. El pezón era la llave que abría las piernas y si no ibas con otra pareja seguía el salto al asiento de atrás y que se fuera al carajo la película.

Los soldados decían que había noches graciosas en las que te besuqueabas con tu pareja mientras que tu amigo tenía problemas en el asiento de atrás con la de él, que estaba toda tiesa viendo la película, o podía ser al revés y tu compa se besuquea y tú estás tan frustrado que te vas a explotar en los pantalones. A veces tu amigo terminaba con su chica y ella está lista a empatar contigo y eso es el puro cielo, hombre, porque no sólo te estás echando un polvo sino que la que te acaba de rechazar está ahí sentada con cara de piedra y fingiendo que mira la película pero en realidad está escuchando lo que haces atrás y a veces no se aguanta más y se te trepa y quedas emparedado entre dos hembras en el asiento de atrás. Carajo.

En el ejército decían que le perdían el respeto a las que te dejaban ir hasta el final y que a las noventa por ciento les tenían apenas un poquito de respeto. Por supuesto, le tenías todo el respeto a la que decía no y se sentaba derecha a ver la película. Ésa es la niña pura, la mercancía intacta, la chica que quieres para madre de tus hijos. Si te casaras con una que retozara por ahí, ¿cómo ibas a saber que eras el verdadero padre de tus hijos?

Sé que si Mike Small alguna vez fue a un cine al aire libre sería de las que se sentaban derechas a ver la película. Me dolería demasiado creer otra cosa, con lo difícil que es ima-

ginármela besando al futbolista en la puerta de su casa y
con su padre esperándola adentro.

Las monjas me dicen que la señora Klein está perdiendo
la razón de tanto beber y descuidando al pobre Michael, lo
que queda de él. Los van a trasladar a sitios donde puedan
cuidarlos, a instituciones católicas, aunque es mejor no contarle a nadie lo de Michael, no vaya a ser que alguna organización judía lo reclame. La hermana Mary Thomas no
tiene nada contra los judíos pero no quisiera perder un alma
tan preciosa como la de Michael.

Uno de los huéspedes de Mary O'Brien ha regresado a
Irlanda a instalarse en los cinco acres de tierra de su padre
y a casarse con una chica "de más adelante por la carretera".
Puedo ocupar su cama por dieciocho dólares a la semana y
servirme por las mañanas de lo que haya en la nevera. Los
otros huéspedes irlandeses trabajan en los muelles y bodegas
y traen a casa frutas enlatadas o botellas de ron o de whisky
de las cajas que se caen por accidente de los barcos que están
descargando. Mary dice que es una maravilla que baste con
decir que quieres una cosa para que al otro día dejen caer
por accidente una caja completa allá en los muelles. No falta
la mañana de domingo en que nos olvidamos de preparar
el desayuno, tan contentos estamos todos en la cocina con
las rebanadas de piña en almíbar espeso y los vasos de ron
para pasarla. Mary nos recuerda que es día de misa pero
nos basta con la piña y el ron, y en un momento Timmy Coin
está pidiendo una canción, así sea domingo por la mañana.
Él trabaja en los Frigoríficos Merchant y con frecuencia trae
una gran filete de res los viernes por la noche. Es el único
que se toma el trabajo de ir a misa aunque se apresura a regresar por la piña y el ron, que no van a durar toda la vida.

Frankie y Danny Lennon son mellizos, irlandeses-nortea-
mericanos. Frankie vive en otro apartamento y Danny es
huésped de Mary. Su padre, John, vive en la calle, vagando
con un litro de vino en una bolsa de papel de estraza, y le
asea el apartamento a Mary a cambio de una ducha, un
sándwich y unos tragos. Los hijos se ríen y cantan: *Oh, my
papa, to me he was so wonderful**.

Frankie y Danny reciben clases en el City College, una
de las mejores universidades del país y además gratuita.
Aunque estudian contabilidad viven entusiasmados por los
cursos de literatura que están tomando. Frankie dice que vio
en el metro a una muchacha que leía el *Retrato del artista
adolescente* de James Joyce y que le dieron muchas ganas
de sentarse con ella a hablar de Joyce. Todo el trecho entre
la calle 34 y la 181 se estuvo levantando de su asiento para
acercarse a ella, pero no tuvo el valor de dirigirle la palabra
y cada vez que se levantaba, otro pasajero le quitaba el
puesto. Al fin, cuando el tren llegó a la 181, se agachó sobre
ella y le dijo: Tremendo libro, ¿no? y ella pegó un brinco y
soltó un grito. Él quiso disculparse: Perdón, perdóneme,
pero las puertas se cerraron y quedó ahí en el andén con la
gente del tren mirándolo airada.

Les encanta el *jazz* y en la sala parecen dos profesores
chiflados, poniendo discos en el tocadiscos, chascando los
dedos al compás, contándomelo todo de los grandes músicos que hay en este disco de Benny Goodman: Gene Krupa,
Harry James, Lionel Hampton, el mismo Benny. Me dicen
que éste fue el concierto de *jazz* más grandioso de todos los
tiempos y la primera vez que dejaron subir a un negro al
escenario del Carnegie Hall. Y ponle oído, escucha a Lionel
Hampton, puro terciopelo y lisura, ponle oído a él y a Benny

---

* Ay, mi papá, conmigo era maravilloso.

Goodman cuando entra, escucha, y aquí entra Harry con unas notas para decirte que cuidado, voy volando, voy volando, y Krupa que le da bap bap bap du bap de bap, con las manos, los pies, déle, déle, déle, y toda la condenada banda enloquecida en pleno, hombre, enloquecida, y el público, oye al público, fuera de sus cabales, hombre, fuera de sus benditos y sagrados cabales.

Ponen a Count Basie, apuntan con los dedos y se ríen cuando el Conde golpea esas teclas solas, y cuando tocan a Duke Ellington se desparraman por la sala y hacen sonar los dedos y paran para decirme: Oye, ponle oído a esto, y yo le pongo oído porque nunca antes lo había hecho así y ahora oigo lo que nunca antes había oído y tengo que reírme con los Lennons cuando los músicos sacan un pasaje de una canción y lo ponen patas arriba y al revés y lo enderezan otra vez como diciendo: mira, tomamos prestada tu tonadita por un rato para tocarla a nuestro estilo pero no te preocupes, aquí está, anda, tararéala, ricura, canta esa madrecita, hombre.

Los huéspedes irlandeses dicen en son de queja que eso es ruido no más. Paddy Arthur McGovern dice: Ajá, vustedes no son ningunos irlandeses con semejante bulla. ¿Qué tal si ponen una canción de Irlanda en ese aparato? ¿Qué tal unos aires de danza típica irlandesa?

Los Lennons se ríen y nos dicen que su padre salió de los pantanos hace ya mucho tiempo. Danny dice: Estamos en América, muchachos. Ésta es la música. Pero Paddy Arthur quita del tocadiscos a Duke Ellington y pone la banda Tara Ceilidhe de Frank Lee y nos sentamos en la sala a escuchar, a dar golpecitos con los dedos y a no mover ni un músculo de la cara. Los Lennons se burlan de nosotros y se van.

29

La hermana Mary Thomas descubrió no sé cómo mi nueva dirección y me ha enviado una nota en la que dice que sería amable de mi parte ir a despedirme de la señora Klein y Michael, lo que queda de él, y a recoger dos libros que dejé debajo de la cama. Hay una ambulancia afuera de la casa de apartamentos y en el piso de arriba la hermana Mary Thomas le está diciendo a la señora Klein que tiene que ponerse la peluca y que no, que no va a contar con un rabino, que no hay rabinos en el sitio adonde va a ir y que más le valdría estar de rodillas rezando un misterio del rosario y pidiendo perdón, y al final del pasillo la hermana Beatrice le canturrea a Michael, lo que queda de él, y le dice que comienza un día más claro, que donde él va habrá pájaros y flores y árboles y un Señor resucitado. La hermana Mary Thomas llama desde el otro extremo: Hermana, está perdiendo el tiempo. Él no entiende una palabra de lo que le dice. Pero la hermana Beatrice le responde: Eso no importa, hermana. Él es un hijo del Señor, hijo judío del Señor, hermana.

Él no es judío, hermana.

¿Y eso sí importa, hermana? ¿Eso sí importa?

Importa, hermana, y le aconsejo que lo consulte con su confesor.

Sí, hermana, se lo voy a consultar. Y la hermana Beatrice

reanuda sus canciones alegres y sus himnos para Michael, lo que queda de él, que puede ser judío o no.

La hermana Mary Thomas dice: Oh, por poco se me olvidan tus libros. Están debajo de la cama.

Me entrega los libros y se frota las manos como para limpiárselas. ¿Sabías, me dice, que Anatole France está en el índice de la Iglesia católica y que D. H. Lawrence era un completo depravado inglés que ahora aúlla en las profundidades del infierno, el Señor nos proteja? Si ésas son tus lecturas en la Universidad de Nueva York, lo siento por tu alma y encenderé una vela por tu bien.

No, hermana, estoy leyendo *La isla de los pingüinos* por mi cuenta y *Mujeres apasionadas* para una de mis asignaturas.

Ella alza la vista al cielo. Ay, qué altanerías las de la juventud. Me compadezco de tu pobre madre.

En la entrada hay dos hombres vestidos de blanco con una camilla, y van al final del pasillo por Michael, lo que queda de él. La señora Klein los ve y los llama: Rabino, rabino, ayúdeme en mi trance, y la hermana Mary Thomas la vuelve a sentar a la fuerza en la silla de ruedas. Desde el final del pasillo, avanzan los hombres de blanco con Michael, lo que queda de él, en la camilla y la hermana Beatrice acariciándole la cabeza, que parece una calavera. *Alannah, alannah,* exclama con su acento irlandés, cierto es que no quedó nada de ti. Pero ahora verás el cielo y las nubes. Baja con él en el ascensor y yo quisiera acompañarlos para escapar de la hermana Mary Thomas y sus comentarios sobre el estado de mi alma y mis azarosas lecturas pero tengo que despedirme de la señora Klein, toda acicalada de peluca y sombrero. Me toma de la mano: Cuídame a Michael, lo que queda de él, ¿sí, Eddie?

Eddie. Siento un dolor agudo en el corazón al oír esto y

recordar a Rappaport y la lavandería de Dachau y me pregunto si en este mundo no voy a conocer más que tinieblas. ¿Conoceré algún día lo que la hermana Beatrice le prometía a Michael, lo que queda de él: los pájaros, las flores, los árboles y el Señor resucitado?

Lo que aprendí en el ejército me resulta útil en la Universidad de Nueva York. Nunca alces la mano, no des tu nombre, nunca te ofrezcas para nada. Los recién graduados de secundaria, alumnos de unos dieciocho años, alzan la mano con frecuencia para informar a la clase y al profesor sobre sus opiniones. Si los profesores me miran directamente y me hacen una pregunta nunca puedo terminar la respuesta porque dicen: Oh, ¿no detecto un dejillo irlandés? En adelante no me dejan en paz. Cada vez que sale a colación un escritor irlandés o cualquier cosa relacionada con Irlanda, todos me miran como si yo fuera una autoridad en eso. Hasta los profesores parecen pensar que lo sé todo acerca de la literatura y la historia de Irlanda. Si dicen algo de Joyce o de Yeats me miran como si yo fuera el experto, como esperando a que yo asienta con la cabeza confirmando lo que acaban de decir. No hago sino asentir con la cabeza porque no sé qué más hacer. Si llegara a menearla como señal de duda o desacuerdo los profesores ahondarían en sus preguntas para exponer mi ignorancia a la vista de todos, especialmente de las chicas.

Igual pasa con el catolicismo. Si contesto una pregunta me oyen el acento y eso quiere decir que soy un católico dispuesto a defender a la Santa Madre Iglesia hasta la última gota de mi sangre. A ciertos profesores les gusta azuzarme haciendo burla de la Inmaculada Concepción, de la Santísima Trinidad, de la castidad de san José, de la Inquisición, del pueblo irlandés agobiado por los curas. Cuando hablan

así no sé qué decir porque en su poder está bajarme la nota
y estropearme el promedio e impedirme perseguir el "sueño
americano" y eso me podría arrojar a Albert Camus y la
cotidiana decisión de no suicidarse. Los profesores me dan
miedo con sus grados avanzados y el poder de hacerme ver
como un tonto a la vista de los demás estudiantes, especialmente de las chicas.

Me gustaría ponerme de pie en esas clases y proclamar
ante el mundo que vivo demasiado ocupado para ser irlandés o católico o cualquier otra cosa, que trabajo día y noche
para ganarme la vida, que trato de leerme los libros de los
cursos y me quedo dormido en la biblioteca, que trato de
escribir los trabajos finales con las correspondientes notas
y bibliografías en una máquina de escribir que me juega
malas pasadas con las letras a y jota, de modo que me toca
repetir páginas enteras porque es imposible escribir sin la a
y la jota, que me quedo dormido en los trenes del metro
durante todo el viaje hasta la última estación y que es una
vergüenza tener que preguntarles a las personas que dónde
estoy cuando no sé siquiera en qué distrito estoy.

Si no tuviera los ojos rojos y un acento irlandés podría
ser típicamente norteamericano y no tendría que aguantarme a esos profesores que me mortifican con Yeats y Joyce y
el Renacimiento Literario Irlandés y lo inteligentes e ingenio-
sos que son los irlandeses y lo hermoso y verde que es ese
país, así esté infestado de curas y viva en la indigencia con
una población que está al borde de desaparecer de la faz de
la tierra por culpa de la represión sexual puritana y usted
qué opina de eso, señor McCourt.

Creo que usted tiene razón, profesor.

Ah, él cree que yo tengo razón. ¿Y usted qué dice, señor
Katz?

Creo que estoy de acuerdo, profesor. No conozco muchos irlandeses.

Damas y caballeros, consideren lo que acaban de decir el señor McCourt y el señor Katz. He aquí la intersección de lo celta y lo hebreo, dos actitudes tan prontas a amoldarse y contemporizar. ¿No es verdad, señor McCourt y señor Katz?

Asentimos con la cabeza y recuerdo lo que mamá solía decir: asentir con la cabeza vale lo mismo que guiñarle el ojo a un caballo ciego. Me gustaría repetirle eso a este profesor pero no puedo correr el riesgo de ofenderlo por todo el poder que tiene para excluirme del "sueño americano" y hacerme quedar como un tonto a la vista de toda la clase, especialmente de las chicas.

Los lunes y los miércoles durante el trimestre de otoño la profesora Middlebrook dicta literatura inglesa. Se sube a la tarima, toma asiento, pone el libro de texto en el escritorio, lee un aparte, lo comenta y de cuando en cuando mira a la clase y hace una pregunta. Empieza con *Beowulf* y termina con John Milton, quien, dice ella, es sublime, un poquito venido a menos en estos días pero ya resurgirá, ya resurgirá. Los alumnos leen el periódico, hacen crucigramas, se pasan notas, estudian otras materias. Después de mis turnos nocturnos en los distintos trabajos me cuesta permanecer despierto, y cuando ella me hace una pregunta, Brian McPhillips me da un codazo, me susurra la pregunta y la respuesta, y yo se la repito a ella tartamudeando. A veces ella rezonga algo sin levantar la vista del libro y sé que estoy en un apuro y ese apuro toma la forma de una C al final del semestre.

Con todos mis retrasos y faltas de asistencia y dormidas

en clase sé que me merezco una C y quisiera decirle a la profesora lo culpable que me siento y que si me reprueba del
todo yo la entendería. Quisiera explicarle que aunque no
soy un alumno modelo ella debería ver cómo me pongo con
el texto de literatura inglesa, todo emocionado cuando lo
leo en la biblioteca de la U, en el metro, hasta en los muelles y en las plataformas de las bodegas a la hora del almuerzo. Debería saber que soy tal vez el único estudiante del
mundo que se mete en problemas con los trabajadores de
las bodegas por un libro de literatura. Me hostigan: Miren
al universitario. Demasiado bueno para dirigirnos la palabra, ¿eh?, y cuando les digo lo rara que es la lengua anglo-
sajona me dicen que deje de hablar mierda, que eso no tiene
nada de inglés y que a quién carajos creo que le estoy tomando el pelo, muchachito. Puede que no hayan ido a la universidad, me dicen, pero no por eso se van a dejar engañar por
un pendejo comemierda recién desembarcado de Irlanda que
les viene a decir que eso está en inglés cuando salta a la vista
que no hay una sola palabra en inglés en toda la maldita
página.

Después de eso dejan de hablarme y el jefe de plataforma
me pasa adentro a manejar el montacargas para que los trabajadores no me gasten bromas pesadas, dejando caer cajas para descoyuntarme los brazos de los hombros o
amagando atropellarme con el carrito elevador de carga.

Quisiera decirle a la profesora que cuando leo a los escritores y poetas del texto me pregunto con cuál de ellos me
gustaría tomarme una pinta en un bar de Greenwich Village
y que Chaucer es el ganador. Lo invitaría a una pinta aun
cuando fuera para oír sus cuentos de los peregrinos de
Canterbury. Quisiera contarle a la profesora todo lo que me
gustan los sermones de John Donne y que me gustaría invi-

tarlo también a una cerveza, sólo que él era un pastor protestante y no se sabe que frecuentara tabernas para echarse su pintica al coleto.

No puedo hablar de eso porque es peligroso alzar la mano en clase para decir lo mucho que amas algo. El profesor te mira con una sonrisita de lástima y la clase se encarga de que la sonrisita de lástima recorra toda el aula hasta hacerte sentir tan tonto que te pones colorado y prometes que no volverás a amar nada en la universidad o que si lo haces te lo guardarás para ti. Puedo decirle esto a Brian McPhillips en la silla de al lado pero el que está en la de adelante se vuelve y me dice: ¿No estamos siendo un poquito paranoicos?

Paranoico. Otra palabra que hay que consultar por lo mucho que la usan en la U. Por la manera como este estudiante me mira con superioridad, levantando la ceja izquierda casi hasta el pelo, sólo me queda deducir que me está llamando loco y que de nada sirve responderle sin averiguar antes lo que quiere decir esa palabra. Estoy seguro de que Brian McPhillips sabe qué significa pero está ocupado hablándole a Joyce Timpanelli a su izquierda. Viven mirándose y sonriéndose. Eso quiere decir que hay algo entre los dos y que no puedo molestarlos con la palabra *paranoico*. Yo debería andar con un diccionario para que cuando alguien me espete una palabra rara la pueda consultar ahí mismo y dispararle una respuesta que le baje esa ceja de superioridad.

O puedo poner en práctica el silencio que aprendí en el ejército y seguir en lo mío y eso es lo más conveniente porque a la gente que te mortifica con palabras raras no le gusta que sigas en lo tuyo.

Andy Peters se sienta junto a mí en la clase de introducción a la filosofía y me habla de un trabajo en un banco,

Manufacturer's Trust, en la calle Broad. Están buscando
gente para la sección de solicitudes de préstamos personales
y yo podría tomar el turno de cuatro de la tarde a doce de la
noche o el de medianoche hasta las ocho de la mañana. Me
dice que lo mejor de todo es que cuando terminas el trabajo
te puedes ir, que nadie trabaja las ocho horas completas.

Hacen una prueba de mecanografía y para mí es pan
comido por la manera como el ejército me arrancó de mi
perro y me convirtió en oficinista mecanógrafo de la compañía. En el banco me dicen que okey, que puedo trabajar
en el turno de cuatro de la tarde a doce de la noche para
que pueda ir a clase por la mañana y dormir de noche. Los
miércoles y viernes no tengo clases y puedo redondear el
sueldo trabajando en los muelles y bodegas para ahorrarme
la platica extra para el día en que Michael, mi hermano,
salga de la fuerza aérea y se acabe la asignación que le manda a mamá. Puedo poner la plata de los miércoles y los viernes en una cuenta aparte y cuando llegue el día ella no tendrá
que correr a la Sociedad de San Vicente de Paúl por la comida o el calzado.

Somos cuatro hombres y siete mujeres en el turno del
banco y no tenemos que hacer más que tomar las pilas de
solicitudes de préstamos personales y notificar por escrito
a los remitentes si fueron aceptadas o rechazadas. Andy
Peters me cuenta en el descanso del café que si me topo con
alguna solicitud rechazada de un amigo la puedo cambiar
por una aprobación. Los empleados diurnos de préstamos
usan una pequeña clave y él me puede enseñar cómo cam-
biarla.

Noche tras noche vemos cientos de solicitudes de-
préstamos. La gente los pide por nacimientos, vacaciones,
automóviles, muebles, consolidación de deudas, gastos
hospitalarios, funerales, decoración de apartamentos. A

veces vienen con una carta adjunta y si es buena suspende-
mos el trabajo y la leemos de arriba abajo. Hay cartas que
hacen llorar a las mujeres, y a los hombres nos ponen al
borde de las lágrimas. Muere un bebé, hay que cubrir los
gastos y a ver si el banco ayuda. El esposo se fuga y la solici-
tante no sabe qué hacer, a dónde ir. Ella no ha trabajado en
su vida, cómo si ha estado criando a los hijos, y necesita trescientos dólares para cuadrar cuentas hasta que se consiga
un trabajo y quién le cuide los niños sin cobrarle mucho.

Un hombre promete que si el banco le presta quinientos
dólares pueden sacarle un litro de sangre todos los meses
por el resto de su vida, y es un buen trato, dice, porque tiene
un grupo sanguíneo muy escaso que por ahora no va a divul-
gar, pero si el banco le ayuda a salir de ésta van a recibir una
sangre más valiosa que el oro, la mejor garantía del mundo.

Rechazan al sujeto de la sangre y Andy lo deja así pero
le cambia la clave a la desesperada madre de tres niños, rechazada por no poder ofrecer nada en prenda. Andy dice:
No entiendo cómo le conceden un préstamo a alguien que
desea pasar dos semanas echado en la arena de las jodidas
playas de Jersey mientras se lo niegan a una mujer con tres
niños que se defiende con las uñas. Así, querido amigo, es
como empiezan las revoluciones.

Cambia unas cuantas solicitudes todas las noches para
probar lo estúpido que puede ser un banco. Dice que sabe
lo que pasa de día cuando esos pendejos de los préstamos
revisan las solicitudes. ¿Dirección en el Harlem? ¿Negro?
Baja el puntaje. ¿Puertorriqueño? Baja mucho* el puntaje.
Me dice que en Nueva York hay docenas de puertorriqueños
que creen que los aprobaron por su buen crédito pero que
todo se debió a que Andy Peters se apiadó de ellos. Dice que

---

* En español en el original

en los barrios de pe-erres es de rigor sacarle brillo al auto
en la calle los fines de semana. Aunque no vayan a salir a
ningún lado lo importante es sacarle brillo mientras los viejos miran desde el porche y se toman la vieja cerveza de
bodegas en botellas de un cuarto de galón, y por la radio
disparan los ritmos de Tito Puente y los viejos les echan el
ojo a las muchachas que menean las nalgas por la acera,
hombre, esa sí es vida, hombre, esa sí es vida y qué más
puede pedirse.

Andy habla todo el tiempo de los puertorriqueños. Dice
que son la única gente que sabe vivir en esta condenada ciudad culifruncida, que es una desgracia que los españoles no
hubieran atracado en las bocas del Hudson en vez de los
jodidos holandeses y los rejodidos ingleses. Tendríamos sies-
tas, hombre, tendríamos color. No tendríamos *El hombre
del traje de paño gris*. Si por él fuera, les aprobaría la solicitud a todos los puertorriqueños que pidieran un préstamo
para un automóvil para así poder verlos por toda la ciudad
encerando los carros nuevos, tomándose sus cervezas envueltas en bolsas de papel, sintonizando a Tito y coquetean-
do con las muchachas que menean las nalgas en la acera,
muchachas que llevan esas camisas campesinas transparen-
tes y medallitas de Jesús clavadas en el escote, ¿y no sería
ésa la ciudad más vividera?

Las mujeres de la oficina se ríen al oír a Andy pero le
dicen que se calle porque quieren terminar el trabajo y salir
cuanto antes. Tienen niños en casa y maridos que las esperan.

Si terminamos temprano vamos a tomarnos una cerveza,
y él me cuenta por qué a los treinta y un años estudia filosofía en la Universidad de Nueva York. Estuvo en la guerra,
no en la de Corea, sino en la grande en Europa, pero tiene
que trabajar de noche en este banco de mierda porque le

dieron la baja sin honores en la primavera de 1945, justo antes de que la guerra terminara, vida perra.

Se había echado una cagada, eso es lo que había hecho, una buena cagada tranquilita en una zanja en Francia, y estaba limpio ya y listo a abotonarse la bragueta cuando se aparecen nada menos que un maldito teniente y un sargento y al teniente lo único que se le ocurre es arrimársele a Andy y acusarlo de haber cometido un acto contra natura con una oveja que está ahí cerca a pocos pasos. Andy admite que en cierto modo el teniente tiene derecho a sacar una conclusión precipitada, ya que justo antes de subirse los pantalones Andy tuvo una erección que le dificultó ponerse los susodichos pantalones, y aunque él no podía ver ni en pintura a los oficiales se le hizo que una explicación sería del caso:

Pues bueno, mi teniente, me puedo haber tirado a esa oveja o puedo no habérmela tirado pero lo que interesa aquí es su peculiar preocupación por mí y mi relación con esa oveja. Hay una guerra en curso, mi teniente. Vengo acá a echarme una cagada en una zanja francesa y hay una oveja al nivel de la vista y yo tengo diecinueve años y no me echo un polvo desde la fiesta de graduación de secundaria y una oveja, más aún: una oveja francesa, se ve muy provocativa, y si tenía cara de que me le iba a echar encima a esa oveja acertó usted, mi teniente, por que sí lo iba a hacer, pero no lo había hecho todavía. Usted y mi sargento interrumpieron una bella relación. Creí que el teniente se iba a reír pero en vez de eso me dijo que era un maldito embustero, que tenía oveja escrita en todo el cuerpo. Y yo lo que quería era oveja por todo el cuerpo. Esa era mi ilusión pero no había ocurrido todavía y lo que él me dijo era tan injusto que le di un empujón, no le pegué, le di no más un empujón, y cuando menos pienso, Jesús bendito, me clavan en la cara toda la artillería imaginable, pistolas, carabinas, fusiles M1, y antes de darme cuenta ya estaba en consejo de guerra con un capitán borracho de defensor mío, que me decía en privado que yo era un asqueroso sodomita de ovejas y que sentía no estar del otro lado procesándome, porque su padre era un vasco de Montana donde sí respetan a las ovejas, y todavía no sé si pasé seis meses en el calabozo militar por haber atacado a un oficial o por haber jodido a una oveja. Cuando salí me dieron la baja sin honores y cuando eso te pasa ya puedes ir matriculándote en filosofía en la U de Nueva York.

30

Gracias al señor Calitri garrapateo mis recuerdos de Limerick en un cuaderno. Hago listas de las calles, de los maestros de la escuela, de los sacerdotes, de los vecinos, de los amigos, de las tiendas.

Después del ensayo sobre la cama tengo la convicción de que la gente en la clase del señor Calitri me mira de otra manera. Las chicas se dirán que no saldrían jamás con un tipo que se crió en una cama en la que a lo mejor se murió alguien. Hasta que Mike Small me dice que le contaron de mi ensayo y que conmoví a mucha gente en la clase, niños y niñas. Yo no quería que ella supiera de mis orígenes pero ahora quiere leer el ensayo y al final los ojos se le encharcan y me dice: Ay, yo no sabía. Ay, cómo sería de horrible. Le recuerda a Dickens aunque no veo por qué, pues en Dickens todo termina bien.

Claro que no le digo esto a Mike Small por temor a que vaya a creer que la estoy contradiciendo. Podría dar media vuelta y regresar con Bob el futbolista.

Ahora el señor Calitri nos pide que escribamos un ensayo sobre la familia en el que haya alguna adversidad, una época negra, un revés, y aunque no quiero regresar al pasado hay algo que le pasó a mi madre que pide ser escrito:

———————

LA PARCELA

Cuando empezó la guerra y racionaron los alimentos en
Irlanda, el gobierno ofreció a las familias pobres unas
parcelitas de tierra en los campos vecinos a Limerick. Cada
familia tenía derecho a un dieciseisavo de acre para desbro-
zarlo y sembrar las hortalizas que quisiera.

Mi padre se apuntó para una parcela por la carretera de
Rosbrien y el gobierno le prestó un azadón y una horca para
trabajarla. Nos llevó a mi hermano Malachy y a mí para
que le ayudáramos. Cuando mi hermano Michael vio el
azadón dijo llorando que él también quería ir pero apenas
tenía cuatro años y nos habría estorbado. Papá le dijo que
chito, que de regreso de Rosbrien le traeríamos moras.

Le pregunté a papá si me dejaba llevar el azadón y pronto
me arrepentí porque Rosbrien quedaba a leguas de Limerick. Malachy había empezado cargando la horca pero papá
se la quitó porque la estaba zarandeando a todos lados y le
iba a sacar un ojo a alguien. Malachy se puso a llorar hasta
que papá le dijo que le dejaría llevar el azadón todo el camino de regreso. Mi hermanito se olvidó pronto de la horca
cuando se topó un perro dispuesto a correr tras un palito
kilómetros enteros hasta que le salieron espumarajos blancos del cansancio y se echó en medio de la carretera mirando
arriba, con el palito entre las patas, y lo tuvimos que dejar.

Cuando mi padre vio la parcela meneó la cabeza. Piedras, dijo, piedras y cascajo. Y ese día lo único que hicimos
fue apilarlas junto al vallado contra la carretera. Papá usaba
el azadón para ir desenterrando piedras y, aunque yo apenas
tenía nueve años, reparé en dos hombres de las parcelas
vecinas que se decían cosas y lo miraban y se reían con disimulo. Le pregunté a mi padre que por qué y él también se
rió pasito y dijo: Al de Limerick le dan la tierra negra y al
norteño le dan la pedregosa.

Trabajamos hasta el anochecer y estábamos tan débiles del hambre que no podíamos levantar una piedra más. No nos importó para nada que él llevara la horca y el azadón y hubiéramos querido que nos cargara a nosotros también. Nos dijo que éramos ya unos muchachones, buenos trabajadores, y que mamá iba a estar orgullosa de nosotros y nos iba a dar té con pan frito, y marchó al frente con sus largas zancadas hasta que a mitad del camino de regreso paró en seco y nos dijo: Su hermanito Michael. Le prometimos moras. Tenemos que devolvernos hasta los zarzales.

Malachy y yo nos quejamos tanto de estar cansados y de no poder dar un paso más que papá nos dijo que siguiéramos adelante, que él iba a recoger las moras solo. Le dije que por qué no venía por ellas al otro día y él dijo que se las había prometido a Michael para esa noche, no para el otro día, y arrancó con la horca y el azadón al hombro.

Cuando Michael nos vio se puso a gritar: Moras, moras. Se calló cuando le dijimos que papá estaba en los zarzales de Rosbrien consiguiéndole las moras y que mejor dejara de berrear y nos dejara comer el pan frito con té.

Entre los dos seríamos capaces de comernos una hogaza entera pero mamá nos dijo que le dejáramos algo a nuestro padre. Meneó la cabeza: Qué tonto es: desandar todo el trecho por las moras. Luego miró a Michael, que estaba sentado en la puerta atisbando a papá por el callejón, y meneó la cabeza más levemente.

Al poco rato Michael avistó a papá y corrió callejón arriba gritando: Papito, papito, ¿trajiste las moras? Y oímos a papá: Espérate un minuto, Michael, un minuto.

Apoyó en un rincón la horca y el azadón y vació en la mesa los bolsillos del abrigo. Había traído las moras, de esas grandes y negras y jugosas que uno encuentra en las copas y en las ramas de atrás de los zarzales donde los niños no las pueden alcanzar, moras arrancadas en la noche de Ros-brien. La boca se me hacía saliva y le pregunté a mamá si podía comerme una y ella me dijo: Pídesela a Michael. Son de él.

No tuve que hacerlo. Él me ofreció la más grande de todas y la más jugosa y le pasó otra a Malachy. Ofreció otras a mamá y a papá pero dijeron que no, gracias, que ésas eran las moras de él. Nos convidó a otra a Malachy y a mí y las aceptamos. Pensé que si yo tuviera unas moras así me las guardaría todas para mí, pero Michael era diferente y a lo mejor no sabía eso porque apenas tenía cuatro años.

Después de eso fuimos a la parcela todos los días menos los domingos y la limpiamos de piedras y cascajo hasta que destapamos la tierra y le ayudamos a papá a sembrar papas, zanahorias y repollo. A veces lo dejábamos ahí y salíamos a andar por la carretera a buscar moras y a comer tantas que nos daba diarrea.

Papá nos dijo que dentro de nada estaríamos recogiendo la cosecha pero que él no iba a estar ahí cuando eso. No había trabajo en Limerick y los ingleses estaban buscando trabajadores para sus fábricas de guerra. Le costaba pensar que iría a trabajar para los ingleses después de todo lo que nos habían hecho pero el salario era una tentación, y si los norteamericanos habían entrado a la guerra eso quería decir que la causa era justa.

Partió para Inglaterra junto con otros cientos de hombres y mujeres. La mayoría enviaban dinero a sus casas pero él se gastaba la plata en los *pubs* de Coventry sin acordarse de su familia. Mamá tenía que pedirle prestado a su propia madre o comprar al fiado en la tienda de abarrotes de Kathleen O'Connell. Tenía que mendigar alimentos en la Sociedad de San Vicente de Paúl o donde hubiera posibilidad de conseguirlos. Decía que nuestro gran socorro y salvación iba a ser cuando cosecháramos nuestras papas, nuestras zanahorias, nuestras preciosas matas de repollo. Ah, eso sí iba a ser comida y si Dios tenía la bondad nos mandaría un buen trozo de jamón y eso no era pedir mucho si uno vivía en Limerick, capital irlandesa del jamón.

Se llegó el día y ella montó al nuevo bebé, Alphie, en el cochecito. Pidió prestado al señor Hannon, de la casa vecina, un costal de llevar carbón. Lo vamos a llenar, le dijo. Yo iba a llevar la horca y Malachy el azadón para que no le sacara los ojos a la gente con las púas. Mamá dijo: No vayan a zarandear ese par de herramientas o les doy una buena chuleta en el pico.

Una palmada en la boca.

Cuando llegamos a Rosbrien había otra mujeres trabajando en las parcelas. Si había un hombre en el campo era porque era viejo y no podía irse a trabajar a Inglaterra. Mamá saludó por encima de la valla a esta mujer y a esa otra y cuando no le respondieron dijo: Se quedarían sordas de tanto agacharse.

Dejó a Alphie en el cochecito al otro lado de la valla y le dijo a Michael que le pusiera ojo al niño y no se fuera a buscar moras. Malachy y yo saltamos la valla pero ella tuvo que sentarse, columpiar las piernas por encima y bajarse apoyada por el otro lado. Descansó un momento y dijo: No hay nada en el mundo como una papa fresca con mantequilla y sal. Daría mis dos ojos por una.

Cargamos con la horca y el azadón y fuimos a las eras, pero si fuera por todo lo que sacamos de ellas igual hubiera sido quedarnos en la casa. La tierra estaba recién picada y removida y había lombrices blancas culebreando en los hoyos donde antes estaban las papas, las zanahorias y las matas de repollo.

Mamá me dijo: ¿Ésta sí es la parcela correcta?

Ajá.

Caminó de una punta a la otra del terreno. Las otras mujeres no hacían sino agacharse y sacar cosas de la tierra. Vi que estuvo tentada a decirles algo pero también vi que se dio cuenta de que de nada serviría. Fui por la horca y el azadón y ella me regañó: Déjalos. Ya no nos sirven, ya no queda nada. Quise decirle algo pero ella tenía la cara tan blanca que me dio miedo de que fuera a pegarme y retrocedí hasta el otro lado de la valla.

Ella también volvió a pasar la valla, sentándose, columpiando las piernas, sentándose otra vez, hasta que Michael le dijo: Mamita, ¿puedo ir a buscar moras?

Sí, le dijo ella. Con más razón ahora.

Si al señor Calitri le gusta el relato, tal vez lo lea en clase y los alumnos van a alzar la vista al techo y a decir: Más miseria. Puede ser que las chicas me hayan tenido lástima por lo de la cama pero con eso era suficiente, ¿no? Si sigo escribiendo sobre mi mísera infancia van a decirme: Para, para, la vida es bastante dura, también nosotras tenemos nuestras penas. Así que de ahora en adelante voy a escribir relatos en los que mi familia se muda a las afueras de Limerick, donde todo el mundo vive bien alimentado y limpio porque se baña al menos una vez a la semana.

3I

Paddy Arthur McGovern me advierte que si sigo escuchando todo ese *jazz* ruidoso voy a acabar como los hermanos Lennon, tan norteamericanizado que se me va a olvidar completamente que soy irlandés, y entonces qué voy a ser. De nada vale decirle lo emocionados que se ponen los Lennons con James Joyce. Me diría: ¿James Joyce? El culo. Yo me crié en el condado de Cavan y allá nadie oyó hablar de él y, si no miras por dónde vas, ya te veo corriendo al Harlem a bailar *jitterbug* con chicas negras.

Tiene planeado ir a un bailadero irlandés el sábado por la noche y si estoy en mi sano juicio debería acompañarlo. Quiere bailar sólo con muchachas irlandesas porque si bailas con las norteamericanas no se sabe qué te van a pegar.

Mickey Carton está tocando con su banda en el Jaeger House de la avenida Lexington y Ruthie Morrissey canta *A Mother's Love is a Blessing**. Una gran bola de cristal gira en el techo, salpicando la pista de puntos plateados que dan vueltas. Paddy Arthur no ha acabado de entrar cuando ya está valsando con la primera chica que convida a bailar. Le resulta muy fácil sacar a las muchachas a bailar, y cómo no, con sus uno ochenta y tres de estatura, con su pelo negro ondulado, con sus cejas negras tupidas, con sus ojos azules,

---

* El amor de una madre es una bendición.

con el hoyuelo en la barbilla y con ese estilo para alargar una mano que dice: Ponte de pie, muchacha, de modo que a la joven no se le ocurriría decirle no a semejante aparición de hombre, y cuando se deslizan por la pista, no importa cuál sea el ritmo, vals, foxtrot, *lindy, two-step*, él la lleva casi que sin dignarse mirarla y cuando la conduce de regreso a su puesto ella es la envidia de todas las jovencitas, que sueltan sus risitas nerviosas en la hilera de sillas que hay contra la pared.

Viene a la barra, donde me estoy tomando una cerveza a ver si eso me arma de valor. Me pregunta que por qué no bailo. Porque a qué viene uno aquí si no a bailar con esa hilera de bellezas que hay contra la pared.

Tiene razón. La hilera de bellezas que hay contra la pared es parecida a la de las muchachas del hotel Cruise de Limerick, con la única diferencia de que las de aquí llevan unos vestidos que jamás se verían en Irlanda: seda y tafetán y telas que no conozco, de colores rosa, ocre rojizo, azul claro, adornados aquí y allá con moñitos de encaje, vestidos sin los hombros y tan tiesos que, cuando la chica se voltea a la derecha, el vestido se queda donde está. Se sujetan el pelo con peinetas y horquillas para que no se les desmaye en crenchas sobre los hombros. Se sientan con las manos sobre el regazo y no sueltan los bolsitos de fiesta y únicamente se sonríen cuando conversan entre sí. Algunas permanecen sentadas pieza tras pieza, sin que los hombres les presten atención, hasta que se ven obligadas a bailar con la que está ahí al lado. Zapatean torpemente por la pista y cuando la pieza se termina van a la barra por una limonada o un refresco de naranja, la bebida de las parejas de muchachas.

No le puedo decir a Paddy que prefiero quedarme donde estoy, en la seguridad de la barra. No le puedo decir que ir a un baile me produce como un vacío y un mareo, y que en el caso de que una chica se levantara para bailar conmigo no sabría qué decirle. Sabría defenderme con un vals, pum cataplum, pero nunca podría ser como esos bailarines que les susurran cosas a las chicas y las hacen reír tanto que casi que ni pueden bailar por un minuto entero. Buck me decía en Alemania que si consigues hacer reír a una chica ya vas de las rodillas para arriba.

Paddy baila otra pieza y viene a la barra con una chica llamada Maura y me dice que ella tiene una amiga, Dolores, que se siente apocada porque es irlandesa-norteamericana y que por qué no la saco a bailar porque yo nací acá y haríamos una buena pareja, ella que no se sabe los pasos irlandeses y yo que no hago más que oír *jazz* a todas horas.

Maura alza los ojos hacia Paddy y se sonríe. Él le devuelve desde arriba la sonrisa y a mí me hace un guiño. Ella dice: Discúlpenme, voy a ver si Dolores está okey, y cuando se va Paddy me dice al oído que ésa es la que él se lleva esta noche a casa. Es jefa de meseras del restaurante Schrafft's, tiene su propio apartamento, está ahorrando para volver a Irlanda, y ésta va a ser la noche de suerte de Paddy. Me dice que sea amable con Dolores, uno nunca sabe, y me hace otro guiño. Creo que esta noche a mí me dan mi hoyito, dice.

Mi hoyito. Claro que eso es lo que a mí también me gustaría que me dieran, pero no lo pondría así. Prefiero como lo decía Mickey Molloy en Limerick: la emoción. Si eres como Paddy con las irlandesas arrojándose en tus brazos probablemente acabes confundiendo a unas con otras y se te vuelven una sola montonera hasta que conoces una chica que te gusta y que te hace ver que no vino a este mundo a tirarse de espaldas para complacerte. Yo no sería capaz de pensar en esos términos de Mike Small y ni siquiera de Dolores, que se sonroja allá con timidez, igual que yo. Paddy me pincha y me dice con la boca torcida: Sácala a bailar, por el amor de Cristo.

Le tartamudeo algo incomprensible y por suerte Mickey Carton está tocando un vals y Ruthie canta: *There's One Fair County in Ireland**, el único baile en que no hago el oso. Dolores me sonríe y se sonroja y yo le respondo poniéndome colorado y ahí vamos los dos ruborizándonos por toda la pista con las motitas plateadas bailándonos por la cara. Si me tropiezo, ella me sigue el paso de tal manera que el tropezón se convierte en un paso de baile y al rato creo que yo soy Fred Astaire y que ella es Ginger Rogers y le doy vueltas y vueltas, convencido de que las chicas contra la pared están fascinadas y muriéndose por bailar conmigo.

El vals se acaba y aunque me dispongo a salir de la pista por miedo a que Mickey empiece un *lindey* o un *jitterbug*, Dolores se detiene como diciendo: ¿Por qué no bailamos ésta?, y es tan suelta de pies y tan liviana que miro a las otras parejas, el estilo que tienen, y se me hace de lo más fácil bailarlo con Dolores, lo que sea, y la empujo y la jalo y le doy vueltas como un trompo hasta que estoy seguro de que todas las chicas tienen el ojo puesto en mí y envidian a Dolores, y tanto me hincho que no noto que hay una chica sentada ahí cerca con una muleta puesta donde no debería estar y el pie se me enreda en la muleta y voy a parar volando entre los muslos de las bellezas en hilera contra la pared y ellas me echan al suelo de una manera brusca y poco amistosa al mismo tiempo que comentan que a ciertas personas no deberían dejarlas subir a la pista pasadas de tragos.

Paddy está en la salida rodeando por la cintura a Maura. Él se ríe pero ella no. Ella mira a Dolores como condolién-

---

* Hay un lindo condado en Irlanda.

dose, pero Dolores me ayuda a levantarme y me pregunta si estoy bien. Maura se acerca y le dice algo al oído y se dirige a mí: ¿Me cuidas a Dolores?

Cómo no.

Ella y Paddy se van y Dolores me dice que también quiere irse. Vive en Queens y dice que no la tengo que acompañar todo el camino hasta su casa, que el tren E es bastante seguro. No le puedo decir que me gustaría acompañarla a su casa con la esperanza de que me invitara a pasar y hubiera un poco de emoción. Seguramente ella tiene su apartamento propio y tal vez sienta lástima de mi tropezón en la muleta y no tenga el valor de rechazarme y en un segundo estaríamos en la cama, calientitos, desnudos, locos de deseo, faltando a misa, pecando contra el sexto mandamiento una vez y otra sin que nos importe el pedo de un violinista.

Cuando el tren E se sacude o para bruscamente, ella y yo chocamos y puedo oler su perfume y siento su muslo contra el mío. Es buena seña que ella no se aparte de mí y cuando se deja agarrar la mano me siento en el cielo hasta que empieza a hablarme de Nick, su novio de la armada, y entonces yo le pongo su mano otra vez en el regazo.

No entiendo a las mujeres en esta vida, a Mike Small que toma cerveza conmigo en Rocky's y después vuela adonde Bob, y ahora a ésta que me engatusa todo el tiempo en el tren E hasta la última estación en la calle 179. Paddy Arthur jamás hubiera tolerado esto. Allá en la sala de baile se hubiera cerciorado de que no hubiera ningún Nick de la armada y nadie en la casa de ella que interfiriera sus planes de noche entera. Y a la primera duda habría saltado del tren en la estación siguiente. ¿Y yo por qué no hago lo mismo? Fui soldado de la semana en Fort Dix, adiestré perros, voy a la universidad, leo libros, y hay que verme escurriéndome por las calles vecinas de la universidad para esquivar a Bob el futbolista y llevando a casa a una chica que tiene planes de casarse con otro. Parece que cada quien en este mundo tiene a alguien, Dolores a su Nick, Mike Small a su Bob, y Paddy Arthur irá bien adelante en lo de su emoción de noche entera con Maura en Manhattan, y qué clase de maldito pendejo seré yo, subido aquí hasta la última estación.

Voy resuelto a bajarme en la próxima parada y a plantar a Dolores cuando ella me toma de la mano y me dice que soy muy agradable, que soy buen bailarín, lástima lo de la muleta, podríamos haber bailado toda la noche, y que le gusta mi manera de hablar, ese acento tan tierno, se me nota lo bien criado que fui, qué bueno que estés yendo a la universidad, y no entiende por qué salgo por ahí con Paddy Arthur, quien, evidentemente, no tenía buenas intenciones respecto a Maura. Me aprieta la mano y me dice que soy lo más amable, acompañarla todo el camino hasta su casa, nunca me olvidará, y yo siento su muslo contra el mío todo el tiempo hasta la última estación y cuando nos levantamos para bajarnos del tren me tengo que inclinar para esconder la excitación que me palpita entre los pantalones. Me dispongo a caminar con ella hasta su casa pero ella se detiene en una parada de autobús y me informa que vive más allá, en Queen's Village, y que, de veras, no tengo que acompañarla hasta allá, en el autobús no le va a pasar nada. Me vuelve a apretar la mano y me pregunto si habrá esperanza de que ésta sea mi noche de suerte y la termine revolcándome en la cama como Paddy Arthur.

Mientras esperamos el autobús ella me toma otra vez de la mano y me cuenta todo acerca de Nick, el de la armada, cómo al padre de ella le desagrada Nick porque es italiano y le dice toda clase de apodos insultantes a sus espaldas, cómo a su madre sí le gusta Nick pero se niega a reconocerlo, no sea que el padre llegue borracho y de la ira destroce todo el mobiliario, cosa que no sería la primera vez. Las peores noches son cuando el hermano de ella, Kevin, viene de visita y se le enfrenta al padre y son de no creer las palabrotas y las rodadas por el piso. Kevin es *linebacker* del equipo de fútbol de Fordham y un digno rival para su padre.

¿Qué es un *linebacker*?

¿No sabes qué es un *linebacker*?

No.

Eres el primer niño que conozco que no sabe qué es un linebacker.

Niño. Tengo veinticuatro años y me dice niño y me pregunto si en este país hay que tener cuarenta para ser un adulto.

Todo el tiempo me hago la ilusión de que las cosas sean horribles con su padre, de modo que ella tenga su propio sitio, pero no, vive en casa y se esfuman mis sueños de una noche de emoción. Uno pensaría que una muchacha de su edad tendría su propio sitio para poder invitar a las personas como yo, que la acompañan hasta el final de la ruta. No me importa que me apriete la mano mil veces. ¿De qué sirve que te aprieten la mano a medianoche en Queens sin la promesa de un tris de emoción al final del camino?

Vive en una casa con una estatua de la Virgen María y un pájaro rosado en el pequeño césped del frente. Nos hacemos junto a una verjita de hierro y me pregunto si debería besarla y ponerla en un estado en el que tengamos que ocultarnos tras un árbol para la emoción, pero alguien brama adentro: Maldita sea, Dolores, mete ese culo acá, hay que tener un descaro del diablo para llegar a estas putas horas y dile a ese maldito comemierda inmigrante que empiece a correr si quiere seguir con vida, y ella dice: Ay, y corre adentro.

Cuando llego por fin a casa de Mary O'Brien, todos es-

tán ya levantados comiendo huevos con tocino y después
ron con rebanadas de piña en almíbar espeso. Mary lanza
una bocanada de humo de su cigarrillo y me mira con una
sonrisita de complicidad.

Se ve que la pasaste bien anoche.

32

Cuando los empleados diurnos del banco salen de sus oficinas, Bridey Stokes entra armada de balde y trapeador para hacer el aseo de los tres pisos. Tira de un gran saco de lona, lo llena de basura de las papeleras y lo arrastra hasta el elevador de carga para vaciarlo en alguna parte del sótano. Andy Peters le dice que debería llevar más sacos de lona para no tener que estar subiendo y bajando tanto y ella le dice que en el banco no le quieren proporcionar ni un solo saco más, así son de tacaños. Ella podría comprarlos con plata de su propio bolsillo, pero trabaja de noche para sostener a su hijo Patrick, que estudia en Fordham, y no para surtir a Manufacturer's Trust Company de sacos de lona. Todas las noches llena el saco dos veces en cada piso, y eso significa seis viajes al sótano. Andy trata de explicarle que si tuviera seis sacos de lona podría hacer un solo viaje en el ascensor y que eso le ahorraría tanto tiempo y energía que podría terminar más temprano e ir a casa a estar con Patrick y su marido.

¿Marido? Se murió de beber hace diez años.

Siento oír eso, dice Andy.

Pues yo no. Era demasiado hábil con los puños y hasta el día de hoy tengo las cicatrices. Patrick también. No se le daba nada golpear al pequeño Patrick por toda la casa hasta que mi niñito no podía ni llorar ya más, y tan malo era eso que un día me lo llevé de la casa y le rogué al tipo de la taquilla del metro que nos dejara entrar y le pregunté a un policía en dónde quedaba la Beneficencia Católica y ellos nos dieron asilo y me consiguieron este trabajo y les estoy agradecida, así no haya más que un saco de lona.

Andy le dice que no tiene que ser ninguna esclava.

No soy una esclava. He mejorado en esta vida desde que me le escapé a ese demente. Dios me perdone, pero ni siquiera fui a su entierro.

Suelta un suspiro y se apoya en el palo del trapeador, que le llega hasta el mentón, tan pequeña es. Tiene unos grandes ojos castaños y dos rayas por labios y cuando se trata de sonreír no tiene con qué sonreírse. Es tan delgada que cuando Andy y yo vamos a la cafetería le traemos una hamburguesa con queso y papas fritas y una leche malteada a ver si le ponemos un poquito de grasa en esos huesos hasta que un día nos damos cuenta de que no prueba la comida y se la lleva a Patrick, que estudia contabilidad en Fordham.

Hasta que una noche la encontramos deshecha en llanto mientras llena el ascensor de carga con seis sacos de lona a reventar. Todavía queda espacio para nosotros, y bajamos con ella preguntándonos si en el banco por fin se pondrían generosos, llenándola de sacos.

No. Fue mi Patrick. Le faltaba un año para graduarse en Fordham pero me dejó una nota diciéndome que estaba enamorado de una muchacha de Pittsburgh y que se habían ido a empezar una nueva vida en California, y yo me dije que si ese era el trato que yo me merecía entonces no me iba a seguir matando con un solo saco de lona y recorrí todas las calles de Manhattan hasta que di con un sitio en la calle Canal donde los venden, un sitio chino. Una creería que en una ciudad como ésta era de lo más fácil encontrar sacos de lona y no sé qué hubiera hecho sin los chinos.

Llora aún más duro y se pasa la manga del suéter por los ojos. Andy le dice: Vamos, señora Stokes.

Bridey, dice ella. Me llamo Bridey.

Vamos, Bridey. Pasemos la calle para que se coma algo que le dé fuerzas.

Ah, no. No tengo apetito.

Quítese el delantal, Bridey. Vamos enfrente.

En la cafetería nos dice que ya ni siquiera quiere llamarse Bridey. Es Brigid. Bridey es nombre de sirvienta, y Brigid tiene un toque de respeto. No, jamás podría con una hamburguesa entera, pero se la come junto con todas las papas fritas embadurnadas de salsa de tomate y nos dice que tiene roto el corazón mientras chupa con la pajilla la malteada. Andy le pide que le explique por qué se decidió de súbito a buscar los sacos de lona. Ella no lo sabe. Algo en la forma de irse de Patrick y en los recuerdos de las golpizas que le daba el marido le abrió una ventanita en la cabeza y que eso es todo lo que puede decirnos. Se acabaron los días de un solo saco. Andy dice que eso no tiene ni pies ni cabeza. Ella está de acuerdo pero ya no le importa. Desembarcó del *Queen Mary* hace más de veinte años, una muchacha sana y entusiasmada con Estados Unidos, y véanme ahora, hecha un espantajo. Pues bien: sus días de espantajo se acabaron también, y le encantaría una porción de pastel de manzana, si aquí lo venden. Andy dice que él estudia retórica, lógica y filosofía pero que esto rebasa sus entendederas y ella dice que cómo se demoran con el pastel de manzana.

Tengo que leer libros y redactar trabajos finales, pero estoy tan obsesionado con Mike Small que me siento al pie de la ventana de la biblioteca a observar sus desplazamientos por Washington Square entre la sede principal de la universidad y el club Newman, adonde va entre clase y clase aunque no es católica. Se me encoge el corazón cuando la veo con Bob, el futbolista, y en la cabeza me suena una canción que se pregunta quién la estará besando, aunque yo sé muy bien quién la está besando, el señor futbolista en persona, que inclina sus doscientas libras corporales para plantar sus labios sobre ella, y aunque sé que él me caería bien por su decencia y buen humor si no hubiera una Mike Small en esta vida, todavía sigo buscando la hoja de atrás de una revista de historietas en la que Charles Atlas me promete ayudarme a sacar músculos para poder patearle arena en la cara a Bob el día en que nos veamos en la playa.

Cuando llega el verano él se pone su uniforme de reservista y viaja a Carolina del Norte a un entrenamiento y Mike Small y yo quedamos en libertad de vernos y pasearnos por Greenwich Village, ir a comer a Monte's, en la calle McDougal, a tomar cerveza en el White Horse o en el San Remo. Tomamos el ferri de Staten Island y es lindo estar en la cubierta asidos de la mano y ver cómo el perfil de Manhattan retrocede y se opaca, aunque no puedo dejar de pensar en los que fueron regresados por tener malos los ojos o los pulmones y en cómo vivirían en los pueblos y aldeas de Europa después de haber tenido ese breve vistazo de Nueva York, de las altas torres sobre el agua y el titilar de las luces al anochecer y los silbidos de los remolcadores y las sirenas de los barcos en el estrecho. ¿Verían y oirían todo esto tras las ventanas de Ellis Island? ¿Les dolería recordarlo o tratarían de colarse después a este país por un sitio donde no hubiera uniformados que les levantaran los párpados y les dieran golpecitos en el pecho?

Cuando Mike Small me pregunta en qué pienso no sé qué contestarle, no sea que piense que soy raro, por cavilar de ese modo sobre los que fueron regresados. Si hubieran regresado a mis padres yo no estaría en esta cubierta con las luces de Manhattan como un sueño centelleante frente a mí.

Además, los norteamericanos son los únicos que hacen esa clase de preguntas: ¿En qué estás pensando? ¿De qué vives? En todos los años que viví en Irlanda nadie me hizo esas preguntas, y si yo no estuviera locamente enamorado de Mike Small le diría que no se meta en lo que estoy pensando o en la forma de ganarme la vida.

No le quiero contar mucho sobre mi vida a Mike Small, porque me da vergüenza y no creo que ella vaya a entender, especialmente habiendo crecido en un pueblito de Estados Unidos en el que a nadie le faltaba nada. Pero hay nubarrones cuando empieza a contarme de su vida en Rhode Island con su abuela. Habla de natación en el verano, patinaje sobre hielo en el invierno, paseos en carreta, viajes a Boston, bailes de graduación, la elaboración del anuario de secundaria, y su vida suena como una película de Hollywood hasta que rememora la época en que sus padres se separaron y la dejaron con la abuela paterna en Tiverton. Habla de todo lo que extrañó a su madre y cómo durante meses se dormía llorando, y ahora vuelve a llorar. Eso me hace preguntarme si yo hubiera extrañado a mi familia dado el caso de que me hubieran enviado a vivir a cuerpo de rey con algún pariente. Cuesta pensar que me hubieran hecho falta el té con pan de todos los días, la cama desvencijada y plagada de pulgas, la letrina compartida por todas las familias del callejón. No, eso no me hubiera hecho falta, pero habría extrañado mi vida con mamá y mis hermanos, las conversaciones en la mesa y las noches junto al fuego cuando veíamos mundos en las llamas, cavernas pequeñitas y volcanes y toda clase de formas y de imágenes. Habría extrañado eso aunque viviera con una abuela rica, y sentía lástima de Mike Small, sin hermanos ni hermanas ni un fuego junto al cual sentarse.

Me dice lo emocionada que estaba el día de su grado de la escuela primaria, cómo su padre iba a venir desde Nueva York para la fiesta pero llamó a último momento para decirle que tenía que ir a un picnic de marinos remolcadores, y el recuerdo de eso le trae más llanto. Ese día la abuela dejó al padre de Mike como un trapo, a través del teléfono: le dijo que era un bellaco mujeriego bueno para nada y que no volviera a poner pie en Tiverton. Por lo menos ella podía contar con la abuela. Podía contar con ella para todo, siempre. No era mayor cosa en cuestión de besar y abrazar y cobijar pero mantenía la casa limpia, la ropa lavada y la fiambrera escolar bien surtida.

Mike se enjuga las lágrimas y dice que nadie puede tenerlo todo, y aunque no digo nada me pregunto por qué uno no puede tenerlo todo o al menos darlo todo. ¿No se puede limpiar la casa, lavar la ropa y surtir la fiambrera y así y todo besar, abrazar y cobijar? No le puedo decir eso a Mike Small, porque ella admira a la abuela por lo recia y yo en cambio prefiero oír que abuelita besaba, abrazaba y cobijaba.

Mientras Bob se encuentra en el campo de entrenamiento de reservas, Mike me lleva a visitar a su familia. Ella vive en Riverside Drive, cerca de la universidad de Columbia, con su padre Allen y su nueva madrastra, Stella. Su padre es capitán de un remolcador de la compañía Dalzell Towing, del puerto de Nueva York. La madrastra está embarazada. La abuela, Zoe, ha bajado de Rhode Island por un tiempo mientras Mike se instala y se va adaptando a Nueva York.

Mike me cuenta que a su padre le gusta que lo llamen capitán y cuando le digo: Hola, capitán, gruñe hasta que la flema resuena broncamente en su pecho y me aprieta la mano hasta que me crujen los nudillos para que vea lo viril que es. Stella dice: Hola, mi amor, y me da un beso en la mejilla. Me dice que ella también es irlandesa y que es bueno ver salir a Alberta con niños irlandeses. Hasta ella dice niños, y eso que es irlandesa. La abuela está recostada en el sofá de la sala con las manos cruzadas debajo de la cabeza y, cuando Mike me presenta, Zoe frunce la frente y dice: ¿Qué tal?

Se me zafa decir: Conque dándose la buena vida en el sofá, ¿eh?

Me fulmina con los ojos y veo que dije la cosa equivocada y es muy incómodo cuando Mike y Stella pasan a otro cuarto a ver un vestido y yo me quedo ahí en mitad de la sala mientras el capitán se fuma un cigarrillo y lee el *Daily News*. Nadie me habla y me pregunto cómo Mike Small fue capaz de irse y dejarme ahí con el padre y la abuela, que se olvidan de mí. Nunca sé que decirles a las personas en momentos como ése. ¿Debería preguntar cómo va el negocio de los remolcadores? ¿O decirle a la abuela que educó de maravilla a Mike?

Mi madre en Limerick jamás dejaría a nadie parado así en mitad del cuarto. Le diría que tomara asiento y lo convidaría a un rico té, porque en los callejones de Limerick es feo olvidarse de la gente y todavía peor olvidar el té.

Es raro que ni un hombre con un buen trabajo como el capitán ni que su madre en el sofá se dignen siquiera preguntarme si tengo una boca en la cara o si quiero sentarme. No sé cómo es capaz Mike de dejarme así, aunque sé que si a ella le pasara lo mismo, se sentaría simplemente y alegraría a todo el mundo, como hace mi hermano Malachy.

¿Que pasaría si yo me sentara? ¿Dirían que qué fresco yo, sentarme así sin que me hubieran invitado? ¿O no dirían nada y esperarían a que me fuera para hablar a espaldas mías?

De todos modos van a hablar a espaldas mías y se van a decir que Bob es un niño mucho más agradable y que se ve muy guapo en su uniforme de la reserva aunque lo mismo dirían si me vieran en mi uniforme caqui de verano y con mis galones de cabo. No, lo dudo. Probablemente lo preferirían a él, con su diploma de secundaria y sus ojos blancos y sanos y su brillante futuro y su temperamento alegre, todo él engalanado en su uniforme de oficial.

Y por los libros de historia sé que los irlandeses nunca fueron muy bien recibidos aquí en Nueva Inglaterra, que por todos lados había letreros que decían: No se Reciben Irlandeses.

Bueno, yo no quiero rogarle nada a nadie y ya voy a dar media vuelta y largarme cuando Mike aparece en el corredor muy rubia y muy sonriente y lista para dar un paseo y cenar en el Village. Me gustaría decirle que no me quiero meter con gente que te deja parado en mitad de la sala y que cuelga letreros contra los irlandeses, pero ella es tan clara y tan ojiazul y tan alegre, tan limpia y tan norteamericana, que si me dijera que me quedara quieto ahí toda la vida yo haría como un perro y menearía el rabo y le obedecería.

Mientras bajamos en el ascensor, me dice que le dije algo inapropiado a la abuelita, que la abuela tiene sesenta y cinco años y que trabaja duro haciendo el aseo y cocinando y que no le agradan los comentarios petulantes de nadie cuando se toma un descansito en el sofá.

Me gustaría decirle: Oh, que se joda tu abuelita con el aseo y la cocina. Ella tiene abundancia de comida y de bebida y de ropa y de agua caliente y fría del grifo y no le hace falta plata y no sé de qué carajos se queja. En todo el mundo hay mujeres que crían familias grandes sin lloriquear así, y tu abuelita allá echada de culo y quejándose porque tiene que manejar un apartamento con dos personas. Otra vez, que se joda tu abuela.

Quisiera decirle esto pero tengo que tragarme mis palabras, no sea que Mike Small se ofenda y no me quiera volver a ver y es duro ir por la vida sin decir lo que tienes en la punta de la lengua. Es duro estar con una chica como ella, que no tendría dificultad en conseguirse a otro mientras que yo quizá tendría que buscarme una menos bonita y a la que no le importaran mis ojos malos y mi falta de estudios secundarios, aunque una chica menos bonita me ofrecería un asiento y una taza de té y yo no tendría que tragarme mis palabras todo el tiempo. Andy Peters vive diciéndome que es más fácil con las feas, especialmente con las que tienen las tetas chiquitas o no tienen nada, porque agradecen la menor atención y hasta lo pueden querer a uno por lo que uno es, como dicen en las películas. Yo ni siquiera puedo imaginarme que Mike Small tenga tetas, tanto reserva el cuerpo entero para la noche de bodas y la luna de miel, y me duele imaginarme a Bob, el futbolista, teniendo la emoción con ella en la noche de bodas.

El jefe de plataforma de la bodega Baker y Williams me ve en el metro y me dice que en el verano puedo trabajar reemplazando a los que salen de vacaciones. Me deja trabajar de ocho a doce del día, y cuando termino al segundo día camino hasta Bodegas Portuarias a ver si es posible compartir un sándwich con Horace. Con frecuencia pienso que es el padre que me gustaría tener, aunque él sea negro y yo blanco. Si dijera eso en la plataforma, me bajarían a punta de chacota. Y él debe de saber en carne propia todo lo que

hablan de los negros y con seguridad todo el día oye la palabra *nigger* flotando en el aire. Cuando trabajaba con él
me preguntaba cómo hacía para no reaccionar a puñetazo
limpio. En vez de eso, agachaba la cabeza y sonreía suavemente y yo pensaba que a lo mejor era un poquito sordo o
abobado, pero me constaba que no era sordo, y la manera
como hablaba de su hijo en la universidad en el Canadá
mostraba que, de haber tenido la oportunidad, él mismo
hubiera asistido a una.

Sale de una cafetería en la calle Laight y al verme se sonríe: Ah, hombre. Creo que sabía que ibas a venir. Compré
un sándwich gigante de un kilómetro y una cerveza. Nos
lo comemos en el muelle, ¿okey?

Tomo otra vez por la calle Laight hacia el muelle pero él
me hace desviarme. No quiere que los trabajadores de la
bodega nos vean. No se le bajarían de encima en todo el día.
Se burlarían y le preguntarían a Horace cuándo se conoció
con mi madre. Con mayor razón me gustaría retarlos caminando por la calle Laight. No, hombre, me dice él. Guarda
tus emociones para algo más importante.

Esto es importante, Horace.

No es nada, hombre. Es ignorancia.

Hay que responderles.

No, hijo.

Dios mío, me está llamando hijo.

No, hijo, no tengo tiempo para eso. No me voy a igualar
con ellos. Yo elijo mis propios retos. Tengo un hijo en la universidad. Tengo una mujer enfermiza y que hace el aseo
nocturno en unas oficinas de la calle Broad. Cómete el
sándwich, hombre.

Es de jamón y queso con mostaza y lo pasamos con la
botella de cerveza Rheingold que nos turnamos, y me asal-
ta el presentimiento de que no olvidaré este momento con

Horace en el muelle con las gaviotas que revolotean esperando las sobras y los barcos fondeados en el Hudson a la espera de los remolcadores para ir a atracar o para que los saquen a mar abierto, el flujo del tráfico por detrás de nosotros y sobre nuestras cabezas en la autovía del West Side, en un radio de una oficina del muelle Vaughan Monroe canta *Buttons and Bows*, Horace que me ofrece otro pedazo de su sándwich diciéndome que me caben unos kilitos en los huesos y su mirada de sorpresa cuando por poco se me cae el sándwich, por poco se me cae por el peso que siento en el corazón y las lágrimas que derramo en el sándwich y sin saber por qué, no se lo puedo explicar a Horace ni me lo puedo explicar yo mismo, el peso de esta tristeza que me dice que no se ha de repetir, este sándwich, esta cerveza en el muelle con Horace que tan feliz me hace sentir que sólo atino a llorar por lo triste de todo y me siento tan tonto que quisiera apoyar mi cabeza en su hombro y él lo sabe porque se me arrima, me rodea con sus brazos como si fuera el hijo suyo, los dos negros o blancos o nada, y no importa porque lo único que se me ocurre es poner el sándwich aparte para que una gaviota se clave en picada y se lo engulla y soltamos la risa, Horace y yo, y él me pone en la mano el pañuelo más blanco que he visto y cuando voy a devolvérselo sacude la cabeza, quédate con él, y me prometo guardar ese pañuelo hasta exhalar el último suspiro.

Le digo lo que solía decirnos mamá cuando llorábamos: Ay, tienes la vejiga debajo del ojo, y él se ríe. No parece importarle que subamos de vuelta por la calle Laight, y los hombres de la plataforma no dicen nada de él y de mi madre, porque es difícil reírse de la gente que ya venía riéndose primero y por fuera de tu alcance.

33

A ella a veces la invitan a un coctel. Me lleva consigo y yo me confundo con toda esa gente que permanece de pie conversando nariz contra nariz y comiendo menudencias en galletas de soda y trocitos de pan rancio, sin que nadie cante ni relate una historia, como hacían en Limerick, hasta que empiezan a mirar el reloj y a decir: ¿No tienes hambre? ¿Vamos a comer algo?, y se van dispersando hacia la salida, y a eso le dicen fiesta.

Es en la parte residencial de Nueva York y no me gusta para nada, especialmente cuando un tipo de saco y corbata habla con Mike, le dice que es abogado, me señala con la cabeza, le pregunta que qué, en el nombre del cielo, hace saliendo con alguien como yo y la invita a comer como si ella me fuera a dejar ahí plantado con la copa vacía, los canapés rancios y sin nadie cantando. Claro que ella dice que no, gracias, aunque se nota que se sintió halagada y yo me pregunto si a ella le gustaría salir con el señor Abogado del Saco en vez de quedarse conmigo, un hombre de barriada que nunca fue a la escuela secundaria y que mira al mundo boquiabierto con dos ojos como hoyos de orinar en la nieve. Sin duda a ella le gustaría casarse con alguien de ojos azules claros y dientes blancos impecables que la llevara a los cocteles y se radicara en Westchester para asociarse al club campestre, jugar golf, tomar martinis y retozar de noche bajo el influjo de la ginebra.

Sé qué preferiría yo: el Nueva York del centro, donde unos hombres de barba y unas mujeres de pelo largo y collares de cuentas leen poesía en los cafés y en los bares. Sus nombres salen en los periódicos y las revistas: Kerouac, Ginsberg, Brigid O'Murnaghan. Cuando no están en sus buhardillas e inquilinatos recorren el país. Toman vino en unas jarras grandes, fuman marihuana, se acuestan en el piso y se pillan el *jazz*. Pillar. Así hablan ellos y chasquean los dedos y dicen macanudo, mano, macanudo. Se parecen a mi tío Pa en Limerick: todo les importa el pedo de un violinista. Si tuvieran que ir a un coctel o usar corbata caerían muertos.

Una corbata fue culpable de nuestro primer altercado y la primera vez que le conocí el genio a Mike Small. Íbamos para un coctel y cuando me vio en la puerta de su edificio en Riverside Drive me preguntó: ¿Dónde está tu corbata?

En la casa.

Pero si vamos para un coctel.

No me gusta usar corbata. En el Village nadie las usa.

No me importa cómo se vistan en el Village. Vamos a un coctel y todos los hombres van a estar de corbata. Ahora estás en Estados Unidos. Vamos por la corbata a una tienda de ropa para hombre en Broadway.

¿Para qué comprar una corbata cuando tengo una en casa?

Porque no voy a ir a esa fiesta contigo en esa facha.

Se alejó de mí por la calle 116 hasta Broadway, alargó la mano y se subió a un taxi sin siquiera mirar si yo la seguía.

Yo tomé el tren de la avenida Séptima hasta Washington Heights, ciego de sufrimiento, maldiciéndome por mi testarudez y celoso de que ella me fuera a cambiar por el señor

Abogado del Saco, de que pasara el resto del verano yendo con él a los cocteles hasta que Bob, el futbolista, volviera de las prácticas. Y hasta podría cambiar a Bob por el abogado, terminar la universidad e irse a vivir a Westchester o a Long Island, donde todos los hombres usan corbata y hay quienes tienen una para cada día de la semana, aparte de las que llevan en los eventos sociales. Ella estaría feliz yendo al club campestre toda acicalada y recordando lo que decía su padre: Una dama no está vestida apropiadamente si no lleva guantes blancos hasta los codos.

Paddy Arthur bajaba las escaleras, arreglado pero sin corbata, camino de un baile de irlandeses al que por qué no lo acompañaba, podría encontrarme con Dolores, ja ja.

Volví a bajar con él las escaleras mientras le decía que no tenía interés en ver de nuevo a Dolores ni en esta vida ni en la otra después de haberme engatusado durante todo el recorrido del tren E hasta Queens Village haciéndome creer que habría un poquito de emoción al final de la noche. Antes de subir al tren con dirección al centro, Paddy y yo nos detuvimos a tomarnos una cerveza en un bar de Broadway y Paddy me dijo: Jesús santo, ¿qué te pasa? ¿Se te metió una abeja o qué en el culo?

Cuando le conté lo de Mike Small y la corbata, no me tuvo ni pizca de lástima. Me dijo que eso me pasaba por andar con esos jodidos protestantes y que qué diría mi pobre madre allá en Limerick.

No me importa qué diría mi madre. Estoy loco por Mike Small.

Él pidió un whisky y me dijo que yo también debería tomarme uno, para aflojar, calmarme, despejar la cabeza, y ya con el segundo whisky en el cuerpo le conté que me gustaría echarme en el suelo en Greenwich Village a fumar marihuana y a compartir una jarra de vino con una chica pelilarga, mientras que en el tocadiscos Charlie Parker nos transporta hasta el cielo y nos vuelve a bajar en un mismo lamento profundo y melodioso.

Paddy me miró furibundo. *Arrah*, por el amor de Cristo, ¿me estás tomando el pelo? ¿Sabes cuál es tu problema? Los protestantes y los negros. Cuando menos pensemos van a ser los judíos y ahí vas a estar perdido sin remedio.

Había un anciano fumándose un pipa junto a Paddy, y le dijo: Es cierto, cierto, cierto. Dile a tu amigo que hay que andar con los tuyos. Toda mi vida anduve con los míos, haciendo excavaciones para la compañía telefónica, irlandeses todos, ni el menor problemita nunca, por Cristo, me quedé con los míos y he visto jóvenes que terminan casándose con gente de toda clase y que pierden su religión y cuando menos piensas están yendo al béisbol y esa es la perdición total.

El viejo dice que conoció a un tipo de su pueblo que trabajó veinticinco años en una taberna en Checoslovaquia y que volvió a instalarse definitivamente en casa sin haber aprendido una palabra de checo y todo porque no se despegó de los suyos, de los pocos irlandeses que encontró allá, unidos todos gracias a Dios y a Su Santa Madre. Seguidamente el viejo nos invitó a un trago para brindar por los hombres y mujeres de Irlanda que no abandonan a los suyos, de modo que cuando nace un niño saben quién es el padre, y eso, por Cristo, Dios perdone el lenguaje, es lo más importante de todo: saber quién es el padre.

Alzamos las copas y brindamos por los que no se separan de los suyos y saben quién es el padre. Paddy se inclinó hacia el anciano y se pusieron a conversar del hogar, que es Irlanda, y aunque el hombre no lo había visitado en cuarenta años quería que lo enterraran en la bella población de Gort junto a su pobre madre irlandesa y a su padre que hizo su parte en la larga lucha contra el pérfido tirano sajón, y levantó la copa para cantar:

Dios salve a Irlanda, dicen los héroes,
Dios salve a Irlanda, lo dicen todos.
si la muerte en el patíbulo nos halla
o nos aguarda en el campo de batalla,
da igual, que es por el bien de Erín de todos modos*.

Más y más iban ellos zozobrando en sus whiskys y yo miraba el espejo de la barra y me preguntaba quién estaría besando a Mike Small en ese momento, con ganas de estar pavoneándome con ella por las calles para que las personas volvieran la cabeza y yo fuera la envidia general. Paddy y el viejo me dirigían la palabra sólo para recordarme que los miles de hombres y mujeres que habían muerto por Irlanda mal podrían alegrarse con mi comportamiento, con eso modo de traicionar la causa andando con episcopalianas. Paddy volvió a darme la espalda y me quedé atisbando lo que alcanzaba a ver de mí en el espejo, asombrado con el mundo en que me había sumido. De cuando en cuando el viejo asomaba la cabeza por detrás de Paddy y me decía: No te separes de los tuyos, no te separes de los tuyos. Estoy en Nueva York, tierra de los libres y hogar de los valientes, pero me debo comportar como si siguiera en Limerick, irlandés en todo momento. Se supone que salga únicamente con chicas irlandesas que me asustan porque viven en estado de gracia diciendo que no a todo y a todo el mundo, a no ser que sea un guapetón de Irlanda que se quiera instalar en una granja en Roscommon a criar siete hijos, tres vacas, cinco ovejas y un cerdo. No sé a qué vine a América si hay

---

* *God save Ireland, sez the heroes,/ God save Ireland, sez 'em all,/ Whether on the scaffold high/ Or the battlefield we die,/ Oh, what matter when for Erin's sake we fall.*

que oír las tristes historias de los sufrimientos de Irlanda y bailar con esas campesinas, novillonas de Mullingar, carne hasta las pantorrillas.

Sólo tengo en la mente a Mike Small, rubia, ojiazul, deliciosa, campante por la vida con su frescura episcopaliana, la típica chica norteamericana, con sus dulces recuerdos de Tiverton, el pueblecito de Rhode Island, la casa donde la educó la abuela, la alcoba con las cortinillas que se mecían suavemente en las ventanas que daban sobre el río Narragansett, la cama tendida con sábanas, frazadas y montones de almohadas, la cabeza rubia recostada en la almohada y repleta de sueños de excursiones, paseos en carreta, viajes a Boston, y de chicos y chicos y más chicos, y la abuela que prepara por la mañana el desayuno norteamericano para que su niñita pueda pasar el día fascinando a todos los niños y niñas y a los profesores y a todo el que se encuentra, incluido yo y principalmente yo, ahí todo abatido en la banqueta de la barra.

Tenía una oscuridad en la cabeza por el whisky, y ya les iba a decir a Paddy y al anciano: Estoy harto de los sufrimientos de Irlanda y no puedo vivir en dos países a la vez. Pero en lugar de eso los dejé ahí en sus cuchicheos en la barra y bajé por Broadway desde la calle 179 hasta la 116 con intenciones de aguardar para echarle un vistazo a Mike Small cuando el señor Abogado del Saco la trajera, escena que quería ver y no quería, hasta que un policía que va en un auto patrullero me llama y me dice: Circule, amigo, que ya todas las estudiantes de Barnard se fueron a dormir.

Circule, dice el policía, y eso hice porque no me hubiera servido decirle que yo sabía quién la estaba besando, que seguramente estaba en el cine rodeada por el brazo del abogado con las puntas de los dedos colgándole al borde de ese pecho reservado para la luna de miel, y que a lo mejor ha-

bía un beso o un apretón entre un puñado y otro de rosetas
de maíz, y heme yo en Broadway mirando las puertas de la
Universidad de Columbia al otro lado de la calle y no sé para
dónde agarrar, con ganas de toparme una muchacha de
California u Oklahoma, toda rubia y ojiazul como Mike
Small, alegre a todas horas y con dientes que no saben de
dolores o caries, alegre siempre porque sabe que su vida está
dispuesta para que se gradúe en la universidad y se case con
un buen niño, niño lo llama ella, y viva en paz, calma y tranquilidad, como diría mamá.

El policía se me volvió a acercar y me dijo que siguiera
circulando, amigo, y traté de cruzar la calle 116 con algo
de dignidad para que no pudiera señalarme con el dedo y
decirle a su compañero: Mira, ahí va otro irlanducho del
Terruño entrapado en whisky. No sabían ellos ni les hubiera interesado saber que todo esto sucedía porque Mike Small
quería que me pusiera una corbata y yo me había negado.

El bar West End estaba atestado de estudiantes de Columbia y pensé que si pedía una cerveza podría mezclarme
y confundirme entre ellos, que estaban más arriba en el escalafón que los estudiantes de la Universidad de Nueva York.
A lo mejor alguna rubia se encaprichaba conmigo y me hacía
olvidar a Mike Small, pero yo no creía que pudiera desechar-
la tan fácil aunque la propia Brigitte Bardot se me metiera
entre las sábanas.

Igual podría estar en la cafetería de la U de Nueva York
con todo lo que estos alumnos de Columbia discutían a grito
limpio sobre la vacuidad de la vida, sobre lo absurdo que
es todo y que lo único que importa es tener dignidad en el
mal trance, viejo. Cuando el cuerno del toro se te deja venir
y te roza la cintura es la hora de la verdad, hombre. Lee a
Hemingway, hombre, lee a J. Paul Sartre, hombre. Ellos sí
saben cómo es la cosa.

Si yo no tuviera que trabajar en bancos, muelles y bodegas, tendría tiempo para ser un universitario en forma y quejarme de la vacuidad. Ojalá mis padres hubieran llevado vidas respetables y me hubieran enviado a la universidad para poder pasar el tiempo en los bares y las cafeterías contándole a todo el mundo lo que admiro a Camus por su invitación cotidiana al suicidio y a Hemingway por exponer el flanco al cuerno del toro. Sé que si tuviera tiempo y dinero superaría a todos los estudiantes de Nueva York en cuestión de desesperación, aunque jamás se lo diría a mi madre porque sé que comentaría: *Arrah*, por el amor de Dios, ¿no tienes tu salud y tus zapatos y una buena mata de pelo, y qué más quieres?

Bebía mi cerveza mientras me preguntaba qué clase de país es éste, donde los policías no hacen sino decirme que circule, donde la gente me pone estiércol de paloma en el sándwich, donde una chica que está comprometida a comprometerse con un futbolista me deja plantado porque no tengo puesta una corbata, donde una monja bautiza a Michael, lo que queda de él, a pesar de lo que sufrió en un campo de concentración y de que merece quedarse así en su condición de judío sin molestar a nadie, donde los estudiantes se hartan de comer y beber y se lamentan como existencialistas por la vacuidad de todo y los policías te vuelven a decir que sigas circulando.

Dejé Columbia atrás y subí de nuevo por Broadway hasta Washington Heights y de allí al puente George Washington a divisar ambos lados del Hudson. Tenía la cabeza llena de nubes negras y de ruidos y de un ir y venir de Limerick y de Dachau y de Ed Klein donde los soldados norteamericanos rescataron a Michael, lo que queda de él, un desecho, y mi madre entraba y salía de mi cabeza con Emer del condado de Mayo y Mike Small de Rhode Island, y Paddy Arthur se

burlaba y decía que yo nunca iba a bailar con chicas irlandesas con esos ojos como dos agujeros de orinar en la nieve, y yo miraba río arriba y río abajo y sentía lástima de mí
hasta que el cielo empezó a clarear en el horizonte y el sol
salió y bañó un rascacielos y luego el otro, convirtiendo a
Manhattan en columnas de oro.

34

Pocos días después ella me llama llorando. Está en la calle y me pide que vaya por ella a la 116 con Broadway. Se peleó con su padre, no tiene un dólar y no sabe qué hacer. Allá está en una esquina, y ya en el tren me dice que se había arreglado y tenía plenas intenciones de llamarme y verme a pesar de mi fuerte aversión por las corbatas pero que su papá le dijo que no, que no salía, y ella le dijo que sí, que sí iba a salir, y él le pegó en la boca que, como puedo ver, se le está hinchando. Se fugó de la casa y no piensa volver. Mary O'Brien le dice que tiene suerte: uno de los inquilinos regresó a Irlanda para casarse con la chica de más adelante por la carretera y su cuarto está libre.

En cierto modo me alegra que su padre le haya pegado porque recurrió a mí y no a Bob y eso sin duda quiere decir que me prefiere. Por supuesto que Bob no está contento y a los pocos días está en la puerta llamándome trotapantanos solapado y amenazándome con romperme la cabeza pero yo hago una finta y se estrella el puño contra la pared y tiene que ir al hospital a que lo enyesen. De salida me dice que después nos vemos y que mejor haga las paces con mi Creador, pero cuando me tropiezo con él a los pocos días en la universidad me ofrece la mano en gesto de amistad y no nos volvemos a ver más. Tal vez llama a Mike Small a escondidas de mí pero ya es demasiado tarde y ella no debería siquiera hablarle porque ya me dejó meterme en su cuarto y en su cama olvidando que reservaba el cuerpo para la noche de bodas y la luna de miel. La noche de nuestra primera emoción me dice que le acabo de quitar la virginidad, y si debo sentirme triste o culpable no puedo hacerlo, más cuando sé que fui el primero, el que se queda para siempre en el recuerdo de ellas, como decían en el ejército.

No podemos quedarnos en casa de Mary O'Brien porque no podemos resistir la tentación de compartir la cama y hay por ahí miradas maliciosas. Paddy Arthur deja de hablarme y no sé si es por religión o patriotismo, porque ando con una que no es ni católica ni irlandesa.

El capitán manda a decir que acepta enviarle una mesada a Mike y eso significa que puede alquilar un pequeño apartamento en Brooklyn. Quiero vivir con ella pero al capitán y a la abuela les parecería deshonroso, así que alquilo un apartamento de agua fría en el 46 de la calle Downing en Greenwich Village. Lo llaman apartamento de agua fría y no entiendo por qué. Tiene agua caliente pero no hay calefacción, salvo por un calentador de querosén que se pone tan rojo que me da miedo de que vaya a explotar. Lo único que puedo hacer para calentarme es comprar una frazada eléctrica en Macy's y conectarla con una extensión que me permite andar por todas partes. En la cocina hay una tina de baño y en el pasillo hay un inodoro que tengo que compartir con el viejo matrimonio de italianos de la puerta de enfrente. El viejo italiano golpea en mi puerta para decirme que ponga mi propio papel higiénico en el colgadero del baño y que no toque el de ellos. Él y su esposa marcan el papel higiénico y si lo uso se van a dar cuenta, así que ojo. Su inglés es pobre y cuando trata de contarme de los problemas que ha tenido con los anteriores ocupantes de mi cuarto se frustra tanto que me agita el puño en las narices y me advierte que me puedo meter en serios líos si le toco el papel higiénico, serios líos, y así y todo me da un rollo para empezar, para asegurarse de que no use el de ellos. Me dice que su esposa es una buena mujer y que la idea de darme el rollo fue de ella, que está enferma y quiere vivir en paz y sin problemas, *Capice?**

Mike da con un apartamentico en la calle Henry en Brooklyn Heights. Tiene su baño propio y nadie la joroba por el papel higiénico. Me dice que el mío es un desastre y que no sabe cómo puedo vivir así, sin calefacción, sin dónde cocinar, con italianos berreando por el papel higiénico. Le doy lástima y me deja pasar noches con ella. Prepara unas comidas deliciosas aunque no sabía ni preparar café cuando el papá la echó de la casa.

Cuando terminan las clases va a Rhode Island a que el dentista le examine el absceso que le hizo su papá con el puño. Yo tomo cursos de verano en la universidad y me toca leer, estudiar, escribir los trabajos finales. Trabajo en el banco, en el turno de doce de la noche a ocho de la mañana, y dos veces por semana manejo el elevador de carga en la bodega Baker y Williams, pensando en Mike, tan descansada y cómoda en casa de su abuela allá en Rhode Island.

Me llama para decirme que su abuela ya no está tan enfadada conmigo por lo que dije de su vida fácil. La abuelita hasta dijo algo amable de mí.

¿Qué dijo?

Dijo que tienes una bonita melena de rizos negros y que siente tanto lo que me pasó con papá que dejaría que vinieras a pasar aquí un día o dos.

Después de lo que me pasó en el banco estoy en posibili-

_____

*¿Entiende?, en italiano

dad de ir a Rhode Island una semana entera. Un tipo se sentó al lado mío en un café de la calle Broad cerca del trabajo, me dijo que me había oído hablar la víspera y que deducía que yo era irlandés, ¿verdad?

Sí, lo soy.

Yeah, bueno, yo también soy irlandés, más irlandés que el cerdo de Paddy, mi padre es de Carlow, mi mamá de Sligo. Espero que no se moleste si le digo que alguien me dio su nombre y que averigüé que es miembro del sindicato de camioneros y de la asociación de estibadores.

Mi carné de la asociación caducó ya.

No importa, soy un sindicalista y estamos tratando de entrarles a esos jodidos bancos, si me excusa el lenguaje. ¿Me comprende?

Oh, claro.

Quiero decir que usted es el único en su turno que pudimos encontrar con algo así como un historial sindical, y todo lo que le pedimos es que deje caer ciertas pequeñas insinuaciones. Usted y los demás saben que los bancos pagan unos salarios de mierda. Sólo hay que hacer una insinuación aquí y otra allá, no demasiadas, no todas de una vez, y nos vemos dentro de unas semanas. Preste acá, que yo me encargo de la cuenta.

La noche siguiente es la del jueves, la del pago, y cuando recibimos nuestros cheques el supervisor dice: Tiene libre el resto de la noche, señor McCourt.

Se cerciora de que todo el turno lo oiga. Está libre esta noche, McCourt, y todas las que siguen, y cuénteles eso a sus amigos sindicalistas. Éste es un banco y no necesitamos ningún maldito sindicato.

Mecanógrafos y demás empleados se quedan mudos todos. Asienten en silencio. Andy Peters hubiera dicho algo pero él sigue en el turno de cuatro a doce.

Tomo el cheque, y mientras espero el ascensor un ejecutivo sale de su oficina. McCourt, ¿verdad?

Asiento con la cabeza.

Eh, me dicen que estás terminando la universidad, ¿verdad?

Sí.

¿Alguna vez pensaste en unirte a nuestra compañía? Podrías subir a bordo y en tres años te tendríamos devengando un buen salario de cinco cifras. Porque eres uno de los nuestros, ¿verdad? ¿Irlandés?

Lo soy.

Yo también. Mi padre es de Wicklow, mamá de Dublín, y cuando trabajas en un banco como éste las puertas se te abren, ya sabes, la orden de Hibernia, los Caballeros de Colón, todo eso. Protegemos a los nuestros. Si no lo hacemos nosotros, ¿quién lo hará?

Me acaban de despedir.

¿De despedir? ¿De qué diablos hablas? ¿Despedido por qué?

Por dejar que un sindicalista me hablara en un café.

¿Hiciste eso? ¿Dejaste que te hablara un sindicalista?

Sí.

Fue la pendejada más estúpida que has podido hacer. Mira, amigo, nosotros venimos de minas de carbón, venimos de cocinas y zanjones. No necesitamos sindicatos. ¿Será que alguna vez los irlandeses entrarán en razón? Oye, te estoy preguntando algo. Te estoy hablando.

No digo nada ni ahí ni de bajada en el ascensor. No digo nada porque me han despedido de ese banco y no hay nada qué decir, en fin de cuentas. No quiero hablar de la entrada en razón de los irlandeses y no entiendo por qué toda persona que conozco me tiene que contar que sus padres son de Irlanda.

El tipo quiere discutir conmigo pero no le doy ese gusto. Más vale largarse y dejarlo tan alto como creció, según diría mamá. De atrás me grita que soy un imbécil, que acabaré abriendo zanjas, repartiendo barriles de cerveza, sirviendo whisky a borrachines inmigrantes en la barra del Blarney Stone. Dice: Jesús bendito, ¿qué de malo tiene proteger a los tuyos? y lo más raro es que en su voz hay un tono de tristeza, como si yo fuera un hijo que lo hubiera defraudado.

Mike Small va a recibirme a la estación de tren de Providence (Rhode Island), y me lleva en autobús a Tiverton. En el camino paramos en una tienda de licores a comprar ron Pilgrim's, el preferido de abuelita. Zoe, la abuela, me dice hola pero no me ofrece la mano o la mejilla. Es hora de comer y hay carne en molde con repollo y papas hervidas porque eso es lo que comen los irlandeses, según Zoe. Dice que debo de estar cansado del viaje y que seguramente quiero una copa. Mike me mira y se sonríe y sabemos que Zoe es la que quiere la copa: ron con cocacola.

¿Y tú qué, abuelita? ¿Quieres una copa?

Bueno, no sé, pues bueno, sí. ¿Vas a preparar las copas tú, Alberta?

Sí.

Bueno, no les eches mucha cocacola. Me arruina el estómago.

Nos sentamos en un salón oscurecido por capas de persianas, cortinas, colgaduras. No hay libros ni revistas ni periódicos y los únicos retratos son los del capitán en su uniforme de teniente del ejército y otro de Mike, una niñita rubia como un ángel.

Nos tomamos las copas en silencio, porque Mike está en el corredor contestando al teléfono y Zoe y yo no tenemos nada de qué hablar. Ojalá pudiera decirle que qué bonita casa, pero no puedo, porque no me gusta la penumbra de esta sala mientras el sol resplandece afuera. Al fin Zoe llama: Alberta, ¿vas a pasar toda la noche en ese condenado teléfono? Tienes un invitado. A mí me dice: Ése es Charlie Moran, con el que está hablando. Fueron grandes amigos en el colegio pero maldita sea si al tipo no le fascina hablar.

Charlie Moran, ¿eh? Mike me deja en esta sala sombría con la abuela y se dedica a cotorrear con su antiguo novio. Todas estas semanas en Rhode Island la ha estado pasando en grande con Charlie mientras yo me partía el espinazo en bancos y bodegas.

Zoe dice: Prepárate otra copa, Frank. Eso quiere decir que ella quiere otra, y cuando me dice que no le ponga mucha cocacola, que le arruina el estómago, le duplico la medida de ron a ver si eso la priva de una vez y puedo obrar a mi antojo con su nieta.

Pero no, la bebida la anima más y a las dos o tres copas dice: Comamos ya, maldita sea. Los irlandeses somos comilones, y durante la comida me pregunta: ¿Te gusta esto, Frank?

Me gusta.

Bueno, entonces cómetelo. ¿Sabes que digo siempre? Una comida no es comida sin una buena papa, y eso que no soy irlandesa. No, carajo, ni una gota de irlandesa aunque tengo un poquito de escocesa. Mi abuela era de apellido Mac-Donald. Eso es escocés, ¿no?

Ajá.

¿No es irlandés?

No.

Después de comer vemos televisión y ella se queda dormida en su sillón luego de decirme que ese Louis Armstrong que sale en la pantalla es más feo que el pecado y que no sabe cantar ni un carajo. Mike la sacude y le dice que se vaya a acostar.

Tú no me mandas a la cama, maldita sea. Serás toda una universitaria pero yo sigo siendo tu abuela, ¿no es cierto, Bob?

Yo no soy Bob.

¿No? ¿Y entonces quién eres tú?

Soy Frank.

Oh, el irlandés. Bueno, Bob es un buen sujeto. Va a ser oficial. ¿Y tú qué vas a ser?

Maestro.

¿Maestro? Oh, bueno, entonces no te vas a pasear en un Cadillac, y sube al otro piso prendida del pasamanos.

Ahora no hay duda de que con Zoe dormida allá en su cuarto Mike me va a visitar en mi cama, pero no, le dan nervios. ¿Qué tal que Zoe se despierte de pronto y nos descubra? Me pondría de patitas en la calle, y a parar el autobús de Providence. Es toda una tortura cuando Mike viene a darme el beso de buenas noches e incluso a oscuras sé que tiene puesta su piyamita *baby doll* rosada. No se quiere quedar: Ay, no, abuelita puede oír, y yo le digo que me daría lo mismo aunque Dios en persona estuviera en el otro cuarto. Que no y que no, dice ella, y se marcha, y me pregunto qué clase de mundo es éste donde la gente desperdicia la oportunidad de una buena revolcada en la cama.

Al amanecer Zoe pasa la aspiradora por los dos pisos y rezonga: Este lugar parece el Callejón de Hogan. La casa esta impecable porque ella no tiene más qué hacer que limpiarla, y refunfuña sobre el Callejón de Hogan para ponerme en mi lugar, pues sabe que sé que esa era una barriada muy peligrosa de Nueva York. Se queja de que la aspiradora no succiona igual que antes, aunque es fácil ver que no hay nada que succionar. Se queja de que Alberta duerme hasta muy tarde y que si creemos que va a cocinar tres desayunos por aparte, el de ella, el mío y el de Alberta.

Su vecina Abbie se da una pasadita por allí y toman café y se quejan juntas de los niños, la suciedad, la televisión, el feo a morir de Louis Armstrong que no sabe cantar, la suciedad, los precios de la comida y de la ropa, los niños, esos malditos portugueses que se están apoderando de todo Fall River y los pueblos vecinos, ya era bastante malo cuando los irlandeses lo manejaban todo, pero al menos sabían hablar inglés siempre y cuando estuvieran sobrios. Se quejan de las peluqueras que cobran una fortuna y no distinguen un peinado decente del culo de un burro.

Oh, Zoe, le dice Abbie, cuida tu lenguaje.

¿Y qué? Si lo dije a propósito, maldita sea.

Si mamá estuviera aquí estaría intrigada. Se preguntaría de qué se quejan esas mujeres. Señor en las alturas, ellas lo tienen todo, exclamaría. Están abrigadas y bien alimentadas y se quejan de todo. Mi madre y las otras mujeres de los barrios de Limerick no tenían nada y rara vez se quejaban. Decían que ésa era la voluntad de Dios.

Zoe lo tiene todo pero se queja al ritmo de la aspiradora y esa puede ser su manera de orar, maldita sea.

En Tiverton Mike se llama Alberta. Zoe rezonga que no entiende por qué una joven querría llevar el condenado nombre de Mike cuando tiene el suyo propio: Agnes Alberta.

Nos paseamos por Tiverton y vuelvo a imaginarme cómo sería ser maestro aquí, casado con Alberta. Tendríamos una cocina reluciente en donde todas las mañanas me desayunaría con mi café con huevos y leería el *Providence Journal*. Tendríamos un baño grande con cantidades de agua caliente y toallas gruesas con tremendas lanillas y yo podría repantigarme en la tina a contemplar el río Narragansett a través

de las cortinillas que se inflarían suavemente bajo el sol
mañanero. Tendríamos un automóvil para ir al mar, a Hor-
seneck Beach y Block Island, y para visitar a los parientes
maternos de Alberta en Nantucket. Con el paso de los años
el pelo mío iría retrocediendo y la barriga se me iría abul-
tando. Los viernes por la noche asistiríamos a los partidos
de baloncesto del colegio local y haría migas con alguien que
me pudiera apadrinar para ser socio del club campestre. Si
me admitieran tendríamos que aficionarnos al golf y eso
sería mi perdición segura, el primer paso hacia la tumba.
Una visita a Tiverton basta para salir huyendo de regreso a
Nueva York.

35

En el verano de 1957 termino mis últimos cursos en la Universidad de Nueva York y en el otoño apruebo los exámenes de la Junta de Educación para maestro de inglés de secundaria.

Un diario vespertino, el *World-Telegram and Sun*, tiene una página dedicada a cuestiones escolares en la que los maestros pueden encontrar información acerca de trabajos disponibles. La mayoría de las vacantes están en colegios vocacionales y los amigos ya me han advertido: No te acerques siquiera a uno de esos colegios vocacionales. Los alumnos son unos matones. Te comerían en trocitos y escupirían el bagazo. Mira esa película, *The Blackboard Jungle**, donde sale un maestro que dice que los colegios vocacionales son los cubos de basura del sistema escolar y que los profesores están ahí para sentarse en las tapas. Anda ve la película y vas a salir corriendo para el otro lado.

Hay un puesto vacante de profesor de inglés en el Colegio Vocacional de Secundaria Samuel Gompers, en el Bronx, pero el director académico me dice que me veo demasiado joven y que los chicos me harían pasar malos ratos. Me dice que su padre era de Donegal, su mamá de Kilkenny, y que quisiera ayudarme. Tenemos que proteger a los nuestros,

_____
* *La selva de pizarra.*

pero él tiene las manos atadas, aunque su manera de encogerse de hombros y mostrarme las manos extendidas con-
tradice del todo lo que dice. En fin, se incorpora de la silla
y me escolta hasta la puerta principal rodeándome los hombros con el brazo, y me dice que vuelva a hacer el intento
en Samuel Gompers, que tal vez en un año o dos me engruese un poquito y pierda esa carita de inocente, y que me va a
tener en cuenta pero que no me tome la molestia de volver
si me dejo crecer la barba. No soporta las barbas y no quiere
ni uno solo de esos malditos *beatniks** en su departamento.
Mientras tanto, dice, debo intentar en uno de esos colegios
católicos donde no pagan tanto pero donde voy a estar con
mi gente, y un buen chico irlandés no debe separarse de los
suyos.

El director académico del Colegio Vocacional Grady, de
Brooklyn, me dice que *yeah*, que quisiera ayudarme pero,
mira, con ese acento tendrías problemas con los chicos,
podrían pensar que hablas raro, y si enseñar ya es bastante
difícil cuando hablas correctamente, lo es el doble de difícil
con ese acento. Me pregunta cómo hice para aprobar la
parte oral del examen para la licenciatura en educación, y
cuando le digo que me dieron una licencia provisional bajo
la condición de que tomara un curso de habilitación de pronunciación, dice: *Yeah*, tal vez puedas volver cuando no
suenes como un papero recién desembarcado, ja ja ja. Me
dice que mientras tanto no me separe de los míos, él mismo
es irlandés, bueno, tres cuartos irlandés, y nunca se sabe con
gente de otra laya.

Voy a tomarme una cerveza con Andy Peters y le cuento

---

* Pertenecientes al movimiento bohemio de la segunda pos-
guerra que protestaba contra los valores tradicionales de la sociedad.

que no podré enseñar inglés hasta que me engruese y me vea
más viejo y hable como un norteamericano, y él me dice:
Mierda, olvídate de enseñar. Métete en los negocios. Espe-
cialízate en algo. En tapacubos. Acapara el mercado. Métete a trabajar en un taller y aprende todo lo que puedas
sobre los tapacubos. La gente entra al taller y dice algo de
unos tapacubos y todo el mundo te mira a ti. Hay una emergencia de tapacubos, ¿eh?, porque se afloja un tapacubos,
sale volando y decapita a una ejemplar ama de casa y todas
las estaciones de televisión te llaman a que des tu opinión
de experto. Después te independizas. Palacio McCourt de
Tapacubos. Tapacubos Nacionales y Extranjeros, Nuevos
y Usados. Tapacubos Antiguos para el Conocedor Coleccio-
nista.

¿Hablará en serio?

Tal vez no sobre los tapacubos. Me dice: Mira lo que
hacen en el mundo académico. Acaparas un lotecito de conocimiento, la imaginería fálica de Chaucer en *La comadre
de Bath* o el afecto de Swift por la mierda, y construyes una
cerca alrededor. Decoras esa cerca con bibliografías y notas
de pie de página. Cuelgas un letrero: No entrar, Intrusos
Perderán Su Cátedra. Te digo que yo, por mi parte, me dedi-
co a buscar un filósofo mongol. Quería acaparar a uno irlandés pero al único que encontré fue a Berkeley, y a ése ya
le echaron garra. Un filósofo irlandés, por el amor de Cristo. Uno solo. ¿Es que ustedes nunca filosofan? Así que me
toca buscarme uno de Mongolia o de la China y es probable que tenga que aprender mongol o chino o lo que diablos
sea que hablen allá, y cuando dé con él va a ser para mí solo.
¿Cuándo fue la última vez que oíste mentar a un filósofo
mongol en uno de esos cocteles del East Side que tanto te
gustan? Saco el Ph. D. y escribo unos artículos sobre mi
mongol en algunas revistas especializadas de esas que nadie

lee. Dicto conferencias eruditas a los orientalistas borrachos en las convenciones de la Asociación para el Estudio de las Lenguas Modernas y espero a que me lluevan las ofertas de la Ivy League* y sus parientas. Me chanto una chaqueta deportiva, me pongo una pipa en la boca y adopto una actitud de petulante, y las esposas de la facultad se van a arrojar en mis brazos, rogándome que recite, en inglés, unos versos eróticos mongoles sacados de contrabando del país en el culo de un yac o de un panda del zoológico del Bronx. Y te digo otra cosa, un consejo en caso de que tomes cursos de posgrado. Cuando tomes un curso, averigua primero sobre qué escribió su disertación doctoral el profesor y actúa en correspondencia con ello. Si el tipo se especializa en las imágenes acuáticas de Tennyson, entonces ahógalo en un diluvio. Si el tipo se especializa en George Berkeley, dale el sonido de una palmada al mismo tiempo que en el bosque cae un árbol. ¿Cómo crees que pasé yo esos putos cursos de filosofía en la U de Nueva York? Si el tipo es católico, le doy a Tomás de Aquino. ¿Judío? Le doy a Maimónides. ¿Agnóstico? Uno nunca sabe con qué salirles a los agnósticos. Uno nunca sabe dónde está parado con ellos, aunque siempre puedes hacer el ensayo con Nietzsche. A ese viejo jodido lo puedes torcer como te dé la gana.

Andy me dice que Bird fue el norteamericano más grande de todos, allá en la cima con Abraham Lincoln y Max Kiss, el tipo que inventó el laxante de chocolate. A Bird le deberían dar el premio Nobel y un escaño en la Cámara de los Lores.

¿Quién es Bird?

---

* Literalmente: "Liga de la hiedra", grupo de universidades del noroeste de los Estados Unidos famosas por su prestigio académico y social.

Por el amor de Cristo, McCourt. Me preocupas. Me dices que te encanta el *jazz* y no sabes quién es Bird. Charlie Parker, hombre. Mozart. ¿Me estás oyendo? ¿Me pillas? Mozart, por el amor de Cristo. Ese es Charlie Parker.

¿Qué tiene que ver Charlie Parker con las vacantes para maestros ni con los tapacubos ni con Maimónides ni con nada?

Mira, McCourt, ése es tu problema, siempre le buscas la pertinencia a todo, vives pegado de la lógica. Por eso es que los irlandeses no tienen filósofos. Eso sí, montones de jodidos teólogos de cantina y abogados de mierda. Afloja, hombre. El jueves por la noche voy a salir temprano y nos vamos de excursión a la 52 a oír un poquito de música, ¿okey?

Vamos de club en club hasta llegar a un sitio donde una mujer negra vestida de blanco le carraspea a un micrófono, prendida de él como en un barco azotado por las olas. Andy me dice al oído: Esa es Billie y es el colmo que la dejen subir a hacer semejante ridículo.

Va hasta el escenario y trata de tomarla de la mano para bajarla pero ella lo insulta y le manda golpes hasta que se tropieza y cae de la tarima. Otro hombre se levanta de la barra y la acompaña a la salida y por los sonidos claros que se mezclan con sus carraspeos sé que ésa era Billie Holiday, la voz que oía de niño en Limerick en la Cadena de las Fuerzas Armadas de Estados Unidos, esa voz pura que me decía: *I Can't Give You Anything But Love, Baby.*

Andy dice: Mira lo que pasa.

¿Qué quieres decir con mira lo que pasa?

Quiero decir que eso es lo que pasa, nada más. Jesús bendito, ¿te lo explico en un libro?

¿Cómo conociste a Billie Holiday?

Adoro a Billie Holiday desde niño. Vengo a la 52 por si puedo atisbarla. Le cuidaría el abrigo. Le fregaría el inodoro. Le prepararía el agua de la tina. Besaría el suelo que pisa. Un día le conté que me habían dado de baja sin honores por no haberme tirado a una oveja francesa y ella dijo que deberían componer una canción con eso. No sé qué planea hacer Dios conmigo en la otra vida pero no pienso ir si no me sientan entre Billie y Bird por toda la eternidad.

A mediados de marzo de 1958 aparece otro anuncio en el periódico: Vacante Profesor de Inglés Secundaria Técnica y Vocacional McKee Staten Island. La subdirectora, la señorita Seested, revisa mi licencia y me conduce adonde el director, Moses Sorola, que no se levanta de su silla detrás del escritorio, desde donde me escudriña a través de la nube de humo que brota de su nariz y del cigarrillo que sostiene en la mano. Dice que están en una emergencia. La profesora que voy a reemplazar, la señorita Mudd, tomó la abrupta decisión de renunciar a mitad de curso. Me dice que los docentes así no tienen consideración y le hacen la vida difícil al director. No me puede ofrecer únicamente clases de inglés, así que tendré que dictar tres clases de estudios sociales todos los días y dos de inglés.

Pero yo no sé nada de estudios sociales.

Da una fumada, entrecierra los ojos y me dice: No se preocupe por eso, y me lleva a la oficina del director académico, Acting, quien me dice que voy a dictar tres clases de economía cívica y que éste es el texto: *Tu mundo y tú*. El señor Sorola sonríe entre la humareda y dice: Tu mundo y tú. Ahí cabe todo lo que quiera.

Le digo que no sé nada de economía o de civismo y él me responde que basta con que vaya unas páginas más ade-

lante que los alumnos. Cualquier cosa que les cuente será
una novedad. Cuénteles que estamos en 1958, cuénteles
cómo se llaman ellos, que viven en Staten Island, y ya verá
cómo se sorprenden y le agradecen la información. A finales del año hasta el nombre de usted va a ser una novedad
para ellos. Olvídese de los cursos de literatura de la universidad. Éstas no son las cúspides del cuociente intelectual.

Me lleva a ver a la señorita Mudd, la profesora que voy
a reemplazar. Cuando abre la puerta del salón de clase los
chicos y las chicas están asomados a la ventana y se gritan
con otros del patio de recreo. La señorita Mudd lee en su
escritorio folletos de turismo y hace caso omiso del avión
de papel que pasa rozándole la cabeza.

La señorita Mudd se ha jubilado.

El señor Sorola sale del salón y ella me dice: Es cierto,
jovencito. No veo la hora de largarme de aquí. ¿Qué día es
hoy? ¿Miércoles? El viernes es mi último día, y bienvenido
a esta casa de locos. Llevo treinta y dos años en estas lides,
¿y a quién le importa? ¿A los muchachos? ¿A sus padres?
¿A quién, jovencito, le importa mierda, si me perdona mi
francés? Educamos a sus mocosos y nos pagan como a unos
lavaplatos. ¿En qué año fue? En 1926. En el gobierno de
Calvin Coolidge. Entré a trabajar ese año. Trabajé durante
todo su período y el del tipo de la depresión, Hoover, y los
de Roosevelt y el de Truman y el de Eisenhower. Mire por
la ventana. Hay una buena vista del puerto de Nueva York,
y el lunes por la mañana, si estos muchachos no lo están
enloqueciendo, verá pasar un barco enorme y ahí voy a ir
yo en la cubierta despidiéndome, hijo mío, despidiéndome
y sonriendo, porque hay dos cosas que no quiero volver a
ver en la vida, con la ayuda de Dios: ni a Staten Island ni a
un solo muchacho. Unos monstruos, unos monstruos. Mí-
relos. Mejor le iría trabajando con chimpancés en el zooló-

gico del Bronx. ¿En qué año estamos? En 1958. ¿Cómo hice para durar tanto? Va a tener que ser un Joe Louis. Así que buena suerte, hijo. La va a necesitar.

36

Antes de despedirnos, el señor Sorola me dice que vuelva al otro día para que observe a la señorita Mudd en sus cinco clases. Puedo aprender algo del método. Me dice que la mitad de la enseñanza es método y no sé de qué me habla. No sé cómo interpretar esa sonrisa tras el humo de cigarrillo y me pregunto si estará bromeando. Me desliza sobre el escritorio mi horario escrito a máquina: Tres cursos de EC, Economía Cívica; dos de I2, Inglés para el segundo año, cuarto trimestre. En la parte de arriba del horario dice: Clase Oficial, PRA, y al final: Asignación Locativa: Comedor, quinto período. No le pregunto al señor Sorola qué quiere decir todo esto para que no vaya a creer que soy un ignorante y cambie de parecer sobre mi contratación.

De bajada hacia el ferri un muchacho me llama: Señor McCourt, señor McCourt, ¿usted es el señor McCourt?

Sí.

El señor Sorola quiere verlo otra vez.

Sigo al alumno cuesta arriba y ya sé por qué el señor Sorola me quiere ver de nuevo. Ha cambiado de parecer. Encontró a alguien con experiencia, alguien ducho en cosas de método, alguien que sabe qué es una clase oficial. Si no consigo este puesto tendré que empezar otra vez la búsqueda.

El señor Sorola me espera a la entrada del colegio. Se

cuelga el cigarrillo en la boca y me rodea el hombro con el brazo. Me dice: Le tengo buenas noticias. El puesto va a estar vacante más pronto de lo previsto. La señorita Mudd debe de haberse llevado una muy buena impresión de usted porque decidió irse hoy mismo. En realidad ya se fue, por la puerta de atrás, y ni siquiera son las doce del día. Nos preguntamos entonces si no sería posible que usted se posesionara mañana sin tener que esperar hasta el lunes.

Pero yo...

Yeah, lo sé. No está listo. No hay problema. Le daremos algo que tenga ocupados a los chicos hasta que usted le coja el truco, y si quiere, de vez en cuando me asomo para mantenerlos a raya.

Me dice que es mi oportunidad dorada para empezar de un salto mi carrera docente, que soy joven, que los chicos me van a caer bien, que yo les voy a caer bien a ellos, que el colegio McKee tiene un profesorado del diablo siempre dispuesto a brindar su apoyo y colaboración.

Le digo que sí, por supuesto, que mañana empiezo. No es el empleo docente de mis sueños pero habrá que conformarse, dado que no consigo nada más. Viajo en el ferri de Staten Island pensando en los reclutadores de maestros para colegios suburbanos que iban a la Universidad de Nueva York, en cómo me decían que parecía inteligente y entusiasta pero que la verdad era que mi acento sería un escollo. Oh, tenían que admitir que era encantador, que les recordaba a Barry Fitzgerald en *Going My Way*, pero pero pero. Decían que en sus colegios eran muy exigentes con la lengua hablada y que no podrían hacer una excepción conmigo porque el acento irlandés era contagioso y que qué iban a decir los padres de familia si sus hijos llegaban a la casa hablando como Barry Fitzgerald o Maureen O'Hara.

Yo quería trabajar en uno de esos colegios de suburbio,

en Long Island, en Westchester, donde alumnos y alumnas fueran brillantes, alegres, sonrientes, atentos, lapicero en mano, mientras yo discurría acerca del *Beowulf*, *Los cuentos de Canterbury*, la escuela de los Poetas Caballeros, la de los Metafísicos. Me admirarían todos y cuando pasaran por mis clases sus padres me invitarían a cenar a las casas más espléndidas. Las jóvenes mamás vendrían a consultarme acerca de sus hijos y quién sabe qué podría pasar cuando sus maridos se ausentaran, esos hombres de trajes de paño gris, y yo recorriera los suburbios a la caza de esposas solitarias.

Me tengo que olvidar de los suburbios. Llevo aquí en mis rodillas el libro que me habrá de ayudar en mi primer día de profesor: *Tu mundo y tú*, y ojeo en las páginas una breve historia de los Estados Unidos desde el punto de vista económico, con capítulos sobre el gobierno norteamericano, el sistema bancario, cómo leer las páginas de la bolsa, cómo abrir una cuenta de ahorros, cómo llevar la contabilidad de la casa, cómo conseguir préstamos o hipotecas.

Al final de cada capítulo hay secciones de preguntas y respuestas para ser discutidas en clase. ¿Qué causó la caída de la bolsa en 1929? ¿Cómo evitar esto en el futuro? Si quisieras ahorrar dinero y ganar intereses, tú: a) lo guardarías en un frasco, b) lo invertirías en el mercado bursátil del Japón, c) lo guardarías debajo del colchón, d) lo pondrías en una cuenta de ahorros bancaria.

Se recomiendan algunas actividades, con adiciones anotadas a lápiz por algún exalumno. Cita a tu familia a una reunión y discute con papá y mamá sobre la economía familiar. Por lo que has aprendido en este libro, enséñales a mejorar su contabilidad. (Adición: No te sorprendas si te dan una tunda.) Ve con tu clase a una visita guiada de la Bolsa de Valores de Nueva York. (Les va a gustar no tener clases ese día.) Piensa en un producto que le pueda hacer falta a tu comunidad y funda una pequeña empresa que lo produzca. (Qué tal algún afrodisiaco.) Escríbele a la Junta de la Reserva Federal y diles qué piensas de ellos. (Diles que nos dejen un poquito a los demás.) Entrevista a varias personas que recuerden la quiebra de 1929 y escribe un informe de mil palabras. (Pregúntales por qué no se suicidaron.) Escribe un cuento en el que le explicas el patrón oro a un niño de diez años. (A ver si se duerme.) Escribe un informe sobre lo que costó construir el puente de Brooklyn y lo que costaría ahora. Sé específico. (Si no quieres problemas.)

El ferri pasa por Ellis Island y la estatua de la Libertad y estoy tan preocupado con la economía cívica que ni siquiera pienso en los millones de personas que desembarcaron allí y en las que fueron regresadas por tener los ojos malos o los pulmones débiles. No sé cómo voy a hacer para pararme frente a un grupo de adolescentes norteamericanos a hablarles de las ramas del poder público y a proclamar las virtudes del ahorro, cuando yo mismo debo plata en todas partes. Y mientras el ferri se desliza en su atracadero, y con el día que me espera mañana, no veo por qué no refrescarme con unas cuantas cervecitas en la barra del Bean Pot y después de esas cervecitas no veo por qué no tomar el tren hasta el White Horse, en Greenwich Village, para charlar con Paddy y Tom Clancy y oírlos cantar en el cuarto de atrás. Cuando llamo a Mike a darle la buena noticia de mi nuevo trabajo, me pregunta que dónde estoy y me echa una perorata sobre la estupidez de quedarme en la calle bebiendo cerveza la víspera del día más importante de mi vida y que más me vale menear ese culo y volver pronto a casa si acaso sé qué es lo que me conviene. A veces ella habla como su abuela que te vive diciendo qué hacer con tu culo. Echa ese culo para acá. Saca ese culo de la cama.

Mike tiene razón pero ella es bachiller y sabrá qué decir en clase cuando empiece a enseñar y aunque yo tengo un diploma universitario no sé qué les voy a decir a los alumnos de la señorita Mudd. ¿Debo ser Robert Donat en *Goodbye, Mr. Chips* o Glenn Ford en *The Blackboard Jungle*? ¿Debo entrar al salón dándome aires como James Cagney o marchando como un maestro irlandés, armado de una vara, una palmeta y un rugido? Si un alumno me arroja un avión de papel no sé si me le debo enfrentar y decirle que si intentas hacer eso otra vez, muchachito, vas a meterte en líos. ¿Qué hacer con los que se asoman por la ventana a llamar a sus amigos del patio? Si se parecen a algunos de los colegiales de *The Blackboard Jungle* serán rudos y no me harán caso y toda la clase me despreciará.

Paddy Clancy deja de cantar en el cuarto de atrás del White Horse y me dice que por nada quisiera estar en mis zapatos. Todo el mundo sabe cómo son los colegios de este país, es cierto: unas selvas de pizarra. Con mi diploma de enseñanza superior podría haberme hecho abogado o comerciante o algo en lo que pudiera ganar algún dinero. Él conoce a varios profesores en el Village que no ven la hora de renunciar en cuanto sea posible.

También él tiene razón. Todos tienen razón y ya estoy demasiado aturdido con las cervezas que tengo entre pecho y espalda como para preocuparme más. Voy a mi apartamento y me dejo caer en la cama con la ropa puesta y, aunque estoy rendido después del largo día y las cervezas, no consigo dormirme. No hago sino levantarme a leer capítulos de *Tu mundo y tú*, me examino con preguntas concretas, preparo lo que voy a decir de la bolsa de valores, de la diferencia entre acciones y bonos, de las tres ramas del poder público, de la recesión de este año, de la depresión de

ese otro, y da lo mismo si me levanto, salgo y me embucho
de café que me tenga de pie por todo el día.

Al amanecer estoy sentado en un café de la calle Hudson
en compañía de estibadores, camioneros, cargadores y
despachadores. ¿Por qué no vivir como ellos? Trabajan sus
ocho horas al día, leen el *Daily News*, son hinchas del
béisbol, se toman sus cervezas, van a casa adonde sus mujeres, crían a sus hijos. Su paga es mejor que la de los maestros
y no tienen que pensar en *Tu mundo y tú* ni en adolescentes
maniáticos sexuales que no quieren estar ahí en tu clase. Los
trabajadores se pueden jubilar a los veinte años de trabajo
para ir a tomar el sol a la Florida, a esperar el almuerzo y
la comida. Podría llamar al Colegio Vocacional y Técnico
McKee y decirles que se olviden, que quiero una vida más
fácil. Podría decirle al señor Sorola que necesitan un despachador en Baker y Williams, un trabajo fácil de conseguir
con mi grado universitario, y todo lo que tendría que hacer
durante el resto de mi vida sería pararme en la plataforma
con los manifiestos en una tablilla y cotejar qué entra y qué
sale.

Entonces pienso en lo que diría Mike Small si le contara
que no, que no fui al colegio McKee, que me empleé de
despachador con Baker y Williams. Le daría una pataleta.
Me diría: ¿Tanto esfuerzo en la universidad para ser un maldito despachador allá en los muelles? A lo mejor me echaría
de la casa y volvería a los brazos de Bob, el futbolista, y yo
me quedaría solo en el mundo, obligado a ir a los bailaderos
irlandeses y a acompañar a casa a muchachas que reservan
el cuerpo para la noche de bodas.

Me da vergüenza dirigirme a mi primer día de trabajo
docente en estas condiciones, con la resaca del White Horse,
con los nervios de punta por las siete tazas de café de esta

madrugada, con los ojos como dos agujeros de orinar en la nieve, con la lengua pastosa por falta de un cepillo de dientes, con el corazón a punto de estallárseme por el cansancio y el miedo de enfrentarme a decenas de adolescentes norteamericanos. Me pesa haber salido de Limerick. Podría estar allá con un trabajo jubilable en la oficina de correos, ser un cartero respetado por todos y cada uno, casado con una buena chica de nombre Maura, criando dos niños, confesando mis pecados todos los sábados, en estado de gracia todos los domingos, un pilar de la comunidad, un motivo de orgullo para mi madre, muerto en el seno de la Santa Madre Iglesia, lamentado por un amplio círculo de parientes y amigos.

En una de las mesas hay un estibador que le dice a un amigo que su hijo se va a graduar en junio en la universidad de Saint John, que él se ha quebrado el culo todos estos años para enviar a su hijo a la universidad y que es el hombre más afortunado de la tierra porque el hijo aprecia lo que ha hecho por él. El día del grado se va a dar una palmadita en el hombro por haber sobrevivido a una guerra y haber enviado a un hijo a la universidad, un hijo que aspira a ser profesor. Su madre está muy orgullosa de él porque ella siempre quiso ser maestra pero no tuvo la oportunidad, y esto es casi igual de bueno. El día del grado van a ser los padres más orgullosos de la tierra y de eso se trata en esta vida, ¿no?

Si este estibador u Horace, allá abajo en Bodegas Portuarias, supieran lo que pienso se saldrían de casillas conmigo. Me recordarían lo afortunado que soy por tener un diploma universitario y la oportunidad de enseñar.

La secretaria del colegio me dice que vaya adonde la señorita Seested, quien me envía adonde el señor Sorola, quien

me dice que vaya a ver al director académico, quien me dice
que tengo que inscribirme ante la secretaria para que me den
mi tarjeta registradora y que por qué me mandaron primero adonde él.

La secretaria dice: Oh, ¿de vuelta ya? y me enseña a meter
la tarjeta en el reloj marcador, a ponerla en la ranura de
entrada y a pasarla a la de salida. Dice que si tengo que salir
del recinto por cualquier circunstancia, así sea durante el
receso del almuerzo, le tengo que avisar a ella de mi salida
y mi regreso, porque nunca se sabe cuándo lo van a necesitar a uno, nunca se sabe si va a haber una emergencia y los
profesores no pueden andar entrando y saliendo de acá para
allá a su antojo. Me dice que vaya a ver a la señorita Seested,
quien me recibe con sorpresa: Oh, ¿de vuelta ya?, me dice,
y me da una libreta roja, la libreta de asistencia a mis clases.
Me dice que por supuesto yo sabré cómo se usa y yo finjo
que sí para que no me crea estúpido. Me manda de regreso
a donde la secretaria del colegio para que me dé otra libreta de asistencia, la del taller de actividades, y le tengo que
mentir a ella también y decirle que sé cómo se usa. Me dice
que si tengo algún problema les pregunte a los chicos. Ellos
saben más que los profesores.

Tiemblo todo por la resaca y el café y el miedo de lo que
tengo por delante: cinco clases, un taller de actividades y una
asignación locativa, y quisiera estar en el ferri rumbo a
Manhattan, donde podría sentarme ante un escritorio de un
banco a tomar decisiones sobre préstamos.

Los alumnos me estrujan en el pasillo. Hay risas y em-
pujones y refriegas. ¿No ven que soy un profesor? ¿No ven
que llevo bajo el brazo dos libretas de asistencia y *Tu mundo y tú*? En Limerick, un director de escuela jamás hubiera
tolerado semejante jaleo. Andaría por los pasillos armado

de una vara y, si no marchabas como se debe te golpearía en las corvas para arreglarte el caminado.

¿Y qué debo hacer con esta clase, la primera de toda mi carrera docente, a unos alumnos de economía cívica que hacen guerra de tizas, borradores y sándwiches de mortadela? Cuando entre y deposite los libros en el escritorio seguramente van a dejar de arrojarse cosas. Pero no. Hacen como si yo no estuviera allí, y no sé qué hacer hasta que las palabras me salen de la boca, las primeras palabras que pronuncio como profesor: Dejen de tirarse los sándwiches. Me miran como preguntando: ¿Y quién es este tipo?

Un timbre indica el comienzo de la clase y los alumnos se escurren detrás de los pupitres. Se cuchichean cosas, me miran, sueltan la risa, vuelven a cuchichearse, y me arrepiento de haber puesto pie en Staten Island. Miran un pizarrón que hay en la pared lateral del aula y en el que alguien ha escrito en letras grandes separadas: La Srta. Mudd se Fue. Se Juvilió la Funda Vieja, y cuando ven que lo leo vuelven a cuchichearse y a reír. Abro mi ejemplar de *Tu mundo y tú* como si fuera a empezar la clase pero una jovencita alza la mano.

¿Sí?

Profesor, ¿y no va a pasar lista?

Oh, sí, claro.

Eso me toca a mí, profe.

Se contonea por entre los asientos hacia mi escritorio y los muchachos hacen guau guau y le dicen: ¿Qué vas a hacer el resto de mi vida, Daniela? Ella se hace detrás de mi escritorio de cara al salón y cuando se inclina para abrir la libreta salta a la vista que la blusa le queda estrecha y eso es motivo de renovados guau-guaus.

Ella sonríe porque sabe lo que decían los textos de psicología de la U de Nueva York: que las chicas de quince años les llevan años de ventaja a los chicos de su edad y que no se les da nada que las cubran de guau-guaus. Me dice al oído que está saliendo con uno de un curso más avanzado, un futbolista del colegio Curtis, donde todos los chicos son inteligentes y no una manada grasienta de mecánicos de auto, como los de esta clase. Los muchachos saben eso también y por eso fingen llevarse las manos al corazón y desmayarse cuando ella lee sus nombres en la libreta de asistencia. Demora todo el tiempo pasando lista, y yo ahí como un tonto, esperando a un lado. Sé que ella sólo quiere fastidiar a los chicos y me pregunto si también estará jugueteando conmigo, mostrándome su dominio de la clase con una blusa ajustada e impidiendo que haga lo que sea que quiero hacer con la economía cívica. Cuando lee el nombre de alguien que faltó el día anterior le pide la excusa firmada por los padres y si el ausente no la tiene lo reconviene y le pone una N. Les recuerda a los alumnos que cinco enes equivalen a un a F en las calificaciones y se vuelve a preguntarme: ¿No es cierto, profe?

No sé qué decir. Asiento con la cabeza. Me pongo colorado.

Otra muchacha dice desde su asiento: Huy, profe, qué tan tierno, y yo me pongo más colorado todavía. Los chicos se ríen a carcajadas y dan palmadas en las tapas de los pupitres y las chicas se sonríen entre ellas. Le dicen: Estás loca, Yvonne, a la que me llamó tierno, y ella responde: Pero si sí lo es, es tierno de verdad, y me pregunto si el rubor algún día se me va a ir de la cara, si algún día seré capaz de cuadrarme ahí a hablar de economía cívica, si voy a estar por siempre a merced de Daniela e Yvonne.

Daniela dice que ya acabó de pasar lista y que ahora necesita el pase para el baño. Saca un palito de madera de un cajón y sale contoneándose entre otro coro de guau-

guaus y el comentario de un chico a otro: Joey, párate, Joey, déjanos ver todo lo que la quieres, déjanos verte parado, Joey, y Joey se sonroja tanto que una oleada de carcajadas y risitas recorre el aula.

Ya ha pasado la mitad de la clase y no he dicho una palabra de economía cívica. Brego a ser un maestro, un profesor de colegio. Tomo *Tu mundo y tú* y les digo: Okey, abran el libro en el capítulo, eh, ¿en qué capítulo iban?

No íbamos en nianguno.

Quiere decir que no iban en ninguno. Ninguno.

No, quiero decir que no íbamos en nianguno. La jeñorita Mudd no nos enseñó na.

La señorita Mudd no les enseñó nada. Nada.

Oiga, profe, ¿por qué repite todo lo que digo? Na, nada. La jeñorita Mudd nunca nos molestó así. La jeñorita Mudd era buena persona.

Hay cabeceos y murmullos de asentimiento: Yeah, la señorita Mudd era buena persona, y presiento que voy a rivalizar con ella aunque la hayan obligado a jubilarse.

Alguien levanta la mano.

¿Sí?

Profesor, ¿es escocés o algo?

No. Irlandés.

Oh, ¿*yeah*? A los irlandeses les gusta beber, ¿eh? Todo ese whisky, ¿eh? ¿Va a estar aquí para el día de san Paddy?

Sí, voy a estar aquí para el día de san Patricio.

¿Y se va a emborrachar y a vomitarse en el desfile como todos los irlandeses?

Dije que voy a estar aquí. Está bien, abran los libros.

Una mano.

¿Qué libros, profesor?

Este libro: *Tu mundo y tú*.

Niansiquiera tenemos ese libro, profe.

Ni siquiera tenemos ese libro.

Velo, otra vez quesque repitiendo todo lo que decimos.

Hay que hablar buen inglés.

Profe, ésta clase niansiquiera es de inglés. Esto es ecanomía cívilca. No quesque íbamos aprender de plata y todu'eso y usté no está enseñando na de plata.

Daniela vuelve a entrar en el momento en que otra mano se alza. Profesor, ¿cómo se llama? Daniela vuelve a guardar el pase en el escritorio y le dice a la clase: Él se llama McCoy. Me acabo de enterar en el baño y niansiquiera está casado.

Escribo en letras de imprenta mi apellido en el pizarrón: señor McCourt.

Una muchacha pregunta desde el fondo del salón: señor, ¿tiene novia?

Se ríen otra vez. Me pongo colorado otra vez. Se codean entre sí. Las chicas dicen: ¿No es de lo más tierno? y yo me refugio en *Tu mundo y tú.*

Abran los libros. Capítulo uno. Empecemos por el principio: "Breve historia de los Estados Unidos de América".

Señor McCoy.

McCourt. McCourt.

Okey, *yeah*, ya nos sabemos lo de Colón y todu'eso. Nos dan d'eso en la clase de historia con el señor Bogard. Le va dar un ataque si usté se pone a enseñar historia porque pa' eso le pagan y nu'es trabajo de usté.

Tengo que enseñar lo que está en el libro.

La jeñorita Mudd no nos enseñaba lo que'staba en el libro. Le importaba mierda, con su perdón, señor McCoy.

McCourt.

Yeah.

Y cuando suena el timbre y salen en estampida del salón, Daniela se acerca a mi escritorio y me dice que no me preocupe, que no les haga caso a esos pelaos, que son unos

extúpidos, que ella está en un curso comercial para ser secretaria legal, y quién sabe, a lo mejor acaba siendo aboga-
da ella misma, y que ella se encarga de la asistencia y todo.
Me dice: No le coma mierda a nadie, señor McCoy, y excúseme la palabra.

Hay treinta y cinco muchachas en la clase siguiente, todas
de blanco y abotonadas del cuello al dobladillo. La mayoría
tienen el mismo peinado: el panal. Hacen como si yo no
existiera. Instalan unas cajitas en sus pupitres y se examinan
en los espejos. Se depilan las cejas, se empolvan los pómu-
los con borlitas, se ponen pintalabios y se chupan los labios
por sobre los dientes, se liman las uñas y se soplan el polvito
de la punta del dedo. Abro la libreta para pasar lista y ponen cara de asombro. Oh, ¿uste's el remplazo? ¿Dónde está
la jeñorita Mudd?

Se acaba de jubilar.

Oh, ¿usté va a ser el profe titular?

Sí.

Les pregunto en qué taller están, qué es lo que estudian.

Cosmetología.

¿Qué es eso?

El cultivo de la belleza. ¿Y cómo se llama usté, profesor?

Señalo mi nombre en el pizarrón: señor McCourt.

Oh, *yeah*. Yvonne dijo que usté era de lo más tierno que
haiga visto.

Paso esto último por alto. Si me pongo a corregir cada
error de lenguaje en estas clases nunca voy a llegar a la economía cívica y, peor todavía, si me piden que explique las
reglas gramaticales y de pronunciación corro el riesgo de
mostrar mi ignorancia. No voy a tolerar más distracciones.
Comenzaré por el capítulo uno de *Tu mundo y tú*, "Breve
historia de los Estados Unidos de América". Paso las páginas
de Colón a los Peregrinos, a la Guerra de Independencia, a

la Guerra de 1812, a la Guerra Civil, y en el fondo del salón se levantan una mano y una voz:

¿Sí?

Señor McCourt, ¿por qué nos está contando estas cosas?

Les cuento esto porque no pueden comprender la economía cívica si no tienen nociones de la historia de su país.

Señor McCourt, éste es un curso de inglés. O sia que usté
es el profesor y ni sabe qué curso está ditando.

Se depilan las cejas, se liman las uñas, menean sus pana-
les, les doy lástima. Me dicen que mi pelo es un desastre y
que es obvio que jamás me he hecho una manicura.

¿Por qué no sube al taller de belleza pa'que lo arre-
glemos?

Se sonríen y se dan con el codo, y la cara se me enciende
otra vez y también ellas dicen que qué tan tierno. Ufff, epa,
mírenlo. Qué tan tímido.

Tengo que tomar las riendas. Tengo que ser un profesor.
Después de todo, había sido cabo del ejército de los Estados Unidos. Daba órdenes a los soldados y si no obedecían
los tenía del culo por desacato directo de las normas del
ejército y podía llevarlos a consejo de guerra. Así que simplemente voy a darles órdenes a estas jovencitas.

Guarden todo lo demás y abran sus libros.

¿Cuáles libros?

El texto que tengan para inglés.

No tenemos sino *Gigantes en la Tierra*, y ése es el libro
más pesado del mundo. Y la clase canta en coro: Ajá, pe-
sa-do, pe-sa-do, pe-sa-do.

Según ellas, trata de una familia de europeos por allá en
las praderas y todos andan deprimidos y hablan de suicidarse, y nadie de la clase se lo ha terminado porque te dan
como unas ganas de suicidarte. ¿Por qué no pueden leer una
buena novela de amor sin esos europeos todos alicaídos en

las praderas? ¿O por qué no les damos películas? Podrían ver a James Dean, ay, Diosito, James Dean, increíble que esté muerto, podrían verlo y hablar de él. Ay, podrían ver a James Dean toda la vida.

Después que las chicas de cosmetología salen, hay taller de actividades, un período de ocho minutos en el que tengo que ocuparme de los trabajos de oficina de treinta y tres estudiantes del taller de tipografía. Entran en tropel, hombres todos y muy colaboradores. Me dicen qué es lo que tengo que hacer y que no me preocupe. Debo pasar lista, enviar la lista de los que faltan a la señorita Seested, pedir las excusas de asistencia supuestamente escritas por los padres o un médico, repartir los vales de transporte en autobús, tren y ferri. Un alumno trae el contenido de la casilla de correo de la señorita Mudd. Hay notas y cartas de diferentes funcionarios de dentro y fuera del colegio, citaciones de alumnos díscolos a consejería, solicitudes y órdenes de listas y formularios, y segundos y terceros llamados de advertencia. Al parecer, la señorita Mudd había dejado de lado su correo por varias semanas, y la cabeza me pesa al pensar en todo el trabajo que me dejó.

Los muchachos me dicen que no tengo que pasar lista todos los días pero ya empecé y no puedo parar. La mayoría son italianos y pasar lista es una opereta: Adinolfi, Buscaglia, Cacciamani, DiFazio, Esposito, Gagliardo, Miceli.

Se supone que debo recitar con la clase el Juramento a la Bandera y cantar el himno nacional. Escasamente me los sé pero no importa. Los muchachos se ponen de pie, se llevan la mano al corazón y recitan su propia versión del juramento: Juro lealtad a la bandera de Staten Island, y a los amores de una noche, una chica debajo de mí, invisible del todo, con amor y con besos para mí y sólo para mí.

Cuando cantamos el himno nacional, algunos lo cantan

con la letra de *rock and roll* de *You Ain't Nothin' But a Houndog*.

Recibo una nota del director académico en la que me cita en su oficina a la clase siguiente, la tercera, que tengo libre para que supuestamente prepare mis clases. Me dice que debo tener un plan para cada clase y que hay un formulario estándar para eso, que insista en que los alumnos tengan sus cuadernos limpios y ordenados, que me cerciore de que forren los textos, que les baje la calificación si no, que revise si las ventanas están subidas quince centímetros, que al final de la clase debo mandar a un estudiante a recoger la basura del salón, que me haga en la puerta para saludar a los alumnos cuando entren y para despedirlos cuando salgan, que escriba en letras claras y separadas el título y el objetivo de cada lección diaria, que nunca haga preguntas que se puedan contestar con un sí o un no, que no permita bullas innecesarias en el salón, que exija a los alumnos que se queden sentados a menos que alcen la mano para pedir el pase del baño, que obligue a los muchachos a quitarse la gorra, que deje en claro que ningún estudiante puede hablar sin levantar la mano. Tengo que cerciorarme de que todos los estudiantes se queden hasta el final de la clase, que no los deje salir cuando suene el timbre de aviso, el cual, para mi información, suena cinco minutos antes de terminar la clase. Si pescan a un alumno mío en los corredores antes de terminar la clase tendré que responder ante el propio director del colegio. ¿Alguna pregunta?

El director académico dice que los exámenes parciales van a ser dentro de dos semanas y que concentre mi trabajo en las áreas contempladas en los exámenes. Los alumnos de inglés deberán saberse las listas de vocabulario y ortografía, cien palabras de cada una, que ya deben tener en sus cuadernos, de lo contrario se rebaja la calificación, y deberán estar preparados para hacer trabajos de redacción sobre dos novelas. Los estudiantes de economía cívica deberán ir ya más allá de la mitad de *Tu mundo y tú*.

Suena la campana para mi tal asignación locativa: comedor. El director dice que es una tarea fácil. Estaré allá con Jake Homer, el profesor más temido de todos.

Subo las escaleras hacia el comedor con la cabeza a punto de reventar y la boca reseca y ganas de irme de crucero con la señorita Mudd. En vez de eso los estudiantes me estrujan y me empujan en las escaleras y un profesor me dice alto y me pide el pase. Es un hombrecito achaparrado y la cabeza se le incrusta directamente en el tórax prescindiendo del cuello. Me clava la mirada a través de unas gafas gruesas y saca la quijada en un gesto desafiante. Le digo que soy un profesor y no me cree. Me pide la ficha de horario. Oh, dice, excúseme. Conque es el señor McCourt. Yo soy Jake Homer. Vamos a estar juntos en el comedor. Lo sigo por las escaleras y el corredor hasta el comedor estudiantil. Hay dos colas ante el mostrador de la cocina, una para cada sexo. Jake me dice que ése es uno de los mayores problemas: tener separados a hombres y mujeres. Dice que a esta edad son unos animales, especialmente los muchachos, y que no es culpa de ellos. Si por él fuera, tendría a las mujeres en un comedor aparte. Los muchachos viven pavoneándose y compitiendo y si la misma chica les gusta a dos de ellos hay pelea. Me dice que si hay una pelea no corra a intervenir. Que deje que los hijueputicas se las arreglen solos. Lo peor es cuando empiezan los calores, mayo, junio, cuando las chicas se quitan los suéteres y los muchachos se enloquecen con las tetas. Ellas saben lo que hacen y los muchachos se ponen como unos perritos falderos, acezando. Nuestra tarea consiste en tenerlos separados, y si un chico quiere ir a la sección de las mujeres debe venir a pedirnos permiso. De lo contrario tendríamos una trifulca de doscientos adolescentes a plena luz del día. También tenemos que hacer ronda por el comedor y ver que los alumnos devuelvan las bandejas y las sobras a la cocina y dejen limpia el área alrededor de sus mesas.

Jake me pregunta si estuve en el ejército y cuando le digo que sí me dice: Apuesto a que no sabías que te iban a destacar a este mierdero cuando decidiste ser profesor. Apuesto a que no sabías que ibas a ser guardia de comedor, supervisor de basuras, psicólogo, niñero, ¿eh? Es muy diciente de lo que en este país piensan de los profesores el hecho de que tengas que perder horas de tu vida viendo comer como cerdos a estos chicos y diciéndoles que dejen limpio el lugar. Ni los médicos ni los abogados tienen que decirle a la gente que haga la limpieza. En Europa no hay profesores obligados a estas porquerías. Allá los profesores de colegio reciben trato de docentes universitarios.

Un muchacho que lleva su bandeja a la cocina no se da cuenta de que deja caer la envoltura de un helado. Cuando va regreso a su mesa, Jake lo llama.

Joven, recoja esa envoltura de helado.

El chico se insolenta: Yo no dejé caer eso.

Joven, no le pregunté eso. Le dije que la recogiera.

No tengo que recogerla. Conozco mis derechos.

Venga acá, joven, le enseño sus derechos.

El silencio desciende sobre el comedor. A la vista de todos Jake le pellizca al chico la piel del hombro izquierdo y se la retuerce como dándole cuerda. Joven, le dice, usted tiene cinco derechos. Número uno, se calla. Número dos, hace lo que le ordenen. Y los otros tres no cuentan.

Jake le retuerce el cuero y el chico trata de no hacer caras, trata de verse fresco, hasta que Jake lo pellizca tan duro que se le doblan las rodillas y tiene que gritar: Está bien, está bien, señor Homer, está bien. Ya recojo el papel.

Jake lo suelta. Okey, joven. Veo que es un joven razonable.

El chico vuelve encorvado a su asiento. Está humillado y me parece que sin necesidad. Cuando algún maestro de la Escuela Nacional de Leamy, en Limerick, atormentaba de esa manera a un niño siempre nos poníamos en contra del maestro y me temo que aquí es igual por las miradas de odio que nos lanzan los estudiantes, chicos y chicas por igual, a Jake y a mí. Me hace preguntarme si alguna vez seré tan inclemente como un maestro irlandés o tan brusco como Jake Homer. Los profesores de psicología de la universidad no nos dijeron qué hacer en estos casos, y eso se debe a que los profesores universitarios nunca han tenido que supervisar alumnos en un comedor de secundaria. ¿Y qué pasará si Jake no está y yo soy el único profesor presente para tener bajo control a doscientos estudiantes? Si le digo a una jovencita que recoja un papel y ella se niega, yo sé que no la voy a pellizcar en el hombro hasta que le tiemblen las rodillas. No, tendré que esperar a ser viejo y rudo como Jake, aunque seguramente él tampoco sería capaz de pellizcarle el hombro a una jovencita. Él trata a las muchachas con más cortesía. Les dice: Cariño, ayude, por favor, a conservar aseado el sitio. Ellas le dicen: Sí, señor Homer, y él se aleja contoneándose y con qué sonrisa.

Se me arrima por los lados de la cocina y me dice: Les tienes que caer encima a esos hijueputicas como una tonelada de ladrillos. Luego le dice a un chico que espera enfrente: ¿Sí, hijo?

Señor Homer, tengo que devolverle el dólar que le debo.

¿Qué dijiste, hijo?

El día que no tenía plata para almorzar el mes pasado. Usted me dio un préstamo de un dólar.

Olvídalo, hijo. Cómprate un helado.

Pero, señor Homer.

Anda, hijo. Date ese gusto.

Gracias, señor Homer.

De nada, chico.

Me dice: Es un buen muchacho. No creerías la vida tan dura que le toca, y así y todo viene a clases. El padre torturado, asesinado casi por una banda de Mussolini en Italia. Jesús bendito, no creerías las penurias que pasan las familias de esos muchachitos, y eso que éste es el país más rico del planeta. Agradécele a Dios, McCourt. ¿Puedo llamarte Frank?

Cómo no, señor Homer.

Llámame Jake.

Okey, Jake.

Es mi hora de almuerzo y él me guía al comedor de los profesores, en el último piso. Al verme, el señor Sorola me presenta a los otros profesores de las distintas mesas: señor Rowantree, tipografía; señor Kriegsman, higiene; señor Gordon, taller de máquinas; señorita Gilfinane, artes; señor Garber, aptitudes orales; señor Bogard, estudios sociales; señor Maratea, estudios sociales.

Tomo mi bandeja con un sándwich y un café y me siento en una mesa desocupada, pero el señor Bogard se acerca, me dice que se llama Bob y me convida a sentarme con él y los otros profesores. Me gustaría quedarme solo porque no sé qué decirle a nadie y apenas abra la boca van a decir: Oh, eres irlandés, y tendré que explicarles cómo fue eso. No es tan malo como ser negro. Uno siempre puede cambiar de acento pero no puede cambiar de color de piel y debe de ser un fastidio cuando eres negro y la gente cree que te tiene que hablar de temas negros sólo porque estás ahí con esa piel. Puedes cambiar de acento y la gente dejará de decirte de qué parte de Irlanda son sus padres pero no hay escapatoria si eres negro.

Pero no puedo decirle no al señor Bogard después que se tomó la molestia de venir hasta mi mesa, y cuando me acomodo con mi café y mi sándwich los profesores se vuelven a presentar por sus nombres de pila. Jack Kriegsman dice: ¿Tu primer día, eh? ¿Seguro que quieres hacer esto?

Algunos de ellos se ríen y menean la cabeza como diciendo que se arrepienten de haberse metido en esto. Bob Bogard no se ríe. Se inclina hacia mí y me dice: Si hay una profesión más importante que el magisterio que me lo digan. Todos parecen mudos después de esto hasta que Stanley Garber me pregunta qué materia enseño.

Inglés. Bueno, no precisamente. Me tienen dictando tres cursos de economía cívica. La señorita Gilfinane dice: Oh, eres irlandés. Qué bueno es oír ese acento aquí.

Me habla de sus orígenes y me pregunta de qué parte soy, cuándo llegué, si pienso regresar y por qué los católicos y los protestantes viven enfrentados en el viejo terruño. Jack Kriegsman dice que son peores que judíos y árabes y Stanley Garber disiente. Stanley dice que al menos los irlandeses de ambos bandos tienen algo en común: el cristianismo, mientras que los judíos y los árabes son el día y la noche. Jack dice: No hables mierda, y Stanley le revira con sarcasmo: Qué comentario tan inteligente.

Cuando suena el timbre, Bob Bogard y Stanley Garber bajan conmigo y Bob me dice que sabe cómo son las cosas en las clases de la señorita Mudd, que los chicos están todos rebeldes tras varias semanas sin disciplina y que si necesito ayuda se lo haga saber. Le digo que sí, que la necesito. Quisiera saber qué hacer ahora que se acercan los exámenes parciales de economía cívica, que serán dentro de dos semanas, sin que hayan abierto siquiera el libro. ¿Cómo voy a ponerles una nota en la libreta basada en nada?

Stanley dice: No te preocupes. En este colegio muchas libretas de calificaciones no se basan en nada, al fin y al cabo. Hay alumnos con aptitudes de lectura de tercero de primaria y eso no es culpa tuya. Deberían estar repitiendo primaria pero no los pueden dejar allá porque miden un metro con ochenta, demasiado grandes para los pupitres y líos y más líos para los maestros. Ya verás.

Él y Bob Bogard revisan mi horario y menean la cabeza. Tres clases al final de la jornada, el peor horario que te pueden dar, imposible para un profesor novato. Los chicos ya han almorzado y están cargados de azúcar y proteínas y quieren estar afuera en jueguitos de manos. Sexo. Eso es todo, dice Stanley. Sexo, sexo, sexo. Pero es lo que pasa cuando llegas a mitad del semestre y reemplazas a las señoritas Mudd de esta tierra.

Buena suerte, dice Stanley.

Hazme saber si necesitas ayuda, dice Bob.

Me le mido al azúcar, las proteínas y el sexo sexo sexo de las sexta, séptima y octava horas, pero me veo silenciado por una avalancha de preguntas y reparos. ¿Dóndestá la jeñorita Mudd? ¿Muerta? ¿Se largó con el novio? Ja ja ja. ¿Usté's el nuevo profe? ¿Se va a quedar aquí siempre? ¿Tiene novia, profe? No, no tenemos *Tu mundo y tú*. Qué libro tan pendejo. ¿Por qué no hablamos de cine? Tenía una profe en quinto que hablaba de cine a todas horas y la echaron. Era una gran maestra. Profe, no se le olvide pasar lista. La jeñorita Mudd siempre pasaba lista.

La señorita Mudd no tenía que pasar lista porque en cada clase hay un monitor para eso. El monitor es por lo general una muchacha tímida con un cuaderno limpio y buena letra.

Por pasar lista gana puntos de colaboración y eso impresionará favorablemente a los patrones cuando busque empleo en Manhattan.

Los alumnos de inglés de segundo año arman un griterío de celebración al oír la noticia de que la señorita Mudd se ha ido definitivamente. Era de lo peor. Quería obligarlos a leer ese libro espantoso, *Gigantes en la Tierra*, y les decía que después de eso se tendrían que leer *Silas Marner*, y Louis, allá en la ventana, que lee tantos libros, nos contó a todos que es sobre un viejo verde en Inglaterra y una niña, y que es la clase de libro que no debemos leer aquí en Estados Unidos.

La señorita Mudd les había dicho que leyeran *Silas Marner* para el próximo examen parcial y que escribieran un trabajo de composición comparándolo con *Gigantes en la Tierra*, y los estudiantes de inglés de segundo año de la octava clase quisieran saber de dónde diablos sacó ella la idea de comparar un libro de gente alicaída en las praderas con otro de un viejo verde en Inglaterra.

Vuelven a armar un griterío Me dicen: No queremos leer cualesquier pendejada.

Lo que ustedes quieren decir es que no quieren leer *cualquier* pendejada.

¿Qué?

Oh, nada. Suena el timbre de aviso y ellos recogen sus abrigos y mochilas para ir a amontonarse en la puerta. Les tengo que gritar: Siéntense. Es apenas el timbre de aviso.

Ponen cara de asombro. ¿Qué pasa, profe?

No pueden salir cuando suena el timbre de aviso.

La jeñorita Mudd nos dejaba salir.

Yo no soy la señorita Mudd.

La jeñorita Mudd era rebuena. Nos dejaba ir. ¿Usté por qu'és tan mala leche?

Se desbocan por la puerta y no hay cómo pararlos. El señor Sorola me aguarda en el corredor para decirme que los alumnos no pueden salir apenas suena el timbre de aviso.

Lo sé, señor Sorola. No los pude parar.

Bueno, señor McCourt, un poquito más de disciplina mañana, ¿eh?

Sí, señor Sorola.

¿Habla en serio o me está tomando el pelo?

37

Hay unos italianos entrados en años que se pasean por el ferri de Staten Island en busca de clientes para lustrarles los zapatos. He pasado una mala noche y un día peor y no hay razón para no gastarme un dólar y una propina de veinticinco centavos en una lustrada, aunque este viejo italiano menee la cabeza y me diga en su inglés entrecortado que debería comprarle unos zapatos nuevos a su hermano que los vende en la calle Delancey y que me daría un buen precio si le menciono a Alfonso el del ferri.

Cuando acaba sacude la cabeza y me dice que me va a cobrar apenas cincuenta centavos porque esos son los peores zapatos que ha visto en años, zapatos de vagabundo, zapatos que no le pondrías a un muerto, y que vaya a la calle Delancey y no me olvide de decirle a su hermano quién me envió. Le digo que no tengo con qué comprarme un par nuevo, que acabo de empezar en un trabajo, y él dice: Va bene, va bene, dame un dólaro. Me pregunta: ¿Enseña, eh? y yo digo: ¿Cómo sabe? Porque i profesori sempre tienen pésimo zapato.

Le doy el dólar y la propina y se marcha voceando: Lustro, lustro.

Hace un día despejado de marzo y es agradable sentarse en la cubierta exterior a observar a los turistas emocionados tomando fotos de la estatua de la Libertad, al frente del largo

brazo del río Hudson y el perfil de Manhattan que va
flotando hacia nosotros. El agua es un hervidero de olitas
espumosas y la brisa que viene del estrecho trae el toque
tibio de la primavera. Ah, qué bueno es, cómo me gustaría
estar allá en el puente de mando timoneando este viejo ferri
de ida y vuelta entre remolcadores y lanchones y cargueros
y transatlánticos que levantan en el puerto grandes olas que
se estrellan contra la cubierta de los autos del ferri.

Sería una vida plácida, más fácil que enfrentarse todos
los días a decenas de alumnos de secundaria con sus empu-
joncitos secretos, sus guiños y sus risas, sus quejas y reparos,
o ese modo de hacer caso omiso de mí como si fuera un
mueble. Se me viene a la mente un recuerdo de una mañana
en la Universidad de Nueva York, el de una cara que dice:
¿No estamos siendo un poquito paranoicos?

Paranoico. Ya consulté esa palabra. Si estoy delante de
mis alumnos y uno de ellos le susurra algo a otro y se ríen,
¿será que se están riendo de mí? ¿Se sentarán en el comedor a remedar mi acento, y a burlarse de mis ojos enrojecidos? Sé que es así porque nosostros hacíamos los mismo en
el Colegio Nacional de Leamy, y si voy a preocuparme por
eso, tendré que pasar mi vida en el departamento de préstamos de la Manufactures's Trust.

¿Voy a hacer esto por el resto de mis días?: tomar el metro
y luego el ferri hasta Staten Island, subir la cuesta hasta el
Colegio Vocacional y Técnico McKee, registrar la tarjeta en
el reloj, sacar un cerro de papeles de mi casilla de correo,
decirles a mis alumnos clase tras clase, día tras día: Siéntense, por favor, abran sus cuadernos, saquen sus bolígra-
fos, ¿que no tienes papel? toma esta hoja, ¿que no tienes
bolígrafo? pide uno prestado, copien lo que está escrito en
el pizarrón, ¿no puedes ver de allá? Joey, ¿quieres cambiar
de puesto con Brian? vamos Joey, no seas tan, no Joey, no

te dije cabrón, únicamente te pedí que cambiaras de puesto
con Brian que necesita unos anteojos, ¿no necesitas unos
anteojos, Brian? bueno, entonces para qué te tienes que
cambiar de sitio, olvídate, Joey, cámbiate simplemente, ¿sí?
Freddie, guarda ese sándwich, no estamos en el comedor,
no me importa que tengas hambre, no, no puedes ir al baño
a comerte tu sándwich, es prohibido comer sándwiches en
el inodoro, ¿qué pasa, María? ¿te sientes mal y tienes que
ir a la enfermería? Okey, toma el pase, Diane, lleva a María
a la enfermería y me cuentas qué dijo la enfermera, no, sé
que no te van a decir qué tiene ella, sólo quiero saber si va
a volver a clase, ¿qué pasa, Albert? ¿enfermo también? no,
no lo estás, Albert, tú te quedas ahí y haces tu tarea, ¿tienes
que ir a la enfermería, Albert? ¿te sientes mal de veras? ¿que
tienes diarrea? bueno, toma el pase del baño de los hombres y no te quedes allá toda la clase, los demás terminen
de copiar lo del pizarrón, voy a hacer una prueba, ¿sabían
eso, no? voy a hacer una prueba, ¿qué te pasa, Sebastian?
¿se te acabó la tinta? bueno, ¿por qué no dijiste algo? sí, lo
estás diciendo ahora pero pudiste haberlo dicho hace diez
minutos, oh, ¿no querías interrumpir a tanta gente enferma?
qué amable de tu parte, Sebastian, ¿tiene alguien un bolígrafo que le pueda prestar a Sebastian? oh, vamos, ¿qué dices,
Joey? ¿que Sebastian es qué? ¿un qué? no debes decir esas
cosas, Joey, Sebastian, siéntate, nada de peleas en el salón,
¿qué te pasa, Ann? ¿que te tienes que ir? ¿adónde, Ann? oh,
¿conque tienes la regla? tienes razón, Joey, ella no tiene que
contarle eso a todo el mundo, ¿sí, Daniela? ¿quieres llevar
a Ann al baño? ¿para qué? oh, ¿que ella nián, ah, que ni
siquiera habla bien inglés? ¿y eso qué tiene que ver con que
ella tenga la? ¿qué dices, Joey? no creerás que las jóvenes
se deban expresar así, calma, calma, Daniela, no hay que
ser insultantes, ¿qué dices, Joey? conque eres muy piadoso

y la gente no se debe expresar así, okey, calma, Daniela, sé que estás defendiendo a Ann que tiene que ir al escusado, al baño, anda pues, llévala, y los demás copien lo que está escrito en el pizarrón, oh, ¿tú tampoco puedes ver? ¿quieres pasarte para adelante? okey, pásate, acá hay un puesto vacío ¿y dónde está tu cuaderno? lo dejaste en el bus, de acuerdo, necesitas papel, toma esta hoja, ¿necesitas un bolígrafo? toma este bolígrafo, ¿necesitas ir al baño? bueno, anda anda anda al baño, cómete el sándwich, charla con tus amigos, Jesús bendito.

Señor McCoy.

McCourt.

No jure en vano. No pronuncie así el nombre de Dios.

Me dicen: Oh, señor McCourt, fúmese las clases de mañana, que es el día de san Paddy. Epa, usté's de Irlanda. Tiene que ir al desfile.

Si me fumara las clases y me quedara en cama todo el día, ellos felices. Los profesores sustitutos difícilmente se toman la molestia de asistir y los alumnos simplemente hacen novillos. Oh, vamos, señor McCourt, dése el asueto con sus amigos irlandeses. O sea, no vendría al colegio si estuviera en Irlanda, ¿no?

Sueltan gemidos cuando me aparezco al otro día. Ah, mierda, mano, perdone la palabra, ¿qué clase de irlandés es usté? Oiga, profe, ¿verdá que puede qu'esta noche salga con todos esos irlandeses y que falte mañana?

No voy a faltar mañana.

Me traen cosas verdes, una papa pintada, un roscón verde, una botella de Heineken por lo verde, un repollo con agujeros a manera de ojos, nariz y boca, con un gorrito verde de duende típico hecho en el taller de artes. El repollo se llama Kevin y tiene una novia, una berenjena llamada

Maureen. Me dan una tarjeta de celebración de sesenta centímetros por sesenta deseándome un feliz día de san Paddy con un colage de objetos de papel verdes, tréboles, bastos, botellitas de whisky, el dibujo de un trozo de carne prensada verde, san Patricio con un vaso de cerveza verde en vez del báculo y diciendo: Fe y *Begorrah*, qué gran día para los irlandeses, una caricatura mía con un globo que dice: Bésame Soy Irlandés. La tarjeta está firmada por decenas de alumnos de mis cinco cursos y decorada con caritas felices en forma de trébol.

Las clases son una algarabía. Oiga, señor McCourt, ¿por qué no anda de verde? Porque no li'hace falta, extúpido, por qu'es d'Irlanda. Señor McCourt, ¿por qué no se va p'al desfile? Porque acaba de empezar a trabajar. Por Chucho bendito, si apenas lleva una semana aquí.

El señor Sorola abre la puerta. ¿Todo va bien, McCourt? Oh, sí.

Se arrima a mi escritorio, ve la tarjeta, se sonríe. Creo que usted les simpatiza, ¿eh? ¿Y cuánto lleva acá? ¿Una semana?

Casi.

Bueno, todo esto está muy bien pero vea si puede ponerlos otra vez a trabajar. Se dirige a la puerta seguido de un: Feliz día de san Paddy, señor Sorola, pero desaparece sin volver la cabeza. Cuando alguien dice al fondo: El señor Sorola es un italianucho de los infiernos, hay una refriega que sólo termina cuando los amenazo con un examen sobre *Tu mundo y tú*. Hasta que alguien dice: El señor Sorola no es italiano. Es finlandés.

¿Finlandés? ¿Qué es eso?

De Finlandia, extúpido, donde es de noche todo el tiempo.

No tiene cara de finlandés.

A ver, pues, care'mierda, ¿cómo es un finlandés?

No sé pero no tiene cara. Podría ser siciliano.

Él no es siciliano. Es finlandés y apuesto un dólar. ¿Alguien quiere apostar?

Nadie quiere aceptar la apuesta y les digo: Está bien, abran los cuadernos.

Se indignan. ¿Que abramos los cuadernos? ¿El día de san Paddy y nos dice que abramos los cuadernos después de que le dimos la tarjeta y todo?

Lo sé. Gracias por la tarjeta pero hoy es un día de clases como cualquier otro, va a haber exámenes y tenemos que terminar *Tu mundo y tú*.

Un lamento recorre el salón y el día pierde su verdor. Ay, señor McCourt, si supiera lo que detestamos ese libro.

Ay, señor McCourt, ¿no nos puede hablar de Irlanda o algo?

Señor McCourt, háblenos de su novia. Tiene que tener su buena amiguita. Si es que es de lo más tierno. Mi mamá es divorciada. Le gustaría conocerlo.

Señor McCourt, tengo una hermana de su edad. Tiene un puesto importante en un banco. Le gusta toda esa música vieja, Bing Crosby y todo.

Señor McCourt, vi en la tele esa película irlandesa, *El hombre silencioso*, y John Wayne le daba qué zurras a la esposa, cómo se llama, ¿y eso es lo qui'hacen en Irlanda, zurrar a las esposas?

Harían cualquier cosa por sacarle el cuerpo a *Tu mundo y tú*. Señor McCourt, ¿ustedes criaban cerdos en la cocina?

No teníamos cocina.

Yeah, ¿pero si no tenían cocina, en dónde cocinaban?

Teníamos una chimenea donde hervíamos agua para el té, y comíamos pan.

No podían creer que no tuviéramos electricidad y querían saber cómo hacíamos para refrigerar los alimentos. El que había preguntado por los cerdos en la cocina dijo que todo el mundo tenía una nevera hasta que otro le dijo que estaba equivocado, que su madre había crecido en Sicilia y no tenían nevera y que si el chico de los cerdos en la cocina no le creía se podían encontrar en el callejón oscuro después de clases y sólo uno de los dos saldría después. Algunas de las alumnas les decían que se calmaran y una de ellas me dijo que le daba tanta pena que yo hubiera crecido así que si pudiera retroceder en el tiempo me llevaría a su casa para que me diera un baño todo lo largo que quisiera y después podría comerme todo lo de la nevera, todo. Las muchachas asentían con la cabeza y los chicos no decían nada y me alegró que sonara el timbre para poder huir al escusado de los profesores con mis extrañas emociones.

Voy captando cómo operan las tácticas dilatorias de los estudiantes de secundaria, cómo echan mano de la primera oportunidad para esquivar el trabajo del día. Me adulan y engatusan y se llevan la mano al pecho y declaran estar impacientes por oírlo todo sobre Irlanda y su pueblo, me lo hubieran pedido días antes pero lo aplazaron hasta el día de san Patricio porque sabían que yo tendría deseos de celebrar mis tradiciones y mi religión y todo, y por qué no les hablo de la música irlandesa, ¿y sí es verdad que Irlanda es verde todo el tiempo y que las muchachas tienen todas esas narices respingadas tan monas y los hombres beben y beben y beben, es verdad, señor McCourt?

Hay amenazas y promesas en voz baja por toda el aula: Hoy no me quedo en el cole. Voy p'al desfile en el centro. Todos los coles catrólicos tienen el día libre. Yo soy catrólico y me voy a sacar el día libre, pa qué. Que se joda todo esto. Después de clase nos vemos los culos en el ferri. ¿Vienes o qué, Joey?

Nah. Mi mamá me mataría. No soy irlandés.

¿Y qué? Yo tampoco.

Los irlandeses quieren irlandeses no más en el tal desfile.

Pura mierda. Metieron negros al desfile y si metieron negros por qué no voy yo a cuadrarme allá y yo soy catrólico italiano.

No les va a gustar.

No me importa. Los irlandeses no estarían aquí si no es porque Colón descubrió este país y él era italiano.

Mi tío dice que era judío.

Oh, bésame el culo, Joey.

Una oleada de excitación recorre el aula y se oyen voces que piden: Pelea, pelea, pégale, Joey, pégale, ya que una pelea es otra manera de pasar el tiempo y evitar que el profesor dicte la clase.

Es hora de que intervenga el profesor: Bueno, bueno, abran los cuadernos, y se oyen gemidos de dolor: ¿Los cuadernos? ¿Los cuadernos, señor McCourt? ¿Por qué nos hace esto? Y na de *Tu mundo y tú* el día de San Paddy. La mamá de mi mamá era de Irlanda y hay que tener respeto. ¿Por qué no nos habla de la escuela en Irlanda, por qué no, profe?

Está bien.

Soy un profesor novato y he perdido la primera batalla por culpa de san Patricio. Les hablo a este curso y a los otros, ese día, acerca de la escuela en Irlanda, de los maestros con sus varas y palmetas y correas, de cómo había que aprenderse todo de memoria y recitarlo, de cómo los maestros nos habrían matado si se nos hubiera ocurrido armar pelea en clase, de cómo estaba prohibido hacer preguntas o discutir nada, de cómo nos salíamos de la escuela a los catorce años para volvernos mensajeros o desempleados.

Les hablo de Irlanda porque no tengo más remedio. Mis alumnos se han aprovechado de la fecha y no me queda alternativa. Podría amenazarlos con *Tu mundo y tú* o *Silas Marner* y convencerme de que llevo las riendas, de que estoy enseñando, pero sé que habría un alud de pedidos de permisos para ir al baño, a la enfermería, adonde el consejero estudiantil y: ¿Me da el permiso para llamar a mi tía que se está muriendo de cáncer en Manhattan? Si insistiera en dar la lección del día me quedaría hablando solo y el instinto me dice que un grupo de alumnos experimentados en un aula norteamericana puede vencer a un profesor novato.

¿Y cómo era la secundaria, señor McCourt?

No la hice.

Sebastian dice: *Yeah*, se le nota. Y yo prometo para mis adentros: Te las cobro después, pequeño malnacido.

Le dicen: Cállate, Sebastian.

Señor McCourt, ¿no habían bachilleratos en Irlanda?

Había **montones** pero los niños de mi escuela no tenían estímulos para asistir.

Hombre, me encantaría vivir en un país donde no haiga que hacer secundaria.

En la cafetería de lo profesores hay dos escuelas filosóficas. Los veteranos me dicen: Eres joven y estás recién llegado pero no dejes que esos malditos chicos se te monten. Hazles saber quién es el jefe en clase y recuerda que tú eres ese jefe. El dominio es lo principal en la enseñanza. Sin dominio no hay modo de enseñar. Tienes el poder de aprobar o reprobar y ellos saben perfectamente que si reprueban no van a encajar en esta sociedad. Acabarán barriendo las calles y lavando platos y será culpa de ellos, de los pequeños malnacidos. Sencillamente, no dejes que te jodan. Eres el jefe, el hombre del lápiz rojo.

La mayoría de los veteranos lo son también de la segunda

guerra mundial. No quieren hablar de eso, salvo para recordar los malos ratos en Monte Casino, la batalla del Bulge, los campamentos de prisioneros de guerra de los japoneses, la entrada en tanque a un pueblo de Alemania buscando la familia de tu madre. Cuando has visto todo eso no te vas a dejar joder de esos muchachos. Luchaste para que ellos pudieran calentar el culo en el colegio todos los días y para que recibieran el almuerzo escolar del que viven quejándose y eso es más de lo que tus propios padres recibieron en la vida.

Los profesores más jóvenes no están tan seguros. Han tomado cursos de psicología pedagógica y filosofía de la educación, han leído a John Dewey y me dicen que esos chicos son seres humanos y que tenemos que satisfacer sus sentidas necesidades.

No sé qué es una sentida necesidad y no pregunto por no hacer gala de ignorancia. Los profesores más jóvenes menean la cabeza al oír a los más viejos. Me dicen que la guerra terminó, que los muchachos no son el enemigo. Son nuestra juventud, por el amor de Cristo.

Uno de los veteranos dice: Sentidas necesidades, el culo. Hay que saltar de un avión a un campo lleno de teutones para saber qué es una sentida necesidad. Y John Dewey me puede ir besando el culo también. Igual que todos esos jodidos profesores de universidad que hablan mierda de la enseñanza secundaria a pesar de que no distinguirían un colegio aunque viniera a mearles la pierna.

Stanley Garber dice: Es cierto. Todos los días nos ponemos la armadura y salimos al campo de batalla. Todos se ríen porque el trabajo de Stanley es el más fácil, profesor de aptitudes orales, sin trabajos escritos, sin textos, así que qué diablos va a saber lo que es salir al campo de batalla. Se sienta en su escritorio y le pregunta a la clase de qué quieren hablar hoy y lo único que tiene que hacer es corregirles la pronunciación. Me dice que en realidad ya es muy tarde para ayudarlos una vez pasan a la secundaria. Esto no es *My Fair Lady* y él no es el profesor Henry Higgins. Cuando no está de humor o ellos no quieren hablar de nada les dice que se larguen y sube al comedor a hablar sobre el deplorable estado de la educación en Estados Unidos.

El señor Sorola le sonríe a Stanley a través del humo del cigarrillo. Y bueno, señor Garber, le dice, ¿cómo se siente estar jubilado?

Stanley le devuelve la sonrisa. Usted debería saberlo, señor Sorola. Usted se jubiló hace muchos años.

Quisiéramos reírnos, pero con los directores de colegio nunca se sabe.

Cuando les digo a mis alumnos que traigan sus libros a clase, alegan: La jeñorita Mudd nunca nos dio libros. Los de los cursos de economía cívica dicen que ellos no saben na de *Tu mundo y tú,* y los de inglés que nian siquiera han visto la carátula de *Gigantes en la Tierra* o *Silas Marner.* El director académico me dice: Claro que les dimos esos libros y ellos tuvieron que firmar los recibos. Busque en el escritorio de la señorita Mudd, perdón, en su escritorio, que ahí deben de estar.

No hay recibos de libros en el escritorio. Hay folletos turísticos, libros de crucigramas, una variedad de formularios, órdenes y cartas que la señorita Mudd escribió y nunca envió, unas cuantas cartas dirigidas a ella por antiguos alumnos, una vida de Bach en alemán, una de Balzac en francés, y todos en el aula ponen cara de inocencia cuando pregunto si la señorita Mudd no les repartió los libros y les hizo firmar unos recibos. Se miran los unos a los otros y sacuden negativamente la cabeza. ¿A ti te dieron algún libro? Yo no

me recuerdo que me haigan dao uno. La jeñorita Mudd
nunca hizo na d'eso.

Sé que mienten porque en cada clase hay dos o tres con
los libros y sé que los recibieron por el conducto regular. El
profesor los reparte. El profesor les hace firmar recibos. No
quiero poner en evidencia a los estudiantes que tienen los
libros preguntándoles cómo los obtuvieron. No les puedo
pedir que hagan quedar a sus condiscípulos como unos
mentirosos.

El director académico me corta el paso en el corredor:
Y bien, ¿qué hay de esos libros? y cuando le digo que no
puedo hacer quedar mal a los alumnos que los tienen me
dice: Pura mierda, y a la clase siguiente irrumpe en mi salón.
Muy bien, los que tengan los libros que levanten la mano.

Se alza una mano.

Muy bien, ¿de dónde sacó ese libro?

Ah, me lo dio, ah, la jeñorita Mudd

¿Y le hizo firmar un recibo?

Ah, yeah.

¿Cómo se llama usted?

Julio.

¿Y cuando recibió ese libro no recibieron los demás el
mismo libro?

El corazón me late contra el pecho y me da rabia porque,
aunque soy nuevo, ésta es mi clase y nadie debe entrar aquí
sin tocar en la puerta para poner en evidencia a uno de mis
alumnos y, Cristo bendito, me tengo que manifestar. Tengo
que interponerme entre este muchacho y el director académico.

Le digo a éste: Ya hablé con Julio de eso. Él no estaba
cuando eso y la señorita Mudd le dio el libro después de
clases.

Oh, *yeah*. ¿Es cierto, Julio?

Yeah.

Y los demás, ¿cuándo recibieron sus libros?

Silencio. Saben que acabo de mentir y Julio lo sabe y el director académico sin duda sospecha que acabo de mentir pero no sabe qué hacer. Dice: Ya llegaremos al fondo de este asunto, y se larga.

La voz corre de clase en clase y al otro día hay un libro sobre cada pupitre, *Tu mundo y tú* y *Silas Marner*, y cuando el director académico se aparece con el señor Sorola no sabe qué decir. El señor Sorola esboza su sonrisita: Y bien, señor McCourt, todo va viento en popa, ¿eh?

Puede que haya libros en todos los pupitres en este momento particular en que alumnos y profesor presentan un frente unido contra los intrusos: el director del colegio y el director académico, pero apenas salen ellos la luna de miel se acaba y hay un coro de quejas contra estos libros, lo aburridos que son, y lo que pesan, y que quién va a traerlos al colegio todos los días. Los estudiantes de inglés dicen que, ah, *Silas Marner* es un libro chiquito, pero si les toca traer *Gigantes en la Tierra* se tienen que mandar tremendo desayuno, qué libro tan grandote y lo que aburre. ¿Habrá que cargarlo todos los días? ¿No lo pueden dejar en el armario del salón?

Si lo dejan aquí, ¿cómo van a leerlo?

¿No lo podemos leer en clase? Toos los otros profes dicen en clase: Okey, Henry, lee la página diecinueve. Okey, Nancy, tú lees la veinte, y así hasta que terminan el libro y mientras leen podemos recostar la cabeza y echarnos una siesta ja ja ja, mentiras, le estamos tomando el pelo na más, señor McCourt.

38

Mi hermano Malachy tiene, con dos socios, un bar en Manhattan que se llama Malachy's. También actúa con la compañía The Irish Players, se presenta en la radio y en la televisión y su nombre sale en los periódicos. Eso me hace famoso en el Colegio Vocacional y Técnico McKee. Los alumnos me conocen ya por mi apellido y dejo de ser McCoy.

Oiga, McCourt, vi a su hermano en la tele. Qué tipo tan loco.

Señor McCourt, mi mamá vio a su hermano en la tele.

Señor McCourt, ¿usté por qué no sal'n la tele? ¿Cómo así que's un simple profe?

Señor McCourt, si usté tiene acento irlandés ¿por qué no es chistoso como su hermano?

Señor McCourt, usté puede'star en la tele. Puede salir en una telenovela de amor con la jeñorita Mudd, agarrados de la mano en un barco y besándole las arrugas de la cara.

Los profesores que incursionan por el centro de Manhattan me cuentan que ven a Malachy en obras de teatro.

Ah, qué gracioso es su hermano. Fuimos a saludarlo después de la función y le dijimos que somos compañeros suyos y él estuvo muy amable pero, caramba, cómo le gusta la bebida.

———————

Mi hermano Michael salió ya de la fuerza aérea y traba-ja en la barra con Malachy. Si los clientes los invitan a una copa quiénes son ellos para decir que no. Todo es salud, arriba va, a ver el fondo, *santé* y *skoal*. Cuando el bar cie-rra no tienen que irse a casa. Hay sitios que no cierran donde pueden seguir bebiendo y cruzar anécdotas con inspectores de policía y finas meretrices de los burdeles más selectos del Upper East Side. Pueden desayunar en Rubin's en Central Park South, donde giras el cuello sin parar, de tantas celebri-dades que hay.

Malachy se había hecho famoso por su: Pasen, mucha-chas, y al diablo con los viejos pedorros de la Tercera ave-nida. Antes de eso los dueños de los bares miraban con suspicacia a las mujeres solas. Seguramente traían malas in-tenciones, y no tenían cabida en la barra. Había que sen-tarlas allá en un rincón oscuro y no servirles más de dos copas, y al primer indicio de que un hombre se les iba a acercar las ponían de patitas en la calle y sanseacabó.

Cuando el bar de Malachy abrió sus puertas corrió el rumor de que las muchachas de la residencia femenina de Barbizon se sentaban en la mismísima barra y no tardaron en llegar los enjambres de hombres de P. J. Clarke's, Toots Shor's, El Morocco, seguidos de una jauría de columnistas de chismes, ávidos de reportar sobre encuentros con cele-bridades y las últimas calaveradas de Malachy. Había *playboys* con sus queridas, pioneros del *jet set*. Había he-rederos de fortunas tan viejas y arraigadas que sus zarcillos se enroscaban en las oscuras profundidades de las minas de diamantes de Suramérica. Malachy y Michael recibían in-vitaciones a apartamentos de Manhattan cuya amplitud era tal que había huéspedes que salían varios días después de algún cuarto olvidado. Iban a bañarse desnudos en los

Hamptons y a fiestas en Connecticut, donde los ricos montaban a las ricas que montaban caballos purasangre.

El presidente Eisenhower deja por ratos de jugar al golf para firmar algún decreto y prevenirnos contra el complejo industrial-militar y Richard Nixon observa y aguarda mientras Malachy y Michael se sirven sus tragos y hacen que todos rían y pidan más, otra copa, Malachy, otra historia, Michael, cómo son de ocurrentes los dos.

Mientras tanto mi madre, Ángela McCourt, toma el té en su acogedora cocina en Limerick, recibe visitas que le cuentan de lo bien que se pasa en Nueva York y ve fotos de prensa de Malachy en el *show* de Jack Paar, y ella sin nada qué hacer fuera de tomarse el té, atender la casa y mantenerla y mantenerse ella bien calientitas y arregladas, cuidar a Alphie ahora que salió del colegio y quiere trabajar en lo que sea, y sería encantador si ella y Alphie pudieran darse un viajecito a Nueva York, porque hace siglos que ella no lo visita, y a sus hijos Frank, Michael y Malachy les está yendo de maravilla allá.

Mi apartamento de agua fría en la calle Downing es muy incómodo y no puedo hacer nada al respecto por lo reducido de mi sueldo de profesor y por los pocos dólares que le envío a mamá mientras Alphie se consigue un trabajo. Cuando me mudé a vivir allí compré querosén para la estufa de hierro colado a un pequeño italiano jorobado de la calle Bleecker. Me dijo que le echara apenas un poquito a la estufa, pero seguramente le puse demasiado porque la estufa se convirtió en un gran monstruo al rojo vivo en mi cocina y como no sabía mermarle la temperatura o apagarla huí del apartamento al White Horse, donde pasé toda la tarde en un terrible estado de nervios esperando oír el bum de la

explosión y los cláxones y sirenas de los autos de bomberos. Después me tocaría decidir entre regresar a hacerles
frente a inspectores y policías junto a las ruinas humeantes
del 46 de la calle Downing y los cuerpos chamuscados que
sacaban, o llamar a Alberta a Brooklyn, contarle que mi
edificio estaba reducido a cenizas y yo había perdido todas
mis pertenencias, y preguntarle si sería posible que me reci-
biera por unos pocos días mientras daba con otro apartamento de agua fría.

No hubo explosión, no hubo incendio, y sentí tanto alivio que pensé que me merecía un baño, un buen rato en la
tina, un poquito de paz, calma y tranquilidad, como diría
mamá.

Nada de malo tiene reclinarse en la bañera en un apartamento de agua fría pero hay un problema con la cabeza. El
lugar es tan frío que si te quedas en la tina un rato largo la
cabeza se te empieza a congelar y no sabes qué hacer con
ella. Si te zambulles del todo en el agua, al salir sufres cuando
el agua tibia de la cabeza se te congela y te pones a tiritar y
estornudar del mentón para arriba.

Y no puedes leer cómodamente en la bañera en un apartamento de agua fría. El cuerpo sumergido en el agua caliente se te puede poner colorado y lleno de arrugas por el calor
pero las manos que sostienen el libro se te ponen moradas
del frío. Si el libro es pequeño puedes cambiar de mano, sosteniéndolo con una mientras mantienes la otra sumergida
en el agua caliente. Ésta sería la solución para el problema
de la lectura, si no fuera porque ahora tienes mojada la
mano que tenías en el agua y vas a empapar el libro y no
puedes alcanzar la toalla cada cinco minutos porque la
quieres tibia y seca para el final de tu rato en la tina.

Pensé que podría resolver el problema de la cabeza poniéndome un gorro de esquiador y el de las manos con un

par de guantes baratos, aunque me entró la preocupación de que si me moría de un infarto los tipos de la ambulancia se iban a preguntar qué andaba haciendo de gorro y guantes en la bañera y por supuesto le iban a pasar el dato al *Daily News* y yo sería el hazmerreír del Colegio Vocacional y Técnico McKee y de los clientes de un montón de bares.

Pero de todos modos compré el gorro y los guantes y el día de la no explosión llené la tina de agua caliente. Decidí mimarme, olvidar la lectura y zambullirme todas las veces que quisiera para que no se me helara la cabeza. Busqué en la radio música apropiada para el dueño de una estufa peligrosa que le ha hecho pasar una tarde con los nervios de punta, enchufé mi frazada eléctrica y la colgué de una silla junto a la bañera para poder salir, secarme de prisa con la toalla rosada que Alberta me había regalado, arroparme con la frazada eléctrica, ponerme el gorro y los guantes y meterme en la cama cómodo y calientito, a ver pegar la nieve contra la ventana, darle gracias a Dios de que la estufa se hubiera enfriado sola y dormirme leyendo *Ana Karénina*.

El inquilino del piso de abajo es Bradford Rush, quien tomó el apartamento porque le hablé de él en el turno de medianoche en Manufacturer's Trust. A quienes lo llamaban Brad les respondía con brusquedad: Bradford, Bradford, me llamo Bradford, con tan mala leche que nadie volvía a dirigirle la palabra, y cuando salíamos a desayunar o a almorzar o como le dijéramos a eso de comer a las tres de la mañana, nunca lo convidaban a venir con nosotros. Hasta que una compañera que se iba a retirar de la empresa para casarse lo invitó a brindar con todos, y a las tres copas él nos contó que venía de Colorado, que se había graduado en Yale e iba a vivir en Nueva York mientras superaba el suicidio de su madre, que había gritado de dolor durante seis meses por un cáncer de los huesos. La mujer que se iba a salir para casarse se puso a llorar al oír esto y los demás nos preguntamos por qué demonios Bradford tenía que tender ese nubarrón negro sobre nuestra pequeña fiesta. Esa noche se lo pregunté en el tren de ida a la calle Downing, pero su única respuesta fue una sonrisita y me pregunté si estaría en su sano juicio. Me intrigaba que fuera oficinista de un banco cuando tenía un diploma de la Ivy League y podría estar en Wall Street con sus iguales.

Después me pregunté por qué no me dijo simplemente que no el día de mi crisis, ese amargo día de abril cuando me cortaron la electricidad por mora en el pago. Había llegado con intenciones de darme la paz, calma y tranquilidad de un baño caliente en la tina de la cocina. Colgué la frazada eléctrica sobre la silla y encendí el radio. No hubo sonido alguno. Ni la frazada despedía calor, ni luz la lámpara.

El agua hervía en la bañera y yo estaba desnudo. Entonces tuve que ponerme el gorro, los guantes y las medias, arroparme con la frazada eléctrica fría y maldecir contra la compañía que me había cortado la electricidad. No había anochecido todavía pero sabía que no podía quedarme en esas condiciones.

Bradford. Seguramente no le importaría hacerme un pequeño favor.

Golpeé en su puerta y él abrió con su hosquedad de siempre. ¿Sí?

Bradford, tengo una pequeña crisis allá arriba.

¿Por qué estás envuelto en esa frazada eléctrica?

De eso es que vine a hablarte. Me cortaron la electricidad y no tengo más calefacción que esta frazada y qué tal si descuelgo una extensión larga por la ventana y tú la agarras y la conectas y así puedo tener electricidad hasta que pueda pagar mi cuenta, lo que prometo va a ser muy pronto.

Noté que no quería hacerlo, pero de todos modos asin-

tió ligeramente con la cabeza y tiró de la extensión cuando
yo la dejé caer. Di tres golpes en el piso esperando que entendiera que le daba las gracias pero no tuve respuesta y cuando nos cruzábamos en las escaleras difícilmente me daba el
saludo y yo sabía que andaba sentido por lo de la extensión. El profesor que dirigía el taller eléctrico en McKee me
dijo que la electricidad gastada por mí le costaría a Bradford
unos míseros centavos al día y que no veía razón para que
nadie se ofuscara por eso. Me dijo que le ofreciera a ese
bastardo tacaño unos pocos dólares por el enorme inconveniente de conectar un cable en un enchufe pero que la
gente así era de lo más miserable y no precisamente por la
plata. Era por no poder decir que no y eso se les volvía ácido
en las tripas y les arruinaba la vida.

Pensaba que el profesor del taller eléctrico exageraba,
hasta que noto que Bradford se pone cada vez más hostil.
Antes me sonreía o me saludaba con una inclinación de
cabeza o mascullaba algo. Ahora pasa de largo sin decir
palabra y eso me preocupa porque todavía no tengo con qué
pagar las cuentas y no sé por cuánto tiempo tendré que seguir recurriendo a él. Me pone tan nervioso que siempre
enciendo el radio para asegurarme de que me puedo dar el
baño mientras se calienta la frazada.

Mi cable permaneció conectado a su tomacorriente durante dos meses hasta que en una noche helada de finales
de abril ocurrió un acto de perfidia. Encendí el radio, puse
a calentar la frazada eléctrica en la silla y encima puse la
toalla, el gorro y los guantes para que se calentaran también,
llené la tina, me enjaboné y me recosté a oír la *Sinfonía fantástica* de Hector Berlioz, y en el segundo movimiento, cuando ya la emoción está a punto de sacarme flotando de la tina,
todo se detiene, el radio se apaga, la luz se va y sé que la
frazada se está enfriando en el respaldo de la silla.

Y me doy cuenta de lo que había hecho el tal Bradford: desconectar a un hombre en una tina de agua caliente en un apartamento de agua fría. Yo no hubiera sido capaz de hacerle eso ni a él ni a nadie. Tal vez se lo habría hecho a alguien que tuviera calefacción central pero jamás a un colega inquilino de apartamento de agua fría, jamás.

Me incliné sobre el borde de la bañera y golpeé en el piso por si acaso él había cometido un error y tenía la decencia de volver a enchufarme, pero no, ni un ruido de abajo, y sin radio y sin luz. El agua seguía tibia, de modo que pude quedarme recostado ahí un rato pensando en la ruindad de la especie humana, en cómo un graduado de Yale podía agarrar con premeditación un cable eléctrico y arrancarlo del tomacorriente para que yo muriera congelado en el piso de arriba. Semejante perfidia basta para que abandones la esperanza y contemples el desquite.

No, lo que quería no era el desquite. Era la electricidad, y tendría que encontrar otra manera de hacer entrar a Bradford en razón. Yo tenía una cuchara y un cordel largo y si ataba la una con el otro podría abrir la ventana y mecer la cuchara para golpear con ella la ventana de Bradford para que entendiera que yo estaba allá arriba, al otro extremo del cordel, golpeteando sin parar en procura del don de la electricidad. A lo mejor se molestaba y no hacía caso de mi cuchara, pero recordé que una vez me había dicho que el goteo de un grifo bastaba para desvelarlo toda la noche, y me preparé a golpear con mi cuchara en su ventana hasta que no pudiera resistirlo más. Podía subir las escaleras y emprenderla a golpes con la puerta y decirme que parara, pero yo sabía que él no era capaz de ser tan directo y que lo tenía acorralado. Sentía lástima por él y por los seis meses en que su madre había gritado de dolor por el cáncer en los huesos y algún día trataría de resarcirlo, pero esto era una crisis y necesitaba mi radio, mi luz y mi frazada eléctrica para no tener que llamar a Alberta a pedirle posada por una noche, porque si me preguntaba por qué, no sabría cómo contarle que Bradford me había tenido conectado todas estas semanas. Ella entraría en justa ira, en esa justa ira que se da en Nueva Inglaterra, y me diría que pagara las cuentas y dejara de golpear las ventanas de la gente en las noches heladas, especialmente las ventanas de personas cuyas madres habían muerto gimiendo de cáncer en los huesos. Yo le replicaría que no había conexión alguna entre mi cuchara y la difunta madre de Bradford y eso conduciría a más discusiones y a una pelea y yo tendría que salir a refugiarme en mi apartamento entre el frío y las tinieblas.

Era un viernes por la noche, su noche libre en el banco, de modo que no podía escaparse yéndose a trabajar. Me lo imaginaba abajo, cable en mano, tratando de decidir qué hacer con la cuchara en su ventana. Podría salir, ¿pero a dónde? ¿Quién querría invitarlo a una cerveza mientras él le contaba cómo había muerto su madre dando alaridos de dolor? Para encimar, probablemente le diría a todo el mundo que alguien del piso de arriba lo estaba torturando con una cuchara, y el personaje de la barra se iría con su cerveza a otro lado.

Estuve golpeteando un rato sí y otro no durante varias horas y de pronto hubo luz y salió música del radio. La *Sinfonía fantástica* hacía tiempo se había terminado y eso me molestó mucho, pero le subí la temperatura a la frazada, me puse el gorro y los guantes y me acosté en la cama con *Ana Karénina*, que no pude leer por la negrura que había en mi cabeza a causa de Bradford y su pobre madre en Colorado. Si mi madre se estuviera muriendo de cáncer de los huesos en Limerick y alguien de arriba me torturara golpeando en mi ventana con una cuchara, yo subiría a matarlo. Ahora estaba tan arrepentido que tenía deseos de llamar a la puerta de Bradford para decirle que sentía lo de la cuchara y lo de su pobre madre y que podía desenchufarme, pero la cama estaba tan tibia y agradable que me quedé dormido.

A la semana siguiente me lo encontré subiendo sus cosas a una furgoneta. Le pregunté si podía ayudarle y lo único que me dijo fue: Cabrón. Se mudó pero me dejó enchufado y tuve varios meses de electricidad gratis hasta que fundí el cable con un calentador eléctrico y tuve que ir a una compañía financiera a hacer un préstamo para poder pagar mis cuentas de la electricidad y salvarme de morir congelado.

39

Los veteranos, en el comedor de profesores del colegio, dicen que las aulas son campos de batalla y que los profesores son los guerreros que llevan luz a estos mocosos condenados que no tienen deseos de aprender, que sólo quieren calentar el trasero y hablar de cine y de autos y de sexo y del plan para el sábado por la noche. Así son las cosas en este país. Tenemos educación gratuita y nadie la quiere. No como en Europa, donde respetan a los profesores. A los padres de los alumnos de este colegio no les importa nada porque ellos no cursaron secundaria. Estaban demasiado ocupados luchando contra la depresión económica y peleando en guerras, la segunda guerra mundial y la de Corea. Además de eso, están los burócratas que, para comenzar, nunca fueron amigos de la docencia, todos esos endemoniados rectores y vicerrectores y directores que salieron de las aulas tan rápido como podían correr con sus patitas y que ahora pasan la vida mortificando al pobre maestro raso.

Bob Bogard está junto al reloj registrador. Ah, señor Mc-Court, ¿quisiera acompañarme a ir por un poco de sopa?

¿Sopa?

Me lanza una sonrisita que da a entender otra cosa. Sí, señor McCourt. Sopa.

Bajamos por la calle y entramos al bar Meurot.

Sopa, señor McCourt. ¿Quiere una cerveza?

Nos acomodamos en la barra y tomamos cerveza tras cerveza. Es viernes y entran más profesores y la conversación gira sobre los alumnos, los alumnos, los alumnos y el colegio, y me entero de que en todo colegio hay dos mundos: el mundo del profesor de aula y el mundo de los administradores y los supervisores, y también de que esos dos mundos viven peleando como perros y gatos y de que, si algo sale mal, el profesor es el chivo expiatorio.

Bob Bogard me dice que no me preocupe por *Tu mundo y tú* y el examen parcial de mitad de semestre. Cumpla con el ritual. Reparta las hojas de examen, observe a los alumnos escribir lo que no saben, recoja los exámenes, guárdalos bajo llave, deje que aprueben todos, no es culpa de ellos que la señorita Mudd los haya descuidado, los padres van a quedar contentos y usted se quita de encima al director académico y al director del colegio.

Es hora de irme del Meurot y tomar el ferri a Manhattan, donde quedé de cenar con Alberta, pero las cervezas siguen llegando y es difícil decir no a tanta generosidad y cuando dejo la barra para ir a llamar a Alberta, ella me grita que soy un vulgar borracho irlandés y que es la última vez que me esperó porque ha roto conmigo definitivamente y hay montones de hombres a los que les gustaría salir con ella, adiós.

Toda la cerveza del mundo no aliviaría mi zozobra. Lidio con cinco clases diarias, vivo en un apartamento que Alberta llama madriguera y ahora corro el peligro de perderla a ella por demorarme en el Meurot. Le digo a Bob que me tengo que ir, es casi medianoche, llevamos nueve horas en la barra y hay nubarrones negros volando en mi cabeza. Él dice que una más y luego vamos a comer algo, que no puedo subirme al ferri sin haber comido algo. Dice que es importante comer alimentos que prevengan el malestar a la mañana siguiente, y en la cafetería Saint George pide pescado con huevos fritos, papas ralladas en rehogo, tostadas y café. Dice que la combinación de pescado y huevos después de un día y una noche de cerveza es milagrosa.

Voy de regreso en el ferri y allá viene el viejo italiano buscando clientes para una lustrada y me dice que mis zapatos se ven peores que nunca, y de nada vale decirle que no tengo modo de aceptar su oferta de lustrármelos a mitad de precio si voy a comprarle unos zapatos a su hermano en la calle Delancey.

No, no tengo con qué comprar zapatos. No tengo con qué lustrármelos.

Ah, profesore, profesore, le doy brillo gratis. Lo hará, sentire bene. Dopo va donde mío hermano por zapato.

Se sienta en su caja, se acomoda mi pie contra el muslo y alza la vista para verme. Huele a cerveza, profesore. Il maestro va tarde a casa, ¿eh? Horríbili los zapato, horríbili, pero ío los lustro. Me unta el betún, me cepilla el zapato, hace chasquear contra la punta el trapo de dar brillo, me da un golpecito en la rodilla para indicar que terminó, vuelve a poner los utensilios en la caja y se incorpora. Espera la pregunta y yo no se la hago porque ya él la sabe: ¿Y el otro zapato?

Se encoge de hombros. Vaya a ver a mío hermano y le lustro el otro.

Si le compro unos zapatos nuevos a su hermano no voy a necesitar que me lustre éste.

Vuelve a encogerse de hombros. Leí e el profesore. ¿Inteliyente, eh, con el cerebro? Da clase y pensa en el lustre y pensa en el no lustre.

Y se aleja tarareando algo y voceando: Lustro, lustro, a los dormidos pasajeros.

Soy un profesor con grado universitario y este viejo italiano, con su inglés deficiente, hace burla de mí y me manda a tierra firme con un zapato lustrado y el otro con manchones de lluvia, nieve y barro. Si le echo mano y le exijo que le dé brillo al zapato sucio, él se puede poner a gritar y hacer que vengan a socorrerlo miembros de la tripulación y cómo voy a explicarles la oferta de una lustrada gratis, la lustrada de un solo zapato y luego el truco. A esas alturas ya estoy lo suficientemente sobrio para saber que no puedes forzar a un viejo italiano a que le saque brillo a tu zapato sucio, que ya bastante tonto fue dejar que me tocara el pie. Si yo protestara ante los miembros de la tripulación, él podría decirles que yo le había olido a cerveza y se dispersarían entre risas.

El tipo se contonea por entre las hileras de asientos. No hace sino decir: Lustro a los demás pasajeros y me entran unas ganas tremendas de agarrarlo con caja y todo y tirarlo por la borda. En vez de eso, al desembarcar le digo que jamás le compraré zapatos a su hermano en la calle Delancey.

Él se encoge de hombros: No tengo hermano en la calle Delancey. Lustro, lustro.

Cuando le dije al lustrabotas que no tenía dinero, decía la verdad. No tengo los quince centavos del *metro*. Lo que tenía me lo gasté en cerveza, y en la cafetería Saint George le pedí a Bob Bogard que me invitara al pescado con huevos, que ya le pagaría la otra semana, y no me va a hacer daño caminar hasta la casa, Broadway arriba, pasando por la iglesia de la Trinidad y por la de san Pablo, donde está enterrado Thomas, el hermano de Robert Emmet, y más allá del ayuntamiento, subiendo por la calle Houston, hasta mi apartamento de agua fría en la calle Downing.

Son las dos de la mañana, hay poca gente, uno que otro automóvil. A mi derecha veo la calle Broad, donde trabajaba con Manufacturer's Trust, y me pregunto qué sería de Andy

Peters y de Brigid, antiguamente Bridey. Mientras camino repaso los ocho años y medio que llevo en Nueva York, mis días en el hotel Biltmore, en el ejército, en la Universidad de Nueva York, en bodegas, muelles y bancos. Pienso en Emer y en Tom Clifford y me pregunto qué sería de Rappaport y de los soldados que conocí en el ejército. Jamás soñé que iba a obtener un título universitario e iba a ser profesor y ahora me pregunto si seré capaz de sobrevivir a un colegio vocacional. Los edificios de oficinas por donde paso están a oscuras pero sé que durante el día la gente se hace en sus escritorios, estudia el mercado bursátil y gana millones. Usan saco y corbata, llevan maletines, salen a almorzar para hablar de plata plata plata. Viven en Connecticut con sus esposas episcopalianas zanquilargas, quienes probablemente merodeaban por el vestíbulo del hotel Biltmore cuando yo lo limpiaba para ellas, y toman martinis antes de la cena. Ellos juegan al golf en el club campestre y tienen líos de faldas y nadie se da por enterado.

Yo podría hacer eso. Podría pasar más tiempo con Stanley Garber para perder mi acento, aunque me haya dicho que sería un burro si lo pierdo. Me dijo que el acento de los irlandeses es encantador, que abre puertas, que la gente se acuerda de Barry Fitzgerald. Yo le dije que no quería recordarle a nadie a Barry Fitzgerald y él me dijo: ¿Preferirías tener un acento judío y que la gente pensara en Molly Goldberg? Cuando le pregunté que quién era Molly Goldberg me dijo que si yo no sabía quién era Molly Goldberg era bobada hablar conmigo.

¿Por qué no puedo llevar una vida despreocupada como la de mis hermanos Malachy y Michael, en un bar del centro sirviendo cocteles a mujeres hermosas y haciendo chanzas con egresados de la Ivy League? Ganaría más que estos cuatro mil quinientos dólares al año para un profesor suplente.

Tendría gruesas propinas, toda la comida que pudiera comerme y noches en la cama con herederas episcopalianas
para retozar con ellas y deslumbrarlas con fragmentos de
poemas y chispazos de ingenio. Dormiría hasta tarde, iría
a almorzar a un restaurante romántico, me pasearía por las
calles de Manhattan, no tendría que llenar formularios ni
corregir trabajos, los libros que leyera serían por placer y
no tendría que preocuparme por ningún arisco adolescente
de secundaria.

¿Y qué diría si volviera a encontrarme con Horace? ¿Sería
capaz de decirle que terminé la universidad y estuve de profesor por unas pocas semanas y que me pareció tan duro
que me volví cantinero para poder conocer gente de mejor
calaña en el Upper East Side? Sé que él menearía la cabeza
y probablemente le daría gracias a Dios de que yo no fuera
hijo suyo.

Recordé al estibador del café que había trabajado tanto
tiempo para que su hijo pudiera a asistir a la Universidad de
Saint John para graduarse de maestro. ¿Qué le diría a él?

Si le dijera a Alberta que tenía planes de cambiar la docencia por el emocionante mundo de las copas, ella seguramente saldría corriendo y se casaría con un abogado o un
futbolista.

En fin, que no voy a renunciar a la enseñanza, no por
Horace o el estibador o Alberta, sino por lo que me diría
yo mismo al final de una noche de servir copas y divertir a
los clientes. Me acusaría de haber optado por la vía fácil y
todo porque me había derrotado un grupo de muchachos
y muchachas que oponían resistencia a *Tu mundo y tú* y *Gigantes en la Tierra.*

No quieren leer ni quieren escribir. Dicen: Ay, señor McCourt, todos los profes de inglés nos piden que salgamos con bobadas como mis vacaciones de verano o la historia de mi vida. Qué pesado. Todos los años desde primero de primaria escribimos la historia de mi vida y los profes simplemente lo chulean y dicen que qué bien.

Los de los cursos de inglés están acoquinados por el examen de mitad de semestre con sus preguntas de opción múltiple sobre ortografía, vocabulario, gramática y comprensión de lectura. Cuando reparto los exámenes de economía cívica se oyen quejas. Hay palabras duras contra la señorita Mudd y sobre cómo el barco en que viaja debería chocar contra una roca y ella volverse comida para peces. Les digo que hagan lo que puedan y que seré razonable con las calificaciones, pero en el aula flotan la frialdad y el resentimiento, como si yo los hubiera traicionado imponiéndoles este examen.

La señorita Mudd me salva. Mientras mis alumnos presentan el examen parcial, yo escarbo en los armarios del fondo de las aulas y descubro que están llenos de viejos libros de gramática, periódicos, exámenes de habilitación y cientos de páginas de composiciones estudiantiles que se remontan a 1942. Estoy a punto de tirarlo todo a la basura hasta que empiezo a leer las viejas composiciones. Los chicos de ese entonces ansiaban ir a la guerra para vengar la muerte de sus hermanos, amigos o vecinos. Uno de ellos escribía: Voy a matar cinco japonucos por cada vecino mío que hayan matado. Otro escribía: No me quiero enrolar si me ordenan matar italianos, porque soy italiano. Podría matar a mis propios primos y no voy a luchar a menos que me dejen matar alemanes o japoneses. Preferiría matar alemanes porque no quiero ir al Pacífico, donde hay toda clase de selvas con bichos y culebras y toda esa porquería.

Las muchachas los iban a esperar. Cuando Joey vuelva nos vamos a casar y nos vamos a mudar a Jersey lejos de su mamá, que es una loca.

Organizo sobre mi escritorio los ajados papeles y empiezo a leerlos a mis alumnos. Ellos se enderezan en su asiento. Hay nombres conocidos. Oye, ése era mi papá. Lo hirieron en África. Oye, ése era mi tío Sal, que mataron en Guam.

Mientras leo en voz alta estas composiciones, corren lágrimas. Los chicos salen a toda prisa del aula hacia los baños y vuelven con los ojos rojos. Las chicas lloran a rienda suelta y se consuelan unas a otras.

Los nombres de decenas de familias de Staten Island y de Brooklyn aparecen en estos papeles, tan frágiles que tememos que se nos desmenucen en los dedos. Queremos preservarlos y la única manera es copiarlos a mano: los cientos de hojas que aún hay en los armarios.

Nadie pone reparos. Estamos rescatando el pasado inmediato de las familias inmediatas. Cada cual tiene con qué escribir y durante el resto del trimestre, de abril a finales de junio, se pone a descifrar y a pasar en limpio. Las lágrimas siguen corriendo y hay estallidos de llanto. Ése era mi papá de quince años. Ésta es mi tía que se murió en un parto.

Muestran un repentino interés por las composiciones tituladas "Mi vida", y estoy tentado a decirles: ¿Ven lo que pueden descubrir de sus padres y sus tíos y tías? ¿No quisieran escribir sobre sus vidas para la próxima generación?

Pero no digo nada. No quiero perturbar esa aula cuyo silencio es tanto que el señor Sorola viene a averiguar. Da una vuelta por el salón, mira lo que hacen los estudiantes y no dice nada. Creo que agradece la calma.

En junio dejo que todos aprueben la materia, agradecido de haber sobrevivido a mis primeros cinco meses de enseñar en un colegio vocacional, aunque me pregunto qué hubiera hecho sin las ajadas composiciones.

Tal vez hubiera tenido que enseñar.

40

Como hace tiempo extravié las llaves, la puerta de mi apartamento vive abierta, y eso no importa, porque no hay qué robar. Empiezan a venir desconocidos: Walter Anderson, relacionista público entrado en años, Gordon Patterson, actor en ciernes, Bill Galetly, buscador de la verdad. Son clientes del bar de Malachy que carecen de techo y que él me envía movido por la largueza de su corazón.

Walter empieza a robarme. Adiós, Walter.

Gordon fuma en la cama y origina un incendio, pero peor aún es que su novia se me queja en el bar de Malachy por la incomodidad de Gordon ante mi hostilidad. Adiós también a él.

Las clases terminaron y tengo que buscar trabajo por días en los muelles y en las plataformas de las bodegas. Todas las mañanas me presento por si hay que reemplazar a algún trabajador en vacaciones o enfermo, o ir donde haya un trajín inesperado y necesiten mano de obra adicional. Cuando no hay trabajo vago por los muelles y por las calles de Greenwich Village. Puedo ir hasta la Cuarta avenida a curiosear en una librería tras otra y soñar con el día en que podré venir a comprar todos los libros que quiera. Lo único que por ahora me puedo permitir son los libros baratos de bolsillo y me dirijo a casa contento con mi paquete de *Más acá del paraíso* de F. Scott Fitzgerald, *Hijos y amantes* de D. H.

Lawrence, *Fiesta* de Ernest Hemingway y *Siddharta* de
Herman Hesse, todo un fin de semana de lecturas. Puedo
calentar una lata de fríjoles en mi parrilla eléctrica y hervir
agua para el té y leer a la luz que me llega del apartamento
de abajo. Voy a empezar con Hemingway porque vi la película con Errol Flynn y Tyrone Power, todo el mundo pasándola en grande en París y Pamplona, todos bebiendo, yendo
a las corridas y enamorándose aunque entre Jake Barnes y
Brett Ashley hubiera cierta tristeza por el estado de él. Así
me gustaría vivir, vagando por el mundo sin preocupaciones,
pero sin tener lo de Jake.

Llego a casa con mis libros y allá está Bill Galetly. Después de Walter y Gordon no quiero más intrusos, pero Bill
es más duro de desalojar y pasado un tiempo me da igual
que se quede. Ya se ha instalado por su propia cuenta cuando Malachy me llama a decirme que su amigo Bill, que ha
renunciado al mundo, dejado su trabajo de ejecutivo de una
agencia de publicidad, se ha divorciado de su mujer y ha
vendido su ropa, libros, discos, necesita alojamiento por un
tiempo y que seguramente no tendré inconveniente.

Bill se pesa desnudo en una balanza de baño frente a un
gran espejo recostado en la pared. En el suelo titilan dos
velas. Él mira del espejo a la balanza una y otra vez y otra
vez. Sacude la cabeza y se vuelve hacia mí. Asaz, me dice.
Asaz, asaz de sólida es esta carne mía. Se señala el cuerpo,
una osamenta coronada por una cabeza de pelo negro y
lacio y una barba negra y tupida salpicada de gris. Sus ojos
son azules y desorbitados. Eres Frank, ¿eh? Hola. Se baja
de la balanza, se coloca de espaldas al espejo, hace un es-
guince para verse por encima del hombro y se dice: Sois
obeso y orondo, Bill.

Me pregunta si he leído *Hamlet* y me cuenta que él lo
ha leído treinta veces.

Y he leído *Finnegans Wake*, si es que alguien puede leer *Finnegans Wake*. He invertido siete años en el maldito libro y por eso estoy acá. *Yeah*, sé qué estarás pensando. Si te lees a *Hamlet* treinta veces empiezas a hablar solo. Lees *Finnegans Wake* durante siete años y te entran ganas de meter la cabeza en el agua. Lo que hay que hacer con *Finnegans Wake* es leerlo cantado. Puede tomarte siete años pero después podrás contárselo a tus nietos. Te admirarán por eso. ¿Qué traes ahí? ¿Fríjoles?

¿Quieres un poco? Los voy a calentar en la parrilla eléctrica.

No, gracias. Nada de fríjoles para mí. Tú te comes tus fríjoles y yo te imparto el mensaje mientras tanto. Estoy tratando de reducir el cuerpo a lo estrictamente necesario. El mundo me pesa demasiado. ¿Me entiendes? Demasiada carne.

No me lo parece.

Ahí tienes. Mediante la oración, el ayuno y la meditación voy a bajar de las cien libras, las odiosas tres cifras. Quiero tener noventa y nueve o nada. Quiero. ¿Dije quiero? No debería decir quiero. No debería decir no debería. ¿Te confundo? Oh, cómete tus fríjoles. Estoy tratando de suprimir mi ego pero ese acto es ego en sí. Todo acto es ego. ¿Me sigues? No vine con mi espejo y mi balanza por el bien de mi salud.

Trae dos libros del otro cuarto y me dice que encontraré la respuesta a todas mis preguntas en Platón y en el Evangelio de san Juan. Perdóname, me dice, me tengo que pegar una meada.

Toma la llave y sale desnudo al escusado, que está en el corredor. Cuando vuelve se para en la balanza para ver cuánto perdió con la orinada. Un cuarto de libra, dice, y suelta un suspiro de alivio. Se pone de cuclillas en el suelo, otra vez frente al espejo, flanqueado por las velas y Platón a la izquierda y san Juan a la derecha. Se escudriña en el espejo mientras me habla: Adelante. Cómete tus fríjoles. Libros. Eso es lo que traes ahí, ¿eh?

Me como mis fríjoles y cuando le digo los títulos de los libros él sacude la cabeza. Oh, no, no, no. Hesse, pasa. Olvídate del resto. Puro ego de Occidente. Pura mierda de Occidente. Yo no me limpiaría ni el culo con Hemingway. Pero no debería decir eso. Es arrogancia. Cosas del ego. Me retracto. No, un momento. Ya lo dije. Lo dejo ahí afuera. Ya se fue. He leído *Hamlet*, he leído *Finnegans Wake* y heme aquí en un piso en Greenwich Village con Platón, Juan y un comedor de fríjoles. ¿Qué te dicen esos componentes?

No lo sé.

Me asusto a veces ¿y sabes por qué?

¿Por qué?

Me asusto porque creo que les voy a exigir demasiado a Platón y a san Juan y que se me van a quedar cortos. Puedo llegar a una nada. ¿Entiendes?

No.

¿Has leído a Platón?

Sí.

¿A san Juan?

Nos leían los evangelios todo el tiempo en misa.

No es lo mismo. Hay que sentarse a leer a san Juan, sostenerlo en las manos. No hay otra forma. Juan es una enciclopedia. Me cambió la vida. Prométeme que leerás a Juan y no esas carajadas que traes en la bolsa. Lo siento, ahí se me volvió a salir ese ego.

Se carcajea ante el espejo, se da una palmadita donde debería tener la barriga, se menea de un libro al otro leyendo

versículos de Juan y párrafos de Platón y suelta chilliditos
de placer: Hiii, hiii, ay, el griego y el judío, el griego y el
judío.

Otra vez me dirige la palabra. Me retracto, me dice. No
se llega a una nada con estos tipos. A ninguna nada. La forma, la caverna, la sombra, la cruz. Jesús santo, necesito un
banano. Saca medio banano de detrás del espejo y luego de
musitar algo ante la fruta se la come. Cruza las piernas por
debajo del cuerpo y pone las manos sobre las rodillas con
las palmas hacia arriba, la posición del loto. Cuando paso
por detrás de él para tirar la lata de fríjoles a la basura alcanzo a ver que se está contemplando la punta de la nariz.
Cuando le doy las buenas noches no me contesta y sé que
no formo ya parte de su mundo, que más me vale acostarme a leer. Leeré a Hesse para seguir en la misma tónica.

41

Alberta habla de matrimonio. Le gustaría organizarse, tener su esposo, ir a las tiendas de antigüedades los fines de semana, hacer la comida, conseguir algún día un apartamento decente, ser mamá.

Pero yo aún no estoy listo. Veo a Malachy y a Michael, que la pasan de maravilla en el centro. Veo a los hermanos Clancy, que cantan en la trastienda del White Horse, actúan en obras de teatro en el Cherry Lane Theater, graban sus canciones, son descubiertos y ascienden a los clubes glamorosos donde lindas mujeres los convidan de farra. Veo a los *beatniks* en los cafés del Village, que leen sus poemas con grupos de *jazz* al fondo. Todos ellos son libres y yo no.

Beben. Fuman marihuana. Las mujeres son fáciles.

Alberta copia los hábitos de su abuela en Rhode Island. Todos los sábados preparas el café, te fumas un cigarrillo, te enroscas el pelo en tus rulos rosados, vas al supermercado, haces un gran pedido, repletas el refrigerador, llevas la ropa sucia a la lavandería automática y esperas a que esté limpia y lista para doblar, llevas al lavado en seco unas prendas que a mí me parecen limpias pero le digo esto y ella responde: ¿Qué sabes tú de lavado en seco?, aseas la casa se necesite o no, te tomas un trago, te das una gran cena, vas al cine.

El domingo por la mañana duermes hasta tarde, almuerzas en grande, lees el periódico, miras antigüedades en

Atlantic Avenue, vuelves a casa, preparas las clases de la semana, corriges exámenes, te das una gran cena, corriges más exámenes, tomas el té, te fumas un cigarrillo, te acuestas.

Ella se esfuerza más por enseñar que yo, prepara las clases con cuidado, corrige los exámenes a conciencia. Sus alumnos son intelectualmente más capaces que los míos y los puede estimular a que hablen de literatura. Si yo hablo de libros, poesía o teatro, mis estudiantes gruñen y gimen pidiendo permiso para ir al baño.

El supermercado me deprime porque no quiero una gran cena todas las noches. Eso me agota. Lo que quiero es deambular por la ciudad, tomar café en los cafés y cerveza en los bares. No me quiero encadenar a la rutina de Zoe durante el resto de mis días.

Alberta me dice que hay que asumir las cosas, que tengo que madurar y asentarme si no quiero ser un loco vagabundo como mi padre y morirme de tanto beber.

Esto conduce a una discusión en la que le digo que ya sé que mi padre bebía demasiado y nos abandonó pero que es mi padre y no el de ella y que nunca va a entender cómo era cuando él no bebía, cómo eran las mañanas que pasaba con él junto a la chimenea oyéndolo hablar del noble pasado de Irlanda y de los grandes sufrimientos de Irlanda. Ella no tuvo mañanas como ésas con su padre y me pregunto cómo va a hacer para superar eso. ¿Cómo va a perdonar a sus padres por haberla dejado abandonada con la abuela?

La discusión se torna tan desagradable, que me largo a vivir a mi apartamento del Village dispuesto a llevar la frenética vida bohemia. Hasta que me entero de que ella anda con otro hombre y de pronto la quiero, me desespero por ella, me enloquezco por ella. Sólo puedo pensar en sus virtudes, su belleza y sus ánimos y lo dulces que eran sus hábitos de fin de semana. Si me vuelve a recibir seré el marido perfecto. Llevaré los cupones al supermercado, lavaré los platos, aspiraré todo el apartamento cada día de la semana, picaré las verduras para la comilonas de todas las noches. Me pondré una corbata, les daré brillo a mis zapatos, me volveré protestante.

Lo que sea.

Ya no me interesa para nada la vida movida que llevan Malachy y Michael en el centro ni los astrosos *beatniks* del Village con sus vidas improductivas. Quiero a Alberta, despierta y avispada y femenina, toda tibia y segura. Nos vamos a casar, claro que sí, para envejecer juntos.

Ella acepta verme en el bar Louis' cerca de Sheridan Square y cuando entra se ve más hermosa que nunca. Los cantineros dejan de servir para mirarla. Hay cuellos que se estiran. Lleva el abrigo azul intenso con un cuello de piel gris clara que su padre le compró como presente de paz después del puñetazo que le dio en la boca hace ya varios años. Sobre el cuello lleva una bufanda de seda morada y sé que no volveré a ver ese color sin recordar este momento, esa bufanda. Sé que piensa sentarse en la barra al lado mío y decirme que todo fue un error, que fuimos hechos el uno para el otro y que vaya con ella ahora a su apartamento, que me preparará la cena y viviremos felices para siempre.

Sí, quiere un martini y no, no va a venir conmigo a mi apartamento y no, no voy con ella a su apartamento porque todo terminó. Esta harta de mí y de mis hermanos, del circuito del centro y del Village, y quiere llevar su propia vida. Bastante trabajo hay con dar clases todos los días sin la brega de tener que soportarme a mí con mis lamentaciones de que quiero hacer esto, aquello y lo de más allá, de que quiero ser de todo, menos responsable. Demasiadas quejas, dice ella. Es hora de madurar. Me dice que aunque tengo veintiocho años actúo como un niño y que si quiero desperdiciar mi vida en los bares como mis hermanos eso es cosa mía y ella no va a tomar parte.

Cuanto más habla más se enoja. No me deja que le toque la mano ni que la bese siquiera en la mejilla y no, no va a tomarse otro martini.

¿Cómo es capaz de hablarme así cuando mi corazón se parte ahí en la barra? A ella no le importa que yo haya sido el primer hombre de su vida, el primero en la cama, el que una mujer jamás olvida. Nada de eso le importa porque ha encontrado a otro que obra con madurez, la quiere y haría cualquier cosa por ella.

Yo haría cualquier cosa por ti.

Me dice que es demasiado tarde. Desperdiciaste tu oportunidad.

El corazón me palpita con violencia y algo me duele en el pecho y todas las nubes negras del mundo se me arremolinan en la cabeza. Quisiera llorar sobre mi cerveza ahí en el bar Louis' pero dirían: Oh, *yeah*, otra pelea de amantes, y nos invitarían a marcharnos o por lo menos me lo pedirían a mí. Estoy seguro de que querrían que Alberta se quedara para adornar el sitio. No me quiero encontrar en una acera en medio de todas esas parejas felices que pasan camino de la cena y luego el cine y más tarde un pequeño bocadillo antes de subirse en cueros a la cama y, Jesús mío, ese será el plan de ella para esta noche mientras yo estoy solo en mi apartamento de agua fría sin nadie a quien hablarle en esta vida, descontando a Bill Galetly.

Le imploro. Traigo a cuento mi mísera niñez, los bestiales maestros de la escuela, la tiranía de la Iglesia, mi padre que prefirió la botella a los bebés, mi madre derrotada gimiendo junto al fuego, los ojos que me arden de irritación, los dientes que se me deshacen en la cara, la sordidez de mi apartamento, Bill Galetly que me mortifica con la gente en las cavernas de Platón y el Evangelio de san Juan, mis duras jornadas en el Colegio Vocacional y Técnico McKee, los veteranos que me dicen que meta en cintura a los pequeños malnacidos a fuerza de zurras, los más novatos que declaran que nuestros alumnos son seres humanos y que nos toca es motivarlos.

Le ruego que se tome otro martini. A lo mejor la ablanda y acepta venir a mi apartamento donde podría decirle a Bill: Vete a dar un paseo, Bill, necesitamos un poco de intimidad. Nos queremos sentar a la luz de las velas a planear un futuro de compras sabatinas, aspiradas, limpiezas generales, cacería dominical de antigüedades, preparación de clases y horas de revolcadas en la cama.

Oh, no, no quiere otro martini. Tiene una cita con su nuevo hombre y tiene que irse ya.

Ay, por Dios, no. Me clavas una daga en el corazón.

Deja de lloriquear. Ya he oído suficiente de ti y tu mísera niñez. No eres el único. A mí me dejaron abandonada con mi abuela a los siete años. ¿Y me quejo? Simplemente trato de echar para adelante.

Pero tú tenías agua caliente y fría, toallas gruesas, jabón, sábanas en la cama, un par de ojos azules claros y dientes buenos y tu abuelita te repletaba la fiambrera todos los días.

Ella se baja de la barra, me deja que la ayude con el abrigo, se enrolla al cuello la bufanda morada. Tiene que irse ya.

Ay, Cristo bendito. Sería capaz de chillar como un perro pateado. Tengo un frío en la barriga y en la vida no hay más que nubes negras con Alberta en el centro toda rubia, ojiazul, de bufanda morada, dispuesta a abandonarme definitivamente por el otro hombre y es peor esto a que me den portazos en las narices, peor que la propia muerte.

Entonces ella me besa en la mejilla. Buenas noches, me dice. No me dice que adiós. ¿Quiere decir que deja una ventana abierta? Porque si hubiera roto conmigo para siempre me diría que adiós.

Da igual. Se ha ido. Por la puerta. Escaleras arriba bajo las miradas de todos los hombres del bar. Es el fin del mundo. Más me valdría estar muerto. Más me valdría arrojarme al río Hudson para que arrastrara mi cadáver más allá de Ellis Island y de la estatua de la Libertad y a través del Atlántico y por el río Shannon arriba donde al menos estaría con los míos y no sería un rechazado por protestantes de Rhode Island.

El cantinero tiene unos cincuenta años y me gustaría preguntarle si ha sufrido alguna vez lo que yo sufro ahora y que qué hizo al respecto. ¿Habrá una cura? A lo mejor hasta me explicaría qué quiere decir cuando una mujer se despide para siempre con unas buenas noches y no con un adiós.

Pero el hombre tiene una cabezota calva y unas enormes cejas negras y me da la impresión de que tiene sus propios problemas, y sólo me queda bajarme de mi asiento y marcharme. Podría ir al centro a compartir la emocionante vida de Malachy y Michael, pero en vez de eso camino hasta mi casa en la calle Downing, con la esperanza de que las parejas que pasan no alcancen a escuchar los gemidos que se le escapan a un hombre cuya vida ha terminado.

Bill Galetly está allí con sus velas, su Platón, su Evangelio según san Juan, y yo quisiera estar a solas para sollozar toda la noche contra la almohada pero él está sentado en el suelo mirándose al espejo y pellizcándose la poca carne que se puede encontrar en la cintura. Alza la vista y me dice que me veo con exceso de carga.

¿Cómo así?

El peso del ego. Te está encorvando. Recuerda que el reino de Dios está dentro de ti.

Yo no quiero ni a Dios ni a Su reino. Quiero a Alberta. Me abandonó. Voy a la cama ya.

Mala hora para ir a la cama. Acostarse es acostarse.

Me irrita oír sus perogrulladas y le digo: Claro que sí. ¿De qué hablas?

Acostarse es sucumbir a la gravedad en un momento en que podrías ascender a la forma ideal.

No me importa. Voy a ir a acostarme.

Okey, okey.

Llevo en la cama unos pocos minutos cuando él se sienta al borde y se pone a contarme de la locura y vacuidad de la publicidad. Dinero en cantidades y todo el mundo infeliz y con úlcera estomacal. Puro ego. Nada de pureza. Me dice que soy un profesor y que podría salvar muchas vidas si estudiara a Platón y a san Juan pero que primero tengo que salvar mi propia vida.

No estoy de humor para eso.

¿No estás de humor para salvar tu propia vida?

No, no me importa.

Yeah, *yeah*, eso sucede cuando te rechazan. Lo tomas como algo personal.

Claro que lo tomo como algo personal. ¿Y cómo más?

Mira las cosas desde el lado de ella. No te rechaza a ti sino que está aceptándose a sí misma.

Se pone a darles vueltas a las cosas, y el dolor por Alberta es tan intenso que tengo que escaparme. Le digo que voy a salir.

Oh, no tienes que salir. Siéntate en el suelo con una vela atrás. Mira la pared. Sombras. ¿Tienes hambre?

No.

Espera, y me trae un banano de la cocina. Cómete esto. El banano te hace bien.

No quiero un banano.

Te calma. Todo ese potasio.

No quiero ningún banano.

Sólo estás pensando que no lo quieres. Ponle oído a tu cuerpo.

Me sigue hasta el pasillo haciendo la exaltación de los bananos. Está desnudo pero me sigue por las escaleras, tres pisos abajo, y por el zaguán hasta la puerta principal. No hace sino hablar de los bananos, del ego y de Sócrates feliz a la sombra de un árbol en Atenas y cuando llegamos a la entrada sale a la verja de arriba y esgrime el banano mientras los niños que juegan rayuela en la acera lo chiflan y le gritan y lo señalan y las mujeres que apoyan los senos y los brazos en los antepechos de las ventanas le gritan cosas en italiano.

Malachy no está en su bar. Está feliz en su casa con su mujer, Linda, haciendo planes para la vida del bebé que esperan. Michael tiene la noche libre. En la barra y las mesas hay mujeres pero están con hombres. El cantinero dice: Oh, así que eres el hermano de Malachy, y no me deja pagar. Me presenta a las parejas de la barra: Éste es el hermano de Malachy.

¿De veras? No sabíamos que tenía otro hermano. Oh, *yeah*, conocemos a tu hermano Michael. ¿Y tú te llamas?

Frank.

¿Y qué haces?

Soy profesor.

¿De veras? ¿No estás en el negocio de los bares?

Se ríen. ¿Y cuándo piensas entrar al negocio de los bares?

Cuando mis hermanos se vuelvan profesores.

Eso digo pero por la cabeza se me pasa otra cosa. Me gustaría decirles que son unos pelmazos petulantes, que ya sé cómo son desde que trabajaba en el vestíbulo del hotel

Biltmore, que seguramente arrojaban las cenizas de cigarrillo al suelo para que yo las barriera y que me miraban sin verme, como se hace con los empleados del aseo. Me gustaría decirles que me besen el culo y con dos o tres copas más lo haría pero sé que por dentro sigo jalándome el mechón de la frente y rastrillando los pies cuando estoy en presencia de gente superior, que se reirían de lo que les dijeran porque ellos saben cómo soy por dentro y que si no lo saben les importa un pito. Si me cayera muerto de la barra ellos se pasarían a una mesa para ahorrarse la incomodidad y después le dirían a todo el mundo que habían conocido a un profesor irlandés beodo.

Nada de eso me importa al fin y al cabo. Alberta estará en un pequeño y romántico restaurante italiano con su nuevo hombre, sonriéndose mutuamente a través del resplandor de la vela clavada en la botella de Chianti. Él le estará diciendo qué es lo mejor del menú y luego de pedir la cena conversarán de lo que van a hacer mañana, esta noche tal vez, y si pienso en eso la vejiga se me va a mover debajo del ojo.

El bar de Malachy queda en la calle 63 con la Tercera avenida, a cinco cuadras de mi primer cuarto amoblado de la 68. En vez de ir derecho a casa puedo sentarme en las gradas de la señora Austin y repasar los sucesos de los diez años que llevo en Nueva York, los problemas que tuve para ver *Hamlet* en el teatro de la 68 con mi pastel merengado de limón y mi botella de *ginger ale*.

La casa de la señora Austin ya no existe. Hay un edificio nuevo y grande, el Hospital de Nueva York para Niños Expósitos, y las lágrimas me brotan al ver cómo están demoliendo mis primeros días en la ciudad. El cine al menos sigue ahí y será por toda la cerveza que he tomado pero tengo que apretar todo el cuerpo con los brazos abiertos contra el muro del teatro hasta que una cabeza asoma de un auto de la policía y me grita: Oiga, amigo, ¿qué pasa?

¿Qué pasaría si le cuento de *Hamlet* y el pastel y la señora Austin y la noche del *glug* y cómo su casa ya no existe y con ella mi cuarto amoblado y que la mujer de mi vida está con otro hombre y que si es una violación de la ley, señor agente, besar un cine de recuerdos tristes y alegres siendo que es el único consuelo que te queda? ¿L/o es, señor agente?

Claro que no le voy a decir eso a un policía de Nueva York ni a nadie más. Me limito a decirle: No pasa nada, señor agente, y él me dice que circule, la palabra preferida de la policía.

Circulo y por toda la Tercera avenida se derrama la música que sale por las puertas de los bares irlandeses junto con efluvios de cerveza y de whisky y palabras sueltas y risotadas.

Buena persona eres, Sean.

Arrah, Jesús bendito, más nos valdría estar borrachos que como estamos ya.

Dios de las alturas, no veo la hora de volver a Cavan por la pinta decente que hay allá.

¿Crees que algún día vas a volver, Kevin?

Sí, cuando hagan el puente.

Se ríen y Mickey Carton, en la rocola, estira su acordeón mientras la voz de Ruthie Morrissey navega por encima del bullicio de la noche: *It's my old Irish home, far across the foam*, y me entra la tentación de entrar, sentarme en la barra y decirle al cantinero: Sirvámonos una gota de ese animal que veo allá, Brian, o que sean dos, porque no hay pájaro que vuele con una sola ala, buen muchacho eres tú. ¿Y eso no sería mejor que sentarse en las gradas de la casa de la señora Austin o que besar las paredes del cine de la 68, y no estaría con los míos, no estaría entre ellos?

Los míos. Los irlandeses.

Podría beber a la irlandesa, comer a la irlandesa, bailar a la irlandesa, leer a la irlandesa. Mi madre solía decirnos: Cásense con su gente, y ahora los veteranos me dicen que no me separe de los míos. De haberles hecho caso no me habría rechazado una episcopaliana de Rhode Island que un día hasta me había dicho: ¿Qué harías contigo mismo si no fueras irlandés? Y cuando me dijo eso debí haberme largado pero íbamos por la mitad de la comida que ella había preparado, pollo relleno y una bandeja de papas tiernas y rosaditas salteadas en mantequilla con sal y perejil y una botella de burdeos que me daba tales escalofríos de placer que hubiera soportado toda clase de pullas contra mi persona y contra el pueblo irlandés en general.

Me gustaría ser irlandés a la hora de cantar o de recitar algún poema. Me gustaría ser norteamericano a la hora de enseñar. Me gustaría ser irlandés-norteamericano o norteamericano-irlandés aunque sé que no puedo ser las dos cosas, así Scott Fitzgerald haya dicho que el distintivo de la inteligencia es la capacidad de acariciar pensamientos opuestos al mismo tiempo.

No sé qué quisiera ser y para lo que importa, con Alberta allá en Brooklyn con su nuevo hombre.

Entonces me veo la cara triste en el escaparate de una tienda y me río cuando recuerdo cómo le decía a eso mamá: la jeta alicaída.

En la calle 57 doblo al oeste hacia la Quinta avenida para palpar a Estados Unidos y sus riquezas, el mundo de la gente que se sienta en el Palm Court del hotel Biltmore, gente que no tiene que andar por la vida cargando el sambenito de un guión étnico. Podrías despertarlos en mitad de la noche y preguntarles que de dónde vinieron y te dirían que del baño.

Tuerzo mi jeta alicaída hacia el sur de la Quinta avenida

y es el sueño que tuve todos esos años en Irlanda hecho realidad, la vía está casi desierta a estas horas de la madrugada a excepción de los autobuses de dos pisos, uno que va hacia el norte y otro hacia el sur, y hay joyerías y librerías y almacenes de artículos femeninos con maniquíes de punta en blanco para la temporada de Pascua, conejitos y huevos en todas las vitrinas y ni rastros de Jesús resucitado, y bastante más abajo por la avenida se eleva el Empire State, y yo tengo salud, ¿no?, un poquito débil en cuestión de ojos y dientes, y un título universitario y un puesto de profesor, y no es, pues, éste el país donde todo es posible, donde puedes hacer cualquier cosa con tal que dejes de quejarte y levantes esas posaderas porque la vida, compadre, no es un almuerzo gratis.

Ay, ojalá Alberta volviera a sus cabales y a mí.

La Quinta avenida me revela lo ignorante que soy. Ahí están esos maniquíes exhibidos en sus trajes de Pascua, y si uno de ellos cobrara vida y me preguntara de qué tela se viste yo no tendría ni idea. Si fuera lona, yo me daría cuenta de inmediato por los sacos de carbón que solía repartir en Limerick y con los que me tapaba cuando estaban vacíos y el tiempo se ponía imposible. Tal vez sería capaz de reconocer el *tweed* por los abrigos que se ponía la gente del invierno al verano, aunque tendría que confesarle al maniquí que ignoro la diferencia entre la seda y el algodón. Jamás podría señalar un vestido y decir eso es satén o lana y estaría perdido por completo si me retaran a identificar el damasco o la crinolina. Sé que a los novelistas les gusta aludir a la riqueza de sus personajes hablando de colgaduras de damasco, aunque no sé si la gente se pone ese material, a menos que los personajes pasen estrecheces y le metan la tijera al damasco. Sé que cuesta trabajo encontrar una novela situada en el sur en la que no haya una plantación de una familia de blancos que holgazanean en el pórtico mientras toman *bourbon* o limonada y oyen a los negritos cantar *Swing Low, Sweet Chariot*, en tanto la compañía femenina se abanica para mitigar el calor de las crinolinas.

Yo compro mis camisas y medias en unas tiendas de Greenwich Village que aquí llaman camiserías y no sé de qué material están hechas, aunque hay gente que me dice que hay que tener cuidado con lo que uno se pone en el cuerpo hoy en día: podría darle una alergia y brotarle un sarpullido. En Limerick nunca me preocupaban esas cosas, pero el peligro aquí acecha hasta en las compras de camisas y medias.

Los artículos de los escaparates de las tiendas tienen nombres que no conozco y no sé cómo he hecho para llegar tan lejos en la vida en semejante estado de ignorancia. Hay floristerías en la avenida y lo único que sabría nombrar de lo que se halla detrás de las vidrieras serían los geranios. La gente respetable de Limerick se chiflaba por los geranios, y cuando yo repartía telegramas, con frecuencia me encontraba con notas como está en las puertas: Por favor suba la ventana y deje el telegrama debajo de la maceta de geranios. Qué raro es pararse enfrente de una floristería de la Quinta avenida a pensar que la repartición de telegramas me ayudó a convertirme en un experto en geranios, y eso que ahora ni siquiera me gustan. Nunca me emocionaron como otras flores, en los jardines de la gente, con sus colores y fragancias y la tristeza de su muerte en el otoño. Los geranios no tienen perfume, no se mueren nunca y su sabor te da náuseas, aunque estoy seguro de que hay gente aquí cerca, en Park Avenue, que me llevaría aparte y pasaría horas convenciéndome de las glorias del geranio y me figuro que yo tendría que estar de acuerdo, porque dondequiera que yo vaya la gente sabe más que yo y no es probable que se pueda ser rico y vivir en Park Avenue sin tener un profundo conocimiento de los geranios y del cultivo de plantas en general.

Por toda la avenida hay tiendas de alimentos para *gourmet* y, si llegara a poner el pie en un sitio así, tendría que ir con alguien de alta cuna que conociera la diferencia entre el *pâté de foie gras* y el puré de papas. Todas esas estas tiendas gastronómicas refinadas están obsesionadas con el francés y no sé que estarán pensando. ¿Por qué no pueden decir papas en vez de *pommes de terre*, o es que vale más lo que está impreso en francés?

No tiene ningún sentido mirar las vitrinas de las tiendas de antigüedades. No te dejan saber el precio de nada si tú no lo preguntas y jamás le ponen un letrero a una silla para que sepas qué es o de dónde viene. De todas maneras, en la mayoría de las sillas no quisieras sentarte. Son tan derechas y tan tiesas que te darían un dolor de espalda que te enviaría al hospital. Por otra parte, están esas mesitas de patas enroscadas y tan frágiles que se quebrarían con el peso de un jarro grande de cerveza, lo que arruinaría la inapreciable alfombra de Persia o de donde sea la gente que suda la gota gorda para satisfacer a los norteamericanos ricos. También hay espejos delicados, y uno se pregunta cómo será verse la cara por la mañana en un espejo con marco desbordante de pequeños cupidos que retozan con doncellas y uno sin saber para dónde mirar ante semejante muchedumbre de figuras confundidas. ¿Miraría la materia que me supura de los ojos o me fascinaría con la doncella que sucumbe al flechazo del cupido?

El sol despunta a lo lejos por los lados de Greenwich Village, y la Quinta avenida estaría completamente desierta si no fuera por las personas que se encaminan a la catedral

de san Patricio a salvar sus almas, la mayoría mujeres que
parecen tener más temor que los viejos que rezongan a su
lado, o puede ser que las mujeres viejas viven más tiempo y
son más numerosas. Cuando el sacerdote reparte la comunión las bancas quedan vacías y me da envidia de la gente
que baja por los pasillos con la hostia en la boca y esa mirada de beatitud que te dice que se hallan en estado de gracia. Ahora pueden volver a casa a darse el gran desayuno y
si caen muertos mientras comen huevos con salchichas suben derecho al cielo. Quisiera hacer las paces con Dios pero
mis pecados son tan terribles que cualquier sacerdote me
expulsaría del confesionario y vuelvo a darme cuenta de que
mi única esperanza de salvación es que tenga un accidente
en el que agonice por unos minutos de modo que pueda
hacer un acto de contrición perfecta que me abra las puertas del cielo.

Así y todo es agradable sentarse en la catedral en la quie-
tud de una misa de alba, especialmente cuando puedo mirar a mi alrededor y nombrar lo que veo: el coro, el vía
crucis, el púlpito, el sagrario con la custodia que guarda la
sagrada eucaristía, el cáliz, el copón, las vinajeras para el
agua y el vino en el lado derecho del altar, la patena. No sé
nada de joyas o de flores en las tiendas pero puedo enume-
rar las vestiduras sacerdotales: el amito, el alba, el hume-
ral, el manípulo, la estola, la casulla, y sé que el sacerdote
que allá arriba lleva hoy la casulla morada de la cuaresma
se la cambiará por una blanca el Domingo de Resurrección,
día en que Cristo triunfa y los norteamericanos les regalan
a sus niños conejos de chocolate y huevos amarillos.

Después de todos esos domingos en Limerick me las
puedo apañar con la agilidad de un monaguillo desde el
introito de la misa hasta el *Ite, missa est*, podéis ir en paz,
la señal para que los sedientos irlandeses se levanten de sus

rodillas y acudan en tropel a las tabernas en busca de la pinta dominguera, cura de todas las aflicciones de la víspera.

Puedo nombrar las partes de la misa y las vestiduras sacerdotales y las partes de un fusil, como Henry Reed en su poema, ¿pero de qué me va a servir eso si algún día mejoro mi condición y me siento en un silla tiesa en un comedor donde sirvan comida refinada y no sepa distinguir la diferencia entre cordero y pato?

Ya amaneció del todo en la Quinta avenida y sólo estoy ahí yo, sentado en la escalinata entre los dos grandes leones de la biblioteca pública de la 42, a donde hace casi diez años Tom Costello me dijo que fuera a leer las *Vidas de los poetas*. Hay pajaritos de distintos tamaños y colores que revolotean de rama en rama diciéndome que pronto llegará la primavera, y tampoco sé cómo se llaman. Puedo distinguir entre un gorrión y una paloma y hasta ahí llego, sin contar la gaviota.

Si mis alumnos del colegio McKee pudieran asomarse al interior de mi cabeza se preguntarían cómo hice para convertirme en profesor. Ya saben que no asistí a la escuela secundaria y sin duda dirían: Es el colmo. Miren al profe encaramado allá ditando clases de vocabulario y nian siquiera sabe cómo se llaman los pájaros y los árboles.

La biblioteca abrirá dentro de pocas horas y podría sentarme en la gran sala de lectura con esos voluminosos libros ilustrados que te dicen los nombres de las cosas, pero está demasiado temprano, así que a recorrer el largo trecho hasta la calle Downing y Bill Galetly, con las piernas cruzadas, escudriñándose en el espejo entre Platón y el Evangelio según san Juan.

Lo encuentro echado boca arriba en el suelo, desnudo y roncando, una vela que agoniza junto a su cabeza, cáscaras de banano por todas partes. Hace frío, pero cuando lo cubro con una manta él se endereza y la hace a un lado. Perdón por estas cáscaras, Frank, pero tuve una pequeña celebración esta madrugada. Un gran descubrimiento. Mira.

Me señala un pasaje de san Juan. Léelo, dice. Anda, léelo.

Y leo: El espíritu es el que da vida, la carne no aprovecha para nada. Las palabras que yo os he hablado, ellas son el espíritu, ellas son la vida.

Bill se queda mirándome. ¿Y?

¿Qué?

¿Entiendes? ¿Sí captas?

No lo sé. Tendría que leerlo varias veces y son casi las nueve de la mañana. No he dormido en toda la noche.

Yo ayuné durante tres días para poder compenetrarme con eso. Hay que compenetrarse con las cosas. Como en las relaciones sexuales. Pero no he terminado aún. Estoy buscando un mundo paralelo en Platón. Creo que voy a tener que ir a México.

¿Por qué a México?

Allá tienen la gran mierda.

¿Mierda?

Ya sabes: una variedad de sustancias químicas para ayudar al que busca la verdad.

Ah, sí. Ahora voy a acostarme un rato.

Ojalá te pudiera ofrecer un banano, pero es que tuve esa celebración.

Duermo unas cuantas horas de esta mañana de domingo y cuando despierto él ya se ha ido y lo único que ha dejado es un montón de cáscaras de banano.

42

Alberta vuelve. Me llama y me pide que nos encontremos en Rocky's en honor de los viejos tiempos. Lleva un abrigo liviano de primavera con la bufanda morada que tenía puesta el día que me dijo buenas noches en vez de adiós, y esta reunión debe de ser lo que ella tenía en la mente desde el principio.

Todos los hombres de Rocky's la miran y sus mujeres les clavan puñaladas con los ojos para que dejen de mirar a otra y se fijen otra vez en ellas.

Se quita el abrigo y toma asiento con la bufanda morada sobre los hombros, y el corazón me late con tanta fuerza que casi no puedo hablar. Pide un martini sin hielo y con una cascarita de limón y yo una cerveza. Me dice que fue un error haberse ido con otro tipo pero que era un hombre maduro y dispuesto a organizarse y que yo actuaba todo el tiempo como un solterón que habita una madriguera en el Village. No tardó nada en darse cuenta de que era a mí a quien quería y aunque tenemos nuestras diferencias podemos resolverlas, especialmente si nos organizamos y nos casamos.

Cuando habla de matrimonio siento otra clase de dolor agudo en el corazón por el miedo de no tener nunca esa vida libre que veo por todas partes en Nueva York, la clase de vida que llevaban en París, donde todo el mundo la pasaba en un café tomando vino, escribiendo novelas y acostándose con las esposas de otros y con bellas norteamericanas millonarias ansiosas de pasión.

Si le dijera algo así a Alberta, ella me diría: Vamos, crece ya. Vas a cumplir veintinueve años y no eres ningún maldito *beatnik*.

Claro que ninguno de los dos va a hablar así en plena reconciliación y más cuando yo tengo la espinita de que ella está en lo cierto y que podría volverme un vago como papá. Aunque ya llevo un año de profesor, todavía envidio a las personas que pueden frecuentar cafés y bares e ir a fiestas donde hay artistas y modelos y un grupo de *jazz* en un rincón tocando suave y fino.

De nada serviría hablarle de mis sueños de libertad. Diría: Eres un profesor. Nunca soñaste al desembarcar que llegarías tan lejos. Sigue en lo mismo.

Un día en Rhode Island discutimos por algo y Zoe, la abuela, dijo: Ustedes dos son buena gente, pero no juntos.

Se niega a venir conmigo a mi apartamento de agua fría, la madriguera, y no me permite ir al suyo porque su padre le cayó allá por un altercado pasajero con su esposa Stella. Pone su mano sobre la mía y nos miramos con tanta intensidad que a ella le salen lágrimas y a mí me da vergüenza de la rojura que me debe de estar viendo y la supuración.

Camino del metro me dice que cuando terminen las clases, dentro de pocas semanas va a ir a pasar unos días con su abuela en Rhode Island para organizar su vida. Sabe que en el ambiente flota una pregunta: ¿Me vas a invitar? y la respuesta es no, mis relaciones con la abuela no son muy buenas por estos días. Me despide de beso y me dice que pronto me telefoneará, y apenas se sube al metro yo cruzo el parque de Washington Square debatiéndome entre lo que la deseo a ella y mis aspiraciones de vivir en libertad. Si no

me amoldo a la vida que ella quiere llevar, limpia, ordenada, respetable, la perderé y no volveré a encontrar a nadie
como ella. Las mujeres nunca se arrojaron en mis brazos en
Irlanda o en Alemania o en los Estados Unidos. Jamás podría contarle a nadie de los fines de semana en Múnich en
que tenía comercio con las rameras más bajas de Alemania
o de la vez en que, a los catorce años y medio, me di la revolcada en un sofá verde con una niña moribunda en
Limerick. No tengo más que negros secretos y vergüenzas
y es un misterio que Alberta forme siquiera parte de mi vida.
Si todavía creyera en algo podría ir a confesarme, pero dónde está el cura que al oír mis pecados no alce asqueado los
brazos al cielo y me envíe a donde el obispo o a algún sitio
del Vaticano reservado para los condenados.

El tipo de la compañía financiera me dice: ¿No detecto
un dejillo irlandés? Me cuenta de qué partes de Irlanda pro-
venían sus padres y que él mismo tiene planes de visitar el
país aunque eso sería complicado con seis hijos, ja ja. En la
familia de su madre eran diecinueve. ¿Puede creerlo?, dice.
Diecinueve hijos. Claro que había siete muertos, pero qué
carajos. Así era en los viejos tiempos en el Viejo Terruño.
Se reproducían como conejos.

Bueno, volvamos a la solicitud. Quiere un préstamo de
trescientos cincuenta dólares para visitar el Viejo Terruño,
¿eh? ¿No se ve con su madre desde hace qué, seis años? El
tipo me felicita por querer visitar a mi madre. Hoy en día
mucha gente se olvida de su madre. Pero no los irlandeses.
No, nosotros no. Nunca olvidamos a nuestra madre. El irlandés que olvida a su madre no es irlandés y deberían
desterrarlo, no joda, perdóneme el lenguaje, señor McCourt.
Veo que es profesor y le manifiesto mi respeto. Será una
brega, clases grandes, mala paga. *Yeah*, no es sino ver su

solicitud para ver la mala paga. No veo cómo puede vivir con esa suma, y ése, siento decírselo, es el problema. Ése es el tropezón de esta solicitud: el salario bajo y la total ausencia de prendas de garantía, si me hago entender. En la oficina principal van a menear negativamente la cabeza cuando vean esta solicitud pero yo voy a darle el empujón porque usted tiene dos cosas en su favor: es un irlandés que quiere visitar a su madre en el Viejo Terruño y es un profesor que se mata trabajando en un colegio vocacional y, como le digo, voy a batear por usted.

Le digo que voy a estar trabajando a destajo en las bodegas durante el mes de julio reemplazando trabajadores en vacaciones pero eso es lo mismo que nada para la compañía financiera, a menos que les lleve la constancia de un empleo fijo. El hombre me aconseja no decir nada del giro que le pienso enviar a mi madre. Menearían negativamente la cabeza en la oficina principal si hubiera algo que pusiera en peligro mis pagos mensuales del préstamo.

El empleado me desea buena suerte y me dice: Todo un placer hacer negocios con uno de los míos.

El jefe de plataforma de Baker y Williams pone cara de sorpresa. Jesús mío, otra vez por aquí. Creí que te habías vuelto maestro o una mierda así.

En efecto.

¿Entonces qué demonios estás haciendo aquí?

Necesito el dinero. El sueldo de profesor no es propiamente principesco.

Te hubieras quedado en los bodegas o conduciendo un camión o algo y estarías ganando plata y no bregando con esos mocosos de mierda que no les importa nada.

Y pregunta enseguida: ¿Tú no te mantenías con ese tipo, Paddy McGovern?

¿Paddy Arthur?

Yeah. Paddy Arthur. Como hay tantos Paddys McGovern, se tienen que poner otro apellido. ¿Sabes qué le pasó?

No.

El muy pendejo está en la plataforma del tren A en la calle 125. En Harlem, ¿ves? ¿Qué diablos anda haciendo en Harlem? Buscando un poquito de negrura. Así que se aburre ahí parado en la plataforma como todo el mundo y decide esperar el tren abajo en los rieles. En los malditos rieles, sin tocar el riel electrizado. Si lo tocas, te puede matar. El hombre enciende un cigarrillo y se queda ahí con esa sonrisa de idiota en la cara hasta que el tren A llega y acaba con sus penas. Eso fue lo que me contaron. ¿Qué tenía ese imbécil malnacido?

Estaría bebiendo.

Claro que estaba bebiendo. Los malditos irlandeses viven bebiendo pero hasta ahora no había oído de ninguno que esperara el tren en los rieles. Pero tu amigo ése, el Paddy, vivía diciendo que quería regresarse. Iba a ahorrar para vivir en la Madre Patria. ¿Qué pasaría? ¿Sabes qué pienso? ¿Quieres saber qué pienso?

¿Qué piensas?

Que algunas personas se deberían quedar donde están. Este país te puede volver loco. Si hasta vuelve loca a la gente nacida aquí. ¿Y tú por qué no estás loco? O a lo mejor lo estás, ¿eh?

No lo sé.

Óyeme, chico. Soy medio italiano y medio griego y nosotros tenemos nuestros problemas pero mi consejo a un joven irlandés es éste: Mantente lejos de la bebida y no tendrás que esperar el tren en los rieles. ¿Entendido?

Entendido.

A la hora del almuerzo veo una figura del pasado lavando platos en la cocina de la cafetería: Andy Peters. Me ve y me dice que lo aguarde, que pruebe el molde de carne con puré de papas y que en un minuto sale. Se sienta junto a mí en la banqueta del mostrador y me pregunta cómo me pareció la salsa.

Excelente.

Yeah, pues yo la hice. Es mi salsa de práctica. En realidad aquí soy lavaplatos pero el cocinero es un borrachín y me deja preparar la salsa y las ensaladas, aunque aquí no hay muchos pedidos de ensaladas. Los tipos de los muelles y los bodegas creen que las ensaladas son para las vacas. Yo vine acá de lavaplatos para poder pensar, ya terminé en esa puta Universidad de Nueva York. Necesito aclarar la mente. Lo que en realidad me gustaría hacer sería trabajar con una aspiradora. He ido de hotel en hotel ofreciéndome de aspirador pero siempre aparece el formulario, la mierdada de investigación de mi pasado que saca a la luz mi despido sin honores del ejército por no haber copulado con una oveja y eso me desbarata lo de la aspiradora. Te pegas una cagada en una zanja en Francia y se te arruina la vida hasta que se te ocurre la brillante solución de reingresar a la vida norteamericana por lo más bajo: de lavaplatos, y ojo con mi velocidad, hombre. Seré el lavaplatos supremo. Los dejo patitiesos y en nada voy a ser ensaladero mayor. ¿Cómo? Aprendiendo, mirando en una cocina del centro, ascendido a ensaladero y auxiliar de cocinero auxiliar y en nada voy a estar haciendo salsas. Salsas, por el amor de Cristo, porque la salsa es el gran ingrediente de mierda de la cocina francesa y a los norteamericanos se les cae la baba por eso. Así que ojo con mi estilo, Frankie muchacho, espera ver mi nombre en los periódicos, André Pierre, pronunciado correctamente a la francesa con las cejas alzadas hasta el pelo, salsero supremo, mago del perol, la sartén y el batidor de alambre, zangoloteando el caldo en todos esos programas de entrevistas de la tele sin que a nadie le importe un comino que me hubiera follado a todas las ovejas de Francia y monarquías vecinas. La gente en los restaurantes finos va a decir que uh y ah y que felicitaciones al *chef*, yo, y me van a llamar a sus mesas para condescender a hablarme con mi gorro y mi delantal blancos y por supuesto voy a dejar correr la voz de que estuve a un pelo de sacar un Ph. D. en la Universidad de Nueva York y las señoras de Park Avenue me invitarán para hacerme consultas sobre salsa y sobre el significado de todo mientras sus maridos están en Arabia Saudita comprando petróleo y yo con sus mujeres perforando minas de oro.

Saca un momento para preguntarme qué ando haciendo en la vida.

Enseñando.

Ya me lo temía. Pensaba que querías ser escritor.

Lo quiero.

¿Y entonces?

Tengo que ganarme la vida.

Estás cayendo en la trampa. Te lo suplico, no caigas en la trampa. Yo casi caigo en ella.

Tengo que ganarme la vida.

No vas a escribir nunca si sigues enseñando. Enseñar es una perrada. ¿Recuerdas a Voltaire? Cultiva tu propio jardín.

Lo recuerdo.

¿Y a Carlyle? Haz dinero y olvídate del mundo.

Me estoy ganando la vida.

Te estás muriendo.

Una semana después se ha ido de la cafetería y nadie sabe adónde.

———

El préstamo de la compañía financiera y las pagas de las
bodegas me permiten pasar unas semanas en Limerick y
tengo la misma vieja sensación cuando el avión desciende
por el estuario del Shannon hacia el aeropuerto. El río brilla como plata y los campos ondulados son de color verde
oscuro excepto donde el sol les pega y los pinta de esmeral-
da. Lo oportuno es estar junto a la ventanilla por si se me
salen las lágrimas. Ella está en el aeropuerto con Alphie y
traen un auto de alquiler y la mañana es fresca y hay rocío
en la vía a Limerick. Ella me cuenta de la visita de Malachy
con su esposa Linda y de la gran parranda cuando Malachy
fue hasta un potrero y volvió a la casa montado en un caballo que quería meter a la sala hasta que lo convencieron
de que una casa no es lugar para un caballo. Esa noche hubo
cantidades de licor y más que eso, *poteen**, que no sé quién
le compró a un campesino, y por suerte de Dios los guar-
dias no se asomaron por la casa porque la posesión de
poteen es un delito grave y puedes ir a parar a la cárcel de
Limerick. Malachy le dijo que a lo mejor podía arreglar para
que ella y Alphie fueran a Nueva York a pasar las próximas navidades, ¿y no sería eso grandioso?, todos juntos.

En la calle la gente me dice que me veo magnífico, que
cada vez me parezco más a un yanqui. Alice Egan no está
de acuerdo: Frankie McCourt no ha cambiado una hora,
ni una hora siquiera. ¿Verdad, Frankie?

Yo no sé, Alice.

No tienes ni un asomo de acento norteamericano.

Mis antiguos amigos de Limerick se han ido todos, muertos o emigrados, y no encuentro qué hacer. Podría leer todo
el día en la casa de mi madre pero no habría razón en viajar desde Nueva York para echarme de culo a leer. Podría

---

* Whisky destilado ilegalmente.

ir a beber en las tabernas por la noche pero lo mismo podría hacer estando en Nueva York.

Camino de un extremo a otro de la ciudad y salgo al campo por donde papá daba esas interminables caminadas. La gente me trata con amabilidad pero tienen que trabajar y tienen sus familias y yo soy un mero visitante, un yanqui repatriado.

¿Eres tú, Frankie McCourt?

Ajá.

¿Cuándo llegaste?

La semana pasada.

¿Y cuándo te regresas?

La otra semana.

Magnífico. Tu pobre madre estará feliz de tenerte en casa y ojalá el tiempo siga así de despejado para ti.

Me preguntan si no noto toda clase de cambios en Limerick.

Oh, sí. Más automóviles, menos narices mocosas y menos rodillas raspadas. No hay niños descalzos. Ni mujeres de chal.

Jesús bendito, Frankie McCourt, qué cosas más raras las que notas.

Están atentos a ver si se me suben los humos para bajármelos, pero qué humos se me van a subir. Cuando les cuento que soy profesor, ponen cara de decepción.

Un simple profesor. Señor del cielo, Frankie McCourt, creíamos que a estas alturas serías millonario. Porque mira a tu hermano Malachy, que estuvo aquí con esa modelo glamorosa con la que se casó y que además es actor y todo eso.

El avión sube hacia un sol poniente que cubre de dorado el río Shannon y, aunque estoy contento de volver a Nueva York, ya me es difícil saber a qué lugar pertenezco.

43

El bar de Malachy tiene mucho éxito y él le puede pagar el pasaje a mamá y a mi hermano Alphie en el barco *Sylvania*, que atraca en Nueva York el 21 de diciembre de 1959.

Salen de la caseta de la aduana y el zapato derecho de mamá tiene una tira de cuero levantada que deja ver ese dedo pequeño que ella siempre ha tenido hinchado. ¿No tendrá fin esto? ¿Será que somos la familia del zapato roto? Nos abrazamos y Alphie me sonríe con unos dientes negruzcos y mellados.

¿La familia de los zapatos rotos y los dientes acabados? ¿Será ese nuestro escudo de armas?

Mamá mira por encima de mí a la calle del fondo. ¿Dónde está Malachy?

No lo sé. Llegará de un momento a otro.

Me dice que me veo bien, que no me hizo nada de daño haber ganado un poquito de peso, aunque debería hacer algo con esos ojos colorados que tengo. Eso me irrita porque sé que con sólo pensar en ellos o con que alguien me los mencione se ponen todavía más rojos, y ella lo nota, por supuesto.

¿Ves?, dice. Tú ya estás demasiado crecidito para andar teniendo los ojos malos.

Quisiera revirarle que tengo veintinueve años y que no sé cuál es la edad apropiada para tener los ojos malos y que si de eso es que quiere hablar apenas arriba a Nueva York, pero Malachy llega en un taxi con Linda, su mujer. Más sonrisas y abrazos. Malachy le dice al taxista que espere mientras traemos el equipaje.

Alphie dice: ¿Las ponemos en el maletero?

Linda sonríe: Oh, no, las ponemos en el baúl.

¿Baúl? Pero si no trajimos un baúl.

No, no, dice ella, ponemos las maletas en el baúl del taxi.

¿Y el taxi no tiene maletero?

No, ése es el baúl.

Alphie se rasca la cabeza y vuelve a sonreír, estampa del joven que recibe la primera lección de inglés norteamericano.

En el taxi mamá dice: Dios del cielo, miren qué cantidad de automotores. Las calles están repletas. Yo le digo que ya ha mejorado el tráfico. Una hora antes estábamos en la hora pico y la congestión era todavía peor. Ella dice que no ve cómo puede ser peor. Yo le digo que todos los días más temprano es peor y ella dice: No veo cómo pueda ser peor que esto con todos estos autos a paso de caracol ahora mismo.

Trato de ser paciente y le hablo despacio: Te lo digo, mamá, que así es el tráfico en Nueva York. Yo vivo acá.

Malachy dice: Oh, no importa. Miren qué bonita mañana, y ella dice: Yo también viví acá, por si se te ha olvidado.

Sí, le respondo yo. Hace veinticinco años y vivías en Brooklyn, no en Manhattan.

Bueno, eso sigue siendo Nueva York.

Ni ella ni yo cedemos aunque veo la nimiedad de nuestro comportamiento y me pregunto por qué estoy discutiendo en vez celebrar la llegada de mi madre y mi hermano menor a la ciudad con la que soñamos toda la vida. ¿Por qué se ceba ella con mis ojos y por qué la contradigo yo en lo del tráfico?

Linda trata de aliviar la tensión. Bueno, como dice Malachy, es un lindo día.

Mamá asiente con gesto de mala gana: Ajá.

¿Y cómo estaba el tiempo allá en Irlanda, madre?

Un palabra a regañadientes: Lluvioso.

Oh, en Irlanda llueve siempre, ¿verdad, madre?

No, no llueve siempre, y se cruza de manos y clava la vista enfrente, en ese tráfico que una hora antes estaba más congestionado.

En el apartamento, Linda prepara el desayuno mientras mamá le hace fiestas a la recién nacida, Siobhain, y le canta como había hecho con cada uno de nosotros siete. Linda pregunta: Madre, ¿quiere café o té?

Té, por favor.

Cuando el desayuno está listo, mamá pone a la nena en la cuna, viene a la mesa y pregunta qué es esa cosa que flota en su taza. Linda le dice que es la bolsita del té y mamá respinga la nariz: Oh, no quiero ni probarlo. No será té como Dios manda, con seguridad.

La cara de Malachy se pone tensa, y le dice entre dientes: Es el té que tenemos. Así lo hacemos aquí. No tenemos una libra de té Lyon's ni una tetera expresamente para ti.

Bueno, entonces no voy a tomar nada. Con mi huevo me basta. No sé qué clase de país es éste donde una no se puede tomar una taza de té como Dios manda.

Malachy va a decirle algo pero la niña se pone a llorar y va a sacarla de la cuna mientras Linda se afana con mamá, sonriéndole, tratando de agradarla. Podemos conseguir una tetera, madre, y conseguir té suelto, ¿no es cierto, Malachy?

Pero él marcha por la sala con la niña lloriqueando en su hombro, y se nota que en el punto de la bolsa de té no va ceder, no esta mañana por lo menos. Como todo el que se haya tomado una taza decente de té en Irlanda, él odia las bolsitas de té, pero tiene una esposa norteamericana que lo único que conoce es el té en bolsas y tiene una niñita y cosas en qué pensar y muy poca paciencia con esta madre que alza y arruga la nariz por una bolsita de té el día en que llega a los Estados Unidos de América, y él no entiende por qué después de tantos gastos y molestias le va a tener que soportar esos remilgos durante las próximas tres semanas en ese apartamento estrecho.

Mamá se levanta de la mesa. ¿El retrete?, le pregunta a Linda. ¿Dónde está el retrete?

¿Qué?

El retrete. El váter.

Linda mira a Malachy. El inodoro, le dice él. El baño.

Ah, dice Linda. Ahí dentro.

Mientras mamá está en el baño, Alphie le dice a Linda que la bolsita de té no estuvo tan mala después de todo. Si uno no la viera nadando en la taza no habría problema, y Linda recobra la sonrisa. Le dice que por eso los chinos no sirven la carne en trozos grandes. No les gusta ver el animal que están comiéndose. Si hacen pollo lo pican en trocitos y lo mezclan con otras cosas y da trabajo distinguir que es pollo. Por eso uno nunca ve un muslo o una pechuga de pollo en un restaurante chino.

¿Así es la cosa?, dice Alphie.

La nena sigue lloriqueando en el hombro de Malachy pero en la mesa todo es armonía con Alphie y Linda hablando de bolsitas de té y la exquisitez de la cocina china. Entonces mamá sale del baño y le dice a Malachy: Esa niña está llena de gases, sí señor. Pásala.

Malachy le entrega a Siobhain y se sienta a la mesa con su té. Mamá camina de acá para allá con la tira de cuero del zapato roto chancleteando contra el piso y pienso que tendré que llevarla a una zapatería de la Tercera avenida. Le da palmaditas a la niña y se oye un tremendo eructo y soltamos la risa. La acuesta otra vez en la cuna y se inclina sobre ella. Vamos, vamos, linda, vamos, vamos, y la niña le hace gorgoritos. Vuelve a la mesa, se pone las manos en el regazo y nos dice: Daría los dos ojos por una buena taza de té, y Linda le dice que ese mismo día sale a comprar una tetera y té suelto, ¿verdad, Malachy?

Él dice que sí porque en el fondo sabe que nada se compara con el té preparado en una tetera enjuagada primero con agua hirviendo, con una cucharadita colmada por taza y luego una cantidad de agua hirviendo a borbolles y con una cubreteteras para que la tetera se conserve caliente mientras el té se deja en infusión durante seis minutos exactamente.

Malachy sabe que mamá prepararía el té de esa manera y suaviza su postura respecto a las bolsitas de té. Sabe también que en cuestión de eructos infantiles ella tiene instintos más agudos y recursos superiores y el intercambio es justo: una taza decente de té para ella y bienestar para la pequeña Siobhain.

Por primera vez en diez años estamos todos juntos, mamá y sus cuatro hijos. Malachy tiene a su mujer, Linda, y a su niñita, Siobhain, la primogénita de una nueva generación. Michael tiene novia, Jan, y Alphie pronto encontrará la suya. Yo estoy reconciliado con Alberta y vivo con ella en Brooklyn.

Malachy es el alma de la fiesta en Nueva York y no hay fiesta que pueda empezar sin él. Si no aparece, hay quejas y zozobra: ¿Dónde está Malachy? ¿Dónde está tu hermano?, y cuando hace su estruendoso ingreso todos se ponen muy felices. Él canta y bebe y pasa el vaso para que le sirvan más licor y vuelve a cantar hasta que es hora de salir volando a la siguiente fiesta.

Mamá adora esa vida, lo excitante que es. Le encanta tomarse su *highball** en el bar de Malachy y que la presenten como la madre de Malachy. Los ojos le chispean y las mejillas se le encienden y deslumbra al mundo con el destello de su dentadura postiza. Va con Malachy a las fiestas, se baña en la gloria de su papel de madre y trata de acompañar las canciones de Malachy hasta que los primeros síntoma de un enfisema la dejan sin respiración. Después de tantos años de hacerse junto al fuego en Limerick a preguntarse de dónde va a venir el próximo pedazo de pan, ahora la está pasando de maravilla, ¿y no es éste país, en general, un gran país? Ah, tal vez se quede unos días más. Mira, ¿de qué sirve volver a Limerick en pleno invierno sin nada para hacer que no sea sentarse junto a la chimenea a calentarse las pobres canillas? Regresará cuando el tiempo mejore, para Pascua tal vez, y Alphie se puede conseguir un trabajo aquí que los sostenga.

Malachy le tiene que decir que si se quiere quedar en Nueva York, así sea por corto tiempo, no se puede quedar en el apartamentico de él con Linda y la niña de cuatro meses de nacida.

Ella me llama a donde Alberta y me dice: Estoy herida, sí señor. Cuatro hijos en Nueva York y sin dónde recostar la cabeza.

Pero los apartamentos de todos nosotros son muy pequeños, mamá. No hay campo.

Bueno, es como para preguntarse qué estarán haciendo

* Whisky con agua en vaso alto.

con la plata que se ganan. Me lo debieron haber dicho antes de sacarme arrastrada de la comodidad de mi propia chimenea.

Nadie te sacó arrastrada. ¿No dijiste mil veces que querías venir para las navidades y no te pagó Malachy el pasaje?

Vine porque quería ver a mi primera nieta, y no te preocupes, le pagaré el pasaje a Malachy, así tenga que echarme en cuatro patas a fregar pisos. Si hubiera sabido el trato que me iban a dar aquí, me hubiera quedado en Limerick con mi buen ganso para mí solita y mi techo sobre la cabeza.

Alberta me susurra que invite a mamá y a Alphie a cenar el sábado por la noche. Hay un silencio al otro lado de la línea y luego un resoplido.

Bueno, no sé qué voy a hacer el sábado por la noche. Malachy me dijo que iba a haber una fiesta.

Está bien. Nosotros te invitamos a cenar pero si quieres ir a otra fiesta con Malachy, anda.

No tienes por qué sonar tan bravo. El viaje a Brooklyn es tremendo de largo. Lo sé porque yo viví allá.

Es menos de media hora.

Ella le murmura algo a Alphie, que pasa al teléfono. ¿Francis? Allá iremos.

Abro la puerta y ella entra con su propio frío además del frío del invierno. Reconoce la existencia de Alberta con una inclinación de cabeza y me pregunta si tengo un fósforo para su cigarrillo. Alberta le ofrece un cigarrillo pero le dice que no, que trae los suyos propios y que, en todo caso, esos cigarrillos norteamericanos no saben a nada. Alberta le ofrece una copa y ella pide un *highball*. Alphie pide una cerveza y mamá le dice: Oh, conque empezando, ¿ah?

Yo le digo que es sólo una cerveza.

Bueno, así se empieza. Una cerveza y al momento siguiente te estás riendo y cantando y despertando al niño.

Aquí no hay niño.

En la casa de Malachy sí, y también las carcajadas y los cantos.

Alberta nos dice que pasemos a comer: cazuela de atún con ensalada fresca. Mamá se toma todo el tiempo para venir a la mesa. Tiene que terminar su cigarrillo y qué es toda esa prisa, en fin de cuentas.

Alberta dice que la cazuela es buena bien caliente.

Mamá le dice que ella odia la comida que quema el paladar.

Yo le digo: Por el amor de Cristo, termina el cigarrillo y ven a la mesa.

Llega con su cara de ofendida. Arrima la silla y aparta la ensalada. No le gusta la lechuga de este país. Yo trato de aguantarme. Le pregunto qué diablos tienen de diferente la lechuga de este país y la de Irlanda. Ella dice que tienen una diferencia enorme: que la lechuga de este país no sabe a nada.

Alberta dice: Oh, eso no importa. Después de todo, no a todo el mundo le gusta la lechuga.

Mamá clava la vista en su cazuela y con el tenedor separa el atún y los fideos y se come únicamente las arvejas. Dice que le encantan las arvejas, aunque éstas no son tan buenas como las de Limerick. Alberta le pregunta si quiere más arvejas.

No, gracias.

Tras lo cual escarba en los fideos para pescar pedacitos de atún.

Le pregunto: ¿No te gustan los fideos?

¿Qué?

Los fideos. ¿No te gustan?

No se qué sean pero no son mi plato predilecto.

Yo quisiera decirle al oído que se está portando como una

salvaje, que Alberta se calentó los sesos pensando en algo
que le fuera a gustar y que lo único que a ella se le ocurre
hacer es parar la nariz como si alguien le hubiera hecho algo
y que si no le gusta puede ponerse su maldito abrigo y volver a Manhattan a esa fiesta que se está perdiendo y que no
vuelvo nunca a molestarla con una invitación a cenar.

Quisiera decirle esto, pero Alberta trata de limar aspe-
rezas. Oh, no importa. Tal vez madre está cansada con todo
el ajetreo de venir a Nueva York, y si nos tomamos un buen
té con un poco de torta vamos a estar más relajados.

Mamá le dice que no, que gracias por la torta pero que
no le cabe un bocado más aunque le gustaría el té, hasta que
otra vez ve la bolsita en la taza y nos dice que ése no es para
nada un té como Dios manda.

Le digo que eso es lo que hay para ofrecerle y lo que no
le digo es que me gustaría darle con la bolsita entre ceja y
ceja.

Dijo que no a la torta pero ahí está zampándosela casi
sin masticarla y luego recogiendo y comiéndose las migas
del plato, la mujer que no quería torta.

Mira la taza de té. Bueno, si ese es el té que tienen me
figuro que tendré que tomármelo. Alza la bolsita con la
cucharita y la escurre hasta que el agua se oscurece y pregunta por qué hay un limón en el platillo.

Alberta le dice que hay personas que se toman el té con
limón.

Mamá dice que nunca había oído semejante cosa, que
qué asco.

Alberta le retira el limón y mamá le pide leche y azúcar,
si no hay inconveniente. Pide un fósforo y se fuma el cigarrillo mientras se toma la mitad del té para mostrar que no
le gusta.

Alberta le pregunta que si ella y Alphie quieren ver una

película en el cine del barrio, pero mamá le dice que no, que tienen que volver a Manhattan y que ya está demasiado tarde.

Alberta le dice que no está tan tarde y mamá le dice que está bastante tarde.

Acompaño a mi madre y a Alphie por la calle Henry hasta el *metro* en Borough Hall. Es una noche despejada de enero y las luces de Navidad todavía alumbran y titilan en las vitrinas de la calle. Alphie habla de la elegancia de las casas y me da las gracias por la cena. Mamá dice que no ve por qué la gente no puede echar la comida en un tazón y servirla sin un plato debajo. Le parece que eso es darse ínfulas.

Cuando el tren llega estrecho la mano de Alphie. Me agacho para darle un beso a mamá y entregarle un billete de veinte dólares pero ella aparta la cara y se sienta en el tren dándome la espalda y yo me regreso con la plata otra vez en el bolsillo.

44

Durante ocho años viajé en el ferri de Staten Island. Tomaba el tren RR de Brooklyn a la calle Whitehall, en Manhattan, caminaba hasta el embarcadero, echaba cinco centavos en la ranura del torniquete, me compraba un café y una rosquilla, simple, sin nada de azúcar, y esperaba en una banca mientras leía un diario colmado de catástrofes de la víspera.

El señor Jones era el profesor de música del colegio McKee, aunque quien lo viera en el ferri pensaría que era profesor universitario o gerente de una compañía de abogados. Pensaría eso aunque él era un negro que pasaría a ser ciudadano de color y, últimamente, afronorteamericano. Todos los días se ponía un terno diferente y un sombrero que hiciera juego. Usaba camisas de cuello duro, a veces sujetado con alfileres de oro. Su reloj y sus anillos también eran de oro, y muy finos. Los viejos lustrabotas italianos lo reverenciaban por el trabajo diario y las gordas propinas que les daba, y le dejaban relucientes los zapatos. Leía el *Times* todas las mañanas, sosteniéndolo con unos dedos que asomaban de unos pequeños guantes de cuero que le cubrían desde la muñeca hasta más arriba de los nudillos. Sonreía al contarme de los conciertos y óperas a los que había asistido la víspera o de sus viajes de verano especialmente a

Milán y Salzburgo. Me ponía la mano en el hombro y me decía que no podía morirme sin haber estado en La Scala. Una mañana otro de los profesores le dijo que los alumnos de McKee debían de estar muy impresionados con su ropa, tanta elegancia, mira, y el señor Jones le dijo: Me visto por lo que soy. El profesor meneó la cabeza y el señor Jones siguió leyendo el *Times*. Ese mismo día, en el ferri de vuelta, el otro profesor me dijo que el señor Jones no se consideraba negro en absoluto, que les decía a los alumnos negros que dejaran de mulatear por el pasillo. Los alumnos negros no acababan de entender al señor Jones con esas elegancias. Sabían que no importaba qué música les gustara porque él siempre iba a salirles con Mozart, les iba a poner su música en el tocadiscos o a ilustrarles pasajes en el piano, y llegada la hora del acto público de Navidad allá estaría él en el escenario con sus muchachos y muchachas cantando villancicos como ángeles.

Todas las mañanas pasaba yo frente a la estatua de la Libertad y a Ellis Island y pensaba en la llegada de mis padres a este país. ¿Al arribar se emocionarían tanto como yo esa primera mañana soleada de octubre? Otros profesores que se dirigían a McKee y otros colegios en el ferri contemplaban la estatua y la isla. Seguramente pensaban en la llegada a este lugar de sus padres y abuelos y pensarían en los cientos de deportados. Los entristecería tanto como a mí ver a Ellis Island abandonada y amenazando ruina con un ferri atracado a un lado y semihundido, el ferri que llevaba a los inmigrantes de Ellis Island a la isla de Manhattan, y si aguzaban la vista verían fantasmas ansiosos de desembarcar.

Mamá se había mudado con Alphie a un apartamento en el West Side. Después Alphie se fue a vivir solo al Bronx y mamá se mudó a la avenida Flatbush cerca del parque

Grand Army, en Brooklyn. Su edificio estaba destartalado pero ella se encontraba cómoda en un sitio para ella sola y sin rendirle cuentas a nadie. Podía ir a pie a una cantidad de bingos y estaba a gusto, muchas gracias.

En mis primeros años en el colegio McKee me matriculé en el Brooklyn College en cursos que me permitieran obtener una maestría en lengua inglesa. Comencé con los de verano y continué con clases vespertinas y nocturnas durante el año lectivo. Tomaba el ferri de Staten Island a Manhattan y caminaba hasta una estación del metro en Bowling Green, que me llevaba hasta el final de la línea de Flatbush, cerca del Brooklyn College. En el ferri y en el tren podía estudiar para mis clases o corregir los trabajos de los alumnos de McKee.

Les decía a mis estudiantes que quería trabajos limpios, pulcros y legibles pero ellos me entregaban cualquier cosa garrapateada en los buses y los trenes, en los talleres cuando el profesor no estaba mirando o en el comedor. Los papeles tenían manchas de café, cocacola, salsa de tomate, helado y estornudos, y sensuales marcas que dejaban las chicas al secarse el pintalabios. Un fajo de papeles así me irritó de tal modo, que los arrojé por la borda del transbordador y me gustó verlos hundirse bajo el agua y formar un mar de los sargazos de incultura.

Cuando me los pidieron de vuelta les dije que estaban tan malos que para devolvérselos hubiera tenido que ponerle cero a cada uno y que si preferían eso a nada.

No sabían qué decir y yo tampoco, pensándolo bien. ¿Cero o nada? Discutimos eso durante toda una clase y decidimos que nada era mejor que cero en tu libreta de calificaciones, porque nada no se puede dividir por nada y cero sí por medio del álgebra o algo así, porque el cero es algo y nada no es nada, y sobre eso no habría discusión.

Además, si tus padres ven un cero en tu libreta de calificaciones se enfadan, al menos los que se interesan, pero si no ven nada no saben qué pensar y es mejor tener un papá y una mamá que no saben qué pensar que un papá y una mamá que ven un cero y te dan un coscorrón.

Después de clases en el Brooklyn College, a veces me bajaba del tren en la calle Bergen para visitar a mi madre. Cuando sabía que yo iba a ir horneaba un pan de soda tan calientito y delicioso que se derretía en la boca con la misma rapidez que la mantequilla con que me lo embadurnaba. Preparaba té en tetera y no podía dejar de aborrecer la mera idea de una bolsa de té. Yo le decía que las bolsitas eran una comodidad para la gente ocupada y ella decía que nadie está tan ocupado como para no poder sacar tiempo para preparar una taza de té decente y que si estás tan ocupado no te la mereces, ¿porque de qué se trata al fin y al cabo? ¿Vinimos a este mundo a vivir ocupados o a charlar al calor de una buena taza de té?

Mi hermano Michael se casó con Donna, de California, en el apartamento de Malachy, en la calle 93 oeste. Mamá compró un vestido nuevo para la ocasión pero saltaba a la vista que no aprobaba la ceremonia. Ahí estaba su lindo hijito Michael casándose sin rastro de un sacerdote, nada más que con un pastor protestante, ahí en la sala, que podía pasar por verdulero o policía de civil en horas libres. Malachy había alquilado dos docenas de sillas plegables y cuando nos sentamos me di cuenta de que faltaba mamá. Estaba en la cocina fumándose un cigarrillo. Le dije que la ceremonia de bodas ya iba a empezar y ella me dijo que tenía que acabar de fumarse el cigarrillo. Mamá, por el amor de Cristo, tu hijo se está casando. Me respondió que eso era asunto de él, que ella se iba a terminar su pitillo, y cuando yo le dije que nos tenía a todos esperándola, se le crispó la cara, respingó la nariz, aplastó la colilla en el cenicero y se tomó todo el tiempo para ir hasta la sala. Al entrar me dijo en voz baja que tenía que ir al baño y yo le murmuré hecho una furia que carajo, se iba a tener que esperar. Entonces tomó asiento y fijó la vista por encima de la cabeza del pastor protestante. A pesar de lo que allí se dijo, a pesar de las manifestaciones de suavidad o dulzura, no quiso tomar parte en nada, no aflojó, y cuando los novios se besaron y abrazaron mamá se quedó sentada con el bolso en el regazo y la vista fija enfrente para que todos supieran que no estaba viendo nada, especialmente el espectáculo de su lindo hijo Michael cayendo en garras de los protestantes y sus pastores.

Cuando iba a tomar el té a casa de mamá, en la avenida Flatbush, ella me decía que era de lo más peculiar volver a estar por estos lados después de tantos años, en un lugar donde había tenido cinco niños, aunque tres habían muerto, la niñita aquí en Brooklyn y los mellizos en Irlanda. No soportaba ni pensar en su niñita, muerta a los veintiún días de nacida, a poca distancia de allí. Sabía que no era sino bajar por Flatbush hasta el cruce con la avenida Atlantic para ver los bares a donde mi padre se iba de farra, se gastaba el salario, se olvidaba de sus hijos. No, ella no quería hablar de eso tampoco. Cuando le preguntaba por su vida en Brooklyn me contaba migajas y luego se callaba. ¿De qué serviría? El pasado pasado está y es peligroso regresarse.

Seguramente tenía pesadillas en la soledad de ese apartamento.

45

Stanley pasa más tiempo en el comedor de los profesores que los demás. Cuando me ve se sienta conmigo a tomar café, fumar cigarrillos y pronunciar monólogos acerca de todo.

Como la mayoría de los profesores, él tiene cinco cursos pero sus alumnos de terapia del lenguaje faltan con frecuencia porque les da vergüenza tartamudear y tratar de hacerse entender con su paladar hendido. Stanley les echa discursos para infundirles ánimos, y aunque les dice que valen lo que cualquiera, ellos no se lo creen. Algunos van a mis clases corrientes de inglés y escriben composiciones en las que dicen que el señor Garber puede hablar lo que quiera, que es un buen tipo y todo, pero que él no sabe lo que es acercársele a una chica para sacarla a bailar cuando a uno no le sale ni siquiera la primera palabra de la boca. Oh, *yeah*, muy bien que señor Garber les ayude a curarse el tartamudeo cantando en clase pero eso no les sirve de nada cuando van a un baile.

En el verano de 1961 Alberta quería casarse en la iglesia episcopal de Brooklyn Heights. Me negué. Le dije que preferiría casarme en el ayuntamiento antes que en una pálida imitación de la Una, Santa, Romana Católica y Apostólica Iglesia. Los episcopalianos me irritaban. ¿Por qué no se dejaban de tonterías? Se suben allá con sus imágenes y sus cru-

ces y el agua bendita y hasta la confesión, ¿así que por qué
no llaman a Roma y le dicen al papa que quieren regresar?

Alberta dijo: Está bien, está bien, y fuimos al Palacio
Municipal en Manhattan. No era un requisito, pero llevamos a Brian McPhillips de padrino y a su mujer Joyce de
dama de honor. Nuestra ceremonia se retrasó por una riña
de la pareja que nos antecedía. Ella le dijo a él: ¿Te vas a
casar conmigo con ese paraguas verde colgado del brazo?
Él le dijo que ése era su paraguas y que no iba a dejarlo en
esta oficina para que se lo robaran. Ella nos señaló con la
cabeza y le dijo: Estas personas no se van a robar tu jodido
paraguas verde, perdón que utilice este lenguaje en mi día
de bodas. Él le dijo que no estaba acusando a nadie de nada
pero que, maldita sea, que había pagado un montón por ese
paraguas en la calle Chambers a un ladrón de paraguas y
que no lo iba a cambiar por nadie. Ella le dijo: Bueno, entonces cásate con tu maldito paraguas, y agarró el bolso y
se dispuso a irse. Él le dijo que si se largaba sería el fin de
todo y ella nos miró a nosotros cuatro y a la recepcionista
y al funcionario que salía de la capillita de bodas y dijo: ¿El
fin? ¿De qué estás hablando, hombre? ¿Llevamos viviendo
juntos tres años y vienes a decirme que éste es el fin? Tú no
me vienes a decir que éste es el fin. Yo soy la que lo digo, y
ahora te digo que ese paraguas no va a ir a mi boda y si
insistes hay cierta persona en South Carolina, cierta exes-
posa que quisiera saber dónde andas y yo con gusto se lo
contaría si quieres entenderme, cierta persona que quiere
una pensión y el sostenimiento del niño. Así que elige,
Byron: yo en ese cuartico con el funcionario y sin el paraguas
o tú otra vez en South Carolina con tu paraguas ante un juez
que te dice: A pagar, Byron, a mantener señora y niño.

El funcionario, a la entrada de la capilla de bodas, les
preguntó si ya estaban listos. Byron me preguntó si yo era

el que me iba a casar enseguida y me pidió que le tuviera el paraguas porque veía que estaba en las mismas que él: condenado a entrar a ese cuartico. Aquí acaba el camino, hombre, aquí acaba el camino. Le deseé buena suerte pero él meneó la cabeza y dijo: Carajo, por qué será que a todos nos mangonean así.

A los pocos minutos regresaron a firmar papeles, la novia sonriente, Byron cariacontecido. Volvimos a desearles buena suerte y seguimos al funcionario al otro cuarto. Nos sonrió y dijo: ¿Eztamoz todoz reunidoz?

Brian me miró y alzó las cejas.

El funcionario decía: ¿Prometez amar, honrar y rezpetar?, y me mordí los labios para no reír. ¿Cómo sobrevivir a este casamiento celebrado por un tipo con tamaño ceceo? Habría que encontrar la manera de dominarme. Para colmo de males, el paraguas colgado de mi brazo. Ay, Dios, voy a estallar en pedacitos. Estoy atrapado entre el ceceo y el paraguas y no puedo reírme. Alberta me mataría si me riera en nuestra boda. Puedes llorar de felicidad pero jamás reír, y heme aquí impotente frente a este tipo que cecea, prometiéndonoz ezto y lo de máz allá, el primer hombre en la historia de Nueva York que se casa con un paraguas verde colgado del brazo, pensamiento solemne que me impide reírme, y ya la ceremonia ha terminado, el anillo en el dedo de Alberta, los novios se besan y reciben las felicitaciones de Brian y Joyce hasta que la puerta se abre y aparece Byron. Hombre, ¿tienes mi paraguas? ¿Hiciste eso por mí? ¿Lo tuviste aquí adentro? ¿Quieres tomarte una copa? ¿Celebrar?

Alberta me hacía señas de que no con la cabeza.

Le dije a Byron que lo sentía, pero no. Íbamos para donde unos amigos que nos tenían preparada una fiesta.

Qué suerte, hombre, de tener amigos. Yo y Selma vamos por un sándwich y después al cine. No me importa. La película la tiene callada por un rato, ja ja ja. Gracias por cuidarme el paraguas.

Byron y Selma se marcharon y yo me fui de espaldas contra la pared, riéndome a las carcajadas. Alberta trató de salvar la dignidad de la ocasión pero estalló cuando vio a Brian y a Joyce riéndose también. Yo iba a explicarles que pensar en el paraguas me había salvado de reírme del ceceo pero mientras más trataba de hablar más me reía hasta que bajamos agarrados unos de otros en el ascensor y acabamos secándonos las lágrimas afuera bajo el sol de agosto.

Fuimos en un momento a la cantina de Diamond Dan O'Rourke a compartir unas copas y unos bocadillos con unos amigos, Frank Schwake y su mujer, Jean, y Jim Collins y su nueva esposa, Sheila Malone. Después de eso Brian y Joyce iban a dar una fiesta en Queens, a donde nos llevarían a Alberta y a mí en su volkswagen.

Schwake me invitó a una copa. Lo mismo hicieron Collins y Brian. El cantinero nos invitó a todos a una ronda y yo lo invité a una copa y le di una buena propina. Me dijo riéndose que debía casarme todos los días. Invité a una copa a Schwake y a Collins y a Brian y todos me querían convidar a otra. Joyce le dijo algo al oído a Brian y me di cuenta de que estaba preocupada por la manera como estábamos tomando. Alberta me dijo que le diera más despacio. Comprendía que fuera el día de mi boda pero era todavía muy temprano y yo debía mostrar respeto hacia ella y los invitados de la recepción de más tarde. Le dije que no llevábamos cinco minutos de casados y que ya me estaba diciendo qué hacer. Claro que yo la respetaba a ella y a los invitados. No había hecho más que respetarla y ya estaba cansado de tanto respeto. Le dije que se apartara de ahí y había tanta tirantez que Brian y Collins tuvieron que intervenir. Brian dijo que ése era su trabajo, que para eso eran los padrinos.

Collins dijo que él me conocía desde antes que Brian pero Brian le dijo que no, de ninguna manera. Yo fui con él a la universidad. Collins dijo que él no sabía eso. McCourt, ¿cómo así que nunca me contaste que fuiste a la universidad con McPhillips? Le dije que jamás vi la necesidad de contarle a todo el mundo con quién había ido a la universidad y por alguna razón eso nos hizo reír a todos. El cantinero dijo que qué bueno ver la gente feliz en su día de bodas y nos reímos todavía más duro pensando en ceceos y paraguas verdes y en Alberta diciéndome que le mostrara respeto a ella y a los invitados. Claro que le mostré respeto en el día de mi boda hasta que fui al baño y empecé a pensar en cuando me había abandonado por otro hombre y ya iba a salir a enfrentármele pero me deslicé en el piso resbaloso del bar de Diamond Dan O'Rourke y me estrellé durísimo la cabeza contra el orinal grande y me dio un dolor de cabeza que me hizo olvidar el abandono. Alberta me preguntó por qué tenía mojada la espalda de la chaqueta y no me creyó cuando le dije que había una gotera en el baño de los hombres. Te caíste, ¿verdad? No, no me caí. Había una gotera. No me lo creyó y me dijo que estaba bebiendo demasiado y eso me enojó tanto que ya me disponía a largarme a vivir con una bailarina de ballet en una buhardilla en Greenwich Village cuando Brian dijo: Oh, vamos, no te comportes como un burro, hoy también es el día bodas de Alberta.

Antes de arrancar para Queens teníamos que pasar por un pastel de bodas en Schrafft's en la calle 57 oeste. Joyce dijo que ella conducía, porque Brian y yo habíamos celebrado con demasiado entusiasmo en el bar de Diamond Dan mientras Alberta y ella se mantenían frescas para la fiesta de esa noche. Se estacionó al otro lado de la calle frente a Schrafft's y dijo que no cuando Brian se ofreció a ir por el

pastel pero él insistió y fue a buscarlo esquivando el tráfico.
Joyce sacudía la cabeza y decía que se iba a hacer matar.
Alberta me dijo que fuera por él pero Joyce volvió a sacu-
dir la cabeza y le dijo que eso sólo empeoraría las cosas.
Brian salió de Schrafft's apretando una gran caja de pastel
contra el pecho y otra vez esquivó los automóviles hasta que
un taxi lo rozó de lado en la línea divisoria de la calle y la
caja se fue al suelo. Joyce agachó la cabeza sobre el volante:
Ay, Dios mío, dijo, y yo dije que iba a ir a ayudar a mi padrino Brian. No, no, me dijo Alberta, yo voy. Yo le dije que
ése era trabajo de hombres, que no iba a dejar que arries-
gara la vida con esos taxis locos de la 57 y corrí donde Brian,
que estaba en cuatro patas protegiendo el pastel accidenta-
do contra el tráfico que le pasaba zumbando por ambos
lados. Me arrodillé junto a él, le arranqué a la caja una de
las tapas de cartón y volvimos a guardar a paletadas el pastel
con trocitos colgando aquí y allá. Las figuritas de la novia
y el novio estaban hechas un desastre pero las limpiamos y
las volvimos a clavar en el pastel, ya no en la parte de arriba, porque ya no sabíamos cuál era la parte de arriba, pero
en alguna parte del pastel donde pudiéramos enterrarlas por
seguridad. Joyce y Alberta nos gritaban desde el auto que
nos quitáramos del centro de la calle antes de que llegara la
policía o nos mataran y que ya estaban cansadas de esperar, apresúrense. Cuando nos subimos al auto, Joyce le dijo
a Brian que le pasara el pastel atrás a Alberta, donde iría
más seguro, pero él se puso terco y le dijo que no, que después de tanto jaleo él lo iba a sostener hasta que llegáramos
al apartamento, y cumplió, a pesar de que se llenó de motas
de crema y adornos verdes y amarillos en el pantalón y por
todas partes del traje.

Las esposas nos trataron con frialdad el resto del camino en el automóvil, hablando entre ellas dos no más y ha-

ciendo comentarios sobre los irlandeses y cómo no se les puede confiar una tarea sencilla como es cruzar la calle con un pastel de bodas, cómo esos irlandeses no se podían tomar una o dos copas y contentarse con eso hasta la recepción, oh, no, tenían que ponerse a conversar y a invitar cada uno a otra ronda hasta ponerse en tal estado que no podían mandarlos a la tienda de la esquina por un litro de leche.

Míralo, dijo Joyce, y cuando vi a Jim dormido con la barbilla contra el pecho empecé a adormilarme yo también mientras las esposas seguían con sus lamentaciones sobre los irlandeses en general y en este día en particular. Alberta decía: Todo el mundo me advirtió que los irlandeses son fabulosos para salir con ellos pero no para casarse con ellos. Yo hubiera defendido mi raza y le hubiera dicho que sus antepasados yanquis no tenían ningún motivo de orgullo por el trato que les dieron a los irlandeses con esos letreros que decían: No se reciben irlandeses, pero estaba rendido por la tensión de ser casado por un tipo que ceceaba mientras yo llevaba el paraguas de Byron y por mi agobiante responsabilidad de novio y anfitrión en el bar de Diamond Dan O'Rourke. Si no hubiera estado desmadejado del cansancio le hubiera recordado cómo sus antepasados ahorcaban mujeres a diestro y siniestro por ser brujas, cómo eran una manada de malpensados que alzaban los ojos al cielo escandalizados y aterrados al oír la palabra sexo pero que la pasaban en grande entre muslo y muslo al escuchar en el juzgado a esas histéricas vírgenes puritanas contar que el diablo se les había aparecido en varias formas y había retozado con ellas en el bosque y que se habían vuelto tan devotas de él que toda su decencia había volado por la ventana. Le hubiera dicho a Alberta que los irlandeses nunca se desfogaban así. En toda la historia de Irlanda habían ahorcado únicamente a una bruja y probablemente era inglesa y se lo había buscado. Y para rematar le hubiera dicho que la primera bruja que ahorcaron en Nueva Inglaterra era irlandesa y que la colgaron porque rezaba sus oraciones en latín y se negó a dejar de hacerlo.

En vez de decirle todo esto me quedé dormido hasta que Alberta me sacudió y me dijo que habíamos llegado. Joyce insistió en quitarle el pastel a Brian. No quería que se fuera de bruces en la escalera y acabara de aplastar el pastel y todavía tenía esperanzas de reconstruirlo para que tuviéramos algo parecido a un pastel y la gente pudiera cantar eso de que la novia corta el pastel.

Llegó la gente y hubo comida, copas, baile y altercados entre todas las parejas, casadas o no. Frank Schwake no se hablaba con su mujer Jean. Jim Collins discutía en un rincón con su mujer Sheila. Alberta y yo seguíamos distanciados, al igual que Brian y Joyce. Otras parejas se contagiaron y había islas de tirantez por todo el apartamento. La noche casi se echa a perder de no haber sido por la forma como nos unimos todos contra un peligro exterior.

Uno de los amigos de Alberta, un alemán llamado Dietrich, salió en su volkswagen a renovar el surtido de cerveza y al volver tuvo una gresca con el dueño de un buick que chocó al dar marcha atrás. Alguien me informó del lío afuera y, como yo era el novio, mi deber era lograr la paz. El hombre del buick era un gigante que amenazaba con darle un puñetazo en la cara al amigo de Alberta. Cuando yo me metí entre los dos, el tipo dejó ir el puñetazo. Su brazo dio la vuelta por detrás de mi cabeza y le pegó en el ojo a Dietrich y los tres rodamos por el suelo. Forcejeamos un poco, todos contra todos, sin ser ninguno demasiado específico, hasta que Schwake, Collins y McPhillips nos separaron mientras el tipo del buick amenazaba a Dietrich con arrancarle la cabeza de los hombros. Cuando arrastramos adentro al alemán descubrí que yo tenía rasgada la rodilla del pantalón y que sangraba por la rótula. Los nudillos de la mano me sangraban también, raspados contra el suelo.

Arriba Alberta se puso a llorar y a decirme que le había estropeado la noche. A mí la sangre me hirvió un poquito y le dije que yo sólo trataba de pacificar las cosas y que no era culpa mía que el mandril del vecino me hubiera tumbado al suelo. Además, estaba socorriendo a su amigo alemán y debería estar agradecida.

La discusión habría continuado si Joyce no hubiera intervenido llamando a todos a pasar a la mesa para que cortáramos el pastel. Cuando le quitó el paño con que lo tapaba, Brian soltó la risa y le dio un beso por ser una artista tan genial que nadie hubiera sabido que a ese pastel lo habían recogido en pedazos de la calle hacía nada. Las figuritas de los novios estaban bien clavadas, aunque al novio le bailaba la cabeza y terminó cayéndosele, y yo le dije a Joyce: Inquieto yace el novio que ostenta una cabeza. Todos cantaron lo de la novia que corta el pastel y Alberta se veía más calmada, aunque no pudimos cortarlo en tajadas normales y hubo que repartirlo en trozos.

Joyce dijo que iba a hacer el café y Alberta le dijo que qué rico, pero Brian dijo que nos tomáramos otra copa para brindar por los recién casados y yo estuve de acuerdo y Alberta se enojó tanto que se arrancó el anillo de matrimonio del dedo y lo tiró por la ventana, aunque de pronto se acordó de que era el anillo de bodas de su abuela de principios de siglo que había volado por la ventana, Dios sabe adónde en Queens y ahora qué iba a hacer ella, todo era culpa mía, y un gran error de ella haberse casado conmigo. Brian dijo que había que encontrar ese anillo. No teníamos una linterna pero alumbramos la noche con fósforos y encendedores mientras gateábamos por el césped debajo de la ventana de Brian hasta que Dietrich gritó que lo había encontrado y todos le perdonamos por haberle buscado camorra al hombrote del buick. Alberta no quiso volver a ponerse el anillo. Lo guardaría en el bolso hasta estar segura de que este matrimonio iba a funcionar. Tomamos un taxi con Jim Collins y Sheila. Nos dejarían en nuestro apartamento en Brooklyn de paso para Manhattan. Sheila no le hablaba a Jim y Alberta no me hablaba a mí pero cuando doblamos por la calle State la agarré por los hombros y le dije: Esta noche voy a consumar este matrimonio.

Ella dijo: Ah, ¿consumar? El culo, y yo le dije: Por ahí me sirve.

El taxi se detuvo y me bajé del asiento de atrás que compartía con Sheila y Alberta. Jim se bajó del asiento junto al conductor y se me arrimó en la acera. Su intención era despedirse y subirse luego junto a Sheila, pero Alberta cerró la portezuela y el taxi arrancó.

Jesús Todopoderoso, dijo Collins, ésta es tu jodida noche de bodas, McCourt. ¿Dónde está tu mujer? ¿Y dónde está la mía?

Subimos a mi apartamento, encontramos un cartón de seis latas de Schlitz en la nevera, nos sentamos en el sofá, los dos, a ver caer los indios en la televisión bajo las balas de John Wayne.

46

En el verano de 1963 mamá llamó a decirme que había recibido una carta de papá. Afirmaba ser un hombre nuevo y decía que llevaba tres años sin tomarse una copa y que ahora trabajaba de cocinero en un monasterio.

Le dije a mamá que si él trabajaba de cocinero en un monasterio los monjes vivirían en ayuno perpetuo.

No se rió y eso quería decir que estaba preocupada. Me leyó la parte de la carta donde él decía que iba a venir con un pasaje de ida y vuelta por tres semanas en el *Queen Mary* y que esperaba con ilusión el día en que estuviéramos todos juntos otra vez, él y ella compartiendo el lecho y la tumba porque él sabía y ella sabía que lo que Dios ha unido ningún hombre habrá de separarlo.

Pareció dudar. ¿Qué debía hacer? Malachy ya le había dicho que por qué no. Ahora quería saber qué pensaba yo. Yo le devolví la pregunta. ¿Qué piensas tú? Al fin y al cabo se trataba del hombre que la había hecho vivir un infierno en Nueva York y en Limerick y que ahora quería anclar a su lado, en puerto seguro en Brooklyn.

No sé qué hacer, me dijo.

No sabía qué hacer porque estaba sola en ese sitio destartalado en la avenida Flatbush y ahora encarnaba el proverbio irlandés: Mejores los conflictos que las soledades. Podía volver a recibir a este hombre o, a los cincuenta y cinco años de edad, contemplar un futuro a solas. Le dije que nos encontráramos para tomarnos un café en el restaurante de Junior.

Llegó antes que yo, jadeando y carraspeando por culpa de un cigarrillo fuerte norteamericano. No, no quería té. Los norteamericanos podrán enviar a un hombre al espacio pero no saben preparar una taza de té como Dios manda, así que mejor iba a pedir un café y un poquito de esa torta de queso tan sabrosa. Le dio una fumada al cigarrillo, tomó un sorbo de café y me dijo que no sabía por Dios qué hacer. Me dijo que toda la familia se estaba desintegrando con Malachy separado de su esposa Linda y los dos niños, Michael en California con su mujer Donna y el niño, y Alphie perdido por allá en el Bronx. Me dijo que ella podía darse una buena vida en Brooklyn con los bingos y una que otra reunión de la Sociedad Neoyorkina de Damas de Limerick y que a cuento de qué iba a dejar que el hombre de Belfast perturbara esa vida.

Yo me tomaba mi café y me comía mi pastel de manzana sabiendo que ella jamás admitiría sentirse sola aunque andaría pensando: Ah, si no fuera por la bebida no sería tan malo vivir con él para nada, para nada.

Le dije que yo estaba pensándolo. Bueno, dijo ella, me haría compañía si no está bebiendo, si es un hombre nuevo. Podríamos dar paseos por Prospect Park y podría ir a buscarme después de los bingos.

Está bien. Dile que venga por esas tres semanas y ya veremos si es un hombre nuevo.

De regreso a su apartamento ella paró varias veces y se llevó la mano al pecho. El corazón, me dijo, que va a una milla por minuto. Sí, señor.

Serán los cigarrillos.

Ay, no sé.

O será el nerviosismo por la carta.

Ay, no sé. Simplemente no sé.

Al llegar a su puerta le di un beso en su mejilla fría y la miré subir las escaleras jadeando. Papá la había envejecido.

Cuando mamá y Malachy fueron a recibir al hombre nuevo al puerto, éste llegó tan ebrio que tuvieron que ayudarle a bajarse del barco. El sobrecargo les dijo que se había enloquecido con la bebida y que habían tenido que encerrarlo.

Ese día yo estaba de viaje y a mi regreso tomé el *metro* para ir a visitarlo al apartamento de mamá pero él había salido con Malachy a una reunión de Alcohólicos Anónimos. Tomamos té mientras los esperábamos. Ella volvió a decirme que no sabía por Dios qué hacer. Él era el mismo demente con la bebida y toda esa palabrería de que era un hombre nuevo eran mentiras y ella se alegraba de que tuviera un pasaje de ida y vuelta por tres semanas. Así y todo, una nube en sus ojos me decía que había abrigado esperanzas de tener una familia normal con su hombre a su lado y los hijos y nietos viniendo de todas partes de Nueva York a visitarla.

Volvieron de la reunión, Malachy corpulento, barbirrojo y sobrio por sus problemas, mi padre más viejo y más pequeño. Malachy pidió un té. Papá dijo: *Och*, no, y se recostó en el sofá con las manos entrelazadas detrás de la cabeza. Malachy dejó el té par acercarse a papá a echarle un sermón. Tienes que reconocer que eres alcohólico. Ése es el primer paso.

Papá meneó la cabeza.

¿Por qué meneas la cabeza? Eres alcohólico y tienes que reconocerlo.

Och, no. No soy un alcohólico como esa pobre gente de la reunión. Yo no tomo querosén.

Malachy hizo un gesto de impotencia y volvió a su té en la mesa. No sabíamos de qué hablar en presencia de ese hombre en el sofá, esposo, padre. Yo tenía mis recuerdos de él, las mañanas junto a la chimenea en Limerick, sus cuentos y canciones, su limpieza, pulcritud y sentido del orden, la forma como nos ayudaba con los trabajos escolares, su insistencia en la obediencia y el cumplimiento de nuestros deberes religiosos, todo ido a pique por su locura del día de pago, cuando despilfarraba el salario en las tabernas invitando a una pinta a cuanto ocioso había, mientras mamá se moría de angustia junto al fuego sabiendo que al otro día tendría que alargar la mano por una limosna.

En los días siguientes me di cuenta de que, si es cierto que la sangre tira, entonces yo tiraba para el lado de mi padre. Los paisanos de Limerick de mamá solían decir que yo tenía el modo de ser raro de mi padre y una vena muy fuerte de carácter norteño. A lo mejor estaban en lo cierto, porque cuando iba a Belfast me sentía en casa.

La víspera de su partida nos convidó a dar un paseo. Mamá y Malachy dijeron que no, que estaban cansados. Habían pasado más tiempo con él que yo y estarían cansados de sus chaladuras. Yo asentí porque él era mi papá y yo era un treintañero de nueve años.

Se puso su gorra y bajamos caminando por la avenida Flatbush. *Och*, me dijo, la noche está caliente hoy.

Ajá.

Muy caliente, dijo. Uno corre el peligro de quedarse reseco en una noche así.

Delante de nosotros estaba la estación del ferrocarril de Long Island rodeada de bares para los pasajeros sedientos. Le pregunté si se acordaba de esos bares.

Och, dijo, ¿por qué debiera acordarme de esos sitios?

Porque bebías en ellos y nosotros íbamos a buscarte.

Och, bueno, creo que trabajé en uno o dos en las malas rachas por el pan y la carne que me daban para llevarles a ustedes cuando niños a la casa.

Volvió a decir lo caliente que estaba la noche y que no nos haría ningún daño refrescarnos en uno de esos sitios.

Creí que ya no bebías.

Así es. Lo dejé.

Bueno, ¿y qué pasó en el barco entonces? Tuvieron que bajarte cargado.

Och, es que estaba mareado por las olas. Tomémonos algo aquí para refrescarnos.

Mientras bebíamos nuestras cervezas me dijo que mamá era una buena mujer y que me portara bien con ella, que Malachy era un excelente chico aunque trabajo daba reconocerlo con esa barba roja y que de dónde la había sacado, que sentía mucho saber que yo me había casado con una protestante, aunque ella todavía podía convertirse, con lo buena muchacha que era, y que se alegraba mucho de saber que yo era un profesor como todas las hermanas de él allá en el norte y que nada de malo tendría tomarnos otra cerveza.

No, no tenía nada de malo y tampoco lo tuvieron las otras cervezas que nos tomamos por toda la avenida Flatbush, y cuando regresamos al apartamento de mamá lo dejé en la puerta porque no quería verles las caras a mamá y a Malachy acusándome de haber descarriado a papá y viceversa. Él quería seguir bebiendo por la vía de la plaza Grand Army pero mi sentimiento de culpa no me lo permitió. Él debía salir al otro día en el *Queen Mary* aunque guardaba la esperanza de que mamá le dijera: Ah, quédate. Seguro encontraremos la manera de entendernos.

Le dije que eso sería muy bueno y él dijo que todos volve-

ríamos a estar juntos y que las cosas serían mejores porque
él era un hombre nuevo. Nos dimos la mano y me marché.

Al otro día mamá llamó y me dijo: Se enloqueció del
todo. Sí, señor.

¿Qué hizo?

Lo trajiste a casa más borracho que un lord.

No estaba borracho. Nos tomamos dos o tres cervezas.

Tomó más que eso y yo estaba allá sola porque Malachy
se había regresado a Manhattan. Tenía una botella de whisky, tu papá, que había traído del barco y tuve que llamar a
la policía y ya se fue con trapos y maletas, embarcado en el
Queen Mary porque llamé a la compañía y me dijeron que
sí, que él iba a bordo y que iban a vigilarlo por si mostraba
síntomas de esa demencia que lo había atacado.

¿Y qué fue lo que hizo?

No quiso decírmelo y no había necesidad porque era fácil
adivinarlo. Probablemente trató de llevarla a la cama y eso
no formaba parte de los sueños de ella. Me echó pullas e
indirectas de que si yo no hubiera pasado esas horas con él
en las cantinas se habría portado bien y no estaría ahora
en el *Queen Mary* cruzando el Atlántico. Le dije que yo no
tenía la culpa de que él bebiera pero ella estuvo muy cortante. La de anoche fue la gota que rebosó la copa, me dijo,
y tú tuviste parte de eso.

47

Los viernes son días radiantes para los profesores. Sales del colegio con un maletín lleno de trabajos para leer y corregir y libros para leer. Este fin de semana seguramente te vas a poner al día con esos trabajos sin corregir y sin calificar. No quieres que se amontonen en los armarios, como los de la señorita Mudd, para que dentro de unos decenios algún profesor joven les eche mano para tener ocupados a sus alumnos. Llevarás esos trabajos a casa, te servirás una copa de vino, pondrás un cerro de discos de Duke Ellington, Sonny Rollins y Héctor Berlioz en el tocadiscos y tratarás de leer ciento cincuenta composiciones de tus estudiantes. Sabes que a algunos los trae sin cuidado lo que hagas con sus trabajos con tal que les pongas una calificación decente para que aprueben y así poder seguir con la vida real de los talleres. Otros se creen escritores y quieren que les devuelvas los trabajos corregidos y con calificaciones altas. Los romeos de la clase quieren que leas sus composiciones en voz alta y las comentes en clase para regodearse en las miradas de admiración de las muchachas. Los desinteresados se enamoran a veces de la misma chica y de un pupitre a otro pasan a veces amenazas verbales, porque los desinteresados no son duchos en expresión escrita. Si un chico es buen escritor hay que tener cuidado de no ir a elogiarlo demasiado por el peligro de que sufra un accidente en las escaleras. Los desinteresados odian a los alumnos modelo.

Tienes la intención de ir derecho a casa con tu maletín
pero de pronto sientes que el viernes por la tarde es el mejor momento para que un profesor se tome una cerveza y
se ilustre además. No falta el profesor que diga que tiene
que ir a casa a donde su mujer hasta que se topa con Bob
Bogard apostado junto al reloj registrador para recordarnos que lo primero va primero, que el bar Meurot está a
cinco pasos de allí, en la puerta de al lado, si a eso vamos,
y que qué de malo tiene tomarse una cerveza, una sola. Bob
es soltero y quizá no comprende los peligros que acechan
al hombre que se pase de esa sola cerveza, un hombre que
tendrá que enfrentar la ira de una esposa que ha guisado
un buen pescado para el viernes y que ahora está sentada
en la cocina viendo cómo la grasa se hace grumos.

Nos hacemos en la barra del Meurot y pedimos nuestras
cervezas. Charlamos trivialidades profesorales. Cuando se
menciona una mujer bonita del cuerpo docente o hasta una
estudiante púber alzamos la vista al cielo. Qué no haríamos
si fuéramos estudiantes de hoy en día. Hablamos recio al
mencionar a los muchachos pendencieros. Otra palabra de
ese chico del diablo y el profesor va a implorar que lo cambien de clase. Nos unimos en nuestra animadversión contra
las autoridades, todas esas personas que salen de sus oficinas
a supervisarnos y observarnos y a decirnos qué hacer y cómo
hacerlo, personas que pasaron el menor tiempo posible en
las aulas y no distinguen un culo de un codo en cuestión de
enseñanza.

Un profesor novato se nos puede unir, recién graduado
de la universidad, con su flamante licencia. Las peroratas
de los profesores de la universidad y el barullo de la cafete

ría aún resuenan en sus oídos y si quiere hablar de Camus y Sartre y de si la existencia precede a la esencia o viceversa va a tener que hablarse a sí mismo en el espejo del Meurot.

Ninguno de nosotros había recorrido la Gran Vía norteamericana: la escuela primaria, la secundaria, la universidad y la docencia a los veintidós años de edad. Bob Bogard había peleado en la guerra en Alemania y tal parece que lo habían herido. Él no hablaba de eso. Claude Campbell había servido en la armada, se había graduado en la universidad en Tennessee, había publicado una novela a los veintisiete años, enseña inglés, tiene seis hijos con su segunda esposa, obtuvo un grado de magíster en el Brooklyn College con la tesis *Tendencias ideacionales en la novela norteamericana*, repara todos los daños en su casa, eléctricos, de plomería, de carpintería. Cuando lo veo recuerdo los versos de Goldsmith sobre el maestro de la aldea: "Y más lelos seguían y más iba creciendo la extrañeza/ de que tanto saber cupiera en su cabeza". Y Claude ni siquiera ha cumplido los años de Cristo cuando la crucifixión: treinta y tres.

Cuando Stanley Garber se da una pasadita por una cocacola nos dice que con frecuencia se reprocha el error de no haber entrado a enseñar a una universidad en donde uno deambula por la vida creyendo que caga bizcochitos de crema y padeciendo si tiene que enseñar más de tres horas a la semana. Dice que él pudiera haber escrito una disertación babosa para un Ph. D. sobre el fricativo bilabial en el período medio de Thomas Chatterton, fallecido a los diecisiete años, porque esa es la clase de mierda que hablan en las universidades mientras nosotros batallamos en el frente con unos chicos que no se sacan la cabeza de la entrepierna y unos supervisores que se contentan con mantener las de ellos culo arriba.

Esta noche tendré líos en Brooklyn. Quedé de ir a cenar

con Alberta a un restaurante de comida árabe, el Near East,
descorche su propio vino, pero ya van a ser las siete y si la
llamo me va a reprochar que lleva horas esperando, que soy
un simple borrachín irlandés como mi padre y que le da lo
mismo si me quedo en Staten Island el resto de mi vida,
adiós.

Así que no la voy a llamar. Mejor no. De nada sirve tener dos peleas, una por teléfono y otra al llegar a casa. Más
fácil es volver a la barra, donde hay como un resplandor y
se discuten importantes temas.

Convenimos en que a los profesores nos disparan desde
tres frentes: el de los padres, el de los alumnos y el de los
supervisores, y hay que ser diplomáticos o decirles a todos
que te besen el culo. Los profesores son los únicos profe-
sionales que tienen que responder al sonido de un timbre
cada cuarenta y cinco minutos y salir a la liza. Bueno, muchachos, a sentarse. Sí, tú, siéntate. Abran sus cuadernos,
sí, eso es, sus cuadernos, ¿estoy hablando en otro idioma,
jovencito? ¿Que no le diga jovencito? Okey, no te voy a decir
jovencito. Ahora siéntate no más. Las libretas de calificaciones están ya a la vuelta de la esquina y en mi poder está mandarlos a todos a la beneficencia. Muy bien, trae a tu padre,
trae a tu madre, a todo el clan de mierda. ¿Que no tienes
bolígrafo, Pete? Okey, toma este. Adiós, bolígrafo. No,
Phyllis, no te voy a dar permiso. Ni aunque estés teniendo
cien reglas, Phyllis, porque lo que de veras quieres es encontrarte con Eddie y perderte en el sótano donde tu futuro
puede quedar marcado por la deslizadita suave de una bragas y una estocada rápida del miembro impaciente de Eddie,
el comienzo de una aventurilla de nueve meses en la que
acabarás chillándole a Eddie que más le vale casarse contigo, mientras que la escopeta le apunta a la región frontal
inferior y mueren sus mejores esperanzas. De modo que te

voy a salvar, Phyllis, a ti y a Eddie y no, no es necesario que me des las gracias.

Éstas son las conversaciones a lo largo de la barra que jamás se oirán en un aula a menos que un profesor pierda el juicio del todo. Sabes que no le puedes negar nunca el permiso para ir al baño a una Phyllis menstruante por miedo a que te lleven ante la corte más alta del país donde los de las togas negras, hombres todos, te despellejarán por haberle hecho una afrenta a Phyllis y a las futuras madres de Estados Unidos.

En la barra se habla de ciertos profesores eficientes y concordamos en que no nos gustan ni ellos ni el orden de sus clases en las que todo es un susurro de timbrazo a timbrazo. En esas clases hay monitores para todo, para cada parte de la lección. Hay un monitor que sube de inmediato al pizarrón a escribir el número y el título de la lección de hoy, Lección 32, Estrategias para Eliminar el Participio Escindido. Los profesores eficientes son famosos por sus estrategias, la nueva palabra preferida de la Junta de Educación.

El profesor eficiente tiene reglas para tomar notas y para organizar el cuaderno y hay monitores de cuadernos que se pasean por el aula revisando que estén en la forma correcta: el encabezamiento con el nombre del estudiante, el número del aula, el nombre de la materia y la fecha con el mes escrito en letras, no en números, hay que escribirlo así para que el alumno se ejercite escribiendo porque en este mundo en que vivimos hay demasiadas personas, hombres de negocios y otras gentes, que son tan haraganes que no escriben el mes en letras. Los márgenes son fijos y no se puede emborronar el texto. Si el cuaderno no cumple con las reglas el monitor anota deméritos en la libreta del alumno y cuando se dejen venir las calificaciones habrá padecimientos sin compasión.

Los monitores de deberes escolares los recogen y los devuelven, los monitores de asistencia tienen poder sobre las tarjetitas en la libreta de asistencia y reciben las excusas por faltas y demoras. La incapacidad de presentar una nota de excusas conduce a más padecimientos sin compasión.

Algunos estudiantes son famosos por su habilidad para escribir excusas firmadas por padres y médicos y lo hacen a cambio de favores en el comedor o en las profundidades del sótano.

Los monitores que llevan los borradores de tiza al sótano a sacudirles el polvo tienen que prometer primero que no se van a aprovechar de esta importante tarea para fumar a escondidas o para besuquearse con el muchacho o la muchacha de su predilección. El director del colegio anda quejándose de que hay demasiado movimiento en el sótano y que le gustaría saber qué pasa allá.

Hay monitores para repartir los libros y recoger los recibos, monitores para entregar el pase para ir al baño y firmar en la hoja de permisos, monitores para ordenar todo en el salón por orden alfabético, monitores para llevar la papelera por los corredores en la guerra contra la basura, monitores para adornar el aula y dejarla tan alegre y resplandeciente que el director la enseña a unos visitantes del Japón y de Lichtenstein.

El profesor eficiente es monitor de monitores aunque puede aligerarse de su carga monitoril nombrando monitores que monitoreen a los otros monitores o puede tener monitores de querellas que resuelvan las discusiones entre los monitores que acusan a otros monitores de inmiscuirse en sus tareas. El monitor de querellas tiene el trabajo más peligroso de todos por lo que le puede suceder en las escaleras o en la calle.

Al estudiante que pescan tratando de sobornar a un

monitor se le obliga a comparecer de inmediato ante el director, quien le puede poner en la hoja de vida una anotación
que va a mancharle la reputación. Ésta es una advertencia
para los demás en el sentido de que semejante baldón será
un obstáculo en su carrera de hojalatería, plomería, mecá-
nica automovilística o lo que sea.

Stanley Garber dice con sorna que con tanta actividad y
eficiencia no habrá tiempo de enseñar nada pero que qué
demonios, los estudiantes se quedan sentados, se comportan
bajo un monitereo total, y eso agrada al profesor, al director académico, al director del colegio y a sus asistentes, al
superintendente, a la Junta de Educación, al alcalde, al go-
bernador, al presidentede la nación y a Dios mismo.

Eso dice Stanley.

Si en la universidad un profesor diserta sobre *La feria
de las vanidades* u otro libro, sus alumnos le prestan atención con el cuaderno abierto y el bolígrafo listo. Si no les
gusta la novela no se atreven a quejarse por miedo a una
nota baja.

Cuando reparto *La feria de las vanidades* a mis alumnos
de penúltimo año del Colegio Vocacional y Técnico McKee,
se oyen lamentos en el salón. ¿Por qué hay que leernos ese
libro menso? Les dije que trataba de dos mujeres, Becky y
Amelia, y sus aventuras con los hombres, pero mis alumnos
dijeron que estaba escrito en ese inglés de antes y que quién
podía leérselo. Cuatro de las chicas lo leyeron y dijeron que
era hermoso y que deberían hacer la película. Los chicos
fingían bostezar y me decían que todos los profesores de
inglés eran iguales. Todo lo que querían era obligarlos a leer
esas cosas viejas y que eso pa' qué iba a servir si uno andaba
arreglando un auto o un aparato de aire acondicionado
malo, ¿ah?

Podía amenazarlos con reprobarlos. Si se negaban a leer este libro perderían la materia y no podrían graduarse y todo el mundo sabe que las hembras no quieren salir con alguien que no se haya graduado de secundaria.

Durante tres semanas bregamos con *La feria de las vanidades*. Yo trataba todos los días de animarlos y entusiasmarlos, de armar un debate sobre cómo sería abrirse camino en este mundo si fueras una joven del siglo XIX, pero a ellos esto les importaba un carajo. Uno de ellos escribió en la pizarra: Betty Sharp, Muérete.

Entonces, según lo establecido en el programa académico del colegio, había que seguir con *La letra escarlata*. Eso sería más fácil. Les hablaría de las cacerías de brujas de Nueva Inglaterra, de las denuncias, la histeria, los ahorcamientos. Les hablaría de Alemania en los años treinta y en cómo le lavaron el cerebro a toda una nación.

No a mis alumnos. A ellos nunca les lavarían el cerebro. No señor, ellos no se saldrían con eso acá. Acá no nos engañarían con eso.

Les recité: Los cigarrillos Winston saben a..., y ellos terminaron la frase.

Les canté: Mi cerveza es Rheingold, la cerveza extraseca..., y ellos terminaron el estribillo.

Les volví a recitar: Te preguntas qué se hizo el amarillo cuando..., y ellos terminaron la frase.

Les pregunté si sabían más y hubo una erupción de estribillos publicitarios de la radio y la televisión, pruebas del poder de la publicidad. Cuando les dije que les habían lavado el cerebro, se indignaron: Oh, no, a ellos no les habían lavado el cerebro. Podían pensar por sí mismos y nadie los podía obligar a hacer nada. Negaron que les hubieran dicho qué cigarrillo fumar, qué cerveza tomar, qué dentífrico usar, aunque reconocían que en los supermercados compraban la marca que tenían en la mente. No, uno nunca compraría unos cigarrillos marca Nabos.

Yeah, habían oído hablar del senador McCarthy y todo eso, pero estaban demasiado chiquitos y sus padres decían que era un gran hombre por habernos librado de los comunistas.

Día tras día yo trataba de establecer conexiones entre Hitler y McCarthy y las cacerías de brujas de Nueva Inglaterra, tratando de ablandarlos en favor de *La letra escarlata*. Algunos padres de familia hacían llamadas indignadas: ¿Qué es lo que les está enseñando ese sujeto sobre el senador McCarthy a nuestros hijos? Díganle que se retracte. El senador McCarthy fue un hombre bueno, luchó por su país. Joe el cazador. Salió de todos esos comunistas.

El señor Sorola me dijo que no quería entremeterse pero que le dijera por favor si estaba enseñando inglés o historia. Le conté de las dificultades que tenía para que los alumnos leyeran cualquier cosa. Me dijo que no les hiciera caso. Limítese a decirles: Vas a leerte *La letra escarlata*, gústete o no, porque esto es un colegio y eso es lo que hacemos aquí y punto, y si no te gusta, jovencito, sacas cero.

Se quejaron cuando les repartí el libro. Otra vez con las viejeras. Creíamos que usté era buena persona, señor McCourt. Creíamos que era distinto.

Les dije que este libro trataba de una joven de Boston que se metió en aprietos por tener un bebé con un hombre que no era su marido, aunque no podía decirles quién era él, para no estropearles el cuento. Me respondieron que no les importaba quién era el padre. Uno de los chicos dijo que de todos modos uno nunca sabe quién es su padre porque él tenía un amigo que había descubierto que el papá de él no era su papá, que a su verdadero padre lo habían matado

en Corea, pero que había crecido con el padre falso, un buen
tipo, así que a quién le importa mierda esa mujer de Boston.

La mayoría de la clase está de acuerdo aunque no les
gustaría levantarse un día y descubrir que sus papás no eran
sus verdaderos padres. Algunos dijeron que ojalá tuvieran
otros padres, que los que tenían eran tan mala gente que
los obligaban a venir al colegio a leer libros mensos.

Pero si ésa no es la trama de *La letra escarlata*, les dije.

Oh, señor McCourt, ¿sí hay que hablar de esas viejeras?
Ese tipo Hawthorne nian siquiera sabe escribir pa' entendelo
y usté vive diciéndonos qu'escribamos sencillo, bien sencillo. ¿Por qué más bien no leemos el *Daily* News? Ahí tienen buenos escritores qu'escriben sencillo.

Entonces me acordé de que estaba en la ruina, y eso fue
lo que condujo a *El guardián en el centeno* y a *Cinco grandes tragedias de Shakespeare* y a un viraje en mi carrera
docente. Tenía cuarenta y ocho centavos para el viaje hasta
la casa en el ferri y el *metro*, sin plata para el almuerzo, ni
siquiera para un café en el ferri, y se me ocurrió decirles a
los alumnos que si querían leer un buen libro que no tuviera palabras altisonantes y frases largas y tratara de un muchacho de la edad de ellos que estuviera resentido con todo
el mundo, yo se lo podía traer pero que ellos tendrían que
comprarlo, un dólar veinticinco el ejemplar, que podrían
pagar por cuotas a partir de ahora, así que el que tenga cinco
o diez centavos puede ir pasándolos y yo le apunto el nombre y la cantidad en una hoja de papel y hago el pedido hoy
mismo a Libros Coleman, en Yonkers, y nunca se iban a
enterar, mis alumnos, de que me había ganado un bolsillado
de monedas para almorzar y quizá para una cerveza en el
Meurot de al lado, y no les iba a contar eso para que no se
escandalizaran.

Me fueron llegando las monedas y cuando llamé a la empresa librera me ahorré diez centavos llamando del teléfono de la oficina de la subdirectora del colegio, porque es ilegal hacer que los alumnos compren libros cuando la polilla pulula en los ejemplares de *Silas Marner* y *Gigantes en la Tierra*.

El guardián en el centeno llegó a los dos días y lo repartí, hubieran pagado o no por él. Algunos estudiantes no me dieron ni un centavo, otros menos de lo que tocaba, pero el dinero que me hice me alcanzó hasta el día del pago cuando pude cancelar la deuda con la Coleman.

Cuando repartí los libros alguien descubrió la palabra cagada en la primera página y el aula entera calló. Es una palabra que nunca encuentras en ninguna de las obras que se guardan en el depósito de libros en inglés. Las muchachas se tapaban la boca y soltaban risitas y los chicos se regodeaban con las páginas más groseras. Cuando sonó el timbre no hubo ningún tropel hacia la puerta. Les tuve que pedir que salieran, que los de la otra clase ya iban a entrar.

A los de la clase entrante los picó la curiosidad por los de la saliente y que por qué todos estaban viendo ese libro y que si era tan bueno por qué no los dejaba leerlo. Les recordé que ellos eran del último grado y los que acababan de salir eran del penúltimo. *Yeah*, ¿pero por qué no nos podemos leer ese librito en vez de *Las grandes esperanzas*? Les dije que podían pero que tendrían que comprarlo y ellos dijeron que pagarían lo que fuera por no leerse *Las grandes esperanzas*, lo que fuera.

Al otro día el señor Sorola entró al salón con su ayudante, la señorita Seested. Pasaron de pupitre en pupitre decomisando ejemplares de *El guardián en el centeno* que dejaban caer en dos bolsas de tienda. Si los libros no estaban sobre el pupitre ordenaban a los estudiantes que los sacaran de sus mochilas. Contaron los libros recogidos en las bolsas y compararon su número con el de alumnos asistentes a clase y amenazaron con que les iría muy mal a los cuatro estudiantes que faltaban por devolver sus ejemplares. Alcen la mano, las cuatro personas que siguen con el libro. Nadie levantó la mano y a la salida el señor Sorola me dijo que fuera a su oficina tan pronto como terminara la clase, sin perder ni un minuto.

Señor McCourt, ¿problemas?

Señor McCourt, ése era el único libro que me haiga leído y ahora ese tipo se lo lleva.

Se quejaron por la pérdida de sus libros y me dijeron que si algo me llegaba a pasar entrarían en huelga y que eso le daría una lección al colegio. Se daban codazos y se hacían guiños por lo de la huelga y sabían que yo sabía que eso sería simplemente otra excusa para faltar a clases y no porque yo les importara tanto.

El señor Sorola estaba en su escritorio leyendo *El guardián en el centeno*, fumándose su eterno cigarrillo y haciéndome esperar mientras pasaba la página, meneaba la cabeza y ponía el libro aparte.

Señor McCourt, este libro no aparece en el programa académico.

Lo sé, señor Sorola.

Sepa que he recibido diecisiete llamadas de padres de familia, ¿y sabe por qué?

¿No les gustó el libro?

Exactamente, señor McCourt. Hay una escena en este libro en la que el chico va a un cuarto de hotel con una prostituta.

Sí, pero no pasa nada.

Eso no es lo que piensan los padres de familia. ¿Me está diciendo que el chico fue a ese cuarto a cantar? Los padres de familia no quieren que sus hijos lean esta basura.

Me advirtió que tuviera cuidado, que estaba poniendo en peligro mi calificación aceptable en el informe anual sobre mi desempeño, y no queremos que eso pase, ¿o sí? Dijo que tendría que ponerme una nota en mi carpeta para dejar constancia de esta reunión. Si no había más incidentes en el futuro próximo la nota sería retirada.

Señor McCourt, ¿qué vamos a leer ahora?

La letra escarlata. La tenemos por toneladas en el depósito.

Todos dejaron caer la quijada. Ay, Dios, no. Los de las otras clases nos contaron que es otra de esas viejeras.

Muy bien, dije yo en broma, entonces leeremos a Shakespeare.

Dejaron caer aún más las quijadas y el salón se llenó de quejas y chiflidos. Señor McCourt, mi hermana fue a la universidad por un año y se tuvo que salir porque no se aguantaba a Shakespeare y eso que ella habla italiano y todo.

Repetí: Shakespeare. El miedo cundió por el aula y hasta yo me sentí al borde del precipicio mientras algo por dentro me decía: ¿Cómo te atreves a pasar de Salinger a Shakespeare?

Le dije a la clase: Es o Shakespeare o *La letra escarlata*, o reyes y amantes o una mujer que tiene un niño en Boston. Si leemos a Shakespeare vamos a actuar los dramas. Si leemos *La letra escarlata* nos vamos a sentar aquí a discutir el significado de fondo y les pongo después el gran examen que mantienen guardado en la secretaría del departamento.

Ay, no, no el significado de fondo. Los profes de inglés le dan sin parar al significado de fondo.

Está bien. Entonces Shakespeare, sin significado de fondo ni exámenes que no sean el que ustedes escojan. Así que escriban el nombre en este papel y la cantidad que me van a entregar y compremos el libro.

Me hicieron llegar sus monedas de cinco y diez centavos. Hubo gruñidos cuando hojearon el libro: *Cinco grandes tragedias de Shakespeare*. Mano, no entiendo este inglés de antes.

Lo que sucedió en aquel curso no fue resultado de ninguna habilidad, inteligencia o planificación cuidadosa mías. Ojalá hubiera sido capaz de dominar mis clases como otros profesores, imponerles las literaturas clásicas inglesa y norteamericana. Fracasé en eso. Cedí y opté por el camino más fácil con *El guardián en el centeno*, y cuando lo decomisaron me abrí paso con fintas y culebreos hasta Shakespeare. Leíamos las tragedias y las disfrutábamos ¿y por qué no? ¿No era, pues, el mejor?

Así y todo, los alumnos se quejaban hasta que alguien exclamaba: Mierda, mano, perdone el lenguaje, señor McCourt, pero aquí hay un tipo que dice: Amigos, romanos, conciudadanos, prestadme oído.

¿Dónde? ¿Dónde? La clase quería saber en qué página y por todo el salón los muchachos se ponían a declamar el discurso de Marco Antonio, abriéndose de brazos y riéndose.

Otro descubría el monólogo de "ser o no ser" de Hamlet y el salón no tardaba en llenarse de Hamlets rimbombantes.

Las chicas levantaban la mano. Señor McCourt, ellos tienen esos discursos grandiosos y para nosotras no hay nada.

Vamos, vamos, muchachas, ahí están Julieta, lady Macbeth, Ofelia, Gertrudis.

Estuvimos dos días espigando lo más selecto de las cinco tragedias: *Romeo y Julieta, Julio César, Macbeth, Hamlet* y *Enrique IV, primera parte.*

Mis alumnos dirigían la búsqueda y yo los seguía porque no había más qué hacer. Había comentarios en los corredores, en el comedor estudiantil.

Oye, ¿qué es eso?

Un libro, mano.

Oh, ¿*yeah?* ¿Qué libro?

Shakespeare. Estamos leyendo a Shakespeare.

¿Shakespeare? Mierda, hombre, qué vas estar leyendo a Shakespeare.

Cuando las alumnas sugirieron actuar *Romeo y Julieta,* los chicos accedieron bostezando. Iban a ser puras maricadas románticas hasta la escena del duelo cuando Mercucio muere con qué elegancia, contándoles a todos de su herida:

Ni es honda como un pozo ni amplia como un portal de iglesia,

Pero con ella basta, es suficiente.

"Ser o no ser" era el pasaje que todos se aprendían de memoria pero cuando lo recitaban había que recordarles que era una meditación sobre el suicidio y no una incitación a alzarse en armas.

Oh, ¿*yeah?*

Yeah.

Las muchachas preguntaban por qué todos atormentaban de ese modo a Ofelia, especialmente Laertes, Polonio y Hamlet. ¿Por qué no se defendía? Ellas tenían hermanas parecidas a ella, casadas con unos malnacidos hijos de perra, perdone el lenguaje, y es increíble lo que se aguantaban.

Una mano se alzaba: ¿Ofelia por qué no se fugó para América?

Y otra: Porque en esos tiempos América no esistía. No la habían descubierto.

¿Qu'estás diciendo? América esistió siempre. ¿Dónde crees que vivían los indios?

Les decía que investigaran y las manos encontradas accedían a ir a la biblioteca y rendir informe al otro día.

Una mano: América esistía cuando Shakespeare y ella pudo haber ido.

La otra mano: América esistía cuando Shakespeare pero no cuando Ofelia y no podía ir. Si hubiera ido cuando Shakespeare, no habían sino indios y Ofelia hubiera estado aburrida en un *tipi,* qu'es como les decían a las tiendas en que vivían.

Pasamos a *Enrique IV* y todos los hombres querían ser Hal, Hotspur, Falstaff. Las chicas se quejaban otra vez de que no había nada para ellas excepto Julieta, Ofelia, lady Macbeth y la reina Gertrudis y hay que ver lo que les pasó a esas pobres. ¿Es que a Shakespeare no le gustaban las mujeres? ¿Tenía que matar a cuanto ser llevara falda?

Los muchachos les decían que así es la vida y ellas replicaban que qué pesar no haber leído *La letra escarlata* porque una de ellas se lo había leído y les había contado que Hester Prynne había tenido una bebecita linda, Pearl, y que el papá era un cabrón que murió en la desdicha y que Hester se desquitó de todo Boston y que eso era mucho mejor que Ofelia flotando arroyo abajo, loca, hablando sola y tirando flores a todos lados, ¿no?

El señor Sorola vino a echarme un vistazo con la nueva directora del departamento académico, la señora Popp. Me sonrieron y no pusieron reparo porque el libro de Shakespeare no apareciera en el programa aunque al otro semestre la señora Popp me quitó esa clase y la tomó para sí. Presenté protesta formal y tuve una audiencia con el superintendente. Alegué que esa clase era mía, que los había iniciado en la lectura de Shakespeare y quería continuar en lo mismo al siguiente semestre. El superintendente falló en mi contra con base en el argumento de que mi historial de asistencia era caprichoso y errático.

Mis alumnos de Shakespeare probablemente tuvieron suerte al tener la directora del departamento académico como profesora. Sin duda era más ordenada que yo y más apta para descubrir significados de fondo.

48

Paddy Clancy vivía a la vuelta de la esquina de nosotros en Brooklyn Heights. Vino a ver si quería ir con él a la inauguración de un nuevo bar en el Village, el Lion's Head.

Claro que quería ir y me quedé hasta que cerraron el bar, a las cuatro de la mañana, y no fui a trabajar al otro día. El cantinero, Al Koblin, creyó durante un rato que yo era uno de los hermanos Clancy, cantantes, y no me cobró nada por las copas hasta que descubrió que era simplemente Frank McCourt, un maestro. Y aunque ahora tenía que pagar no me importaba, porque el Lion's Head se convirtió en mi casa lejos de casa, un sitio donde me sentía a mis anchas, como no me sentía en los bares del centro.

Los reporteros de la primera sede del *Village Voice* venían de la edificación de al lado y atraían periodistas de todas partes. La pared de enfrente de la barra pronto estuvo cubierta con las sobrecubiertas enmarcadas de libros de escritores que eran clientes asiduos del bar.

Esa era la pared que yo codiciaba, la pared que me asediaba y me hacía soñar que algún día vería allí colgada la sobrecubierta enmarcada de un libro mío. Por todo el bar había escritores, poetas, periodistas y dramaturgos que hablaban de sus obras, sus vidas, sus misiones y tareas, sus viajes. Hombres y mujeres se tomaban una copa mientras esperaban el automóvil que los conducía hacia el avión que los llevaría a Vietnam, Belfast, Nicaragua. Salían nuevos libros de Pete Hamill, Joe Flaherty, Joel Oppenheimer, Dennis Smith, y los colgaban de la pared mientras yo rondaba por la periferia de los exitosos, de los que conocían la magia de la imprenta. En el Lion's Head probabas tu valía en letras de molde o cerrabas la boca. No había campo para los profesores y yo no hacía más que mirar la pared, lleno de envidia.

Mamá se mudó a un pequeño apartamento al otro lado de la calle del de Malachy, en el Upper West Side de Manhattan. Ahora ella podía visitar a Malachy, a su nueva esposa, Diana, a sus hijos Conor y Cormac, a mi hermano Alphie, a su mujer, Lynn, y a su hija Allison.

La verdad es que podría habernos visitado todas las veces que quisiera y cuando le pregunté por qué no lo había hecho me respondió con brusquedad: No quiero deberle nada a nadie. Siempre me hacía enojar cuando la llamaba y le preguntaba qué estaba haciendo y ella me respondía que nada. Si le sugería que saliera de la casa y fuera a algún centro comunitario o a un club de personas mayores, ella me decía: *Arrah*, por el amor de Cristo, déjame en paz. Cada vez que Alberta la invitaba a comer ella se esmeraba en llegar tarde, quejándose del largo viaje desde su apartamento en Manhattan hasta nuestra casa en Brooklyn. Me entraban ganas de decirle que no tenía obligación de venir con tanto inconveniente y que lo que ella menos necesitaba era una comida, con lo gorda que se estaba poniendo, pero me mordía la lengua para evitar tiranteces en la mesa. A diferencia de la primera vez que vino a cenar con nosotros y dejó intactos los fideos, ahora se devoraba todo lo que tenía al enfrente, aunque si le ofrecíamos más ponía cara de fina y decía que no gracias, como si tuviera el apetito de una mariposa, y se ponía a recoger las migas de la mesa. Si yo le decía que no tenía que comerse las migas, que había más comida en la cocina, me decía que la dejara en paz, que me estaba convirtiendo en un fastidio del carajo. Un día le dije que llevaría mejor vida si se hubiera quedado en Irlanda y ella se erizó: ¿Cómo así que mejor vida?

Bueno, no estarías acostada la mitad del día con el radio pegado al oído oyendo cuanto programa idiota existe.

Oigo a Malachy en el radio y qué de malo tiene.

Oyes de todo. No haces nada.

Se puso pálida, se le afiló la nariz, dejó de recoger las migas y hubo un asomo de ojos encharcados. Entonces tuve un ataque de sentimiento de culpa y la tuve que invitar a pasar la noche para que se evitara el largo viaje en *metro* hasta Manhattan.

No, gracias, prefiero mi propia cama, si no te importa.

Oh, me imagino que tienes miedo de las sábanas, de todas esas enfermedades de forasteros en la lavandería.

Y ella dijo: Creo que ya está hablando la bebida. ¿Dónde está mi abrigo?

Alberta trató de hacerle olvidar el mal momento con otra invitación a quedarse, le dijo que teníamos sábanas nuevas, que no tenía por qué estar intranquila.

No son las sábanas. Es sólo que quiero irme a mi casa, y cuando me vio poniéndome el abrigo dijo: No necesito que nadie me acompañe a la estación. Sé cómo llegar allí.

No vas a caminar por estas calles sola.

Camino sola por la calle todo el tiempo.

Hubo un silencio largo mientras recorrimos la calle Court hasta la estación del metro en Borough Hall. Yo no quería hablarle. Quería que se me pasaran el enfado y la rabia y hacerle esta sencilla pregunta: ¿Cómo estás, mamá?

Pero no era capaz.

Al llegar a la estación me dijo que yo no tenía que pagar el pasaje para poder pasar por el torniquete. No le iba a pasar nada en la plataforma. Había gente allí y estaría segura. Estaba acostumbrada a eso.

Entré con ella, pensando que a lo mejor nos decíamos algo, pero cuando el tren llegó la dejé irse sin siquiera tratar de darle un beso y la vi tropezar hasta un asiento cuando el tren arrancó.

De regreso, llegando al cruce de la calle Court y la avenida Atlantic me acordé de algo que ella me había dicho meses atrás mientras esperábamos a que sirvieran la cena de Acción de Gracias. ¿No es asombroso, me dijo, el rumbo que las cosas toman en la vida de la personas?

¿Cómo así?

Bueno, el otro día estaba en mi apartamento y me sentía sola, así que fui a sentarme en una de esas bancas que hay en esos parches de césped en Broadway y se arrimó una mujer, una de esas indigentes sin hogar, toda harapienta y sucia, y se puso a escarbar en la basura hasta que encontró un periódico y se sentó a leerlo junto a mí hasta que me preguntó si le podía prestar las gafas, porque sólo podía leer los titulares con la mala vista que tenía, y cuando me habló le noté el acento irlandés y le pregunté de dónde venía y me dijo que de Donegal, hacía mucho tiempo, y que si no era un encanto estar sentada en una banca en medio de Broadway, con la gente dándose cuenta de las cosas y preguntándote de dónde vienes. Me preguntó que si tenía una o dos monedas para comprarse un poco de sopa y yo le dije que por qué no mejor venía conmigo al supermercado de la cooperativa a comprar lo necesario para hacernos una comida decente. Ay, ella no podía hacer eso, me dijo, pero le dije que yo sí lo iba a hacer de todas formas. No quiso entrar a la tienda. Me dijo que allí no querían gente como ella. Compré pan y mantequilla y tocineta y huevos y cuando llegamos a la casa le dije que podía entrar a darse una buena ducha y ella quedó dichosa aunque no pude hacer mayor cosa con la ropa o las bolsas de basura que llevaba. Comimos y después nos pusimos a ver televisión hasta que ella empezó a quedarse dormida encima de mí y yo le dije que se fuera a acostar allá en la cama, pero ella no quiso. Dios sabe que en esa cama caben cuatro personas pero ella se echó en el suelo con una bolsa debajo de la cabeza y cuando me desperté por la mañana se había ido y la extrañé.

Sé que no fue el vino de la comida lo que me produjo ese acceso de remordimiento. Fue darme cuenta de que mi madre estaba tan sola que tenía que sentarse en una banca de la calle, tan sola que extrañaba la compañía de una pordiosera sin hogar. Hasta en los malos tiempos en Limerick ella mantuvo siempre su mano abierta, su puerta abierta, y habría que ver por qué yo no podía ser igual con ella.

49

Enseñar nueve horas al día en el New York Community College de Brooklyn era más fácil que veinticuatro horas a la semana en el Colegio Vocacional y Técnico McKee. Los grupos eran más pequeños, los estudiantes mayores y no existían los problemas que un profesor de secundaria tiene que resolver: el pase para ir al baño, las quejas por las tareas, el papeleo que se inventan los burócratas sin nada más qué hacer que preparar formularios. Podría redondear mi escaso salario enseñando en el colegio nocturno Washington Irving o haciendo reemplazos en las secundarias de Seward Park o Stuyvesant.

El jefe del departamento de inglés del Community College me preguntó si me gustaría enseñarle a un grupo de paraprofesionales. Le dije que sí aunque no tenía idea de qué era un paraprofesional.

Lo descubrí el primer día. Tenía ante mí a treinta y seis mujeres, la mayoría afroamericanas y algunas de origen hispanoamericano, de edades que iban de los veintipico a pasados los cincuenta años, entrados, maestras auxiliares de escuelas de primaria que ahora cursaban estudios superiores con el apoyo del gobierno. En dos años obtendrían una licenciatura media y quizá continuarían sus estudios para llegar a ser un día profesoras tituladas.

Esa noche hubo poco tiempo para enseñar. Después de pedirles que escribieran un breve trabajo autobiográfico para la clase siguiente, recogieron sus libros y desfilaron hacia la salida, recelosas, inseguras de sí mismas, de las otras, de mí. Yo tenía la piel más blanca de esa aula.

Cuando volvimos a reunirnos, el ambiente era el mismo, con la excepción de una de ellas, que apoyaba la cabeza en el pupitre y sollozaba. Le pregunté qué le pasaba y alzó la cabeza, con lágrimas que le corrían por las mejillas.

Perdí mis libros.

Ah, bueno, le dije, puede conseguir otros. No más vaya al departamento de inglés y cuénteles lo que le pasó.

¿Quiere decir que no me van a espusar de aquí?

No, no la van a espusar, a expulsar, de aquí.

Me entró la tentación de acariciarle la cabeza, pero no sabía cómo acariciarle la cabeza a una mujer madura que ha perdido sus libros. Ella sonrió, todos sonreímos. Ahora podíamos empezar en forma. Les pedí las composiciones y les dije que iba a leer en voz alta algunas de ellas pero que no iba a dar los nombres verdaderos.

Los escritos eran bastante estirados, tímidos. Mientras los leía iba escribiendo en el pizarrón las palabras mal escritas que con mayor frecuencia aparecían, sugería cambios en la estructura, señalaba los errores gramaticales. Era un trabajo desabrido y tedioso hasta que les sugerí a las damas que escribieran con sencillez y claridad. Para la próxima tarea podían escribir sobre lo que quisieran. Pusieron cara de sorpresa. ¿Cualquier cosa? Pero si no tenemos nada de qué escribir. No tenemos aventuras de nada.

No tenían de qué escribir, de nada excepto de las tensiones de sus vidas, de los disturbios raciales que estallaban alrededor de ellas, de los asesinatos, de los maridos que con tanta frecuencia se esfumaban, de la niñez arruinada por las drogas, de las propias faenas domésticas diarias, del empleo, de la escuela, de la crianza de los hijos.

Amaban las palabras caprichosas. Durante una discusión sobre la delincuencia juvenil la señora Williams dictaminó: Ningún niño mío va a ser ningún prejunto.

¿Prejunto?

Yeah, cómo no. Prejunto. Alzó un periódico con un titular que aullaba: Joven Presunto Matricida.

Oh, dije yo, ya veo, y la señora Williams continuó: Esos prejuntos, corriendo por ahí matricinando gente. Y hasta matándola. Un niño mío que entre a la casa atuando como un prejunto y ahí mismito se gana su ya-sabemos-qué.

La más joven de las alumnas, Nicole, me devolvió un día la pelota. Se sentaba en un rincón al fondo y nunca hablaba hasta que les pregunté si les gustaría escribir sobre sus madres. Entonces ella levantó la mano. ¿Y qué nos dice de la madre suya, señor McCourt?

Hubo un fogueo de preguntas. ¿Está viva? ¿Cuántos niños tuvo? ¿Dónde está su papá? ¿Tuvo todos esos hijos con un solo hombre? ¿Dónde vive ahora? ¿Con quién vive? ¿Su mamá vive sola y tiene cuatro hijos? ¿Y por qué?

Fruncían el ceño. Les parecía mal hecho. Esa pobre señora con cuatro hijos no debería estar viviendo sola. La gente debe cuidar a sus madres pero qué van a saber de eso los hombres. Es imposible contarle a un hombre lo que es ser una madre y si no fuera por las madres este país se desmoronaría.

En abril asesinaron a Martin Luther King y las clases se suspendieron dos semanas. Cuando volvimos a reunirnos quería pedir perdón en nombre de mi raza. En lugar de eso les pedí los trabajos que les había asignado. La señora Williams se indignó: Mire, señor McCourt, cuando te están tratando de incendiar la casa no te sientas ahí a escribir composiciones.

En junio mataron a Bobby Kennedy. Mis treinta y seis

señoras se preguntaron qué le estaba pasando al mundo, pero estuvieron de acuerdo en que había que perseverar, que la educación era el único camino a la cordura. Cuando hablaban de sus hijos se ponían radiantes y yo quedaba por fuera de sus conversaciones. Me sentaba en mi escritorio mientras ellas se decían unas a otras que ahora que estaban en un instituto de enseñanza superior tenían más razón para ver que sus hijos hicieran los deberes escolares.

En la última noche de clases en junio hubo un examen. Miraba esas cabezas negras inclinadas sobre las hojas, las madres de doscientos doce niños, y supe que, fuera lo que fuera que escribieran en esas hojas, ninguna iba a reprobar.

Terminaron. Me habían entregado ya la última hoja pero ninguna se iba. Les pregunté si tenían otra clase ahí mismo. La señora Williams se puso de pie y carraspeó: Ah, señor McCourt, tengo que decir, o sea, tenemos que decir que fue una esperiencia maravillosa venir acá y aprender tanto inglés y de todo y le compramos este detallito esperando que le guste y todo eso.

Volvió a sentarse, hipando, y yo pensé: Este curso comienza y termina en llanto.

De mano en mano me llegó el regalo: un frasco de colonia para la afeitada en estuche de lujo rojo y negro. Cuando lo olí casi me fui de espaldas pero volví a olfatearlo con fruición y les dije a las damas que guardaría ese frasco para siempre en memoria de ellas, de esta clase, de los prejuntos de ellas.

En vez de ir a casa después de aquella clase, tomé el *metro* hasta la calle 96 oeste, en Manhattan, y llamé a mamá de un teléfono público.

¿Te gustaría comer algo?

No lo sé. ¿Dónde estás?

A pocas cuadras de ti.

¿Por qué?

Se me ocurrió pasar por aquí.

¿A visitar a Malachy?

No. A visitarte a ti.

¿A mí? ¿Y por qué ibas a visitarme?

Por el amor de Cristo, eres mi madre y todo lo que quería era convidarte a salir a comer algo. ¿Qué te gustaría comer?

Parecía indecisa. Bueno, me encantan esos langostinos gigantes que sirven en los restaurantes chinos.

Muy bien. Vamos a comer langostinos gigantes.

Pero no sé si me caerían bien en este instante. Creo que preferiría ir a comerme una ensalada donde los griegos.

Está bien. Nos vemos allá.

Entró al restaurante casi ahogada y cuando le besé la mejilla me supo a la sal de su sudor. Me dijo que tenía que reposar un minuto antes de pensar siquiera en la comida, que si no hubiera dejado de fumar ya estaría muerta.

Pidió una ensalada de *feta* y cuando le pregunté si le gustaba me dijo que le fascinaba, que podría vivir de eso.

¿Te gusta ese queso?

¿Cuál queso?

El queso de cabra.

¿Cuál queso de cabra?

Esa cosa blanca. El *feta*. Eso es queso de cabra.

No lo es.

Lo es.

Bueno, de haber sabido que era queso de cabra no lo hubiera tocado porque una vez me atacó una cabra en el campo en Limerick y yo jamás me comería nada que me haya atacado.

Pues que bueno que nunca te haya atacado un langostino gigante.

50

En 1971 nació mi hija Maggie en el Unity Hospital, en la zona de Bedford-Stuyvesant de Brooklyn. No iba a ser difícil llevarse a casa a la criatura, porque todo indicaba que era la única niña blanca del pabellón de recién nacidos.

Alberta quería un parto natural pero los médicos y las enfermeras del Unity Hospital no tenían paciencia con las mujeres de clase media y sus excentricidades. No había tiempo para esta mujer con sus ejercicios de respiración y le inyectaron un anestésico para apresurar el parto. En vez de eso el ritmo se le disminuyó hasta tal punto que el médico, impaciente, atenazó con un fórceps la cabeza de Maggie y arrancó a la niña del vientre de su madre y me entraron ganas de golpear al tipo por haberle aplanado las sienes.

La enfermera llevó aparte a la niña para limpiarla y lavarla y cuando terminó me hizo una señal para que fuera a ver a mi hija con su carita roja y asombrada y sus pies negros.

Las plantas de sus pies eran negras.

Dios mío, ¿qué marca de nacimiento le has infligido a mi hija? No le podía decir nada a la enfermera porque era negra y podía ofenderla que no me parecieran atractivos los pies negros de mi hija. Me imaginaba a mi niña ya de joven tomando el sol en la playa, linda en su traje de baño pero obligada a llevar calcetines para ocultar su defecto.

La enfermera preguntó si la madre le iba a dar el pecho

a la niña. No. Alberta había dicho que no tendría tiempo para eso cuando regresara al trabajo y el médico le dio algo para secarle la leche. Preguntaron cómo se iba a llamar la niña y aunque Alberta había pensado en el nombre de Michaela seguía bajo los efectos de la anestesia y yo le dije a la enfermera que Margaret Ann, por mis dos abuelas y mi hermanita que había muerto a los veintiún días de nacida en ese mismo distrito de Brooklyn.

Alberta volvió en silla de ruedas a su cuarto y yo llamé a Malachy a darle las buenas nuevas de que había nacido una niña pero que adolecía de pies negros. Se rió en el auricular y me dijo que no fuera burro, que la enfermera probablemente le había tomado las huellas de los pies en vez de las de los dedos. Me dijo que nos encontráramos en el Lion's Head, donde todo el mundo me convidó a una copa y yo me emborraché como una cuba, en tal forma que para llevarme a casa Malachy me tuvo que cargar para montarme a un taxi, que me mareó tanto que vomité por todo Broadway mientras el taxista me gritaba que me iba a cobrar los veinticinco dólares que valía lavar el auto, exigencia excesiva que lo privó de propina, lo cual lo incitó a amenazarnos con la policía, y cuando Malachy le preguntó que qué le iba a decir, ¿que maneja en zigzag y va de un lado a otro de Broadway haciendo que todo el mundo se maree, eso es lo que le va a decir?, el taxista se puso tan furioso que se quiso bajar a fajarse con Malachy pero cambió de parecer cuando mi hermano, sin soltarme, se plantó todo alto y barbirrojo ahí en la acera y le preguntó con toda cortesía al conductor si tenía más comentarios qué hacer antes de ir a encontrarse con su Creador. El taxista salió profiriendo obscenidades contra nosotros y contra el pueblo irlandés en general y se pasó un semáforo en rojo con el dedo de en medio enhiesto en el aire.

Malachy me compró aspirinas y vitaminas y me dijo que
me iba a sentir tan bien como la lluvia por la mañana y me
pregunté qué querría decir eso, bien como la lluvia, aunque
la pregunta fue desplazada en mi mente por la imagen de
Maggie y sus sienes aplanadas por el fórceps y estuve a
punto de saltar de la cama para ir a buscar al maldito médico que no dejó que mi hija naciera a su debido tiempo,
pero las piernas no me respondieron y me quedé dormido.

Malachy tenía razón. No amanecí con ninguna resaca,
sólo con el asombro de que una niñita de Brooklyn tuviera
mi apellido y de que por delante habría toda una vida para
verla crecer, y cuando llamé a Alberta, trabajo me dio hablar por las lágrimas atoradas en la garganta y ella se rió y
citó a mi madre: Tienes la vejiga debajo de los ojos.

Ese mismo año Alberta y yo compramos la casa de facha-
da de ladrillo en cuyo primer piso vivíamos como inquilinos.
Pudimos comprarla gracias a que nuestros amigos Bobby y
Mary Ann Baron nos prestaron el dinero y porque Virgil
Frank se murió y nos dejó ocho mil dólares.

Cuando vivíamos en el número 30 de la calle Clinton,
en Brooklyn Heights, Virgil vivía dos pisos abajo de nosotros. Tenía más de setenta años, melena de pelo blanco pei-
nada hacia atrás, nariz recta, sus propios dientes y muy
poquita carne sobre el esqueleto. Yo le hacía la visita con
frecuencia porque una hora con él era mejor que el cine, la
televisión y la mayoría de los libros.

Su apartamento se componía de un cuarto, una cocineta
y un baño. La cama era un catre contra la pared y más allá
había un escritorio y una ventana con el aparato del aire
acondicionado. Enfrente de la cama había un estante repleto
de libros sobre flores, árboles y aves que, decía él, pensaba
ver en la vida real tan pronto como consiguiera unos ante-

ojos prismáticos. Hay que tener cuidado al comprar unos prismáticos porque entras al almacén ¿y cómo los ensayas? Los vendedores te dicen: Ah, pero si están okey, son resistentes. Y tú qué sabes. No te dejan sacarlos para mirar calle arriba y abajo porque de pronto sales corriendo con los prismáticos y qué imbecilidad. ¿Cómo diablos vas a salir corriendo cuando tienes setenta años? Dice que mientras tanto le gustaría poder ver pájaros por la ventana pero lo único que se ve desde este apartamento son las palomas que fornican en la tapa de su acondicionador de aire y eso lo emberrincha.

Él las observa, oh, *yeah*, las observa, golpea en la ventana con un matamoscas, les dice: Fuera de aquí, malditas palomas. A fornicar en el acondicionador de otro. Me dice que las palomas son simples ratas con alas, que no hacen más que comer y fornicar y que cuando terminan de fornicar se desocupan en la tapa del aparato, una vez y otra, como esa caca que loj pájaroj, quiero decir los pájaros, maldita sea, estoy hablando otra vez brookliniano y eso no es bueno cuando eres vendedor de bebedores de agua refrigerada, como esa caca de los pájaros que allá en Suramérica cubre montañas enteras, ¿cómo se llama?, el guano, *yeah*, que será bueno para abonar cosas pero no para los acondicionadores de aire.

Además de los libros sobre la vida silvestre, él tenía una *Suma teológica* de santo Tomás de Aquino en tres tomos y cuando abrí uno de ellos me dijo: No sabía que te gustara eso. ¿No prefieres uno de aves? Le dije que era fácil ver libros de ornitología pero que su *Suma* era una edición rara y me dijo que era mía aunque tendría que esperar a que se muriera. Pero no te preocupes, Frank, la pondré en mi testamento.

También me prometió dejarme una colección de corbatas

que me encandilaban cada vez que abría el clóset, las corbatas más coloridas y chillonas que había visto en mi vida.

Te gustan, ¿eh? Aquí hay corbatas de los años veinte, los
treinta y los cuarenta. Los hombres sabían vestirse en ese
entonces. No andaban en puntillas, como el hombre del traje
gris, con miedo de un poquito de color. Yo he dicho siempre que no se puede escatimar en cuestión de corbatas y sombreros, porque hay que lucir bien cuando vendes bebederos
de agua, cosa que hice durante cuarenta y cinco años. Entraba a una oficina y decía: ¿Cómo? ¿Cómo? ¿Me va a decir
que aquí todavía toman agua del grifo en esos vasos anti-
cuados? ¿Sabe del peligro que corre su salud?

Y Virgil se ponía de pie entre el catre y el estante y se
mecía como un predicador y pronunciaba su discurso de
ventas sobre los bebederos de agua.

Sí, caballero, vendo bebederos de agua y le quiero decir
que con el agua se pueden hacer cinco cosas: purificarla,
contaminarla, calentarla, enfriarla y, ja ja ja, venderla. Usted
sabe y no tengo que repetírselo, señor gerente, que se la
puede beber y puede nadar en ella, aunque en general no
hay mayor demanda de agua para nadar en la oficinas norteamericanas. Quiero informarle que mi compañía ha hecho un estudio de las oficinas donde se bebe nuestra agua y
las oficinas donde no se toma y, exacto, exacto, señor gerente, las personas que consumen nuestra agua son más
sanas y productivas. Nuestra agua previene la gripe y mejora la digestión. No le estamos diciendo, no, no afirmamos,
señor gerente, que nuestra agua sea la única causa de la gran
productividad y prosperidad de este país, pero sí le decimos
que nuestros estudios prueban que las oficinas desprovis-
tas de nuestra agua penden de un hilo, viven en situación
crítica y sin saber por qué. Dispondrá de un ejemplar de este
estudio cuando firme el contrato de un año con nosotros.

Sin costo adicional, hacemos un análisis de su personal y le brindamos un estimativo del consumo de agua. Me alegra observar que no disponen de aire acondicionado porque eso quiere decir que necesitan mayor cantidad de agua para su excelente personal. Y sabemos, señor gerente, que nuestros bebederos de agua unen a la gente. Las desavenencias se solucionan con un brindis de agua en vaso de cartón. Las miradas se encuentran. Prosperan los amores. Todos felices, todos ansiosos de venir al trabajo cada día. La productividad aumenta. No nos llegan reclamos. Firme aquí de una vez. Una copia para usted, la otra para mí y trato hecho.

Un golpe en la puerta lo interrumpe.

¿Quién es?

Una voz débil y cascada: Virgil, soy yo, Harry.

No puedo recibirte en este momento, Harry. Tengo al doctor acá y estoy desnudo y me está examinando.

Está bien, Virgil. Vuelvo después.

Mañana, Harry, mañana.

Okey, Virgil.

Me dice que ése era Harry Ball, de ochenta y cinco años, tan viejo que no se le oye la voz del otro lado de un tendedero de ropa, que tiene enloquecido a Virgil con sus problemas de estacionamiento. Tiene un automóvil enorme, un Hudson de esos que no fabrican ya no más, ¿está bien dicho: ya no más o ya más? Tu eres el profesor de inglés. Y no sé. No pasé del séptimo grado. Me escapé del orfanato de las Hermanas de San José, aunque les voy a dejar plata en mi testamento. En fin, Harry tiene ese auto y no sale en él a ningún lado. Dice que un día de estos va a ir en él hasta la Florida para ver a su hermana pero no va a llegar a ningún lado porque ese auto está tan viejo que no atravesaría el puente de Brooklyn, pero el condenado Hudson le llena

la vida. Lo pasa de un lado de la calle al otro, de aquí para
allá, de allá para acá. A veces trae una silla playera de aluminio y se sienta junto al auto a esperar que quede un espacio
libre para estacionarlo para el día siguiente. O camina por
todo el vecindario buscando el espacio libre y si lo encuentra se excita todo y le da un infarto con el carrerón hasta el
carro para ir a aparcarlo al nuevo sitio que ya está ocupado y también el otro donde estaba y se queda manejando
por ahí sin su estacionamiento y maldiciendo al gobierno
del país. Una vez salí con él y por poco atropella a un rabino y a dos viejas y le dije: Por Cristo, Harry, déjame aquí,
pero él no quería y tuve que saltar en el primer semáforo
en rojo y él me gritó que yo fui uno de los que prendieron
luces para que los japoneses pudieran dar con Pearl Harbor
y yo le dije que él era un jodido imbécil que no sabía que a
Pearl Harbor lo habían bombardeado a pleno día y él ahí
alegando conmigo mientras el semáforo se ponía en verde
y la gente hacía sonar los cláxones y le gritaba: A la mierda
Pearl Harbor, amigo, mueva el maldito Hudson. Podía haber guardado el auto en un aparcadero por ochenta y cinco dólares al mes pero eso es más de lo que paga por el
alquiler y está por verse el día en que Harry Ball desperdi-
cie un centavo. Yo mismo soy frugal, lo admito, pero com-
parado con él Scrooge sería un despilfarrador. ¿Así se dice,
despilfarrador? Me escapé del orfanato en el séptimo grado.

Me pidió que lo acompañara a una ferretería de la calle
Court para comprar un reloj de huevos para el teléfono que
acababa de instalar.

¿Reloj de huevos?

Yeah, es una especie de reloj de arena que dura tres minutos y así es como me gustan los huevos y cuando use el
teléfono sabré cuándo hayan pasado los tres minutos por-

que así es como cobran en la compañía telefónica, los muy malnacidos. Pongo el reloj de huevos en el escritorio y cuelgo el teléfono cuando caiga el último grano de arena.

En la calle Court lo convidé a una cerveza y un sándwich en el Blarney Rose. Él nunca iba a los bares y se escandalizó con los precios de la cerveza y el whisky. ¿Noventa centavos por una copita de whisky? Jamás.

Lo acompañé a una tienda de licores donde hizo un pedido de varias cajas de whisky irlandés, que según le explicó era del gusto de su amigo Frank, y varias de vino, vodka y *bourbon* por gusto propio. Le dijo al vendedor que no pensaba pagar el perro impuesto a las ventas. Le estoy haciendo un pedido grande y encima de eso me pide que sostenga al maldito gobierno. No, señor. Páguelo usted.

El hombre aceptó y le dijo que le llevaría a casa las veinticinco cajas.

Virgil me llamó al día siguiente. Con voz débil me dijo: El reloj de huevos está puesto, así que hay que hablar rápido. ¿Puedes bajar? Necesito que me des una manito. La puerta está abierta.

Estaba sentado en el sillón con la bata de baño puesta. No pegué el ojo anoche. No me pude acostar.

No se pudo acostar porque el hombre de la tienda de licores había apilado las veinticinco cajas y Virgilio no era capaz de encaramarse para pasar al otro lado. Me dijo que cómo no iba a probar el whisky irlandés y el vino y que eso no le había ayudado a la hora de subirse. Pidió un poco de sopa, algo para el estómago para no vomitar. Cuando abrí una lata de sopa y la eché en una olla con la misma cantidad de agua me preguntó si había leído las instrucciones de la lata.

No.

Bueno, ¿y cómo sabes qué hacer?

Es de sentido común, Virgil.

Sentido común, el culo.

La resaca lo ponía irascible. Óyeme, Frank McCourt. ¿Sabes por qué nunca vas a triunfar?

¿Por qué?

Porque nunca sigues las instrucciones de la etiqueta. Por eso es que yo tengo plata en el banco y tú ni un tiesto donde orinar. Yo seguí siempre las instrucciones de la etiqueta.

Otra vez golpearon en la puerta. ¿Quién? ¿Quién?, preguntó Virgil.

Voigel, soy yo, Pete.

¿Pete qué? ¿Pete qué? No puedo ver a través de la puerta.

Pete Buglioso. Traigo algo para ti, Voigel.

A mí no me hables brookliniano, Pete. Me llamo Virgil, no Voigel. Como el poeta, Pete. Deberías saberlo, eres italiano.

No sé nada de eso, Voigel. Traigo algo para ti, Voigel.

No quiero nada, Pete. Regresa el año entrante.

Pero, Voigel, te va a gustar lo que traigo. Cuesta par dólares no más.

¿Qué es?

No te lo puedo decir a través de la puerta, Voigel.

Virgil se incorporó de la silla y se tambaleó hasta el reloj de huevos en su escritorio. Está bien, Pete, está bien. Puedes entrar por tres minutos. Voy a poner mi reloj de huevos.

Me dice que abra la puerta y le dice a Pete que el reloj de huevos ya está marchando y que aunque ya han caído unos granitos de arena todavía tiene tres minutos, así que empieza a hablar, Pete, empieza a hablar corto y al grano.

Está bien, Voigel, está bien, pero cómo carajos voy a hablar si tú estás hablando. Hablas más que cualquiera.

Estás malgastando tu tiempo, Pete. Te estás ahorcando. Mira el reloj de huevos. Mira la arena. Las arenas del tiempo, Pete, las arenas del tiempo.

¿Qué son ese montón de cajas, Voigel? ¿Atracaste un camión o algo?

El reloj de huevos, Pete, el reloj de huevos.

Está bien, Voigel, lo que te traigo es, deja de mirar ese maldito reloj, Voigel, y ponme atención. Lo que traigo aquí es unos talonarios de recetas médicas de un consultorio en la calle Clinton.

Talonarios de recetas. Otra vez robando a los doctores ésos, Pete.

No les robé nada. Conozco a una recepcionista. Yo le gusto.

Debe de ser ciega y sordomuda. Y no necesito ningún talonario de recetas.

Vamos, Voigel. Nunca se sabe. Podría darte una enfermedad o una mala resaca y necesitarías algo.

No hables mierda, Pete. Se te acabó el tiempo. Estoy ocupado.

Pero, Voigel.

Fuera, Pete, fuera. No tengo poder sobre el reloj de huevos cuando lo pongo en marcha y no quiero tus talonarios de recetas.

Empujó a Pete por la puerta y le gritó mientras se marchaba: Podrías hacer que me metieran a la cárcel como te van a meter a ti cuando te pesquen vendiendo talonarios de recetas robados.

Se volvió a dejar caer en el sillón y dijo que iba a probar la sopa aunque yo no había seguido las instrucciones de la lata. La necesitaba para calmarse el estómago pero si no le gustaba tomaría un poquito de vino y eso lo curaría. Probó la sopa y dijo que *yeah*, que estaba okey y que se la iba a tomar junto con el vino. Cuando descorché la botella me ladró que no fuera a servir el vino de una vez, que lo dejara respirar, que si acaso no lo sabía y que si no lo sabía cómo hacía para ser profesor. Tomándose el vino recordó que tenía que llamar a la compañía del aire acondicionado por lo de sus problemas con las palomas. Le dije que se quedara sentado y le pasé el teléfono y el número de la compañía pero me pidió también el reloj de huevos para poder decirles que tenían tres minutos para darle la información requerida.

Aló, ¿me escucha? Tengo el reloj de huevos puesto y le quedan tres minutos para decirme cómo hago para espantar esas palomas rejodidas, y perdone el lenguaje, señorita, cómo espantarlas para que no hagan el amor en la tapa de mi acondicionador de aire. Me están enloqueciendo con el cucurrucú todo el día y se cagan en la ventana. ¿Qué no me puede responder ahora mismo? ¿Que tiene que averiguar? ¿Y qué va a averiguar? Las palomas fornicando en mi acondicionador y usted tiene que averiguar. Lo siento, la arena del reloj de huevos acabó de bajar y ya pasaron los tres minutos. Adiós.

Volvió a pasarme el teléfono. Y te digo otra cosa, dijo. El condenado ése de Harry Ball tiene la culpa de que esas palomas se me caguen en el acondicionador. Se sienta en su maldita silla playera de aluminio a esperar un espacio para estacionar y les echa comida a las palomas del ayuntamiento. Una vez le dije que cortara con eso, que no eran otra cosa que ratas con alas, y él se puso tan bravo que me dejó de hablar varias semanas, como si a mí me molestara. Esos vejetes alimentan las palomas porque no tienen a la esposa ya no más, ¿ya más?, no sé. Yo me escapé del orfanato pero no les echo comida a las palomas.

Una noche tocó a nuestra puerta y al abrirla ahí estaba en su bata de baño andrajosa, con un fajo de papeles en la mano y borracho. Era su testamento y me quería leer una parte. No, no aceptó el café. Le hacía mucho daño, pero sí se iba a tomar una cerveza.

Y bueno, tú me has ayudado y Alberta me ha invitado a comer y nadie invita a comer a los viejos, así que te voy a dejar cuatro mil dólares y a Alberta otros cuatro mil y a ti te dejo mi Tomás de Aquino y mis corbatas. Aquí dice en mi testamento: Dejo mi colección de corbatas a Frank McCourt, que fueran admiradas por él y que serán de todo menos tristes.

Cuando nos mudamos a la calle Warren perdimos el contacto con Virgil por un tiempo, aunque yo quería que fuera padrino de bautizo de Maggie. En lugar de eso recibí una llamada de un abogado que me informó del fallecimiento de Virgil Frank y los puntos de su testamento atinentes a nosotros. Sin embargo, me dijo el abogado, cambió de idea respecto a la *Suma teológica* y a las corbatas, así que sólo recibirán el dinero. ¿Aceptan que así sea?

Ah, cómo no, ¿pero por qué cambió de idea?

Oyó decir que usted había viajado a Irlanda y eso lo molestó porque con eso contribuía a la fuga de oro.

¿Cómo así?

Según el testamento del señor Frank, el presidente Johnson dijo hace unos años que los norteamericanos que viajaban al extranjero agotaban las reservas de oro del país y debilitaban la economía y por eso es que usted no va a recibir las corbatas que son de todo menos tristes ni los tres tomos de santo Tomás, ¿okey?

Oh, claro.

Ahora que teníamos parte de la cuota inicial buscamos una casa en el vecindario. Nuestra casera, Hortensia Odones, se enteró de eso y un día subió por la escalera de in-

cendios de detrás de la casa y me asustó cuando vi en la
ventana de la cocina su cabeza con esa gran peluca rizada.

Frankie, Frankie, abre la ventana. Hace frío acá. Déjame
entrar.

Alargué la mano para ayudarle pero ella gritó: Cuidado
con mi pelo, cuidado con mi pelo, y me tocó el trabajo duro
de entrarla cargada por la ventana de la cocina mientras ella
se sostenía la peluca.

Uf, decía, ufff. Frankie, ¿tienes un poco de ron?

No, Hortensia, sólo vino o whisky irlandés.

Dame un whisky, Frankie. Tengo el culo helado.

Toma, Hortensia. Y dime, ¿por qué no subiste por la escalera normal?

Porque allá abajo está muy oscuro, por eso, y no puedo
tener las luces encendidas noche y día mientras que puedo
ver la escalera de incendios día y noche.

Oh.

¿Y qué es eso que dicen? ¿Tú y Alberta andan buscando
casa? ¿Por qué no compran esta?

¿Cuánto?

Cincuenta mil.

¿Cincuenta mil?

Exacto. ¿Te parece mucho?

Oh, no. Está bien.

El día que firmamos la promesa de venta tomamos ron
con ella, que nos decía lo triste que estaba de dejar esa casa
después de todos los años que había vivido ahí, no con su
esposo, Odones, sino con su amiguito Louis Weber, famoso
por operar la lotería ilegal en el vecindario y que a pesar de
ser de Puerto Rico no le tenía miedo a nadie, ni siquiera a
la Cosa Nostra que trató de quitarle el negocio hasta que
Louis fue a la casa del capo en Carroll Gardens y le dijo:
¿Qué es la mierda, si me excusa el lenguaje?, y el capo

admiró a Louis por sus cojones y les dijo a sus gorilas que echaran para atrás, que no molestaran más a Louis, y ya tú sabes, Frankie, que nadie se mete con esos italianos de Carroll Gardens. Por allá no se ven negros o pe-erres, no señor, o si los ves es porque van de paso.

La mafia se echaría para atrás con Louis pero Hortensia decía que no se podía confiar en ellos y cada vez que salía en auto con Louis llevaban dos pistolas, la de él y la de ella, y él le decía que si alguien venía buscando bronca y lo ponía fuera de servicio ella debía tomar el volante y torcerlo contra la acera para atropellar a un peatón en vez de estrellarse contra el tráfico de forma que la aseguradora se encargara de todo y que si no lo hacía le iba a dejar los números telefónicos de unos muchachos, pe-erres todos, la puta mafia no era el único negocio en la ciudad, y esos tipos se encargaban de las aseguradoras, esos tacaños malparidos, perdone el lenguaje, Alberta, ¿y se acabó el ron, Frankie?

Pobre Louis, decía ella, la comisión Kefauver lo estaba molestando pero él se murió dormido y yo ya no salgo en auto pero me dejó una pistola abajo, ¿quieres ver mi pistola, Frankie? ¿No? Está bien. Y el que entre a mi apartamento sin ser invitado se gana un tiro, Frankie, entre ceja y ceja, bam, bum, y adiós el amigo.

Los vecinos nos sonreían y saludaban y nos decían que nos habíamos hecho a una mina de oro, que todo el mundo sabía que Louis había enterrado plata en el sótano de nuestra nueva casa, donde Hortensia seguía viviendo, o sobre nuestras cabezas, en el cielo raso. No sería sino tumbar el cielo raso para quedar hundidos hasta el sobaco en billetes de cien dólares.

Cuando Hortensia se mudó hubo que excavar en el sótano para poner una cañería nueva. No había plata enterrada. Arrancamos los cielos rasos, dejando los ladrillos y las vigas a la vista. Golpeábamos en las paredes y alguien llegó a decir que consultáramos a una pitonisa.

Encontramos una muñeca vieja con mechas de pelo, sin ojos, sin brazos y con una sola pierna. La guardamos para Maggie, que le puso La Bestia y la prefería a sus otras muñecas.

Hortensia se mudó a un pequeño apartamento a nivel de la calle Court y allá estuvo hasta que murió o regresó a Puerto Rico. Con frecuencia deseaba haber compartido con ella más tiempo y más botellas de ron o habérsela presentado a Virgil Frank para tomar los tres ron y whisky irlandés y hablar de Louis Weber y la fuga de oro y las maneras de reducir las cuentas de teléfono con un reloj de huevos.

51

Estamos en 1969 y reemplazo al profesor Joe Curran, incapacitado durante unas semanas por el licor. Sus alumnos me preguntan si hablo griego y parecen decepcionados de que no. Al fin y al cabo, el señor Curran se hacía en su escritorio y les leía o recitaba de memoria largos pasajes de *La Odisea*, *yeah*, en griego, y todos los días les recordaba a sus alumnos que era graduado de la Escuela Latina de Boston y del Boston College y les decía que nadie que no supiera griego o latín podía considerarse culto ni podría nunca reclamar el título de caballero. Sí, sí, ésta puede ser la secundaria de Stuyvesant, les dice el señor Curran, y ustedes pueden ser los jóvenes más inteligentes de aquí a las estribaciones de las Rocallosas, con las cabezas llenas de ciencias y matemáticas, pero lo único que necesitas en esta vida es tu Homero, tu Sófocles, tu Platón, tu Aristóteles, tu Aristófanes paro los ratos de expansión, tu Virgilio para los sitios más oscuros, tu Horacio para huir de lo mundano y tu Juvenal cuando estás completamente encabronado con todo. La grandeza, muchachos, la grandeza de Grecia y la gloria de Roma.

Sus alumnos no amaban a los griegos y romanos sino los cuarenta minutos que Joe pasaba perorando y declamando mientras ellos soñaban despiertos, se ponían al día en los trabajos de otras materias, dibujaban mamarrachos, mordisqueaban los sándwiches traídos de casa, grababan sus iniciales en pupitres que antaño bien pudieron haber sido ocupados por James Cagney, Thelonious Monk y más de un premio Nobel. O podían soñar con las nueve jóvenes recién admitidas por primera vez en la historia del colegio. Las nueve vírgenes vestales, las llamó Joe Curran, y hubo quejas de padres de familia que encontraban impropio ese lenguaje sugestivo.

Oh, impropio, el culo. ¿Por qué no pueden hablar en inglés sencillo? ¿Por qué no pueden usar una palabra sencilla como *malo*?

Sus alumnos decían: *Yeah*, y que si no era lo máximo ver a esas chicas por los corredores, nueve muchachas y casi trescientos hombres, y qué opinar del número de alumnos, el cincuenta por ciento, por Cristo bendito, que no querían que ellas estuvieran allí, ¿qué opinar de eso? Tenían que estar muertos de la cintura para abajo, ¿no?

Para no hablar del propio señor Curran, que pasaba al inglés cuando disertaba sobre *La Ilíada* y la amistad de Aquiles y Patroclo y no podía parar de hablar de esos dos griegos de antes y de cómo Aquiles se había puesto tan furioso con Héctor por matar a Patroclo que había matado a Héctor y había arrastrado su cadáver atado de su carro para mostrar la fuerza de su amor por su amigo muerto, el amor que no se atreve a pronunciar su nombre.

Pero, mis queridos muchachos, ¿hay un momento más tierno en toda la literatura que el momento en que Héctor se quita el yelmo para calmar los miedos de su hijo? Ah, ojalá todos nuestros padres se quitaran el yelmo. Y cuando Joe moqueaba en su pañuelo gris o decía palabras como encabronado se sabía que había salido del colegio a la hora del almuerzo a tomarse una copita en el bar Gas House. Había días en que regresaba tan excitado con los pensamien-

tos que se le habían venido a la cabeza en la barra del bar
que agradecía a Dios haberlo conducido a la enseñanza para
poder dejar por un rato a los griegos y cantar las alabanzas
de Alexander Pope en su *Oda a la soledad*:

Feliz el hombre cuyo deseo y motivo
se circunscriben al solar paterno
y aspira satisfecho aire nativo,
en su propio terreno*.

Y recuerden, niños y niñas, ¿hay niñas aquí? Alce la
mano la que sea niña. ¿No hay niñas? Recuerden, niños, que
Pope estaba en deuda con Horacio y Horacio estaba en
deuda con Homero y Homero estaba en deuda con Dios
sabrá quién. ¿Prometen por las cabezas de sus madres recordar siempre eso? Si recuerdan la deuda de Pope con
Horacio sabrán que nadie sale acabado de una vez de la
cabeza de su progenitor. ¿Lo van a recordar?

Sí, señor Curran.

¿Y qué les voy a decir yo a estos alumnos de Joe que se
quejan por tener que leerse *La Odisea* y todas esas viejeras?
¿A quién le importa lo que pasó en la antigua Grecia o en
Troya, con todos esos hombres matándose por disputarse
a esa Helena estúpida? ¿A quién le importa? Los chicos de
la clase dicen que sería imposible verlos pelearse a muerte
por una fulana que no los quisiera. *Yeah*, podían entender
a Romeo y Julieta porque muchas familias tienen la pendejada de que no puedes salir con alguien de otra religión y
por eso entendieron *West Side Story* y lo de las pandillas
pero no van a creer que unos hombres adultos se van a ir
de la casa como Ulises, que dejó a Penélope y Telémaco para
irse a pelear por una hembra estúpida que no supo entrarse

---

* *Happy the man whose wish and care/ A few paternal acres*
bound/ Content to breathe his native air/ in his own ground.

a tiempo. Tienen que admitir que Ulises era un tipo chévere
con todo lo que trató de no pagar servicio militar hacién-
dose el loco y todo eso y les gusta la manera como Aquiles
lo engañó porque Aquiles no era ni la mitad de inteligente
que Ulises pero, o sea, no van a creer que él se iba a quedar
lejos veinte años peleando y haciendo ociosidades por ahí
y esperar que Penélope como que, o sea, se sentara a hilar y
tejer y a decirles a los pretendientes que se perdieran. Las
chicas de la clase dicen que ellas sí pueden creerlo, que sí,
que las mujeres pueden ser fieles toda la vida porque así
están hechas, y una de ellas dice que leyó en un poema de
Byron que el amor para el hombre es en su vida una cosa
más y para la mujer es toda su existencia. Los hombres
rechiflan al oír esto pero las chicas aplauden y les dicen que
en todos los libros de psicología se habla de que los muchachos de la misma edad de ellas van tres años atrás en desa-
rrollo mental aunque en este salón hay unos que deben ir
por lo menos seis años atrás y por lo tanto deberían cerrar
la boca. Los chicos tratan de ser sarcásticos, alzan las cejas
y se dicen entre ellos: Oh, da da da, huéleme, estoy desa-
rrollado, pero las chicas se miran entre sí, se encogen de
hombros, se sacuden el pelo y me preguntan en tono altivo
si por favor podemos seguir con la lección.

¿La lección? ¿De qué están hablando? ¿Cuál lección? De
lo único que me acuerdo es de las eternas quejas de los colegiales sobre por qué tenemos que leernos esto y por qué
lo otro, y me enfado, y mi respuesta muda es que se lo tienen
que leer, no joda, porque hace parte del currículo y porque
yo lo ordeno, yo soy el profesor y si no cortan con las quejas y los lloros en las libreta de calificaciones les va a salir
una nota que hará que un cero parezca un regalo de los
dioses porque está uno aquí mirándolos y oyéndolos, los
privilegiados, los elegidos, los mimados, sin más qué hacer

que ir al colegio, salir, estudiar un poquito, ir a la universidad, subirse al tren de hacer plata, volverse unos cuarento-
nes gordos, todavía quejándose, todavía gimiendo, cuando
hay millones de personas en el mundo que darían los dedos
de las manos y los pies por estar en sus pupitres, bien vestiditos, bien alimentaditos, con el mundo agarrado de las bolas.

Eso querría decirles y no se lo diré para que no me acu-
sen de usar un lenguaje impropio y ahorrarme así un ataque de ira como los de Joe Curran. No. No puedo hablar
así porque tengo que encontrar la manera de conseguir un
puesto aquí, un sitio tan diferente del Colegio Vocacional y
Técnico McKee.

En la primavera de 1972 el director del departamento de
inglés, Roger Goodman, me ofrece empleo permanente en
el Colegio de Secundaria de Stuyvesant. Voy a tener cinco
cursos y una asignación locativa en la que, otra vez, me toca
mantener la disciplina en el comedor estudiantil de modo
que nadie arroje envolturas de helado o trocitos de perro
caliente al suelo, aunque acá es permitido que hombres y
mujeres se sienten juntos, y el amor mata el apetito.

Me asignan la tutoría de un pequeño grupo: las primeras nueve mujeres estudiantes, ya en el último grado y listas a graduarse. Son buenas chicas. Me traen café, roscas
de pan, periódicos. Me critican. Me dicen que debería hacerme algo en el pelo, que me deje crecer las patillas, que
estamos en 1972 y debo ir con la onda, ser fresco y cambiar de vestimenta. Me dicen que me visto como un viejo y
que aunque tengo unas canitas no tengo por qué verme tan
viejo. Me dicen que me veo todo tieso y una de ellas me
masajea el cuello y los hombros. Relájese, me dice, no le
vamos a hacer nada, y se ríen como se ríen las mujeres cuando comparten un secreto y se te hace que es acerca de ti.

Dictaré cinco clases al día cinco días a la semana y tendré que memorizar los nombres de ciento setenta y cinco alumnos junto con los de un curso completo bajo mi tutoría el año entrante, otros treinta y cinco, y tendré que ser muy cuidadoso con los alumnos chinos y coreanos con sus sarcasmos: Está bien que no se sepa nuestros nombres, señor McCourt, con lo parecidos que somos todos. O se pueden burlar: *Sí*, y ustedes los blancos son iguales todos.

Sé todo esto desde mis días de profesor suplente, pero ahora veo desfilar a mis alumnos, míos propios, que entran a mi salón este primero de febrero de 1972, fiesta de santa Brígida, y te rezo una oración, Brígida, porque estaré viendo a estos chicos cinco días a la semana durante cinco meses y no sé si estaré a la altura de la tarea. Los tiempos han cambiado y es obvio que estos muchachos de Stuyvesant viven en mundos y épocas completamente distintos a los de los muchachos que conocí en McKee. Hemos tenido guerras y asesinatos desde entonces, los dos Kennedys, Martin Luther King, Medger Evers. Los chicos de Mckee llevaban el pelo corto o en una pompadur engominada hacia atrás estilo cola de pato. Las jóvenes se ponían blusa y falda y se hacían permanentes que les dejaban el pelo tieso como un casco. Los chicos de Stuyvesant llevan el pelo tan largo que la gente en la calle se burla: ¿Cuál será la muchacha? Ja ja ja. Usan camisetas teñidas al batik y *yines* y sandalias para que nadie sepa que vienen de los hogares acomodados de Nueva York. Las jóvenes de Stuyvesant llevan el pelo y los senos sueltos y enloquecen de deseo a los muchachos y se recortan los yines por las rodillas para lograr un efecto chévere de pobreza porque, o sea, ellas cortaron ya con toda esa mierda burguesa.

Oh, *yeah*, son más frescos que los muchachos de McKee porque tienen la vida arreglada. Dentro de ocho meses estarán yendo a las universidades de todo el país, Yale, Stanford, MIT, Williams, Harvard, amos y amas del mundo, y aquí en mi clase se sientan donde les da la gana y se ponen a charlar y es como si yo no existiera, me dan la espalda, otro profesor que les estorba en el camino hacia la graduación y el mundo real. Algunos me miran como diciendo: quién es este tipo. Se repantigan y cabecean y miran por la ventana o al techo. Ahora tengo que captar su atención, así que les digo: Con su perdón, atención por favor. Unos pocos dejan de hablar y me miran. Otros ponen cara de ofendidos por la interrupción y vuelven a lo suyo.

Mis tres cursos de último grado se quejan por el peso del texto que tendrán que cargar todos los días: una antología de la literatura inglesa. Los de penúltimo grado se quejan por el peso de la antología de literatura norteamericana de ellos. Son libros de lujo, con profusión de ilustraciones, ideados para retar, motivar, iluminar y divertir, y son costosos. Les digo a mis alumnos que cargar libros les fortalece la parte superior del cuerpo y que espero que el contenido se les suba al cerebro.

Me miran iracundos. ¿Quién es este sujeto?

Hay guías para profesores tan detalladas y completas que no tengo que hacer el esfuerzo de pensar. Están repletas de ejercicios rápidos, cuestionarios y exámenes que mantengan a mis alumnos en constante estado de tensión nerviosa. Hay cientos de preguntas de elección múltiple, opciones de verdadero y falso, espacios en blanco para llenar, columnas comparativas, órdenes perentorias al estudiante de que explique por qué era Hamlet cruel con su madre, qué quería decir Keats con aptitud negativa, a qué apunta el simbolismo de Melville en su capítulo sobre la blancura de la ballena.

Estoy dispuesto, jovencitos, a agotar los capítulos de Hawthorne a Hemingway, del *Beowulf* a Virginia Woolf.

Esta noche deben leerse los pasajes señalados. Mañana haremos mesa redonda. Puede haber una prueba rápida. O puede que no. Pero no se confíen. El profesor es el único que lo sabe. El martes hacemos una prueba. Dentro de tres martes habrá un examen, uno de los grandes, y sí, va a tener nota. Su libreta de calificaciones depende toda de ese examen. ¿Que también tienen pruebas de física y cálculo? Mi sentido pésame. Esto es lengua inglesa, la reina del currículo.

Y no lo saben, jovencitos, pero estoy armado de sendas guías para las literaturas inglesa y norteamericana. Las tengo aquí seguras en mi maletín, todas esas preguntas que los harán rascarse la pobre cabecita, morder el lápiz, temer el día de entrega de calificaciones y me figuro que odiarme, porque en mis manos está frustrar sus elevadas ambiciones de pasar a la Ivy League. Yo soy el que se atrafagaba en el vestíbulo del hotel Biltmore limpiando para sus padres.

Estamos en Stuyvesant, ¿y no es el mejor colegio de secundaria de la ciudad y, dicen algunos, del país? Ustedes lo escogieron. Pudieron haber ido al colegio del barrio, donde serían los reyes y las reinas, los número uno, los ases de la clase. Aquí son simplemente uno más, en la pelea por unas notas que les suban el precioso promedio para poder pasar raspados a la Ivy League. ¿Es el gran dios, verdad, el tal promedio? Acá abajo, en el sótano de Stuyvesant, deberían levantar un santuario con un altar. En el altar deberían instalar un gran nueve rojo de luz de neón intermitente, prende, apaga, prende, apaga, el sagrado número inicial que buscan desesperadamente en cada nota, y deberían bajar allá a rendir culto y rezar: Oh, Dios, haz que desciendan sobre mí las Aes y los noventas.

Señor McCourt, ¿por qué me puso apenas noventa y tres en la libreta?

Fui generoso.

Pero si hice todas la tareas y entregué las composiciones
que nos puso.

Dos de ellas tarde. Dos puntos menos por cada una.

Pero, señor McCourt, ¿por qué dos puntos?

Así quedó. Esa es tu nota.

Ay, señor McCourt, ¿por qué es tan duro?

No tengo más remedio.

Me ceñía a las guías para profesores. Hacía en clase las
preguntas prefabricadas. Los asaltaba sin previo aviso con
pruebas rápidas y los apabullaba con los sesudos y minu-
ciosos exámenes preparados por los profesores universitarios que arman los textos de secundaria.

Mis alumnos hacían repulsa y trampas y me aborrecían
y yo los aborrecía por aborrecerme. Les descubría los tru-
cos para hacer trampa. Ah, la miradita desentendida de
reojo al examen del vecino. Ah, la tosesita suave en clave
morse para tu novia y la dulce sonrisa de ella al captar la
respuesta de opción múltiple. Si ella está en el pupitre de
atrás tú extiendes los dedos por detrás de la cabeza, tres
veces cinco dedos extendidos quiere decir la pregunta quince, rascarse la sien derecha con el índice quiere decir la respuesta A y otros dedos representan otras respuestas. El salón
es un hervidero de toses y gestos corporales y cuando pillo
a un chanchullero le susurro al oído que más le vale cortar
de una vez si no quiere que le rasgue el examen y lo arroje
a la papelera y le arruine la vida. Soy el amo del aula, el
hombre que jamás haría trampa, oh, no, ni aunque proyec-
taran las respuestas en letras verdes en la cara brillante de
la luna llena.

Todos los días dicto clases haciendo de tripas corazón,
atrincherado detrás de mi escritorio jugando a profesor con
la tiza, el borrador, el lápiz rojo, las guías, el poder de las

preguntas rápidas, la prueba, el examen, hablaré con tu
padre, con tu madre, con el director, voy a dañarle tanto el
promedio, jovencito, que tendrá suerte si pasa a un tecno-
lógico local en Misisipí, armas de amenaza y de dominio.

Un estudiante de último grado, Jonathan, se da golpes
de cabeza en el pupitre y se lamenta: ¿Por qué? ¿Por qué?
¿Por qué? ¿Por qué tenemos que pasar por esta mierda?
Estamos estudiando desde el kínder, trece años, ¿y por qué
nos tenemos que saber el color de los zapatos de la señora
Daloway en su puta fiesta y qué es eso de que Shakespeare
perturba el sordo cielo con infecundas súplicas y qué diablos
es una infecunda súplica y cuándo se quedó sordo el cielo?

Por el aula corren runrunes de alzamiento y yo me para-
lizo. Le dicen *yeah, yeah* a Jonathan, que deja de aporrearse
la cabeza y me pregunta: Señor McCourt, ¿a usted le enseñaron esas cosas en el colegio? y hay otro coro de *yeah yeahs*
y no sé qué decir. ¿Debo decirles la verdad, que no pisé la
secundaria hasta que empecé a dar clases en una, o debo
hacerlos tragarse el embuste de una rigurosa educación en
el bachillerato de los hermanos cristianos en Limerick?

Me salva, o me condena, la intervención de otro estudiante que dice: Señor McCourt, una prima mía estudió en
McKee en Staten Island y me dijo que usted les contó que
no era bachiller y que allá decían que usted era un profe okey
porque contaba historias y charlaba y no los molestaba
nunca con exámenes.

Sonrisas por toda el aula. El profesor ha sido desenmas-
carado. El profesor ni siquiera es bachiller y miren cómo nos
vuelve locos a punta de exámenes y cuestionarios. Quedo
marcado para siempre con el rótulo: profesor que no estudió secundaria.

Y bueno, señor McCourt, yo creía que había que sacar
una licencia para enseñar en esta ciudad.

Así es.

¿Y no hay que tener un diploma universitario?

Así es.

¿Y no hay que graduarse bachiller?

Quieres decir graduarse de bachiller, de bachiller, de de de.

Yeah, yeah. Okey. ¿No hay que graduarse de bachiller para pasar a la universidad?

Me figuro que sí.

Abogado en ciernes interroga maestro, sale airoso, el rumor se propaga a las otras clases. ¡Qué bárbaro!, señor McCourt, ¿no es bachiller y así y todo enseña en Stuyvesant? Chévere, mano.

Y a la papelera van a dar mis guías de enseñanza, mis pruebas rápidas, mis cuestionarios, mis exámenes, mi máscara de profesor sabelotodo.

Estoy desnudo, voy a empezar de nuevo y no sé por dónde.

En los años sesenta y principios de los setenta los estudiantes se ponían distintivos en la solapa, brazaletes y vinchas que exigían igualdad de derechos para las mujeres, los negros, los indígenas americanos y demás minorías oprimidas, la cesación de la guerra de Vietnam, la recuperación de las selvas tropicales húmedas y del planeta en general. Los negros y los blancos crespos se dejaban crecer el pelo al estilo afro, y las túnicas *dashiki* y las camisetas teñidas al batik eran la vestimenta del día. Los universitarios boicoteaban las clases, hacían asambleas, se amotinaban en todas partes, evadían el servicio militar, huían al Canadá o a Escandinavia. Los estudiantes de secundaria llegaban al colegio con imágenes frescas en la mente de las noticias de la televisión: soldados hechos trizas en los arrozales, helicópteros suspendidos en el aire, tambaleantes guerrilleros del Vietcong sacados de sus túneles a punta de bombas, con las manos cruzadas detrás de la cabeza, afortunados por ahora de que no los volvieran a hacer entrar a punta de bombas, e imágenes de la ira en el frente interno: marchas, manifestaciones, al infierno el servicio militar, sentadas, asambleas, estudiantes que caen bajo las balas de la guardia nacional, negros que corren perseguidos por los perros de Bull Connor, arde chico arde, negro es bello, no confíes en nadie de más de treinta años, he tenido este sueño y, para rematar, su presidente no es un bellaco.

En la calle y el *metro* me encontraba con antiguos alumnos del colegio McKee que me contaban de los chicos enviados a Vietnam, héroes al partir y ahora de regreso en bolsas de plástico negras. Bob Bogard me llamó para avisarme del funeral de un chico que había estado en los cursos de ambos, pero no asistí porque sabía que en Staten Island estarían orgullosos de este sacrificio de sangre. Los chicos de Staten Island llenaban más bolsas negras de las que se imaginaban en Stuyvesant. Mecánicos y plomeros tenían que ir al frente de batalla mientras los chicos de las universidades sacudían los puños indignados, copulaban en los campos de Woodstock y se tomaban las aulas.

En el salón de clases yo no lucía ningún distintivo, no tomaba partido. Había suficiente retórica por todos lados y, en mi caso particular, ya tenía suficiente con abrirme paso por el campo minado de cinco clases distintas.

Señor McCourt, ¿por qué no podemos tener clases comprometidas?

¿Comprometidas con qué?

Bueno, usted sabe, con examinar la situación mundial. Con lo que está pasando.

Siempre está pasando algo y podríamos quedarnos años

enteros sentados en esta aula cacareando sobre los titulares de la prensa hasta volvernos locos.

Señor McCourt, ¿no le importan los niños quemados con napalm en Vietnam?

Claro que sí, y me importan los niños de Corea y de China y de Auschwitz y de Armenia, y los niños empalados en las lanzas de las tropas de Cromwell en Irlanda. Les conté lo que había aprendido como profesor de medio tiempo en el Politécnico de Nueva York, en Brooklyn, en mi clase de veintinueve mujeres, la mayoría antillanas, y cinco hombres. Uno de ellos era un señor de cincuenta años que quería obtener un diploma de estudios superiores para poder volver a Puerto Rico y pasar el resto de su vida trabajando por la niñez desamparada. Otro era un joven griego que quería aprender inglés para poder optar a un Ph. D. en literatura renacentista inglesa. Los otros hombres eran tres afronorteamericanos jóvenes, y cuando uno de ellos, Ray, se quejó de que un policía lo había hostilizado en la plataforma del *metro* porque era negro, las antillanas se impacientaron con él. Le dijeron que si se quedaba en casa estudiando no se iba a meter en líos y que ningún niño de ellas se atrevería a llegar a la casa con una historia así. Le partirían la cabeza. Ray se quedó callado. A las mujeres antillanas no se les revira.

Denise, ya al borde de los treinta, solía llegar tarde a clase y yo la amenazaba con reprobarla hasta que me escribió una composición autobiográfica que le pedí que leyera en clase.

Oh, no, no podía hacer eso. Le daría vergüenza que la gente se enterara de que tenía dos niños cuyo padre los había abandonado para volver a Montserrat y nunca les mandaba ni un centavo. No, no le importaría si yo la leía en clase sin contar de quién era.

Había descrito un día de su vida. Se levantaba temprano

a hacer los ejercicios del video de Jane Fonda mientras le daba gracias a Jesús por el don de un nuevo día. Se duchaba, levantaba a los niños, de ocho y seis años, y los llevaba al colegio y enseguida corría a sus clases en el politécnico. Por la tarde salía de allí para su trabajo en un banco del centro de Brooklyn y de allí a la casa de su madre. Ésta ya había pasado por los niños al colegio y Denise no sabría qué hacer sin ella y eso que su madre tenía esa horrible enfermedad que te retuerce los dedos en puros nudos y que Denise no sabía cómo se escribía. Después de llevar los niños a la casa, acostarlos y alistar la ropa del otro día, Denise rezaba al pie de su cama, miraba la cruz, daba a Jesús las gracias por otro día maravilloso y trataba de soñar con Su imagen sufriente.

A las antillanas les pareció un relato maravilloso y se miraron unas a otras tratando de adivinar quién lo había escrito y cuando Ray dijo que él no creía en Jesucristo lo mandaron a callar, qué iba a saber él que vivía haciendo ocio en las plataformas del *metro*. Ellas trabajaban, veían por sus familias y estudiaban, y éste era un país maravilloso donde uno podía hacer lo que quería aunque fuera negro como la noche y si a él no le gustaba podía volverse para el África si es que era capaz de dar con ella sin que la policía lo atropellara.

Yo les decía a las mujeres que eran unas heroínas. Le decía al puertorriqueño que era un héroe y le decía a Ray que si maduraba también podría ser un héroe. Me miraban con cara de asombro. No me lo creían y era fácil adivinar lo que les pasaba por la mente: que hacían simplemente lo que debían, educarse, y que por qué este profesor los estaría llamando héroes.

Mis alumnos de Stuyvesant no quedaron convencidos. ¿A qué venían esas historias de antillanas y de puertorriqueños y de griegos cuando al mundo se lo estaba llevando el diablo?

Porque esas antillanas creían en la educación. Ustedes pueden salir a manifestaciones y alzar los puños, quemar sus tarjetas de reclutamiento y acostarse en la calle para obstaculizar el tráfico, pero en fin de cuentas ¿qué saben ustedes? Para esas señoras antillanas hay algo que importa: la educación. Eso es todo lo que ellas saben. Eso es todo lo que yo sé. Eso es todo lo que necesito saber.

Así y todo, yo tenía la mente confundida y ofuscada y tenía que entender qué estaba haciendo en esas aulas o salirme de allí. Si iba a dictar esas cinco clases no sería dejando que los días se sucedieran en una rutina de gramática, ortografía y vocabulario, de búsqueda de significados de fondo en la poesía y de selección de pasajes literarios para hacer después pruebas de opción múltiple para surtir a las universidades con los mejores y más brillantes estudiantes. Tenía que empezar a disfrutar del acto de enseñar y la única manera de hacerlo era volver a empezar de nuevo, enseñar lo que a mí me gustaba y olvidarme del currículo.

El día en que nació Maggie le dije a Alberta algo que mamá solía decir: que los niños empiezan a ver a las seis semanas, y que si eso era verdad deberíamos llevarla a Irlanda para que su primera imagen fuera de cielos caprichosos, de un chaparrón con el sol brillando al trasluz.

Paddy y Mary Clancy nos invitaron a pasar unos días en su granja de Carrick-on-Suir pero en los periódicos decía que Belfast estaba en llamas, que era una ciudad de pesadilla, y me sentí ansioso de ver a mi padre. Viajé al norte con Paddy Clancy y Kevin Sullivan y en la noche de nuestra llegada caminamos por las calles de la Belfast católica. Las mujeres salían a las aceras a entrechocar las tapas de los cubos de basura para avisarles a los hombres cuando se aproximaba una patrulla del ejército. Nos miraban con sospecha hasta que reconocieron a Paddy, el de los famosos Hermanos Clancy, y pudimos recorrer las calles sin problemas.

Al otro día Paddy y Kevin se quedaron en el hotel mientras yo iba a casa de mi tío Gerard para que él me llevara a Andersonstown. Cuando papá abrió la puerta saludó con una inclinación de cabeza al tío Gerard y no reparó en mí. El tío le dijo: Éste es tu hijo.

Papá preguntó: ¿Es el pequeño Malachy?

No. Soy tu hijo Frank.

El tío Gerard dijo: Qué triste es cuando tu propio padre no te conoce.

Mi propio padre dijo: Entren. Siéntense. ¿Quieren un té?

Ofreció el té pero no dio muestras de ir a prepararlo en su cocina pequeñita hasta que vino una mujer de la puerta de al lado y lo hizo. El tío Gerard me cuchicheó: Mira eso. No mueve un dedo nunca. No lo tiene que hacer, con todas las señoras de Andersonstown atendiéndolo con patas y manos. Todos los días lo tientan con sopas y golosinas.

Papá se fumó su buena pipa pero no tocó la taza de té. Se entretuvo preguntando por mi madre y mis tres hermanos. *Och*, tu hermanito Alphie vino a verme. Un muchacho callado, tu hermanito Alphie. *Och, aye.* Un muchacho callado. ¿Y a ti te va bien allá en América? ¿Cumples con tus deberes religiosos? *Och*, tienes que ser bueno con tu madre y cumplir con tus deberes religiosos.

Me entraron ganas de reírme. Jesús, ¿me está predicando este hombre? Quería decirle: Papá, ¿es que no te acuerdas?

No, para qué. Más me valdría dejar a mi padre con sus demonios, aunque por su tranquilidad con la pipa y la taza de té se podía ver que sus demonios no atravesaban el umbral de su casa. El tío Gerard dijo que nos debíamos ir antes de que la noche cayera sobre Belfast y me pregunté cómo debía despedirme de mi padre. ¿De mano? ¿De abrazo?

Le di la mano porque así habíamos hecho siempre, con excepción de una vez que estuve en el hospital con tifo y él me besó la frente. Ahora deja caer mi mano, me vuelve a recordar que sea un buen muchacho, que obedezca a mi madre y recuerde el poder del rosario cotidiano.

Cuando volvimos a su casa le dije a mi tío que me gustaría dar un paseo por la zona protestante, por la calle Shankill. Meneó negativamente la cabeza. Un tipo callado. Pregunté por qué no.

Porque se darían cuenta.

¿De qué se darían cuenta?

De que eres católico.

¿Y cómo?

Och, se darían cuenta.

Su mujer lo secundó. Ellos se dan maña, dijo.

¿Quieren decir que ustedes se darían cuenta si un protestante pasa por esta calle?

Podríamos.

¿Cómo?

Y mi tío sonrió: Años de práctica.

Mientras nos tomábamos otro té hubo un tiroteo en la calle Leeson. Una mujer gritó y cuando corrí a la ventana el tío Gerard me dijo: *Och*, aleja la cabeza de la ventana. Al menor movimiento, los soldados te la fumigan a bala, tan nerviosos están.

La mujer volvió a gritar y tuve que abrir la puerta. Tenía una niña en sus brazos y otra aferrada a su falda y un soldado la hacía retroceder ladeando el fusil. Ella le rogaba que le permitiera cruzar la calle Leeson hasta donde estaban sus otros niños. Quise ayudarle cargando a la niña que se le aferraba pero apenas fui a levantarla la mujer se le escabulló al soldado y cruzó la calle. El soldado se me dejó venir y me puso la culata del fusil en la frente. Para dentro, irlanducho, si no quieres que te vuele la puta cabeza.

Mi tío y su mujer, Lottie, me dijeron que acababa de cometer una imprudencia y que no le hacía bien a nadie. Me dijeron que, fuera uno protestante o católico, en Belfast había modos de hacer las cosas que los forasteros jamás comprenderían.

Con todo, de regreso a mi hotel en un taxi católico me imaginé vagando libremente por Belfast con un lanzallamas vengador. Le apuntaría al bastardo de la boina roja y lo reduciría a cenizas. Les cobraría a los británicos los ochocientos años de tiranía. Oh, por Cristo Jesús, haría mi parte con una ametralladora calibre cincuenta. Eso iba a hacer, sí, y ya iba a cantar *Roddy McCorley se dispone a morir en el puente de Toome esta mañana,* cuando recordé que esa era la canción de papá y resolví mejor tomarme una pinta tranquila con Paddy y Kevin en el bar del hotel y antes de acostarme llamar a Alberta para que le acercara el micrófono del teléfono a Maggie y así poder llevar los gorgoritos de mi hija a mis sueños.

Mamá vino por vía aérea a pasar unos días con nosotros en el apartamento que alquilamos en Dublín. Alberta salía de compras a la calle Grafton y mamá se paseaba conmigo y Maggie en su cochecito hasta Saint Stephen's Green. Nos sentábamos junto al agua y arrojábamos migas a los patos y gorriones. Mamá decía que era un encanto poder estar en ese sitio de Dublín a finales de agosto con la sensación del otoño que se aproximaba y una que otra hoja muerta cayendo junto a uno y la luz cambiante del lago. Veíamos a los chicos revolcarse en la hierba y mamá decía que qué encanto sería quedarse allí unos años y ver crecer a Maggie con acento irlandés, no que ella tuviera nada en contra del acento norteamericano, pero que si no era un vivo placer oír a esos niños y que le parecía ver a Maggie creciendo y jugando en esa misma hierba.

Cuando le dije que sí, que sería un encanto, tirité todo y mamá me dijo que alguien estaba caminando en mi tumba. Seguimos viendo jugar a los niños y el reflejo de la luz en el agua y ella me dijo: No quieres volver, ¿verdad?

¿Volver adónde?

A Nueva York.

¿Y cómo lo sabes?

No tengo que destapar la olla para saber qué tiene dentro.

El portero del hotel Shelbourne dijo que no sería ninguna molestia vigilar el cochecito de Maggie en la verja de afuera mientras estábamos en el vestíbulo, un jerez para mamá, una pinta para mí, una botella de leche para Maggie en el regazo de mamá. Las dos mujeres de la mesa vecina dijeron que era una ricura, una total ricura sí señor, ay, deliciosa, y que si no era la imagen calcada de la propia mamá. Ah, no, dijo mamá, yo soy apenas la abuelita.

Las mujeres tomaban jerez como mamá pero había tres hombres echándose unas pintas, y por las gorras de paño, las caras coloradas y las manotas rojas se les notaba que eran granjeros. Uno, el de la gorra verde oscura, le dijo a mamá: La chiquita es preciosa, doña, pero usted tampoco está mal.

Mamá se rió y le respondió: Ah, seguro, y usted tampoco está tan mal.

Le juro, doña, que si estuviera mayorcita me escaparía con usted.

Bueno, le dijo ella, y si usted estuviera más jovencito yo le diría que sí.

La clientela del vestíbulo se reía y mamá echó la cabeza hacia atrás y soltó la risa y por el brillo de sus ojos se notaba que la estaba pasando como nunca en la vida. Rió hasta que Maggie empezó a lloriquear y mamá dijo que había que cambiar a la niña y nos teníamos que ir. El hombre de la gorra verde fingió implorarle: *Yerra*, no se vaya, doña. Su futuro está conmigo. Soy un viudo muy rico con una buena granja.

El dinero no lo es todo, le dijo mamá.

Pero tengo un tractor, doña. Podríamos salir a pasear en él, ¿qué tal?

Me tienta, dijo mamá, pero soy todavía una mujer casada, pero cuando me ponga los lutos de viuda usted será el primero en enterarse.

El trato es justo, doña. Vivo en la tercera casa de la izquierda entrando por la costa suroeste de Irlanda, en un sitio estupendo que se llama Kerry.

Ya me han hablado de él, dijo mamá. Es famoso por sus ovejas.

Y tremendos carneros, doña, tremendísimos.

Veo que no se queda corto de respuestas, ¿eh?

Venga a Kerry conmigo, doña, y andaremos las colinas sin decir palabra.

Alberta ya estaba en el apartamento cocinando un estofado de cordero y cuando Kevin Sullivan cayó allá con Ben Kiely, el escritor, alcanzó para todos y hubo vino y canto porque no hay canción en el mundo que Ben no se sepa. Mamá contó la historia de esa tarde en el vestíbulo del hotel Shelbourne. Señor de las alturas, dijo, ese hombre tenía su atractivo y si no fuera porque había que cambiar y limpiar a Maggie yo ya iría rumbo a Kerry.

En los años setenta mamá era una sesentona. El enfisema producido por años de fumar la tenía tan asfixiada que temía salir de su apartamento, y cuanto más se quedaba en casa más peso ganaba. Durante un tiempo estuvo viniendo a Brooklyn a cuidar a Maggie los fines de semana pero dejó de hacerlo cuando no fue capaz de subir más las escaleras del *metro*. Yo la acusaba de no querer ver a su nieta.

Claro que quiero verla pero ya me cuesta mucho trabajo moverme.

¿Por qué no tratas de bajar de peso?

Es difícil cuando una está ya entrada en años, y de todas maneras para qué.

¿No quieres tener otra vida que no sea sentarte en tu apartamento a mirar por la ventana todo el día?

Ya viví mi vida, ¿no? ¿Y de qué me sirvió? Ahora sólo quiero que me dejen en paz.

Sufría ataques que la dejaban resollando y cuando fue a visitar a Michael a San Francisco él la tuvo que llevar de urgencia al hospital. Le decíamos que nos estaba arruinando la vida con ese modo de enfermarse en los días de fiesta, en Navidad, en Año Nuevo, en Semana Santa. Ella se encogía de hombros, se reía y nos decía: De veras los compadezco.

No importaba su estado de salud, no importaba lo asfixiada que estuviera, subió la cuesta para ir al bingo de Broadway hasta la noche en que se cayó y se fracturó la cadera. Después de la operación la enviaron a una casa de convalecencia al norte del estado y después pasó un tiempo conmigo en un bungaló de verano en Breezy Point, en la

península de Rockaway. Todos los días dormía hasta tarde
y cuando despertaba se recostaba sobre un lado de la cama
para mirar un muro al otro lado de la ventana. Pasado un
rato arrastraba los pasos hasta la cocina para tomar el desayuno y cuando yo la regañaba por comer demasiado pan
con mantequilla, que se iba a poner del tamaño de la casa,
ella me replicaba en el mismo tono: Por el amor de Cristo,
déjame en paz. El pan con mantequilla es el único placer
que me queda.

52

Cuando Henry Wozniak dirigía el taller de creación literaria y daba clases de inglés y literatura norteamericana, todos los días llegaba vestido de camisa, corbata y chaqueta deportiva. Era asesor docente de *Caliper*, la revista literaria del colegio de Stuyvesant, y de la Organización General Estudiantil, además de ser miembro activo del sindicato, la Federación Unida de Maestros.

Cambió. El primer día de clases en septiembre de 1973 llegó tronando por la calle 15 en una motocicleta Harvey Davidson y la estacionó en la acera del colegio. Los alumnos le decían: Hola, señor Wozniak, aunque difícilmente lo reconocían de cabeza rapada, arete, chaqueta de cuero negro, camiseta negra sin cuello y unos yines desteñidos y tan ajustados que podrían prescindir del cinturón ancho de hebilla grande, con un manojo de llaves que colgaba del cinturón, y botas negras de tacón grueso.

Les devolvía el hola a los alumnos pero seguía de largo y sonreía como cuando quería dar a entender que lo tenía sin cuidado que lo apodaran el Woz. Ahora se mostraba reservado con ellos y con los otros profesores junto al reloj registrador. Le dijo a Roger Goodman, el director del departamento de inglés, que quería dictar clases de inglés comunes, que hasta estaba dispuesto a aceptar estudiantes de primero y segundo para instruirlos en gramática, ortografía y vocabulario. Renunció ante el director del colegio a las demás actividades no docentes.

Debido a lo de Henry, me convertí en profesor de creación literaria. Eres capaz, me dijo Roger Goodman, y me invitó a cerveza y hamburguesa en el bar de la esquina para infundirme ánimos. Puedes con eso, me dijo. Al fin y al cabo, ¿no había escrito yo artículos para el *Village Voice* y otros periódicos y no tenía planes de seguir escribiendo?

Está bien, Roger, ¿pero qué diablos es la asignatura de creación literaria y cómo se enseña?

Pregúntale a Henry, me dijo Roger. Él ya lo hizo antes que tú.

Encontré a Henry en la biblioteca y le pregunté cómo se enseñaba creación literaria.

Disneylandia, me dijo.

¿Qué?

Haz un viaje a Disneylandia. Todo profesor debería hacerlo.

¿Por qué?

La experiencia te despeja horizontes. Mientras tanto, recuerda la rima infantil y adóptala como tu mantra:

Pastorcita perdió sus ovejas
y no sabe por dónde andarán.
No te preocupes, que si las dejas solas
meneando la cola volverán*.

Eso es todo lo que me dijo Henry y, salvo el ocasional hola en los corredores, no volvimos a cruzar palabra.

---

* *Little BoPeep has lost her sheep/ And doesn't know where to find them./ Leave them alone and they will come home/ Wagging their tails behind them.*

Escribo mi nombre en el pizarrón y pienso en el comentario del señor Sorola según el cual el cincuenta por ciento de la enseñanza es método, y si es así, ¿qué método emplear? Esta materia es optativa, y eso quiere decir que están acá por gusto propio y que si les pido que escriban algo no se van a quejar.

Tengo que darme un respiro. Escribo en el pizarrón: Piras funerarias, doscientas palabras, comiencen.

¿Qué? ¿Piras funerarias? ¿Qué clase de tema para escribir es ése? ¿Y qué es, pues, una pira funeraria?

Saben qué es un funeral, ¿no? Saben qué es una pira. Han visto fotos de mujeres en la India subiéndose a las piras funerarias de sus esposos, ¿no? A eso se le dice *sutí*, una palabra nueva para su vocabulario.

Una muchacha exclama: Es asqueroso, realmente asqueroso.

¿Qué?

Mujeres que se matan porque sus maridos han muerto. Qué falla.

Ellas creen en eso. Y tal vez sea una prueba de amor.

¿Y cómo van a darle prueba de su amor si el tipo está muerto? ¿Esas mujeres no tienen autoestima?

Claro que sí, y la demuestran mediante el acto del *sutí*.

El señor Wozniak jamás nos hubiera pedido que escribiéramos sobre esas cosas.

El señor Wozniak ya no está, así que escriban doscientas palabras sobre eso.

Escriben y me entregan sus cuartillas y me doy cuenta de que he empezado con el pie izquierdo, aunque también sé que el día que quiera una discusión animada de la clase siempre podré recurrir al *sutí*.

Los sábados por la mañana mi hija Maggie ve dibujos animados en la televisión con su amiguita de unas casas más abajo, Claire Ficarra. Se ríen, gritan, se agarran, saltan mientras leo el periódico en la cocina con gesto despectivo. Entre los parloteos de ellas y el ruido de la televisión capto trozos de la típica mitología norteamericana sabatina: nombres que se repiten semana tras semana, el Correcaminos, el Pájaro Loco, el Pato Donald, la familia Partridge, Bugs Bunny, la pandilla Brady, Tuco y Tico. La idea de una mitología me ablanda el gesto despectivo y voy con mi café a unírmeles a las niñas frente al televisor.

Oh, papi, ¿vas a ver con nosotros?

Sí.

Wow, Maggie, dice Claire, tu papi es lo máximo.

Estoy con ellas porque me han ayudado a juntar a la fuerza dos personajes disímiles: Bugs Bunny y Ulises.

Maggie había dicho: Bugs Bunny, cómo es de malo con Elmer Gruñón, y Claire había dicho: *Yeah*, Bugs es buena persona y tan gracioso y lo avispado que es y no sé por qué es tan malo con Elmer.

Cuando volví al colegio el lunes anuncié el gran descubrimiento de las similitudes entre Bugs Bunny y Ulises: que eran marrulleros, románticos, astutos y encantadores, que Ulises fue el primer evasor del servicio militar mientras que Bugs no daba pruebas de haber servido a su país o de haber hecho nada por nadie que no fueran travesuras, que la única diferencia entre ellos era que Bugs simplemente pasaba de una travesura a otra mientras que Ulises tenía una misión: la de volver con Penélope y Telémaco.

No sé que me movió a hacer la pregunta que hizo estallar el aula: ¿Cuando eran niños qué veían los sábados por la mañana?

Hubo un griterío de Mickey Mouse, Tom y Jerry, Superratón, Oswaldo el conejo, perros, gatos, ratones, monos, pájaros, hormigas y gigantes.

Alto. Alto.

Repartí por el aire trozos de tiza. A ver, tú y tú, pasen al pizarrón. Escriban los nombres de esos dibujos animados y esos programas. Agrúpenlos por categorías. Esto es lo que los eruditos estarán analizando dentro de mil años. Esta es nuestra mitología. Bugs Bunny. El Pato Donald.

Las listas cubrían todos los pizarrones y faltaba espacio. Podrían haber cubierto el suelo y el techo y haberse prolongado por el corredor, treinta y seis alumnos por aula dragando el sedimento de una infinidad de programas de los sábados por la mañana. Grité por encima del bullicio: ¿Tenían esos programas música o canciones?

Otro griterío. Canciones, tarareos, música incidental, recreaciones de las escenas y episodios preferidos. Podrían haberse quedado cantando y recitando y actuando después del timbre y hasta bien entrada la noche. Copiaban las listas de los pizarrones en los cuadernos y sin preguntar por qué, sin quejarse. Se decían entre sí y me decían a mí que no podían creer que hubieran visto tanta televisión en la vida. Horas y horas enteras. *Wow.* Les pregunté que cuántas horas y dijeron que meses, años tal vez. Otra vez *wow.* A los dieciséis años probablemente habías pasado tres años de tu vida frente al televisor.

53

Antes de nacer Maggie yo soñaba con ser un papá Kodak. Dominaría la cámara para armar un álbum de fotos memorables: Maggie acabada de nacer, Maggie en el primer día de kínder, Maggie graduándose del kínder, de la primaria, de la secundaria y, por sobre todo, de la universidad.

La universidad no iba a ser uno de esos vastos complejos urbanos estilo Universidad de Nueva York, Fordham, Columbia. No, mi linda niña pasaría años en una de esas primorosas instituciones de Nueva Inglaterra tan exclusivas que les parece vulgar la Ivy League. Ella iba a ser rubia y bronceada y se pasearía por los prados con un astro deportivo episcopaliano del *lacrosse*, heredero de una familia cultísima de Boston. Él se llamaría Doug. Tendría ojos azules, espaldas poderosas, mirada sincera y directa. Me llamaría señor y me aplastaría la mano al saludarme con efusiva hombría. Se casaría con Maggie en la austera iglesia episcopal de piedra del campus y los despedirían, con confeti bajo un arco de raquetas de *lacrosse*, el deporte de la mejor gente.

Y allá iba a estar yo, orgulloso papá Kodak, esperando mi primer nieto, mitad irlandés católico, mitad episcopaliano culto bostoniano. Habría un bautizo y una fiesta al aire libre y yo estaría allá disparando mi kodak a los pabellones blancos, las mujeres de sombrero, todo el mundo en colores pastel, Maggie y el niño, comodidad, clase, seguridad.

Eso soñaba yo mientras le daba el biberón, le cambiaba los pañales, la bañaba en el fregadero de la cocina, le grababa los eructos infantiles. En los tres primeros años la aseguraba en una canastilla y la sacaba de paseo en mi bicicleta por Brooklyn Heights. Cuando aprendió a dar los primeros pasos la llevaba al parque de juegos y mientras ella descubría la arena y a los otros niños yo escuchaba con disimulo a las madres que me rodeaban. Hablaban de los niños, los maridos, de que no veían la hora de retomar sus carreras en la vida real. Bajaban la voz hasta un susurro para hablar de sus amoríos y me entraba la tentación de arrimármeles más. No. Ya les parecía sospechoso. ¿Quién era este sujeto que se sentaba con las mamás una mañana de verano cuando los hombres de verdad estaban trabajando?

No sabían que yo era de humilde cuna y que me valía de mi esposa y mi hija para inmiscuirme en su mundo. Les preocupaba algo que iba a venir antes del kínder, el preescolar, y yo iba aprendiendo que a los niños hay que tenerlos ocupados. Unos pocos minutos de arrebato en la caja de arena están okey, pero en realidad hay que estructurar y vigilar los juegos. Eso de la estructuración nunca termina. Si el niño es muy activo hay que preocuparse. ¿Callado? Igual preocupación. Todos son comportamientos antisociales. Los niños tienen que aprender a adaptarse o sufrir las consecuencias.

Yo quería enviar a Maggie a la escuela pública o incluso a la escuela católica de nuestra calle, pero Alberta insistió en un caserón forrado en hiedra que antaño había sido un colegio de niñas episcopalianas, y me faltó tesón para dar la pelea. Esta escuela sería más decente y conoceríamos gente de más calidad.

Ah, sí que la conocimos. Había corredores de bolsa,
banqueros de inversión, ingenieros, herederos de rancias
fortunas, profesores universitarios, obstetras. Había fiestas
donde me preguntaban: ¿Y usted qué hace? y cuando decía
que era maestro me daban la espalda. No importaba que
tuviéramos una hipoteca sobre una casa de ladrillo en
Cobble Hill, que viviéramos a la par con otros matrimonios
en ascenso social, exponiendo a la vista de todos nuestros
ladrillos, nuestras vigas, nuestras propias personas.

Todo eso me agobiaba. No sabía cómo ser esposo, padre, casero con dos inquilinos, miembro certificado de la
clase media. No sabía cómo actuar, cómo vestirme, cómo
charlar sobre el mercado de valores en las fiestas, cómo jugar
squash o golf, como dar un apretón de manos testosterónico
y mirar a los ojos a mi interlocutor y decirle: Un placer conocerlo, caballero.

Cuando Alberta decía que quería cosas buenas, yo no le
entendía. O no me interesaba. Ella quería ir a comprar antigüedades a la avenida Atlantic y yo quería conversar con
Sam Colton en su librería de la calle Montague o ir a tomarme una cerveza con Yonk Kling al Blarney Rose. Alberta
hablaba de mesas reina Ana, aparadores Regencia y agua-
maniles victorianos y a mí todo eso me importaba el pedo
de un violinista. Sus amigos hablaban de buen gusto y me
acorralaban cuando les decía que el buen gusto es lo que
brota tras la muerte de la imaginación. El buen gusto enra-
recía el aire y yo sentía que me asfixiaba.

El matrimonio se había convertido en una riña perpetua
y Maggie estaba atrapada en la mitad. Después de clases
tenía que seguir todos los días la rutina heredada de una
abuela yanqui de Rhode Island. Te cambias, tomas leche,
comes galletas, haces los deberes de la escuela porque no
saldrás de esta casa hasta que termines. Eso debes hacer. Eso

hacía tu madre. Luego puedes jugar con Claire hasta la hora de comer, cuando tendrás que ir a la mesa con unos padres que se tratan con urbanidad sólo porque tú estás ahí.

Las mañanas eran la redención de las noches. Cuando Maggie aprendió a caminar bien y luego a hablar bien, solía entrar sonámbula a la cocina, hablando en sueños de un vuelo con Claire por el vecindario y del aterrizaje en la calle de enfrente. En abril miraba por la ventana de la cocina el magnolio florecido y preguntaba por qué no podíamos tener siempre esos colores. ¿Por qué las hojas verdes espantaban el lindo color rosado? Yo le decía que todos los colores tienen su hora en esta vida y ella parecía contentarse con eso.

Las mañanas con Maggie eran tan doradas o rosas o verdes como las que yo había pasado con mi padre en Limerick. Lo tuve sólo para mí hasta que se marchó. Tuve a Maggie hasta que todo se vino abajo.

Entre semana caminaba con ella hasta la escuela y luego tomaba el tren para ir a dar clase al colegio Stuyvesant. Mis alumnos adolescentes luchaban con problemas hormonales o con problemas familiares, divorcios, litigios por la custodia de los hijos, dinero, drogas, la pérdida de la fe. Yo sentía lástima por ellos y por sus padres. Yo tenía a mi niña perfecta y no iba a pasar esos apuros.

Los pasé y Maggie también. El matrimonio se deshizo. Los católicos irlandeses de barriada no tienen nada en común con las chicas decentes de Nueva Inglaterra que tenían cortinitas en las ventanas del cuarto, que llevaban guantes blancos hasta los codos e iban a las fiestas de grado con niños decentes, que aprendieron etiqueta con monjitas francesas que les decían: Niñas, la pureza es como un jarrón roto. Pueden repararlo, pero la rajadura siempre queda. Los católicos irlandeses de barriada recordarían lo que decían sus padres: Con la barriga llena todo es poesía.

Los irlandeses mayores ya me lo habían dicho, y mi madre advertido: No te separes de los tuyos. Cásate con una de las tuyas. Más vale malo conocido que bueno por conocer.

Cuando Maggie tenía cinco años me marché de la casa y me hospedé en casa de un amigo. La cosa no duró. Me hacían falta las mañanas con mi hija. Me hacía falta sentarme en el suelo frente a la chimenea a contarle cuentos y a oír el disco de *Sergeant Pepper's Lonely Hearts Club Band*. Después de tantos años podría sin duda trabajarle un poco más a este matrimonio, usar corbata, acompañar a Maggie a las fiestas de cumpleaños por todo Brooklyn Heights, encantar a las señoras, jugar *squash*, simular interés por las antigüedades.

Caminaba con Maggie hasta la escuela. Le cargaba la mochila con los libros mientras ella llevaba su fiambrera de Barbie. A punto de cumplir los ocho años me anunció: Mira, papi, yo quiero ir a la escuela con mis amiguitas. Se estaba distanciando, desde luego. Se independizaba, se salvaba. Seguramente sabía que su familia se estaba desbaratando, que su padre pronto se iría para siempre como había hecho hacía tiempo el padre de él, y me marché definitivamente una semana antes de su octavo cumpleaños.

54

Cuando veo las sobrecubiertas de libros enmarcadas en la pared del bar Lion's Head me atenaza la envidia. ¿Me colgarán algún día ahí? Los escritores recorren el país firmando libros, saliendo en los programas de variedades de la televisión. Tienen fiestas y mujeres y amores en todos lados. La gente les presta oído. Nadie les presta oído a los profesores. Los compadecen por sus tristes sueldos.

Pero hay días grandiosos en el aula 205 del Colegio de Secundaria de Stuyvesant, cuando al discutir un poema entra un resplandor blanco y todo el mundo entiende el poema y entiende que lo entiende, y cuando el resplandor se apaga nos sonreímos unos a otros como viajeros que regresan.

Mis alumnos no lo saben, pero esa aula es mi refugio, mi fuerza a veces, el escenario de mi niñez aplazada. Nos enfrascamos en las ediciones glosadas de *Los cuentos de la Madre Oca* y *Alicia en el país de las maravillas*, y cuando los alumnos traen los libros de su infancia la dicha cunde por el aula. ¿Tú también te leíste ese libro? *Wow*.

Un *wow* en un aula es señal de que algo está pasando.

No se habla de pruebas ni de exámenes, y si hay que poner notas para satisfacer a los burócratas, bueno, los estudiantes son capaces de calificarse ellos mismos. Sabemos de qué se trata *Caperucita Roja*: si no le haces caso a tu madre vas a toparte ese lobo feroz y tendrás líos, mano, líos,

y, o sea, cómo así que todo el mundo se queja de la violencia
en la televisión y nadie dice una palabra de la crueldad del
padre y la madrastra de *Hansel y Gretel*, ¿o no?

En la parte de atrás se oye la voz airada de un muchacho: Los padres son unos imbéciles.

Y durante una clase entera hay una acalorada discusión
sobre *Humpty Dumpty*.

Humpty Dumpty estaba en el muro,
Humpty Dumpty se cayó muy duro.
Ni todos los caballos ni los hombres del rey
consiguieron armar al calvito otra vez*.

Y bueno, ¿de qué trata esta rima infantil?, les pregunto.
Se alzan varias manos. Bueno, o sea, hay este huevo que se
cae de un muro y si estudias biología o física sabes que es
imposible volver a armar un huevo. O sea, es cuestión de
sentido común.

¿Quién dijo que era un huevo?, pregunto yo.

Claro que es un huevo. Todo el mundo sabe eso.

¿Dónde dice que es un huevo?

Se ponen a pensar. Buscan huevo en el texto, cualquier
mención, un indicio siquiera. No se rinden.

Se alzan otras manos, hay alegatos apasionados en favor del huevo. Toda la vida conocieron la rima sin dudar
nunca de que *Humpty Dumpty* fuera un huevo. Ya están
hechos a la idea del huevo y no ven a qué vienen los profesores a destruirlo todo con un análisis.

No estoy destruyendo nada. Sólo quiero saber de dónde
sacaron la idea de que *Humpty* es un huevo.

Porque, señor McCourt, así sale en todas las ilustracio-

---

* *Humpty Dumpty sat on a wall./ Humpty Dumpty had a
great fall./ All the king's horses, all the king's men/ Couldn't put
Humpty together again.*

nes y el que dibujó la primera de todas seguramente conocía al autor de los versos o si no no lo hubiera pintado como un huevo.

Está bien. Si están contentos con la idea del huevo dejémoslo así, pero sé que los futuros abogados de la clase nunca van a aceptar huevo donde no hay indicios de huevo.

Con tal que no los amenace con las calificaciones se sienten a gusto con el tema de la infancia y cuando les sugiero que escriban sus propios libros infantiles no se quejan ni oponen resistencia.

Oh, *yeah, yeah*, qué gran idea.

Deben escribir, ilustrar y encuadernar los libros, obras inéditas, ojo, y cuando los terminen los llevaré a la escuela elemental de la Primera avenida para que los lean y evalúen los verdaderos críticos, los lectores de esa clase de libros, los niños de tercero y cuarto de primaria.

Oh, *yeah, yeah*, los pequeñines, eso sería lo más tierno.

Una helada mañana de enero la maestra trae a los pequeñines a Stuyvesant. Ah, jiií, mírenlos. Qué ter-nu-ra. Mírenles los abriguitos y las orejeritas y los mitoncitos y las boticas de colores y las caritas ateridas. Ay, qué ternura.

Exhibimos los libros en una mesa larga, libros de todos los tamaños y formas, y el salón se pinta de colores. Mis alumnos se sientan y se ponen de pie y les ceden el puesto a los pequeñines, que se sientan en los pupitres con los pies colgando por encima del suelo. Uno por uno vienen a la mesa a escoger el libro que leyeron y ahora van a comentar. Ya les he advertido a mis alumnos que los niños son malos para mentir, que por lo pronto sólo saben la verdad. Leen de unas hojas que la maestra les ayudó a preparar.

El libro que me leí se llama *Petey y la araña espacial*. El libro está okey menos por el principio, la mitad y el final.

El autor, un alto estudiante de penúltimo año, sonríe débilmente y mira al techo. Su novia lo abraza.

Otro crítico: El libro que me leí se llama *Allá lejos*, y no me gustó porque la gente no debe escribir de la guerra y de gente que se dispara en la cara y que va al baño en los pantalones porque tiene miedo. La gente no debe escribir de esas cosas cuando puede escribir de cosas buenas como las flores o los panqueques.

Hay una gran aplauso para el pequeño crítico por parte de sus condiscípulos, y un silencio pétreo por parte de los alumnos de Stuyvesant. El autor de *Allá lejos* traspasa a su crítico con la mirada.

La profesora les había pedido a los alumnos que respondieran la pregunta: ¿Comprarías este libro para ti o para otra persona?

No, no compraría este libro para mí ni para otra persona. Yo ya lo tengo. Lo escribió Doctor Seuss.

Los condiscípulos del crítico se ríen y la maestra les dice que chito pero no pueden parar y el plagiario, sentando en el reborde de la ventana, se pone rojo y no sabe dónde poner la vista. Es un mal chico, hizo algo incorrecto, les dio a los pequeñines un justo motivo de burla, pero yo quisiera confortarlo porque sé por qué hizo algo indebido: que mal podía estar de humor para escribir libros infantiles mientras sus padres se separaban en plenas vacaciones de Navidad, que está atrapado en medio de un cruel juicio de custodia, que no sabe qué hacer cuando la madre y el padre tiran de él en direcciones opuestas, que tiene ganas de huir a Israel, a casa de su abuelo, que con todo esto la única manera de hacer la tarea de inglés es engrapar unas cuantas hojas en las que ha copiado un cuento de Doctor Seuss e ilustrarlas con dibujos de palitos, que pasa seguramente por el peor momento de su vida y que cómo va a soportar la humillación de haber sido pillado in fraganti por la astucia de un niño de tercero que está ahí burlándose delante de todos. Me mira desde el otro lado del salón y yo meneo la cabeza esperando que entienda que yo entiendo. Siento que debería ir a donde él, rodearlo con el brazo, consolarlo, pero me contengo porque no quiero que ni los niños de primaria ni los de los últimos años de secundaria crean que apruebo los plagios. Por el momento tengo que estar de parte de la moralidad y dejarlo que sufra.

Los pequeñines se ponen sus ropas de invierno y se marchan y en mi salón hay calma. Un autor de Stuyvesant víctima de críticas adversas dice que ojalá esos mocosos se pierdan en la nieve. Otro, estudiante de penúltimo grado Alex Newman, dice sentirse muy bien porque su libro fue elogiado pero que lo que esos niños les hicieron a varios escritores no tiene nombre. Dice que algunos de ellos son unos asesinos, y en el aula se oyen voces de asentimiento.

Pero quedan ablandados para la literatura norteamericana del último año, listos para las peroratas de *Pecadores en manos de la ira de Dios*. Recitamos a Vachel Lindsay y a Robert Service y a T. S. Eliot, quien puede ser reclamado desde ambos lados del Atlántico. Contamos chistes porque un chiste es un cuento breve con una mecha y una explosión. Viajamos de regreso a la niñez en busca de juegos y rimas callejeras, y los educadores que nos visitan se preguntan qué es lo que pasa en el aula.

Y cuénteme, señor McCourt, ¿cómo prepara eso a nuestra juventud para la universidad y para las exigencias de la sociedad?

55

En la mesita de noche de mamá había frascos de pastillas, de tabletas, de cápsulas, de jarabes, tómese esto para aquello y aquello para esto tres veces al día si no cuatro, pero no si tiene que conducir o manejar maquinaria pesada, tómese antes con y después de las comidas, absténgase de consumir alcohol y otros estimulantes y asegúrese de no confundir las medicinas, cosa que mamá hacía, cambiando las píldoras del enfisema por las del dolor de su nueva cadera y las píldoras para dormirse o despertarse y la cortisona que la hinchaba y le hacía crecer pelos en la barbilla de modo que le tenía pánico a salir de casa sin su pequeña máquina de afeitar de plástico azul por si se quedaba demasiado tiempo lejos y le salía pelo por todas partes y eso sería la vergüenza de su vida, sí señor, la vergüenza de su vida.

La municipalidad nos facilitó una mujer que la cuidaba, la bañaba, le cocinaba y la sacaba a caminar cuando mamá estaba en condiciones de hacerlo. Cuando no estaba en condiciones se ponía a ver televisión y la mujer la acompañaba, aunque más adelante nos informó que mamá pasaba la mayor parte del tiempo con la vista fija en un punto de la pared o mirando por la ventana, deleitándose con las veces que su nieto Conor vino a visitarla y se pusieron a charlar mientras él le instalaba unos barrotes de hierro para dar seguridad a las ventanas.

La señora del municipio ponía en fila los frascos de medicina y le advertía a mamá que debía tomarlas en cierto orden durante la noche, pero mamá lo olvidaba y se confundía tanto qué nadie sabía cómo se había intoxicado así y había que llevarla en ambulancia al hospital de Lennox Hill, donde ahora era bien conocida.

La última vez que estuvo hospitalizada llamé desde el colegio a preguntarle cómo seguía.

Ah, no sé.

¿Cómo así que no sabes?

Estoy harta. Me meten cosas y me sacan cosas.

Y a continuación dijo en voz baja: Si vienes a verme, ¿me harías un favor?

Claro. ¿Qué sería?

No le puedes contar a nadie esto.

No se lo cuento a nadie. ¿Qué quieres?

¿Me traes una maquinita de afeitar azul de plástico?

¿De plástico? ¿Para qué?

Cállate. ¿No podrías traérmela no más y dejar de hacer preguntas?

Se le quebró la voz y se oían sollozos.

Está bien, te la llevaré. ¿Estás ahí?

Le costaba hablar entre tantos sollozos: Y cuando subas entrégale la máquina a la enfermera y no entres hasta que ella te diga.

Esperé mientras la enfermera entraba con la máquina de afeitar y aislaba con mamparas a mamá del resto del mundo. Al salir me dijo al oído: Se está afeitando. Es la cortisona. Tiene vergüenza.

Está bien, dijo mamá, ya puedes entrar y no me hagas preguntas aunque no hiciste lo que te pedí.

¿Qué quieres decir?

Te pedí una máquina azul y me la trajiste blanca.

¿Qué diferencia hay?

Hay una enorme diferencia pero qué vas a saber tú. No quiero hablar más de eso.

Te ves bien.

No estoy bien. Estoy harta, ya te lo dije. Sólo quiero morirme.

Oh, deja ya. Te darán de alta para las navidades. Vas a poder hasta bailar.

Yo no voy a bailar. Mira, mujeres abortando a diestro y siniestro por todas partes del país y yo sin poder morirme siquiera.

¿Y qué en nombre de Dios tienen tú y las abortistas en común?

Se le encharcaron los ojos. Mírame aquí en el lecho, de muerte o no de muerte, y tú mortificándome con teología.

Mi hermano Michael entró a la habitación, venido expresamente de San Francisco. Se quedó al pie del lecho. La besaba y le daba masajes en los hombros y en los pies. Para que te relajes, le dijo.

Estoy relajada, dijo ella. Si estuviera más relajada estaría muerta y eso sí que sería un alivio.

Michael la miró a ella y luego a mí y luego a la habitación y tenía los ojos húmedos. Mamá le dijo que debería estar en San Francisco con su esposa y sus hijos.

Mañana me regreso.

Bueno, pues no valió casi la pena, toda esta viajadera, ¿no?

Tenía que verte.

Ella al fin se quedó dormida y nosotros fuimos a tomarnos unas copas a un bar de la avenida Lexington con Alphie y el hijo de Malachy, Malachy el joven. No hablamos de mamá. Le prestamos atención a Malachy el joven, que tenía veinte años y no sabía qué hacer de su vida. Yo le dije que, como su madre era judía, él podría irse para Israel y alistarse en el ejército. Él me decía que él no era judío pero yo le insistía que sí, que tenía el derecho de retorno. Le dije que si iba al consulado de Israel y les decía que quería alistarse en el ejército israelí eso sería un golpe publicitario para ellos. Figúrate, el joven Malachy McCourt, con un nombre como ése, quiere ingresar al ejército israelí. Saldría en la primera página de todos los periódicos de Nueva York.

Me dijo que no, que no quería que esos árabes locos le volaran el culo. Michael le dijo que no lo iban a enviar al frente, que lo dejarían en la retaguardia, donde pudieran explotarlo con fines publicitarios y que todas esas exóticas chicas israelíes se le iban a tirar encima.

Volvió a decir que no y yo le dije que era una pérdida de tiempo convidarlo a beber cuando no era capaz de hacer algo tan sencillo como enrolarse en el ejército israelí y así labrarse una carrera. Le dije que si mi madre fuera judía yo al menor tris estaría en Jerusalén.

Esa noche volví a la habitación de mamá. Había un hombre al pie de la cama. Era calvo, tenía barba gris y vestía gris terno. Hacía sonar las monedas en el bolsillo del pantalón y le decía a mamá: Usted sabe, señora McCourt, que está en todo su derecho a sentir rabia por estar enferma y que está en todo su derecho a expresarla.

Se volvió hacia mí. Soy su psiquiatra, me dijo.

Yo no tengo rabia, dijo mamá. Sólo quiero morirme y no me dejan.

Me miró: ¿Puedes decirle que se vaya?

Váyase, doctor.

Perdóneme, pero soy su médico.

Váyase.

Salió y entonces mamá se quejó de que no hacían más que atormentarla con sacerdotes y psiquiatras, y dijo que aunque fuera una pecadora ya había hecho la penitencia más de cien veces, que había nacido haciendo penitencia. Me muero por meterme algo a la boca, algo ácido como una limonada.

Le traje un limón artificial lleno de zumo concentrado y lo vertí en un vaso con un poco de agua. Ella lo probó. Te pedí limonada y tú sales con agua.

No, eso es limonada.

Se pone otra vez llorosa. Te pido un favorcito, un favorcito apenas, y tú no me lo puedes hacer. ¿Sería demasiado pedirte que me muevas los pies, eh? Todo el día los he tenido en el mismo punto.

Quisiera preguntarle por qué no los mueve ella, pero eso sólo la haría llorar más, así que se los muevo.

¿Qué tal así?

¿Qué tal qué?

Tus pies.

¿Qué pasa con mis pies?

Te los moví.

¿De veras? Pues yo no sentí nada. No quieres darme limonada. No me mueves los pies. No me traes una maquinita de afeitar azul como Dios manda. Ay, Dios, ¿de que sirve tener cuatro hijos si no consigues que te muevan los pies?

Está bien. Mira. Te estoy moviendo los pies.

¿Mira? ¿Cómo voy a mirar? Me da mucho trabajo levantar la cabeza de la almohada para verme los pies. ¿Ya acabaste de mortificarme?

¿Se te ocurre algo más?

Esto es un horno acá. Abre la ventana.

Pero afuera está helado.

Lloros. No me puedes traer una limonada, no me puedes...

Está bien, está bien. Abro la ventana y la corriente de aire helado de la calle 77 le congela el sudor del rostro. Ella tiene los ojos cerrados y cuando la beso no me sabe a sal.

¿Debo quedarme un rato o incluso pasar la noche acá? Parece que a las enfermeras les da igual. Podría correr esta silla atrás, recostar la cabeza contra la pared y echarme un sueño. No. Da lo mismo irme a casa. Maggie canta mañana con el coro de la iglesia de Plymouth y no quiero que me vea cabeceando y con los ojos rojos.

Durante el camino a Brooklyn siento que debería volver al hospital pero hoy es la fiesta de inauguración del bar de un amigo mío, el Clark Street Station. Se oye música y conversaciones animadas. Me detengo en la puerta. No soy capaz de entrar.

Cuando Malachy me llama a las tres de la mañana no tiene que decir nada. Yo sólo acierto a prepararme un té como hacía mamá cuando ocurría algo desacostumbrado y me siento en la cama en una oscuridad más oscura que las mismas tinieblas a sabiendas de que a estas alturas ya la habrán trasladado a un lugar más frío, a ese cuerpo pálido y robusto que nos trajo a nosotros, sus siete hijos, a este mundo. Me tomo este té hirviente por consuelo, porque aparecen sentimientos que no me esperaba. Creía que sabría tener un dolor de hombre adulto, un duelo culto y fino, un sentimiento elegiaco acorde con la ocasión. No sabía que me iba a sentir como un niño engañado.

Estoy sentado en la cama con las rodillas recogidas contra el pecho y las lágrimas no me afloran a los ojos sino que rompen por dentro, como las olas de un pequeño mar alrededor de mi corazón.

Por vez primera, madre, no tengo la vejiga debajo de los ojos y no sé por qué no.

———

Heme aquí mirando a mi linda hija de diez años, Maggie, en su traje blanco, cantando himnos protestantes con el coro de la Iglesia de los Hermanos de Plymouth cuando debería estar en misa orando por el descanso del alma de mi madre, Ángela McCourt, madre de siete, creyente, pecadora, aunque al recapitular sus setenta y tres años en esta tierra no puedo creer que Dios Todopoderoso en Su trono fuera capaz de soñar siquiera en enviarla a las llamas. A un Dios así no le daría uno ni la hora. La vida de ella fue suficiente purgatorio y sin duda ahora está en el mejor de los lugares con sus tres hijos, Margaret, Oliver y Eugene.

Después del servicio religioso, le digo a Maggie que su abuela murió y a ella le extraña que yo tenga los ojos secos. Tú sabes, papi: Llorar no es malo.

Mi hermano Michael ha vuelto a San Francisco y yo quedé de encontrarme con Malachy y Alphie para desayunar en la 72 oeste, cerca de la funeraria Walter B. Cooke. Cuando Malachy pide un plato abundante, Alphie le dice: No sabía que pudieras comer tanto con tu madre recién muerta, y Malachy le dice: Tengo que alimentar la pena, ¿no?

Después, en la funeraria, nos reunimos con Diana y Lynn, las esposas de Malachy y Alphie. Nos sentamos formando un semicírculo frente al escritorio del asesor de pompas fúnebres. El hombre lleva anillo de oro, reloj de oro, pisacorbatas de oro, anteojos de oro. Saca una estilográfica de oro y nos deslumbra con una dorada sonrisa de pésame. Deposita un gran libro en el escritorio y nos dice que el primero de los féretros es un artículo sumamente elegante y que estaría por los lados de los diez mil dólares o menos, todo un lujo. Nosotros vamos al grano. Le decimos que pase las páginas hasta que llega al último artículo, un ataúd de menos de tres mil dólares. Malachy pregunta: ¿Cuál es el verdadero precio mínimo?

Bueno, caballero, ¿sería para un entierro o una cremación?

Cremación.

Antes de que conteste trato de aligerar el momento contándole a él y a mis familiares la conversación que había tenido con mamá una semana antes.

¿Qué quieres que hagamos contigo cuando te hayas ido?

Oh, me gustaría que me llevaran de vuelta y me enterraran con mi familia en Limerick.

Mamá, ¿sabes el costo de transportar a alguien de tu tamaño?

Bueno, me dijo, entonces redúzcanme.

Al asesor de pompas fúnebres no le hace gracia. Nos dice que podría hacerlo por mil ochocientos dólares, incluyendo el embalsamamiento, exposición y cremación del cadáver. Malachy le pregunta por qué tenemos que pagar el ataúd si de todas maneras lo van a quemar y el hombre le dice que ésa es la ley.

Si es así, dice Malachy, ¿por qué no la metemos en una bolsa de plástico grande y la dejamos en la acera para que el camión de la basura la recoja?

Todos nos reímos. En ese instante, el hombre de la funeraria tiene que salir de la oficina por un momento.

Alphie comenta: Ahí va una vida de extremada afectación y formalismo, y cuando el hombre regresa se siente desconcertado por nuestras carcajadas.

Está decidido. El cadáver de mamá será expuesto durante un día en el féretro para que los niños vean por última vez a la abuela y se despidan de ella. El hombre nos pregunta si queremos alquilar una limusina para ir a la cremación pero nadie, con la excepción de Alphie, está dispuesto a viajar a North Bergen (Nueva Jersey), y hasta él cambia de parecer.

En Limerick mamá tenía una amiga, Mary Patterson, que le decía: ¿Sabes qué, Ángela?

No. ¿Qué, Mary?

Yo no hacía sino pensar cómo me vería muerta, ¿y sabes qué hice, Ángela?

No sé, Mary.

Me puse mi hábito de la tercera orden de san Francisco, ¿y sabes qué hice después, Ángela?

No sé, Mary.

Me acosté en la cama con un espejo a los pies, crucé las manos envueltas en las cuentas del rosario y cerré los ojos, ¿y sabes qué hice después, Ángela?

No sé, Mary.

Abrí un ojo y me eché una miradita en el espejo, ¿y sabes qué, Ángela?

No sé, Mary.

Me veía muy serena.

Nadie puede afirmar que mamá se ve serena en su ataúd. Todas las miserias de su vida están en esa cara abotagada por las drogas del hospital y hay parchecitos de pelo que escaparon a su máquina de afeitar de plástico.

Maggie se arrodilla junto a mí y contempla a la abuela, su primer cadáver a los diez años. Carece de palabras para esto, de religión, de oraciones, y eso es otra tristeza. Sólo puede mirar a su abuela y preguntar: ¿Dónde está ella ahora, papi?

Si el cielo existe, Maggie, está allá y es la reina.

¿El cielo existe, papi?

Si no existe, Maggie, entonces yo no entiendo los caminos de Dios.

Ella no entiende mis disparates y yo tampoco porque se me brotan las lágrimas y ella me vuelve a decir que llorar no es malo, papi.

Cuando tu madre muere no te puedes sentar con cara de pesar a recordar sus virtudes y recibir las condolencias de amigos y vecinos. Tienes que hacer guardia junto al ataúd con tus hermanos Malachy y Alphie y los hijos de Malachy: Malachy, Conor, Cormac, entrelazar los brazos y cantar las canciones que tu madre amaba y las canciones que tu madre aborrecía, porque ésa es la única manera de convencerse de que ha muerto, y cantamos:

El amor de una madre es una bendición.
No importa a dónde vayas, tenla al lado
y disfrútala mientras la tengas viva,
pues la vas a extrañar cuando se haya marchado*.

y:
Adiós, mi amado Johnny. Cuando estés lejos
no olvides a tu vieja y dulce madre
al otro lado del anchuroso mar.
De vez en cuando escríbele
y envíale lo que puedas,
y ten presente siempre
que eres irlandés antes que nada**.

Las visitas se miran entre sí y sabes qué están pensando: ¿Qué clase de duelo es éste en el que hijos y nietos cantan y bailan frente al ataúd de la pobre mujer? ¿Es que no respetan a su madre?

---

* *A mother's love is a blessing/ No matter where you roam,/ Keep her while she's living,/ You'll miss her when she's gone.*
** *Goodbye, Johnny dear, when you're far away,/ Don't forget your dear old mother/ far across the sea./ Write a letter now and then/ And send her all you can/ And don't forget where'er you roam/ That you're an Irishman.*

La besamos y yo le pongo en el pecho un chelín que hacía años le había pedido prestado y cuando caminamos por
el largo pasillo hacia el ascensor me vuelvo a mirarla en su
ataúd: mi madre gris en un ataúd barato gris, el color de la
mendicidad.

56

En enero de 1985, mi hermano Alphie llamó a decirme que los primos en Belfast nos hacían llegar tristes noticias: que nuestro padre, Malachy McCourt, había muerto al amanecer en el hospital Royal Victoria.

No sé por qué Alphie empleó la palabra *tristes*. Yo no sería capaz de describir lo que sentía y recordé un verso de Emily Dickinson: *Después de un gran dolor un sentimiento ceremonioso llega.*

Yo tenía el sentimiento ceremonioso, pero nada del gran dolor.

Mis padres han muerto y ahora soy un huérfano.

De adulto Alphie había visitado a nuestro padre por curiosidad o por amor o por la razón que fuese que tuviera para ver a un padre que nos había abandonado cuando yo tenía diez años y Alphie uno o algo así. Ahora Alphie me decía que volaría esa noche para asistir a las exequias al otro día y en su voz había algo que me decía: ¿No vas a venir?

Eso era más suave que: ¿Vas a venir?, menos exigente, porque Alphie conocía las enmarañadas emociones suyas y de sus hermanos Frankie, Malachy y Michael.

¿A venir? ¿Por qué iba a volar yo hasta Belfast a los funerales de un hombre que se había ido a trabajar a Inglaterra y se había bebido hasta el último penique del sueldo? Si mi madre estuviera viva, ¿habría ido a los funerales de alguien que la había dejado en la indigencia?

No, ella no hubiera ido en persona a los funerales pero me hubiera dicho a mí que fuera. Me hubiera dicho que, a pesar de todo lo que nos había hecho, él tenía esa debilidad, la maldición de la raza irlandesa, y que los padres mueren y se entierran solamente una vez. Me diría que él no era el peor hombre del mundo y que quiénes éramos para juzgarlo, que para eso está Dios, y que su alma caritativa le dictaba encender una vela por él y rezarle una oración.

Volé a las exequias de mi padre en Belfast con la esperanza de descubrir por qué volaba a las exequias de mi padre en Belfast.

Fuimos del aeropuerto a las convulsionadas calles de Belfast: tanques de guerra, patrullas militares que detenían a los jóvenes, los empujaban contra la pared, los cacheaban. Mis primos decían que ahora todo estaba tranquilo pero que con una bomba en cualquier parte, protestante o católica, se armaría poco menos que una guerra mundial. Nadie recordaba ya cómo era caminar por las calles despreocupadamente. Si salías a comprar una libra de mantequilla podías regresar sin una pierna o no regresar. Una vez desembuchado esto, dijeron que era mejor no hablar más de eso. Algún día terminaría todo y ellos saldrían a comprar la libra de mantequilla o por el mero gusto de salir.

Mi primo Francis MacRory nos llevó a ver a nuestro padre tendido en su ataúd en el hospital Royal Victoria y cuando estacionamos frente a la capilla de velación me di cuenta de que yo era el hijo mayor, el principal doliente, y de que todos esos primos me estaban observando, primos que a duras penas recordaba y algunos que nunca había visto: McCourts, MacRorys, Foxes. Tres de las hermanas vivas de papá estaban allí: Maggie, Eva y la hermana Comgall, quien antes de tomar el velo se llamaba Moya. La tía Vera, la otra hermana, estaba demasiado enferma para el viaje desde Oxford.

Alphie y yo, los hijos menor y mayor de aquel hombre en el ataúd, nos arrodillamos en los reclinatorios. Los tíos y las tías miraban a ese par de hombres que habían venido de tan lejos a un misterio y sin duda se preguntaban si sentirían alguna pena.

¿Cómo iba a haber tristeza con mi padre encogido ahí en el ataúd, sin dientes, con la cara hundida y el cuerpo enfundado en un lustroso traje negro con un corbatincito blanco de seda que él hubiera detestado? Todo eso me dio la impresión inesperada de estar viendo una gaviota y me sacudieron unos espasmos de risa contenida tan fuertes que todos los presentes, Alphie incluido, seguramente pensarían que me agobiaba una pena invencible.

Una prima me tocó el hombro y yo hubiera querido darle las gracias pero sabía que si me quitaba las manos de la cara estallaría en un ataque de risa que escandalizaría a todo el mundo y que me expulsarían del clan para siempre. Alphie se santiguó y se puso de pie. Yo logré dominarme, me sequé las lágrimas de risa, me santigüé y me puse de pie para encarar las miradas condolidas en la capillita de velación.

Afuera, en la noche de Belfast, hubo llantos y abrazos de mis frágiles y envejecidas tías. Ay, Francis, Francis, Alphie, Alphie, él los quería mucho a ustedes, ay, sí, los quería, hablaba de ustedes todo el tiempo.

Ah, cómo no, tía Eva y tía Maggie y tía hermana Comgall, y alzó más de una vez la copa para brindar por nosotros en tres países pero no por eso vamos a gemir y lloriquear en un momento así, después de todo es su funeral, y si me pude controlar en presencia de mi padre, esa gaviota en el ataúd, seguramente puedo tener un poquito de dignidad delante de mis tres encantadoras tías y mi infinidad de primos.

Nos agrupábamos dispuestos ya a marcharnos pero me vi obligado a volver a donde mi padre, a desahogarme, a decirle que si no me hubiera reído en mi interior por lo de la gaviota el corazón se me hubiera reventado por todo lo acumulado en el pasado, las imágenes del día en que nos dejó todos esperanzados por el dinero que nos iba a mandar de Inglaterra, los recuerdos de mi madre junto al fuego esperando esa remesa que nunca llegó y pidiendo limosna en la Sociedad de San Vicente de Paúl, los recuerdos de mis hermanos preguntando si podían comerse otra rebanada de pan frito. Todo eso fue obra tuya, papá, y aunque salimos bien librados, tus hijos, digo, condenaste a nuestra madre a una vida de desdicha.

Sólo cabía volver a arrodillarme al pie de su ataúd y recordar las mañanas en Limerick cuando el fuego ardía en la chimenea y él me hablaba pasito para no despertar a mamá y mis hermanos y me contaba de los sufrimientos de Irlanda y de las grandes hazañas de los irlandeses en América y esas mañanas son ahora perlas que se convierten en tres avemarías ahí al pie del ataúd.

Lo enterramos al otro día en una colina con vista sobre Belfast. El sacerdote le rezó y cuando rociaba el ataúd con agua bendita sonaron disparos en alguna parte de la ciudad. Otra vez tiroteándose, dijo alguien.

Hubo una reunión en casa de mi prima Theresa Fox y su marido, Phil. Se habló de los hechos del día, de la noticia dada por radio de que tres hombres del Ejército Republicano Irlandés (Eri) habían tratado de romper una barricada del ejército británico y habían sido muertos por las tropas. En el otro mundo mi padre iba a tener la escolta de sus sueños, tres hombres del Eri, y les iba a envidiar la manera como se habían despedido de esta vida.

Tomamos té con sándwiches y Phil trajo una botella de whisky para que empezaran las anécdotas y el canto, porque no hay nada más que hacer el día en que entierras a tus muertos.

En agosto de 1985, el año en que murió mi padre, trajimos las cenizas de mamá al sitio de su descanso postrero, el cementerio de la abadía de Mungret, en las afueras de la ciudad de Limerick. Mi hermano Malachy estuvo allí presente con su mujer, Diana, y su hijo Cormac. Mi hija Maggie, de catorce años, estuvo allí, al igual que algunos vecinos de los viejos tiempos en Limerick y varios amigos de Nueva York. Nos turnamos para hundir los dedos en la urna de estaño del crematorio de Nueva Jersey y esparcir las cenizas de Ángela sobre las tumbas de los Sheehans y los Guilfoyles y los Griffins, mientras mirábamos cómo la brisa arremolinaba su polvo blanco sobre el gris de los antiguos restos óseos y sobre la propia tierra oscura.

Rezamos una avemaría y no fue suficiente. Ya habíamos salido de la iglesia pero sabíamos que en esa antigua abadía ella y nosotros hubiéramos encontrado alivio y solemnidad en las oraciones de un sacerdote, en el oficio de difuntos apropiado para una madre de siete hijos.

Almorzamos en una taberna de la carretera a Ballinacurra y por lo que comimos y bebimos y nos reímos nadie hubiera sabido que acabábamos de esparcir a nuestra madre, que antaño fuera gran bailarina en el Wembley Hall y conocida por todos por su manera de entonar una buena canción, ay, si primero la dejan recobrar el aliento.